Students' Basic Grammar of Spanish

REVISED EDITION

Students' Basic Grammar of Spanish

REVISED EDITION

Rosario Alonso Raya
Alejandro Castañeda Castro
Pablo Martínez Gila
Lourdes Miquel López
Jenaro Ortega Olivares
José Plácido Ruiz Campillo

First edition: August 2009
Reprint: April 2018

Centro de investigaciones
y publicaciones de idiomas, S.L.
c/Trafalgar, 10, entlo. 1ª
08010 Barcelona
Tel. (+34) 93 268 03 00 / Fax (+34) 93 310 33 40
editorial@difusion.com
www.difusion.com

Authors: Rosario Alonso Raya
Alejandro Castañeda Castro
Pablo Martínez Gila
Lourdes Miquel López
Jenaro Ortega Olivares
José Plácido Ruiz Campillo

Rosario Alonso, Alejandro Castañeda, Lourdes Miquel and Jenaro Ortega's involvement in this edition is linked to the development of project number FFI2009-13107, financed by the Ministry of Science and Innovation.

Coordination and design: Jordi Sadurní Ventura
Editing: Paco Riera Arteaga, Jordi Sadurní i Ventura
Cover design: Oscar García Ortega
Educational consultant: Agustín Garmendia
Documentation: Olga Mias

English edition: Bob Flory, Brian Brennan

Illustrations: David Revilla

Photographs: Pág. 36, 102, 106, 116, 140, 146, 153, 217, 234, 237: autores y familiares. Pág. 44: 1: Rasmus Evensen, Didvision, 2: John Pring (john@johnpringphotography.com), 3: Franco Giovanella (franco@revistanossa.com.br), 4: San San (san@loungefrog.com). Pág. 110: João Estevão A. de Freitas (jefras@netmadeira.com). Pág. 193: Real Ibérico, Consorcio para la Promoción del Jamón Ibérico Español.

Printed by T. G. Soler

ISBN: 978-84-8443-437-5
Legal deposit: B 25797-2013

difusión
Centro de Investigación y Publicaciones de Idiomas, S. L.

Acknowledgements

People who search for grammar books are looking for a map to an unknown land. They are pirates, astronauts, crazy adventurers bent on discovering an entire universe. There is nothing more daring nor more generous than learning a language. It is an endless undertaking, overwhelming and worthy of heroes. Like Adam in the Garden of Eden, you start to name the world afresh. If you have got this far and are holding this grammar book in your hands, you are already one of us. Thank you.

Thanks also to our students of the Centro de Lenguas Modernas of the University of Granada, of the Escuela Oficial de Idiomas-2 in Barcelona and of the Instituto Cervantes in Istanbul, all expedition members on the Safari of learning, for it is really they who have shown us where the sinking sands, the oases, the caves and volcanoes, the wild watercourses and the cool pools of crystal-clear waters are. For it is they who have guided and corrected the lines on this map with the lucid testimony of their grammatical adventures. For it is not they who have learned from this grammar book: it is this grammar book that has learned from them.

Thank you to the inventive genius of David Revilla our artist; thank you for the support, patience and help of Agustín Garmendia and the Difusión production team, thank you for the sensitivity, involvement, understanding and enthusiasm of Jordi Sadurní.

And, above all, we thank our long-suffering families and our temporarily abandoned friends for having put up with our long absences in imaginary countries.

From our long stays in the region of the pronouns, in the jungle of the subjunctive, and on the planet of qué, quién, cuál or in the castle of ser and estar, we returned worse off than we had set out, more aware of the bottomless chasms and on the verge of being seduced by the dark side of the force. Adoración, Alicia, Ángela, Antonio, Arnau, Carlota, Carmen, Carmen, Francisca, Gloria, Héctor, Inma, Juani, Jesús, Lucía, Lucía, Lucía, Luis, Mari, Mopa, Plácido, Puchi, Rosario, Samuel, Teo, Xavier, your contributions are priceless.

The map makers

Index

SECTION 3 Personal pronouns

SECTION 4 Verbs

Introduction

THIS NEW EDITION, which has been duly revised and corrected, updates the GBE in several respects. As a new addition, each exercise now includes an icon indicating the Common European Framework of Reference Level to which it corresponds (A1, A2 or B1). Five new sections exploring the use of reflexive conjugation have been added to Chapter 18 (Reflexive and Assessment Constructions), and spelling has been revised to ensure consistency with Spanish Royal Academy guidelines. Lastly, several changes have been made to improve the work's readability and make it more user-friendly.

What is the SBGS?

The ***Students' Basic Grammar of Spanish*** (SBGS) is a grammar book for students of Spanish at **elementary and intermediate level (A1-B1** in the Common European Framework of Reference) who are looking for clear, useful and practical descriptions of how the Spanish language works.

The key features of the SBGS are:

- It explains the grammatical system of Spanish bearing in mind – both in the grammatical explanations and in the exercises – the **meaning** and real life **use** of the various resources.
- It uses a series of design elements (drawings, colours and other graphic conventions) in a consistent way to support and facilitate the understanding of grammatical features.
- It presents a **thorough, workable** and **reliable** description of the grammar features: the student will be able to apply the rules given in a meaningful and systematic way, as well as to limit possible mistakes.

Structure of the SBGS

The book is organised into seven sections that cover the main aspects of the grammatical system of Spanish: NOUNS AND ADJECTIVES; DETERMINERS; PERSONAL PRONOUNS; VERBS; PREPOSITIONS; SENTENCES, AND SPELLING.

These sections contain various units that alternate between grammar feature explanation files (accompanied by numerous examples and illustrations) and high-impact exercises (that allow the student to practise and check their assimilation of the previous explanation). The different units are linked together by thorough cross-referencing.

The SBGS also provides an **answer key**, **conjugated verb** tables (where you will find the conjugations of regular verbs and an alphabetical list of the most common irregular verbs), and a **thematic index** to make it easier to use and check up on the different grammatical features.

Grammar instructions and language examples

The **grammar instructions** (with few technical terms and a vocabulary adapted to the level), the **diagrams**, the **language examples** that accompany the explanations and the **drawings** have all been devised with the students' perspective in mind. We have taken into account their need to learn grammar in a way that bears in mind the systematic nature of the language, as well as the communicative value of the elements dealt with.

Exercises

The SBGS offers a wide range of exercises involving repetition, interpretation and production, as well as correction of the mistakes common to students' interlanguage, which have been designed and organised in such a way as to make the work **interesting, enjoyable** and **meaning-focused**. The exercises present the language in real and credible contexts and in this way, aid a better comprehension of the way the grammar works. The exercises have closed answers, so that the student can control their own learning by checking the **answer key** in the back of the book.

Educational contexts

As the SBGS is so easy to use and consult, it is an efficient tool for self-study for students at levels A1-B1. However, the SBGS is also useful for students with a more advanced level of Spanish, thanks to the fresh way in which the most common and frequently occurring problems in Spanish have been formulated, and for the reliability and usefulness of the rules provided.

Furthermore, the SBGS can be used regularly in class both to present and to go more deeply into the various grammatical areas and practise them in the classroom context focusing on group correction, which can encourage thoughtful grammatical study.

How the SBGS is organised

■ The SBGS is divided into seven sections which cover the main aspects of the grammatical system of Spanish. Each sections and the **units** it consists of are colour coded:

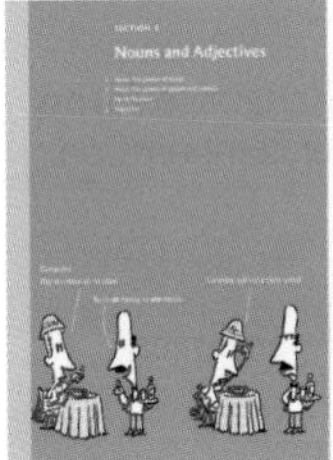

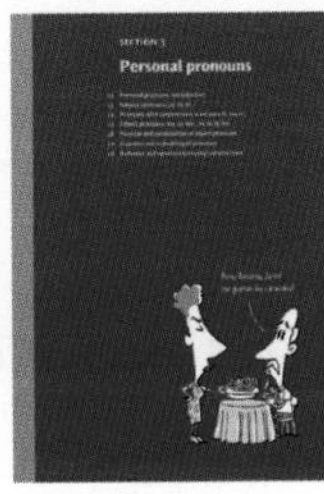

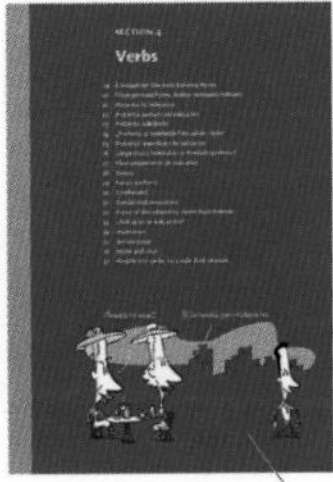

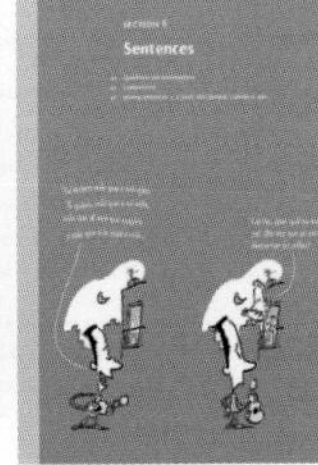

■ The units are organised in **subsections**, where you will find **explanations** and **exercises**:

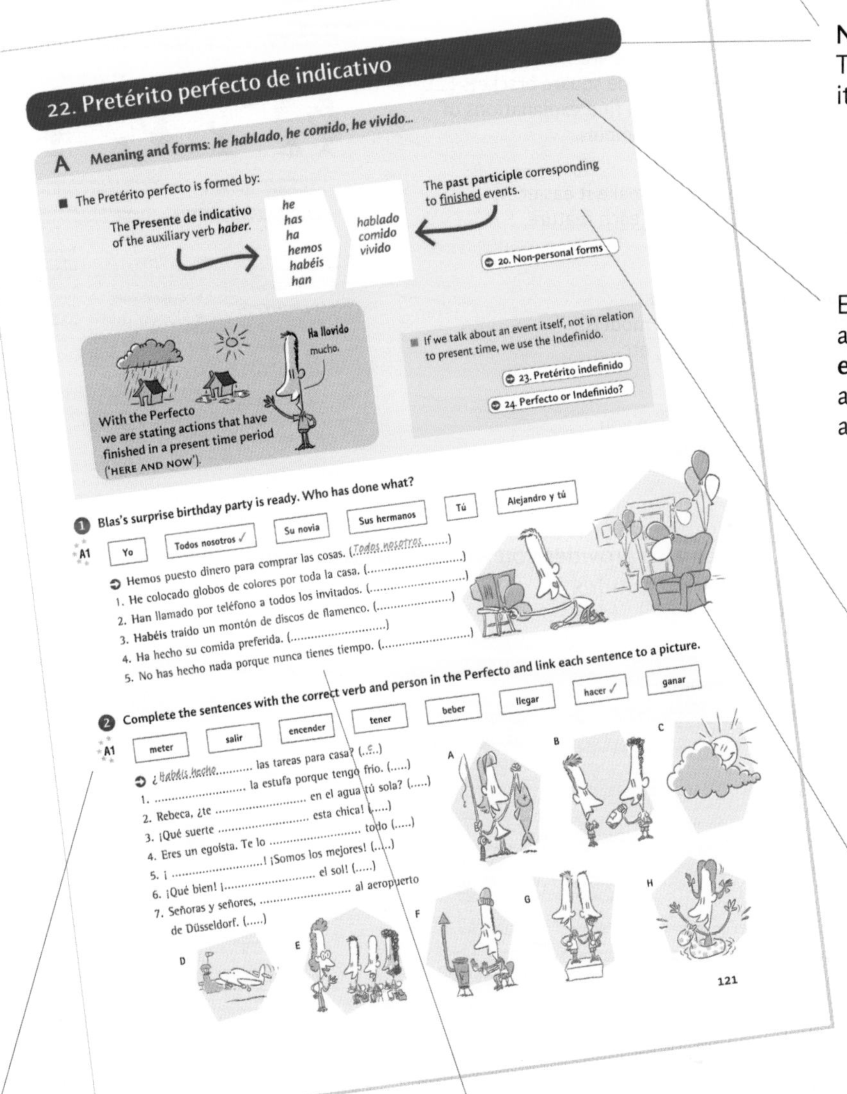

22. Pretérito perfecto de indicativo

A Meaning and forms: *he hablado, he comido, he vivido...*

■ The Pretérito perfecto is formed by:

The **Presente de indicativo** of the auxiliary verb *haber*. → *he / has / ha / hemos / habéis / han* + *hablado / comido / vivido* ← The **past participle** corresponding to finished events.

➲ 20. Non-personal forms

With the Perfecto we are stating actions that have finished in a present time period ('HERE AND NOW').

■ If we talk about an event itself, not in relation to present time, we use the Indefinido.

➲ 23. Pretérito indefinido

➲ 24. Perfecto or Indefinido?

❶ Blas's surprise birthday party is ready. Who has done what?

A1

Yo | Todos nosotros ✓ | Su novia | Sus hermanos | Tú | Alejandro y tú

➲ Hemos puesto dinero para comprar las cosas. (Todos nosotros.......)
1. He colocado globos de colores por toda la casa. (..........................)
2. Han llamado por teléfono a todos los invitados. (..........................)
3. Habéis traído un montón de discos de flamenco. (..........................)
4. Ha hecho su comida preferida. (..........................)
5. No has hecho nada porque nunca tienes tiempo. (..........................)

❷ Complete the sentences with the correct verb and person in the Perfecto and link each sentence to a picture.

A1

meter | salir | encender | tener | beber | llegar | hacer ✓ | ganar

➲ ¿Habéis hecho.......... las tareas para casa? (..C..)
1. .... la estufa porque tengo frío. (.....)
2. Rebeca, ¿te .... en el agua tú sola? (.....)
3. ¡Qué suerte .... esta chica! (.....)
4. Eres un egoísta. Te lo .... todo (.....)
5. ¡ ....! ¡Somos los mejores! (.....)
6. ¡Qué bien! ¡.......................... el sol! (.....)
7. Señoras y señores, ... al aeropuerto de Düsseldorf. (.....)

A B C D E F G H

121

Number and **name** of the unit. The **color** shows you which section it belongs to.

Each **subsection** is indicated by a letter (**A, B, C...**) and provides **explanations** with **examples** and **exercises**. The subsections are listed in the index.

The **explanations** with **examples** are presented in boxes with a cream-coloured background.

In the **exercises**, the language forms are connected to the should pay particular attention to the context and **meaning** of the sentences and texts.

In each exercise, this symbol indicates the Common European Framework of Reference Level (A1, A2 or B1) to which it corresponds.

Following each explanation, there are **exercises** (transformations, comprehension and production) so you can start to use the features that you are studying. You can check your own answers by looking in the **answer key**.

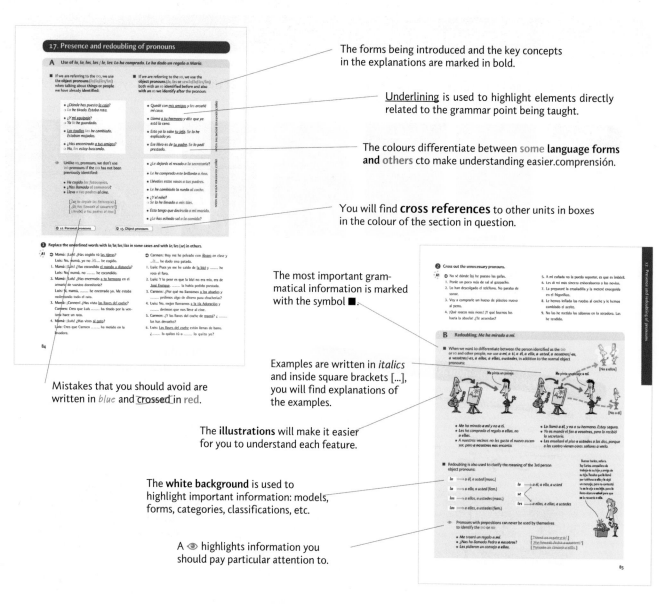

The forms being introduced and the key concepts in the explanations are marked in bold.

Underlining is used to highlight elements directly related to the grammar point being taught.

The colours differentiate between some **language forms and** others cto make understanding easier.comprensión.

You will find **cross references** to other units in boxes in the colour of the section in question.

The most important grammatical information is marked with the symbol ■.

Examples are written in *italics* and inside square brackets [...], you will find explanations of the examples.

Mistakes that you should avoid are written in *blue* and ~~crossed~~ in red.

The **illustrations** will make it easier for you to understand each feature.

The **white background** is used to highlight important information: models, forms, categories, classifications, etc.

A 👁 highlights information you should pay particular attention to.

■ In addition to the units, this grammar book also provides you with **conjugated verb tables**, an **answer key** and a complete **thematic index**:

Conjugated verbs

The **conjugated verb tables** show conjugation models for regular verbs and the most common irregular ones. The stressed syllable is underlined. Irregularities are shown in **green**.

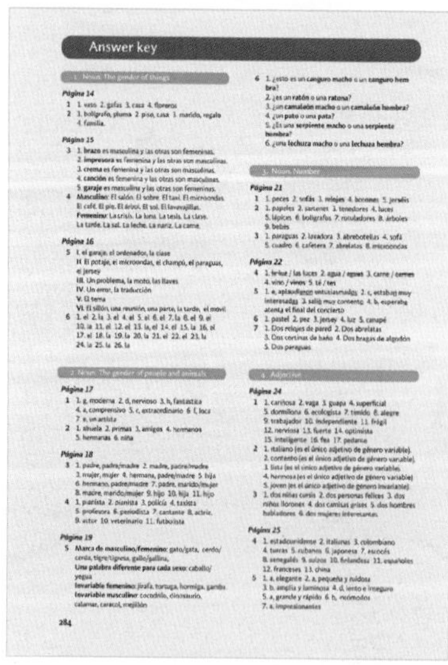
Answer key

With the page, unit and exercise numbers you can look up the answers in the exercise **answer key**.

Thematic index

The **thematic index** will help you to easily find any feature dealt with in this grammar book.

SECTION 1

Nouns and Adjectives

¡Camarero!
¡Hay un mosca en mi sopa!
No es **un** mosca, es **una** mosca.

¡Caramba, qué vista tiene usted!

1. Noun. The gender of things

In Spanish, **all nouns always have a gender**, which can be **masculine** or **feminine** (there are no neuter nouns). It is very important to know if a noun is masculine or feminine, as all the elements that refer to it (articles, adjectives, demonstratives...) have to take the same gender:

- *Este es **el** edificio más alto de esta ciudad.*
- *Toma otr**a** taza, porque es**a** está rot**a**.*

A General rule: *el edificio, la casa...*

- Nouns that refer to things (physical objects, ideas, feelings, etc.) **have only one gender**: some are always masculine and others are always feminine. Generally, the masculine ends in -o, and the feminine ends in ***-a***:

MASCULINE IN ***-o***:	*el bolígraf**o**, el diner**o**, el edifici**o**, el florer**o**, el pañuel**o**, el vas**o**...*
FEMININE IN ***-a***:	*la car**a**, la cas**a**, la mes**a**, la palabr**a**, la plaz**a**, la taz**a**, la ventan**a**...*

1 **Connect each sentence to the object it refers to.**

A1

➲ Tengo dos así, rojos, muy parecidos a estos. — pañuelos
1. Tienes que lavarlo, porque está un poco sucio.
2. No están mal, son bonitas, pero me parecen un poco caras.
3. La mía es más grande que la suya.
4. Estos son muy baratos.

- casa
- pañuelos
- gafas
- vaso
- floreros

2 **Write in the noun endings. They all follow the general rule.**

A1

➲ Carmela tiene el pel.*o*.. muy negro y la car.*a*.. muy blanca.
1. Nunca escribo con bolígraf.... azul o negro. Escribo con una plum.... de mi abuela que me gusta mucho.
2. Nuestro pis.... es bastante pequeñito, pero tenemos una cas.... en Asturias que es bastante grande y muy bonita.
3. ¿Quién es el marid.... más simpático del mundo? ¿Quién me va a hacer un regal.... precioso?
4. Los Martín son una famili.... muy numerosa. Son ocho hermanos, creo.

B Special rules: *el problema, la mano...*

- There are a few **masculine nouns ending in *-a*** that don't follow the general rule (of these, the majority end in ***-ema***):

MASCULINE IN ***-a***:	*el clim**a**, el dí**a**, el idiom**a**, el map**a**, el planet**a**, el program**a**, el sof**á**...* *el esqu**ema**, el po**ema**, el probl**ema**, el sist**ema**, el t**ema**...* (PERO: *la crema*)

- There are also a few **feminine nouns that end in *-o***:

FEMININE IN ***-o***:	*la fot**o** (fotografía), la man**o**, la mot**o** (motocicleta), la radi**o**...*

- Nouns ending in *-aje* and *-or* are generally **masculine**

-aje:	*el masaje, el garaje, el paisaje, el pasaje, el peaje, el potaje...*	*-or*:	*el amor, el dolor, el error, el olor, el sabor, el terror...* (PERO: *una flor*)

- Nouns ending in *-ción*, *-sión*, *-dad* and *-tad* are **feminine**: :

-ción:	*la canción, la relación, la traducción...*	*-dad*:	*la bondad, la ciudad, la verdad...*
-sión:	*la expresión, la prisión, la televisión...*	*-tad*:	*la amistad, la lealtad, la libertad...*

- **In all other cases**, the gender cannot be told from the form of the word. Remember, however, that a dictionary will always tell you the gender of each noun:

nave. (Del lat. *navis.*) f. Emba... neral, barco. ‖ **2.** Embarcac...

MASCULINE	FEMININE
el café, el coche, el champú, el esquí, el hambre, el jersey, el pie, el sobre, el tabú, el taxi...	*la clase, la carne, la fiebre, la frente, la gente, la llave, la muerte, la nave, la noche, la nube, la parte, la suerte, la tarde...*
el árbol, el lápiz, el lavavajillas, el metal, el móvil (teléfono móvil), el microondas (horno microondas), el país, el papel, el paraguas, el salón, el sillón, el sol...	*la cárcel, la cicatriz, la col, la crisis, la hipótesis, la imagen, la nariz, la sal, la sed, la síntesis, la tesis...*

3 **Which one is the odd one out?**

A1

➲ día, pentagrama, clima, ~~plaza~~, idioma. *(plaza is feminine and the other words are masculine.)*

1. mano, foto, brazo, moto, radio.
2. mapa, impresora, planeta, idioma, sofá.
3. problema, esquema, poema, crema, tema.
4. color, monedero, canción, sabor, paisaje.
5. garaje, libertad, prisión, expresión, ciudad.

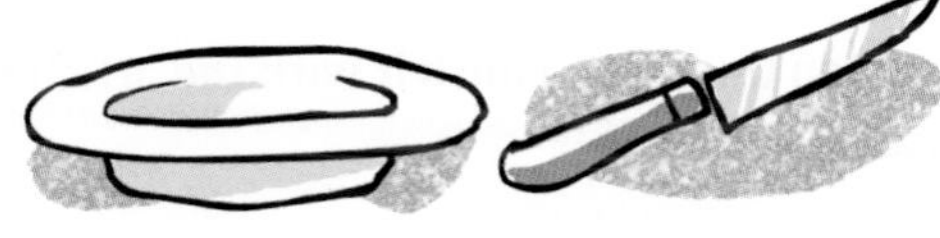

4 **Masculine or feminine? Put these nouns in the right box.**

A2

noche ✓ champú ✓ salón crisis luna sobre tesis taxi clase microondas café tarde sal pie leche nariz árbol carne sol lavavajillas

Masculine	**Feminine**
El champú,	*La noche,*

5 Mark the correct form of the article.

A2

I
Mariano:
He dejado el/la coche en el/la garaje
y he cogido el/la ordenador portátil.
Llego tarde al/a la clase de las siete.
Un beso.

II
Pepa:
Tienes el/la potaje en el/la microondas.
Compra el/la champú para el perro
y coge el/la paraguas, que llueve mucho.
¡Ah! Tienes que poner el/la jersey verde
en la secadora.
Gracias, cariño

III
José:
Tenemos un/una problema
con el/la moto.
Y, además, no encuentro los/las llaves.

IV
Ana:
Hay un/una error en
el/la traducción del señor Weiss.
¿Puedes corregirlo?, por favor.

V
Raquel:
¿Hablamos mañana del/de la tema de la reunión?
¿Me llamas tú?
Dime algo pronto.

VI
Jacinto:
¿Puedes ir tú a Yanokea a recoger
el/la sillón? Tenemos un/una reunión
que me ocupará un/una parte
del/de la tarde.
Llámame al/a la móvil.

6 The singer-songwriter Joan Ismael Lumbago has written this song. Finish it with the articles *el*/*la*.

A2

Vendo una canción

➲ Compra ...el... lápiz de labios;
1. compra .... móvil,
2. compra .... crema antiarrugas,
3. compra .... paraguas para la lluvia.
4. Pero nunca podrás comprar ....
poema que no te escribí,
5. ni .... amor que nunca sentí,
6. ni .... olor
7. de .... flor que nunca te di.
8. Compra .... champú,
9. compra .... jersey,
10. compra .... sal,
11. compra .... papel.
12. Pero nunca podrás comprar .... beso
13. en .... frente al empezar .... día,
14. ni .... sabor
15. de .... noche del verano que termina.
16. Compra .... café;
17. compra .... reloj,
18. compra .... leche,
19. compra .... col.
20. Pero nunca podrás comprar .... tarde
en que nos conocimos,
21. ni .... paisaje,
22. ni .... planeta en que tú y yo vivimos.
23. Si no amas .... libertad,
24. .... vida,
25. .... canción que te canto,
26. .... nube al pasar...,
¿qué podrás amar?

2. Nouns. The gender of people and animals

A General rule: *doctor, doctora...*

- Nouns that designate people or animals generally have **two forms**: one **masculine** and another **feminine**. The masculine is the basic form (the form that appears in the dictionary).

- Generally, if the masculine ends in the vowel -o, the feminine is made by changing this vowel for an *-a*; if the masculine ends in a **consonant**, the feminine is made by **adding** an *-a*:

MASCULINE IN *-o*	FEMININE IN *-a*
*el chic**o**, un gat**o***	*la chic**a**, una gat**a***

MASCULINE IN **CONSONANTE**	FEMININE IN **CONSONANTE** + *-a*
*un docto**r**, un leó**n***	*una docto**ra**, una leo**na***

With some nouns ending in -e the feminine is also made by changing this vowel for an *-a*: *el jefe/la jefa*; *el nene/la nena*; *un presidente/una presidenta*. (PERO: *el/la paciente, el/la teniente, el/la vidente...*).

1 Link the sentences and underline the gender markers that help you to decide. Look at the example.

A1

➲ La presidenta de la comunidad de vecinos... — b.
1. Mi peluquera...
2. Mi psicólogo...
3. Mi ginecóloga...
4. Mi jefe...
5. Mi vidente...
6. Mi profesora de español...
7. Mi panadero...

a. es muy comprensivo, pero habla poco con sus empleados.
b. es experta en energías alternativas y, por eso, tenemos energía solar en el edificio.
c. es extraordinario. Con él me ha tocado dos veces la lotería.
d. es muy nervioso. En la terapia, él habla más que yo.
e. es un artista. Hace unos bollos integrales riquísimos.
f. está loca. Ayer vino a clase vestida de gitana.
g. es muy moderna. Peina muy bien.
h. es fantástica y trata muy bien a las pacientes.

2 Complete as in the example.

A1

➲ El marido de mi hermana es mi cuñado y la mujer de mi hermano es mi cuñad*a*..... .
1. Mi abuelo paterno se fue a Cuba con mi abuel...... . Y allí se casaron.
2. Tengo muchos primos: diez primos y siete prim...... .
3. La verdad es que tengo más amigas que amig...... .
4. Mi padre tiene dos hermanas y dos herman...... . Así que, por su parte, tengo cuatro tíos.
5. No, mi madre no tiene hermanos. Solo tiene herman...... . Tres, solo mujeres.
6. Tengo dos hijos gemelos. La parejita: un niño y una niñ...... .

B Special rules for the gender of people: *marido, mujer...*

- In some cases there is a **different word** for each sex:

*un **hombre**/una **mujer*** *el **padre**/la **madre***

Some words have a special ending for the feminine:

*el actor/la act**riz*** *el emperador/la empera**triz*** *el alcalde/la alcal**desa***

- In other cases there are nouns that have a **single form for both sexes** (like those ending in ***-ante*** or ***-ista***), and the words that refer to them (articles, adjectives etc.) are used in the masculine or feminine, depending on the gender of the person:

el/la *amant**e**/cantant**e**/estudiant**e**...*
*artist**a**/socialist**a**...*
cónyuge/mártir/testigo...

- *Paca Nela es una artista muy conocida.*
- *Sí, pero Camilo Décimo también es **un** artista muy conocido, ¿o no?* [Un artisto] (handwritten correction: a)

3 Complete the sentences with words from the box. In some cases you will have to repeat words. There may be several correct answers.

A1

hombre	mujer	marido	padre	madre	hermano	hermana	hijo	hija

➲ El ..*hombre*.. con el que estoy casada es mi ..*marido*.. .
1. El .... de mi .... es mi abuelo.
2. La .... de mi .... es mi abuela.
3. La .... con la que estoy casado es mi ....
4. La .... de mi .... es mi tía.
5. Mi .... es la nieta de mis padres.
6. El .... de mi .... es mi tío.
7. El .... de mi .... es mi suegro.
8. La .... de mi .... es mi suegra.
9. Mi .... es el nieto de mis padres.
10. Mi mujer es la madre de mi única ....
11. Mi marido es el padre de mi único ....

4 These schoolchildren know what they want to be when they grow up, but don't know the jobs' names. Help them as in the example, paying attention to gender.

A1
A2

pintor ✓	cantante	profesor	periodista	taxista
pianista (x2)	actor (x2)	policía	veterinario	futbolista

¿Y tú qué quieres ser de mayor?

➲ Adela quiere pintar cuadros. Quiere ser ..*pintora*.. .
1. Pablo quiere tocar el piano y dar conciertos. Quiere ser ....
2. Irene también quiere tocar el piano y dar conciertos por todo el mundo. Quiere ser ....
3. Javier quiere meter a los ladrones en la cárcel. Quiere ser ....
4. Elvira quiere conducir coches por la ciudad. Quiere ser ....
5. Carmen quiere dar clases. Quiere ser ....
6. Miguel quiere escribir en los periódicos. Quiere ser ....
7. Arturo quiere cantar. Quiere ser ....
8. Elena quiere actuar en el teatro. Quiere ser ....
9. David quiere ser como Antonio Banderas. Quiere ser ....
10. Mateo quiere curar animales. Quiere ser ....
11. Encarnita quiere jugar al fútbol. Quiere ser ....

C Special rules for the gender of animals: *toro, vaca...*

- In the same way as with nouns that refer to people, in some cases there is a **different word** for each gender:

*el **caballo**/la **yegua*** *el **toro**/la **vaca***

👁 There are some words with special endings for the feminine:

*el gallo/la **gallina*** *el tigre/la **tigresa***

- Many words for animals have **a single form**, for the masculine and feminine:

el *buitre, calamar, caracol, cocodrilo, dinosaurio, jabalí, mejillón, pulpo...*

la *almeja, cigüeña, codorniz, gamba, hormiga, jirafa, mosca, tortuga...*

👁 ***el** cocodrilo hembra* [~~la~~ cocodrilo]
***la** jirafa macho* [~~el~~ jirafa]

5 Classify these animal names according to their gender. Look up the ones you don't know in a dictionary.

A2

jirafa	perro ✓	mosca ✓	tortuga	tigre	gato	pulpo ✓	cerda	vaca ✓
cocodrilo	perra ✓	gallina	cerdo	toro ✓	dinosaurio	caballo	calamar	
yegua	tigresa	gata	hormiga	caracol	mejillón	gamba	gallo	

Male/female marker: (-*o*/-*a* or other endings)	A different word for each gender	Unchanging feminine	Unchanging masculine
perro / perra	toro / vaca	mosca	pulpo

6 In the Zoo Penco there are too many animals. Males and females should not be together, so two new keepers have to classify the animals. Complete as in the example.

A2

➲ Ayudante 1: ¿Esto qué es?, ¿ un oso o una osa .... ?

Ayudante 2: Ni idea. ¿Y esto qué es?, ¿ un pingüino macho o un pingüino hembra ?

1. Ayudante 1: ¡Qué difícil!, ¿esto es .... ?

2. Ayudante 2: Y yo qué sé. Y esto, ¿es .... ?

3. Ayudante 1: Anda que esto, ¿qué será?, ¿ .... ?

4. Ayudante 2: Esto parece más fácil, pero no lo sé. ¿Qué es?, ¿ .... ?

5. Ayudante 1: Esto sí que es verdaderamente imposible. ¿Es .... ?

6. Ayudante 2: Este trabajo es una locura. ¿Qué será esto?, ¿ .... ?

3. Noun. Number

In Spanish, apart from gender (masculine and feminine), nouns also have number (singular or plural). The number indicates the quantity of objects that the noun refers to. The singular is the basic form (the form that appears in the dictionary), whereas the plural is always indicated by at least a final -s.

- *¿Has traído el coche?*
  [*Coche* es singular: se refiere a **un solo** objeto.]

- *¿Cuántos coches tienes?*
  [*Coches* es plural: se refiere a **varios** objetos.]

A Forming the plural: *mapa, mapas; país, países...*

■ When the **singular ends in a vowel**, the plural is formed by adding a final *-s*:

SINGULAR IN *-a, -e, -i, -o, -u*:	*mapa*	*sofá*	*clase*	*café*	*bici*	*israelí*	*moto*	*tabú*
PLURAL IN *-s*:	*mapas*	*sofás*	*clases*	*cafés*	*bicis*	*israelís*	*motos*	*tabús*

■ When the **singular ends in a consonant**, the plural is formed by adding *-es*:

SINGULAR IN *-d, -j, -l, -n, -r, -s, -z*:	*pared*	*reloj*	*árbol*	*cajón*	*botón*	*motor*	*país*	*pez*
PLURAL IN *-es*:	*paredes*	*relojes*	*árboles*	*cajones*	*botones*	*motores*	*países*	*peces*

👁 Words ending in an accented *-í* and *-ú* can also form the plural by adding *-es*:

israelí → israelís/israelíes
tabú → tabús/tabúes

👁 If the singular ends in an unstressed vowel (with no accent) + -s, the plural does not change (note that the accent falls on the underlined vowels):

el/los: *abrebotellas, abrelatas, cumpleaños, jueves, lavavajillas, microondas, paraguas, sacacorchos...*

la/las: *crisis, tesis* ...

■ When the **singular ends in *-y***, the plural is formed with an -s in words of foreign origin (the -y is treated as an *-i*). For Spanish words ending in -y (very few), the plural is formed with *-es*:

jersey → jerséis
penalti (penalty) → penaltis...

rey → reyes
ley → leyes...

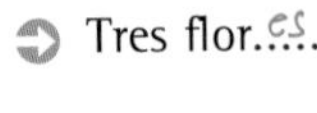

1 **How many are there?**

A1

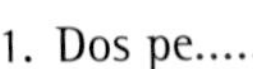

➲ Tres flor.es.

1. Dos pe.....

2. Dos so.....

3. Dos rel.....

4. Cinco bot.....

5. Dos jer.....

2 **Here is a page from the diary of a six-year-old girl. Complete the plurals of the words in the text.**

A1

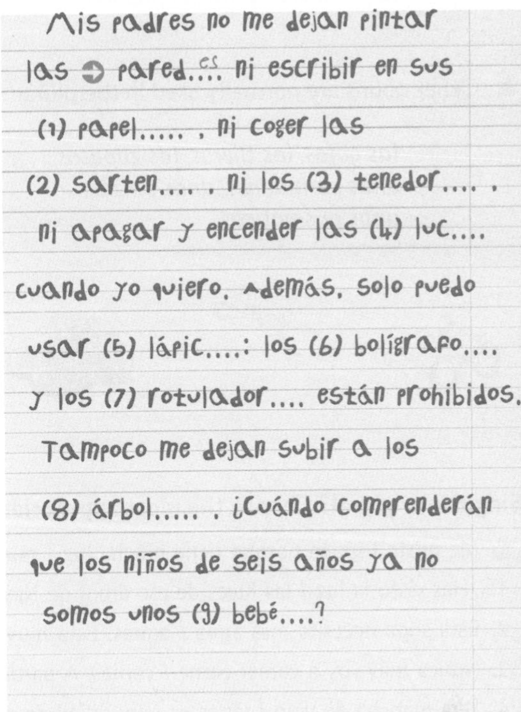

Mis padres no me dejan pintar las ➲ pared.es. ni escribir en sus (1) papel..... , ni coger las (2) sarten.... , ni los (3) tenedor.... , ni apagar y encender las (4) luc.... cuando yo quiero. Además, solo puedo usar (5) lápic....: los (6) bolígrafo.... y los (7) rotulador.... están prohibidos. Tampoco me dejan subir a los (8) árbol..... . ¿Cuándo comprenderán que los niños de seis años ya no somos unos (9) bebé....?

3 **Bea and Miguel have just got married and have been given lots of presents. However, some of them are duplicated so they have decided to pass them on to other friends. Which present does each friend get?**

A2

➲ Alejandro necesita una máquina para lavar los platos: un lavavajillas .

1. A Rafa le hace falta una cosa para no mojarse cuando llueve: un ....
2. Adoración quiere un electrodoméstico para lavar la ropa: una ....
3. Iñaqui necesita algo para abrir botellas: un ....
4. Joaquín quiere un mueble para sentarse a ver la tele: un ....
5. Julia quiere alguna cosa para adornar las paredes de la casa: un ....
6. Lola necesita un aparato para preparar café: una ....
7. Lucía necesita algo para abrir las latas: un ....
8. María quiere algo para calentar rápidamente la comida: un ....

2 lavavajillas ✓
4 abrelatas
2 lavadoras
2 sofás
6 abrebotellas
3 cafeteras
6 cuadros
2 microondas
4 paraguas

B Special cases: *la gente, las gafas*.

■ **Uncountable** nouns (referring to things you cannot count) are used in the **singular** to talk about the **thing in general** or an **unspecified amount**. When the plural is used it is to talk about **different types** or **various units** of the same thing:

agua, arroz, carne, luz, madera, música, pan, papel, pescado, plástico, té, vino...

SINGULAR	• *¿Tú tomas **vino** en las comidas?*	[*Vino*, clase de bebida.]
PLURAL	• *Aquí hay muchos **vinos** de calidad.*	[Distintos tipos de vino.]
	• *Si me tomo tres **vinos**, me mareo.*	[Distintas copas de vino.]

- Some nouns in the singular refer to groups with various members, but their concordance is singular:

*la familia, **la** gente, **el** público...*

- *En España **la** gente come mucho, ¿no?*
  [*La gente comen mucho.*]

- Other nouns are normally used in the plural:

***las** gafas, **las** tijeras, **los** zapatos...*
***unos** pantalones, **unas** pinzas,*
***unos** prismáticos...*

- *Esas gafas de sol **son** nuevas, ¿verdad?*
- *¿Le gustan estos pantalones? **Son** italianos.*

4 Singular or plural? Choose the most appropriate form.

A2

➲ Me gusta España porque tiene mucha luz / ~~muchas luces~~. Es un país fantástico.
1. ¿Has visto la luz / las luces de ese árbol de Navidad? Sí, allí, mira.
2. Esta sopa necesita más agua / aguas. Está muy espesa.
3. Nunca más voy a comer carne / carnes. A partir de ahora seré vegetariana.
4. Una mancha de vino / vinos es muy difícil de quitar. Siempre queda un poco.
5. ¿Qué tipo de té / tes compramos? ¿O prefieres manzanilla?

5 Was the singer José Plácido Domingo a success or a failure? Identify the reaction of each group and underline what has helped you find it.

A2

➲ La gente... —— a. estaba, en general, encantada.
1. Sus amigos...
2. Sus seguidoras...
3. El público...
4. La policía...

a. estaba, en general, encantada.
b. esperaba atenta el final del concierto.
c. estaban muy interesadas.
d. salió muy contento.
e. aplaudieron entusiasmados.

6 Rosa had an awful morning, when everything went wrong. Read about what happened and complete as in the example.

A2

➲ El gato le ha roto dos jarrones. Solo le queda un *jarrón*.
1. Ha quemado dos pasteles de queso. Solo le queda un .... para el postre.
2. Sin darse cuenta, ha tirado tres peces por el desagüe. Ya solo le queda el .... azul.
3. Ha quemado dos jerséis con la plancha. Afortunadamente tiene otro ....
4. Ha estropeado casi todas las luces de la casa. Únicamente funciona la .... del pasillo.
5. Tenía hambre y se ha comido diecinueve canapés. Solo le queda un .... para la cena.

7 Maxitim department store is running a special two-for-the-price-of-one-offer.

A2

¡¡GRAN OFERTA!! ¡¡REGALAMOS EL DOBLE!! ¡¡GRAN OFERTA!!

POR LA COMPRA DE:	LE DAMOS:	POR LA COMPRA DE:	LE DAMOS:
➲ **Un kilo de arroz...**	*Dos kilos de arroz*.	**3. Unas cortinas de baño...**	....
1. Un reloj de pared...	....	**4. Unas bragas de algodón...**	....
2. Un abrelatas...	....	**5. Un paraguas...**	....

4. Adjective

Adjectives are used to talk about the qualities of the objects we name when we use nouns:
*un chico **guapo*** *una gata **cariñosa*** *una casa **grande*** *una idea **interesante***

A Gender: *guapo, guapa; interesante...*

- Some adjectives have **one form for the masculine and another for the feminine.** The masculine is the basic form (the form that appears in the dictionary). If the masculine ends in *-o*, the feminine is formed by **changing** this *-o* for an *-a*. If the masculine ends in *-or*, or in a ***stressed vowel*** (a vowel that is accented) + ***n***, an *-a* is added:

-o		**~~-o~~ -a**	
guapo	• *¿Verdad que mi novio es guapo?*	*guapa*	• *¿Verdad que mi novia es guapa?*
italiano	• *Ese señor parece italiano.*	*italiana*	• *Esa señora parece italiana.*
largo	• *A mí me gusta más el pañuelo largo.*	*larga*	• *A mí me gusta más la chaqueta larga.*

-or		**+ -a**	
hablador	• *Pepe no es muy hablador, ¿verdad?*	*habladora*	• *Pepa no es muy habladora, ¿verdad?*
trabajador	• *Pues Javier es muy trabajador.*	*trabajadora*	• *Pues Lucía es muy trabajadora.*

-stressed vowel + n		**+ -a**	
catalán	• *Josep es catalán.*	*catalana*	• *Montserrat es catalana.*
holgazán	• *Luis es muy holgazán. No hace nada.*	*holgazana*	• *Ana es muy holgazana. No hace nada.*
llorón	• *El niño no es llorón y duerme mucho.*	*llorona*	• *La niña no es llorona y duerme mucho.*

The adjectives ***mayor, menor, mejor, peor, superior, inferior...*** never change gender:

• *Este es mi hermano **mayor** y esta mi hermana **menor**.* • *Mira, esa cafetería es **mejor** que aquella.*

- Other adjectives, however, ***have a single form for both masculine and feminine***. These adjectives may end in:

-a, -e, -i, -u, -ista o **consonante (-l, -n, -r, -s, -z)**

belga, hipócrita, lila, malva, persa...	• *Ella es belga y él es canadiense, ¿no?* ○ *No, al revés: ella es canadiense y él es belga.*
amable, estadounidense, fuerte, pobre, verde...	• *La situación de la economía es muy preocupante, pero el paro es aun más preocupante.*
cursi, iraní, marroquí, hindú, zulú...	• *Tengo alumnos de muchos sitios. Hay una chica marroquí, otra hindú y un chico iraní.*
*pacifi**sta**, progresi**sta**, sociali**sta**...*	• *Raúl es un hombre muy pesimi**sta**. Su novia, sin embargo, es bastante optimi**sta**.*
azul, principal, joven, familiar, cortés, gris, feliz...	• *Siempre va vestida del mismo color. Hoy lleva una falda azul y un jersey también azul.*

Adjectives of **nationality or origin that end in a consonant** form the feminine by adding an *-a* to the masculine:

-l:	*español → española*
-n:	*alemán → alemana*
-s:	*francés → francesa, inglés → inglesa, japonés → japonesa, portugués → portuguesa*
-z:	*andaluz → andaluza*

1 **Pablo, his friend Lourdes and his cousin Javier are looking for a boyfriend or girlfriend who is just like them. What should their partners be like?**

A1

Pablo es...	Ella debe ser...	Lourdes es...	Él debe ser...	Javier es...	Ella debe ser...
➲ hablador	*habladora*	6. ecologista	....	12. nervioso	....
1. cariñoso	....	7. tímida	....	13. fuerte	....
2. vago	....	8. alegre	....	14. optimista	....
3. guapo	....	9. trabajadora	....	15. inteligente	....
4. superficial	....	10. independiente	....	16. feo	....
5. dormilón	....	11. frágil	....	17. pedante	....

2 **Think about the way the adjective is formed: which is the odd one out?**

A1

➲ inglés, francés, español, alemán, estadounidense *(Es el único adjetivo de género invariable.)*

1. iraní, italiano, israelí, iraquí, marroquí
2. feliz, alegre, impaciente, contento, amable
3. optimista, pesimista, ecologista, socialista, lista
4. azul, joven, hermosa, débil, feliz
5. alemán, charlatán, llorón, joven, dormilón

B Number: *guapos, guapas, interesantes...*

■ Adjectives form the plural by following the same rules as nouns:

SINGULAR ENDING IN *vowel* + *-s*	*habladora → habladoras* *importante → importantes* *simpático → simpáticos*
SINGULAR ENDING IN *consonant* + *-es*	*azul → azules* *hablador → habladores* *feliz → felices*

➲ 3. Noun. Number

La *-z* se convierte en *-c*

3 **Mineral water makes Casimiro feel bad. It makes him see double. What does he see in the following cases?**

A1

Cuando...	Casimiro ve...
➲ hay un coche verde...	*dos coches verdes*
1. hay una niña cursi...	....
2. hay una persona feliz...	....
3. hay un niño llorón...	....
4. hay una camisa gris...	....
5. hay un hombre hablador...	....
6. hay una mujer interesante...	....

C Concordance: *Unos amigos griegos*.

- The adjective has to have the same gender and number as the noun that it refers to. The form of the adjective can show which noun we are talking about:

  - *Mañana vienen a casa unos amigos griegos.*
  - *¿Aquéllos tan simpáticos de la fiesta de Inés?*

  - *Esa película es muy buena pero un poco larga.*
  - *Sí, larga, lenta y pesada...*
  - *Pero interesante.*

  - *Bueno, mira: ahí hay chaquetas y vestidos. ¿Te decides por algo?*
  - *El amarillo no está mal.*

  [Sabemos que *amarillo* se refiere a un vestido (masc.) porque el adjetivo está en masculino.]

- When we are talking about **masculine** and **feminine**, nouns at the same time, the plural takes the **masculino**:

  - *Mira ese jersey y esa chaqueta. Me encantan, pero son carísimos.*
  - *Rafael tiene cuatro hermanos: tres chicas y un chico. Los cuatro son muy simpáticos.*

4 Where are your things from? Pay attention to the gender and number.

A1

alemán ✓	español	francés	escocés	finlandés	senegalés	japonés
colombiano	cubano	italiano	chino	turco	suizo	estadounidense

➜ Si tu coche es de Alemania, es *alemán*.

1. Si tu ordenador es de EEUU, es ....
2. Si tus pizzas son de Italia, son ....
3. Si tu café es de Colombia, es ....
4. Si tu alfombras son de Turquía, son ....
5. Si tu puros son de Cuba, son ....
6. Si tu cámara de fotos es de Japón, es ....
7. Si tu whisky es de Escocia, es ....
8. Si tu cacao es de Senegal, es ....
9. Si tus relojes son de Suiza, son ....
10. Si tu sauna es de Finlandia, es ....
11. Si tus vinos son de España, son ....
12. Si tus perfumes son de Francia, son ....
13. Si tu porcelana es de China, es ....

5 José is poor and Alejandro is rich. Who will the beautiful Claudia marry? Help her to look at the consequences of each choice.

A2

➜ Con José tendrá que llevar ropa...
1. Con Alejandro podrá llevar ropa...

a. elegante
b. caras
c. barata
d. viejo

4. Con José tendrá un coche...
5. Con Alejandro podrá tener un coche...

a. grande y rápido
b. vieja y fea
c. lujosos y bonitos
d. lento e inseguro

2. Con José vivirá en una casa...
3. Con Alejandro vivirá en una casa...

a. pequeña y ruidosa
b. amplia y luminosa
c. grande y cómodo
d. pequeñas y oscuras

6. Con José tendrá que ir a hoteles...
7. Con Alejandro podrá ir a hoteles...

a. impresionantes
b. incómodos
c. sucia
d. estupendas

6 Choose an appropriate ending for each sentence and complete with the correct gender and number markers.

A2

➜ El gazpacho y la ensalada de pasta...
1. Mi padre y mi madre...
2. La ciudad y los alrededores...
3. La radio y la prensa...
4. La moto y la bicicleta...
5. El tabaco y el alcohol...
6. Ten cuidado, el suelo y la bañera....

son más ecológic..... . Los coches contaminan mucho.
están buenísim*os*. Pruébalos.
están mojad..... y te puedes caer.
son medios más objetiv..... que la televisión.
son asturian..... , pero yo nací en Madrid.
son muy mal..... para la salud.
son maravillos..... , aunque hace mucho frío.

D Adjective after noun: *¿Vino tinto o vino blanco?*

- In Spanish adjectives can come **before** or **after** the noun.
- **After** the noun, adjectives are normally used to differentiate between the object we are talking about and other objects:

  - *Al final, ¿vas a comprarte la mesa **cuadrada** o la **redonda**?*
  - *Su oficina está en un edificio **alto**, **vanguardista**, realmente **precioso**.*
  - *Entonces, ¿qué prefiere?, ¿la casa, el apartamento **grande** o el apartamento **pequeño**?*
  - *Es una chica **inteligente**, **comprensiva** y **educada**. No como su hermana.*

  Some types of adjective will usually **only come after** the noun, such as those that express:

Color:	*un coche **azul** (negro, rojo, blanco, verde...)*
Form:	*un objeto **cuadrado** (redondo, alargado, rectangular, ovalado...)*
State:	*una caja **abierta** (cerrada, llena, rota, vacía...)*
Type, origin:	*un tema **español** (familiar, internacional, socialista, portátil...)*

7 Put the words into the right order in the following sentences.

A2

➲ [un/sueco/Tengo/novio] Tengo un novio sueco .... y, por eso, este verano me voy a Estocolmo.
1. [abierto/un/Hay/grifo] .... Se oye el agua.
2. [el/Ponte/naranja/jersey] .... Te queda muy bien.
3. [cenicero/vacío/Dame/un] .... Este está lleno de colillas.
4. [la/sucia/Trae/ropa] .... Voy a poner una lavadora.
5. [botella/llena/Mete/la] .... en el frigorífico y saca la vacía, por favor.
6. [coche/familiar/un/Es] .... Caben por lo menos ocho personas.
7. [universitaria/Vivo/una/en/residencia] .... , pero el año próximo quiero ir a un piso.
8. [vuelos/Los/internacionales] .... salen de la terminal B.
9. [un/sobre/Está/en/cerrado] .... porque es confidencial.

E Adjective before noun: *Mi apartamento pequeño / Mi pequeño apartamento*

- **Before** the noun, adjectives are normally used to **highlight** a **quality** of the object, but not to differentiate it from others:

Mira, Alicia, la ballena **grande** es la mamá y la ballena **pequeña**, el hijo.

Sorprendentemente, la **gran** ballena se alimenta de las **pequeñas** criaturas del plancton.

Ballena
Mamífero
Vive en el mar
Color oscuro
Grande (hasta 30 metros)

Before the noun you can use adjectives like:: ***largo-corto, frío-caliente, pequeño-grande, fuerte-débil, lejano-cercano, ligero-pesado, rápido-lento, ancho-estrecho, claro-oscuro, viejo-joven, alegre-triste, blando-duro, áspero-suave, bonito-feo***, etc. All of these have a relative meaning: something is *big* or *small*, *fast* or *slow*, etc., depending on what we compare it with.

8 Decide whether in these sentences, the adjective is highlighting a quality of the object or being used to differentiate the object from others of the same type.

B1

	Distingue	Destaca
➲ La **vieja radio** todavía funciona.	....	......✓.........
➲ Dame las **zapatillas viejas**, por favor.	......✓.........	....
1. Mire, verá, tengo una **pequeña duda** sobre el precio del hotel.	....	....
2. Pásame el **destornillador pequeño**, por favor, este no me sirve.	....	....
3. Nos ha tocado el **camarero lento** y hemos tardado tres horas.	....	....
4. Amelia dio un **lento paseo** por la ciudad y se fue al hotel.	....	....
5. Desde la puerta se veía un **ancho pasillo** que llegaba a la terraza.	....	....
6. Es mejor que entres por el **pasillo ancho**, así no te pierdes.	....	....
7. Un plato de **frías lentejas** le esperaba en la mesa.	....	....
8. Tráete las **cervezas frías** a la mesa, por favor.	....	....

■ With adjectives of relative meaning (*largo/corto, oscuro/claro*, etc.), the position before the noun is an option that depends on the **style of writing** (journalistic, literary, etc.). Adjectives whose meaning is not relative (colour, shape, state, etc.) are only used before the noun in **poetic style**:

EVERYDAY LANGUAGE	FORMAL LANGUAGE	POETIC LANGUAGE
• *La niña de los ojos azules estaba al fondo de una habitación oscura.*	• *La niña de los ojos azules se hallaba en una* ***oscura*** *habitación.*	• *Al fondo de una* ***oscura*** *habitación brillaban los* ***azules*** *ojos de la niña.*

9 This newspaper article has mistakes: there are adjectives (the example and five more) that should come after the noun. Cross them out and write the correct version.

B1

El presidente de Gililandia ha emprendido un largo viaje diplomático por lejanos países, acompañado de su ministro de ~~exteriores~~ asuntos y su joven esposa. Durante los últimos días se han producido ya numerosas anécdotas. En la inauguración de un industrial edificio, por ejemplo, alguien entregó a la esposa del presidente un redondo objeto que resultó ser un japonés reloj de pared. Pero también ha habido malos momentos. Cuando iban en el oficial coche a la inauguración de un nuevo edificio por una estrecha carretera de montaña, el coche del presidente sufrió un pequeño accidente y choco contra una vacía casa.

asuntos exteriores.........................

....

....

....

....

....

■ Adjectives that indicate the order of a series (*primero, segundo, último, siguiente, próximo, futuro, nuevo, antiguo, etc.*) normally go ***before*** the noun:

- *Ana fue mi* ***primera*** *novia.*
- *Todo esto lo veremos en la* ***siguiente*** *reunión.*
- *Solo te pido una* ***segunda*** *oportunidad.*
- *Esto son cosas del* ***antiguo*** *régimen.*

But when we are talking about the floors of a building or the chapters of a book, these adjectives are also used **after** the noun:

- ***Segunda*** *planta / Planta* ***segunda***
- ***Primer*** *capítulo / Capítulo* ***primero***

They are always used **after** when we are talking about kings, popes, etc.:

Juan Carlos I [primero] *Pablo VI* [sexto] *Isabel II* [segunda]

10 This is the story of Catalina Jiménez de Hurtado's loves and losses. Put the adjectives from the boxes in the right places.

B1

➲ Mi ...primer... marido .... era arquitecto. Construía .... chalés ...adosados... . Se cayó de un décimo piso. (1) Mi .... marido .... era marinero. Se ahogó frente a (2) las .... costas ....(3) Mi .... marido .... era piloto. Se estrelló en (4) una .... carretera .... (5) Mi .... marido .... era bombero. Murió apagando (6) una .... barbacoa .... (7) Mi .... marido .... será (8) el .... presidente .... del gobierno. No sé qué ocurrirá. Por el momento ha abierto varias cuentas a mi nombre en (9) un .... banco .... Últimamente dice que no se encuentra muy bien.

cuarto
próximo
primer ✓
segundo
futuro
tercer

adosados ✓
secundaria
familiar
caribeñas
suizo

F Un gran problema / Un problema grande

■ The adjectives ***grande***, ***bueno***, ***malo***, ***primero*** and ***tercero*** have another form —a shortened form— when they come before and are referring to a singular noun:

CHANGE IN BOTH MASCULINE AND FEMININE

Grande:	*un coche **grande** / un **gran** coche*	*una casa **grande** / una **gran** casa*

CHANGE ONLY IN MASCULINE

Bueno:	*un amigo **bueno** / un **buen** amigo*	*(una amiga buena / una buena amiga)*
Malo:	*un día **malo** / un **mal** día*	*(una noche mala / una mala noche)*
Primero:	*el capítulo **primero** / el **primer** capítulo*	*(la sección primera / la primera sección)*
Tercero:	*el piso **tercero** / el **tercer** piso*	*(la planta tercera / la tercera planta)*

DO NOT CHANGE WITH PLURAL NOUNS

*Las **grandes** casas, los **grandes** coches, las **buenas** amigas, las **malas** noches, los **primeros** capítulos...*

11 Correct the underlined words in the text below.

B1

Sé que es una ➲ ~~buen~~ ...buena... chica, y la quiero, pero tengo miedo. Mi (1) primer .... novia se marchó a las Bahamas el día de la boda. De la segunda prefiero no hablar, por su culpa pasé (2) muy mal .... momentos. Esta es mi (3) tercer .... novia y no quiero volver a pasar una (4) mal .... experiencia. El otro día me dio un (5) bueno .... susto. Me dijo: "Quiero casarme ya: estoy segura de que serás un (6) grande .... padre." Yo le dije: "Para mis padres será una (7) grande .... alegría porque tienen muchas ganas de tener nietos", pero la verdad es que estaba un poco asustado. Al final cambió de opinión y, por ahora, seguimos siendo una (8) buen .... pareja de novios. Novios que están buscando un (9) bueno .... piso con un (10) bueno .... precio...

SECCIÓN 2

Determiners

5. Articles: *un*, *el*, *ø*...

A Formas

- Articles are classified as indefinite or definite. The forms of each group change according to the gender and number of the noun:

	INDEFINITE		DEFINITE	
	MASCULINE	FEMININE	MASCULINE	FEMININE
SINGULAR	***un*** *amigo*	***una*** *amiga*	***el*** *gato*	***la*** *gata*
PLURAL	***unos*** *niños*	***unas*** *niñas*	***los*** *chicos*	***las*** *chicas*

When the noun is not mentioned, *un* becomes ***uno***:
¿Tienen helados? ¿Me da ~~un~~ uno de fresa?

- After the prepositions ***a*** and ***de***, the article ***el*** joins together with them to form one word:

a + el = ***al***
de + el = ***del***

- *¿Puedes bajar un momento* ***al*** *supermercado, por favor?*
- *¿Vas a ir al concierto* ***del*** *viernes?*

With proper nouns (names), the article and the preposition **do not join together:**

- *Mañana me voy* ***a El*** *Cairo.*
- *Esta noticia es* ***de*** El País. *Un periódico muy serio, ¿no?*

- When we have to use the article with a **feminine singular noun** that starts with a **stressed *a-*** we use ***el/un*** if there are no other words between the article and the noun:

el agua, un águila, el ala, el alma, un arma, el área, un aula, un ave, el hada, el hambre...

But these nouns are feminine and therefore, in all other cases the concordance is feminine:

With adjectives and other determiners:
*El agua fresc**a**, un hambre tremend**a**, es**a** águila, algun**as** armas...*
With plural articles:
Las *águilas,* ***las*** *aves,* ***unas*** *aulas...*

With singular articles separated from the noun:
La *última águila,* ***la*** *misma arma,* ***una*** *gran aula...*

1 A1 **The detective Rodrigo Trigo reaches the scene of a crime and notices many suspicious things. He goes to fetch the police and when he returns, all that is left are some objects on the floor. Help him complete his report.**

Cuando entré en la habitación, vi a:

➲ ..Un.. profesor de español lleno de sangre, en el suelo.

1. .... alumnas que parecían muy nerviosas, escondiendo .... papeles.
2. .... hombre joven que llevaba .... tijeras en la mano.
3. .... mujer con .... vestido rojo, muy tranquila.
4. .... niño llorando delante de .... caja llena de regalos.

Cuando volví, solo encontré:

➲ ..La.. sangre ..del.. profesor.

5. .... papeles de .... alumnas.
6. .... tijeras de .... hombre joven.
7. .... vestido rojo de .... mujer.
8. .... caja que pertenecía a .... niño.

2 Complete with the correct forms of the article. If necessary, also complete the gender and number of the adjective.

A1

➲ Vamos a buscar ..un.. aula libre para hacer el examen.

1. Tengo .... hambre que me muero.
2. Mira en .... últim.... aula en la que has estado a ver si encuentras el bolígrafo.
3. Papá, ¿ .... hadas existen?
4. En la puerta de su chalé hay .... águila horroros.... , de piedra y de madera. No he visto una cosa más fea en mi vida.
5. .... hada buena convirtió a la rana fea en un príncipe guapo.
6. .... aguas de este balneario son excelentes para el riñón.
7. Mató al policía con .... mism..... arma que había utilizado para matar a su novio.
8. Mamá, ¿dónde está .... alma?
9. Coge la olla por .... dos asas. Si no, se te va a caer.

B Uses: *Toma una carta / Toma la carta*

■ We use ***un, una, unos, unas*** to refer to something that is not particularly easy for the listener to identify among other objects of that type because, for example:

I. There are various people or things of the same type.

- *Éste es Pedro, **un** hermano de María.*
  [We say *un hermano* because María has several brothers.]
- *Necesito **un** móvil. Es para un regalo.*
  [No busca un móvil específico. Pueden servir muchos.]

II. We are talking about this person or thing for the first time.

- *También vienen **unos** amigos de Ana: Pedro y Juan.*
  [They are specific friends, but they are not identifiable because we have not spoken about them before.]

Hay **una** carta para ti.
...**una** carta
y un paquete...
He recibido **una** carta y un paquete.
La carta es de mi prima.
La carta es para ti.
...**la** carta

■ We use ***el, la, los, las*** to indicate that we are referring to something that is identifiable to the listener among all other objects because, for example:

I. There are no other people or things the same.

- *Éste es Pedro, **el** hermano de María.*
  [We say *hermano* because María has only one brother.]
- *Tengo **el** móvil roto. ¿Ustedes arreglan?*
  [The person is talking about their own mobile phone.]

II. We have talked about the person or thing before.

- *Entonces, no cabemos en mi coche: Rosa, Jesús, Cati, tú, **los** amigos de Ana y yo. Somos muchos.*
  [We are talking about some friends we have already identified because we have spoken about them before.]

3 **Carmen and Lucía have to do an assignment for class. Do you know what are they talking about? Read the sentences and link each one to the corresponding explanation.**

A2

➲ a. **Carmen:** Un amigo de Julia nos puede ayudar. b. **Carmen:** El amigo de Julia nos puede ayudar.	a. Lucía y Carmen ya han hablado del amigo de Julia. b. Lucía y Carmen no han hablado antes de ese chico.
1. a. **Lucía:** He traído unos libros que había en casa. b. **Lucía:** He traído los libros que había en casa.	a. Carmen ya sabe de qué libros habla Lucía. b. Carmen no sabe de qué libros habla Lucía.
2. a. **Carmen:** Tenemos que entregar un trabajo el martes. b. **Carmen:** Tenemos que entregar el trabajo el martes.	a. Hablan del trabajo que están haciendo. b. Hablan de otro trabajo distinto.
3. a. **Lucía:** Un profesor de Filosofía me ha dejado esta revista. b. **Lucía:** El profesor de Filosofía me ha dejado esta revista.	a. Hablan de otro profesor de Filosofía. b. Hablan de su profesor de Filosofía.
4. a. **Carmen:** ¿Me dejas el bolígrafo? b. **Carmen:** ¿Me dejas un bolígrafo?	a. Lucía tiene solo un bolígrafo. b. Lucía tiene tres bolígrafos.
5. a. **Lucía:** Ha llamado Luis, un chico de Barcelona. b. **Lucía:** Ha llamado Luis, el chico de Barcelona.	a. Lucía y Carmen han hablado muchas veces de Luis. b. Carmen no conoce a Luis.

4 **Look carefully at the context and write in the appropriate article.**

A2

➲ En el salón de casa de Lucía hay solo un cuadro en la pared.	**Carmen:** Me gusta mucho *el*...... cuadro del salón. Siempre he querido tener *una*.... pintura como esa.
1. Carmen y Lucía han terminado su trabajo de Historia.	**Lucía:** ¿Puedo llevarme .... trabajo a casa para leerlo otra vez? Si quieres, puedo hacer .... copia.
2. Carmen llega con una tarta muy grande. Lucía no sabía nada.	**Carmen:** Mira, mi madre ha hecho .... tarta. ¿Te apetece .... trozo?
3. Carmen ha cortado la tarta. Hay un trozo grande y otro pequeño.	**Lucía:** A mí dame .... trozo pequeño.
4. Las dos chicas conocen a toda la familia de Julia.	**Lucía:** Voy a ir al cine con .... amigos. Bueno, tú los conoces, son Paco y Pepe, ... hermanos de Julia, ¿te acuerdas?
5. Carmen tiene un reloj, como todas sus compañeras de piso.	**Carmen:** ¿Sabes qué? Pues que he perdido .... reloj. **Lucía:** Bueno, yo he visto .... reloj pequeño encima de la cama, no sé si es .... tuyo.

5 **Read the start of this story and mark whether the statements that follow are correct.**

A2

Leopoldo Luis II, un rey de Gantea (➲), salió el sábado de paseo en un caballo de la reina (1). En la puerta un soldado lo despidió. Al llegar a un río (2), cruzó por un puente y se encontró con los duendes del agua (3) y estos le dijeron: Va a venir un príncipe (4) del país vecino (5), se va a enamorar de tu mujer y va a huir con ella. El rey no creyó nada de las palabras de los duendes, cruzó el puente (6) y volvió a palacio. Pero en la puerta estaba el soldado (7) que, muy nervioso, le dijo: Majestad, la reina se ha ido.

➲. En Gantea solo hay y ha habido un rey.	Sí	(No)
1. La reina tiene varios caballos.	Sí	No
2. Leopoldo probablemente iba a ese río todos los días.	Sí	No
3. Seguramente Leopoldo no había oído hablar de esos duendes.	Sí	No
4. Este príncipe viene mucho a Gantea.	Sí	No
5. Gantea tiene frontera con cinco países.	Sí	No
6. El mismo puente de antes.	Sí	No
7. Es el mismo soldado que lo había despedido.	Sí	No

C ¿*Un* or *el* or *ø*?: *Tenemos teléfono. Suena un teléfono. He roto el teléfono.*

- When we use a noun **without an article** (***article Ø***), we are not referring to any particular object:

- When we use a noun **with an article** (*un...* or *el...*), we are referring to individual objects: indefinite (*un...*) or definite (*el...*):

¡Tenemos **Ø** teléfono!

[They are not talking about a particular object, but about a means of communication.]

- *La forma más rápida y sana de ir es en bicicleta.*
- *Están recibiendo clases de guitarra.*
- *He hecho un avión de papel.*
- *En ese restaurante hay que llevar traje y corbata.*

¡Suena **un** teléfono!

[They are talking about a particular but indefinite telephone: it cannot be identified.]

- *Voy a comprarme **una** bicicleta para hacer ejercicio.*
- *He visto **una** guitarra ideal para ti.*
- *Apunta esto en **un** papel.*
- *Voy a comprarme **un** traje y **una** corbata en las rebajas.*

Suena **el** teléfono.

[They are talking about a particular and definite telephone: it can be identified.]

- *Antes de salir tengo que arreglar **la** bicicleta.*
- *Acuérdate de guardar **la** guitarra en su sitio.*
- *Éste es **el** papel que decía.*
- *Me he manchado **el** traje y **la** corbata con salsa de tomate.*

- When we are talking about an indefinite amount of something and we don't need to specify or identify any concrete object, we use the noun without an article (**Ø**):

COUNTABLE NOUNS (in the plural)

- *¿Venden ustedes **alfombras**?*
- *Mi vecino arregla **ordenadores**.*

UNCOUNTABLE NOUNS (in the singular)

- *Si vas al súper, compra **aceite** y **café**.*
- *No, no tengo **dinero**. Lo siento.*

6 Cross out the incorrect option and match.

B1

➔ ¿Me pasas Ø/**un** tomate, por favor? — a.

1. ¿Le has echado sal a Ø/**el** tomate?
2. ¿No te gusta la salsa de Ø/**un** tomate?
3. Máximo, no puedes recibir a los invitados en Ø/**un** pijama.
4. Máximo, echa Ø/**el** pijama a la lavadora.
5. Máximo, voy a comprarte Ø/**un** pijama.
6. Me duele Ø/**el** pie derecho.
7. Está cerca: vamos a Ø/**el** pie.
8. He visto Ø/**un** apartamento precioso.
9. He perdido la llave de Ø/**el** apartamento.
10. He conocido a mi profesor de Ø/**un** piano.
11. Cierra Ø/el piano con cuidado.

a. Voy a hacer una ensalada.
b. Ahora hay rebajas.
c. Ponte unos pantalones y una camisa.
d. Está muy soso.
e. Hace quince días que no te lo quitas.
f. Es casera. La he hecho con aceite de oliva.
g. Me he dado un golpe jugando al fútbol.
h. Puedes hacerte daño en los dedos.
i. No puedo entrar. ¿Puedo quedarme en tu casa?
j. Creo que voy a alquilarlo.
k. Me gusta. Tiene mucha paciencia.
l. Así hacemos ejercicio.

7 **Complete with the words in the box. Some need to be made plural.**

B1

pila	dinero	tomate ✓	aspirina	agua	huevo	café

Cariño, tienes que hacer tú la compra. Acuérdate de traer ➲ ...*tomates*....... para el gazpacho, que no hay, y también compra (1) .... para la tortilla. Necesitamos (2) .... mineral y (3) .... descafeinado. La linterna no tiene (4) .... , así que trae también. Y tienes que ir a la farmacia. Hacen falta (5) .... Por cierto, saca (6) .... del banco. Yo no tengo.

D Generalising: *A los españoles les gusta el café...*

■ When we are referring to a whole class of people or things we use *el, la, los, las*:

COUNTABLE **Singular** (the class in general) **Plural** (all members of the class)	UNCOUNTABLE **Singular**

- ***El** perro es el mejor amigo **del** hombre.* [El perro y el hombre como clase de seres vivos.]
- ***Los** niños siempre dicen la verdad excepto cuando mienten.* [Todos los niños, en general.]
- ***Las** mujeres todavía no tienen las mismas oportunidades que **los** hombres.* [Todas las mujeres y todos los hombres en general.]

- *Aquí **la** gente va mucho al cine.* [Todo el mundo, en general.]
- *No me gusta **el** café, me pone nerviosa.* [El café, en general.]

■ When we are talking about an object as a representative of its class, in other words, any object of a particular class, we use ***un, una*** (and ***unos, unas*** for nouns that do not take the singular):

- *¿Qué es **un** flexo?*
- ***Un** flexo es **una** lámpara de mesa para leer.*
- ***Unos** prismáticos permiten ver de lejos.*
- ***Un** médico tiene que saber tratar a los pacientes.*

El hombre es un mamífero.
MAMÍFEROS
AVES

👁 In Spanish, when we generalize, the **subject** of the sentence must have **an article**:

- ***Un** niño necesita espacio para jugar.* [~~Niño~~ necesita espacio para jugar.]
- ***La** naranja tiene vitamina C.* [~~Naranja~~ tiene vitamina C.]
- *Me encanta **el** café.* [Me encanta ~~café~~.]
- ***Los** delfines son muy inteligentes.* [~~Delfines~~ son muy inteligentes.]

8 **Look carefully at the underlined words and classify the sentences into type I, II or III.**

B1

I. Toda una clase de objetos o personas.	II. Cualquier objeto o persona de una clase.	III. Una cantidad indeterminada de objetos o personas.

➲ a. Los colchones de agua son muy relajantes ..I...
b. Evidentemente, prefiero dormir en un colchón a dormir en el suelo. ..II..
c. Tenemos colchones de látex, de algodón y de muelles. ..III..

1. a. Se venden y alquilan apartamentos. Razón: 031676742. .....
b. Los pisos en este barrio son muy caros. .....
c. Un apartamento suele ser más pequeño que un piso. .....
2. a. Los dentistas ganan mucho dinero. .....
b. Lo conocí en un congreso de dentistas. .....
c. Un dentista no debe comer ajo antes de la consulta. .....
3. a. Linus solo bebe vino tinto. .....
b. A estas horas, un vino tinto es mejor que un refresco. .....
c. Perdona, pero el vino tinto es mucho mejor que el blanco. .....
4. a. ¿Tú sabías que los murciélagos son ciegos? .....
b. ¿Has comido murciélagos alguna vez? Están buenísimos. .....
c. Ese perro es más feo que un murciélago. .....
5. a. No tengo hijos pero tengo sobrinos. Sobrinas, en realidad, porque son todas chicas .....
b. Los hijos dan muchos disgustos. .....
c. Tener un hijo es lo mejor que te puede pasar en esta vida. .....

9 **Complete with the words from the box using the appropriate article when necessary.**

B1

kioscos ✓	agua	helados	carrito	hormigas	abanico	cajeros	ratón	té	café	mostaza

➲ ..Los kioscos.... son tiendas en las que se venden periódicos y revistas.

1. En España, ... es algo muy típico en verano. Además es perfecto para el calor.
2. .... automáticos son máquinas para sacar dinero con tarjeta.
3. ¿Esas albóndigas llevan .... ?
4. Me encantan .... tanto en verano como en invierno. La pena es que engordan mucho.
5. .... van siempre en fila unas detrás de otras.
6. .... es tan excitante como ....
7. Se lo aseguro: .... inalámbrico no da problemas. Es más caro, pero funciona mucho mejor.
8. Pues .... es una cesta con ruedas para hacer la compra en los supermercados.
9. No te puedes duchar. No hay ....

10 **Some of the monsters from the land of J.logüín are learning Spanish, but they're still having problems: sometimes they forget to use the articles. Correct their words by putting *el, la, los, las* where necessary.**

B1

➲ Cuando noche llega, monstruos salen a pasear y a asustar a los seres humanos. Seres humanos siempre tienen miedo. La noche llega...; los monstruos salen...; Los seres humanos siempre tienen

1. Después de una noche de terror nos duele garganta, pero doctor Chéquil nos da zumo de aspirinas. ....
....
2. Monstruos quieren ser como murciélagos y lobos y respetan a seres vivos. Solo comen animales para tomar su espíritu. ....
....
3. A monstruos les gusta mirar cielo gris mientras viejo vampiro Crápula toca en órgano canciones tristes. ....
....
4. Para monstruos miedo es sentimiento más hermoso, por eso ir a cementerio y jugar entre tumbas.
....
....
5. Monstruos hacen magia negra y bailan danza de muertos vivientes cuando sale luna llena. ....
....
6. Todas noches de tormenta esqueletos salen de tumbas para celebrar gran fiesta del trueno. Monstruos se divierten como locos. ....
....
7. Vampiros no se ven en espejo, pero saben que son guapos porque vampiresas les sonríen. ....
....
....

E *Uno alto, el de Soria, el que te dije...*

■ When it is clear what we are talking about, ***uno, una, unos, unas*** can be used without mentioning the noun to which they refer:

- *Pásame un boli. **Uno** de esos. **Uno** rojo vale.*
- *Necesito tomates. Tráeme **unos** que hay en el frigo.*
- *¿Has visto mis cintas? Son **unas** con canciones de Prins.*
- *Estas camisas no están nada mal. Cómprate **una**.*
- *Tengo varios amigos, pero solo salgo con **uno**.*

The forms ***unos, unas*** are used by themselves only when they refer to nouns that are not normally used in the singular (*unas gafas, unos pantalones, unos prismáticos, unas tijeras...*):

- *Yo tengo varias tijeras. ¿Te dejo **unas**?*
- *No tiene prismáticos. Regálale **unos**.*

■ The articles ***el, la, los, las*** can also be used without mentioning the noun to which they refer, but only when they are followed by an ADJECTIVE / ***de*** + NOUN / ***que*** + SENTENCE:

El, la, los, las +	ADJECTIVE
	de + NOUN
	que + SENTENCE

- *Solo me está bien un traje: **el** negro.*
- *Esa mesa no está mal, pero me gusta más **la de** cristal.*
- *¿Quieres una tapa? **Las que** ponen aquí son muy buenas.*

11 Cross out the noun when it is not necessary and change *un* for *uno* as required.

B1

➲ ● Prueba un canapé.
○ Gracias, ya me he comido uno ~~canapé~~.

1. ¡Qué horror! Se me han roto las medias. ¿Me prestas unas medias?
2. Estos sobres son pequeños. Mejor usamos los sobres amarillos, los sobres que están ahí.
3. ● ¿Quieres una cerveza?
○ No, gracias, acabo de tomarme una cerveza.
4. ● Me han regalado un reloj con alarma.
○ Pues yo tengo un reloj que tiene cronómetro.
5. ● ¿Cuál de esas chicas es tu hermana?
○ La chica de las gafas, la chica alta, la chica que está de pie.
6. ● Han venido unos amigos preguntando por ti.
○ Sí, ya lo sé. Son unos amigos que conocí en la discoteca.
7. ● ¿Me pasas ese libro, por favor?
○ ¿Cuál? ¿El libro gordo? ¿El libro de física?
8. ● ¿Ustedes han pedido un café?
○ Dos: yo un café solo y él un café con leche.

12 These characters are the authors of this grammar book. Complete the sentences to find out who is who.

B1

➲ Los que *llevan gafas* son Jenaro, Alex y Pablo.

1. El que .... es Jenaro.
2. La de los .... es Rosa.
3. El de la .... es Alex.
4. El .... es José Plácido.
5. El del .... es Pablo.
6. La que .... es Lourdes.
7. Las .... son Lourdes y Rosa.

llevan gafas ✓
guapísimas
delgado
lleva peluca
guantes largos
pistola
pañuelo de lunares
está cantando

6. Demonstratives: *este, ese, aquel... esto, eso, aquello...*

A *Este libro; ese libro; aquel libro.*

■ Demonstratives can be feminine, masculine or neutral:

	SINGULAR			PLURAL		
MASCULINE	***este** libro*	***ese** niño*	***aquel** edificio*	***estos** libros*	***esos** niños*	***aquellos** edificios*
FEMININE	***esta** mesa*	***esa** niña*	***aquella** tienda*	***estas** libretas*	***esas** niñas*	***aquellas** tiendas*
NEUTRAL	*esto*	*eso*	*aquello*			

The **masculine** and **feminine** forms **agree with the noun they refer to in gender and number.**

■ Demonstratives are used to indicate things or people and identify them in terms of three different ideas of proximity:

Este indicates that the thing is in **the same space as the person speaking** (*yo, nosotros, nosotras*).

Ese indicates that the thing is in **a different but nearby space to the person speaking.**

Aquel indicates that the thing is in a **space that is different to and distant from the person speaking.**

- *¿Qué regalo quieres?: ¿**esta** pelota?, ¿**ese** cochecito?, ¿**aquella** muñeca?*

  [by saying ***esta*** we indicate a ball that is ***here*** (next to the person speaking); by saying ese we indicate a toy car that is ***nearby***, not next to the person speaking, but not far away either) and by saying ***aquella*** we indicate a doll that is ***over there*** (a long way away from the person speaking).]

Esa camiseta te sienta estupendamente.

[She says ***esa*** because she is talking about the T shirt of the person being spoken to.]

■ To talk about **things that are in the personal space of the person we are talking to** (*tú, usted, ustedes, vosotros y vosotras*) we use ***ese/-a/-os/-as*** because we are talking about a space that is different to that occupied by the person speaking, but not far away:

- ***Este** bolígrafo no funciona, ¿me dejas **ese** rotulador?*

  [We say ***este*** because we are talking about the ballpoint we are using; and say ***ese*** to indicate the felt-tip that is near to the person being spoken to.]

1 Mª José is at a Japanese restaurant and she is very hungry. Complete what she says.

A1

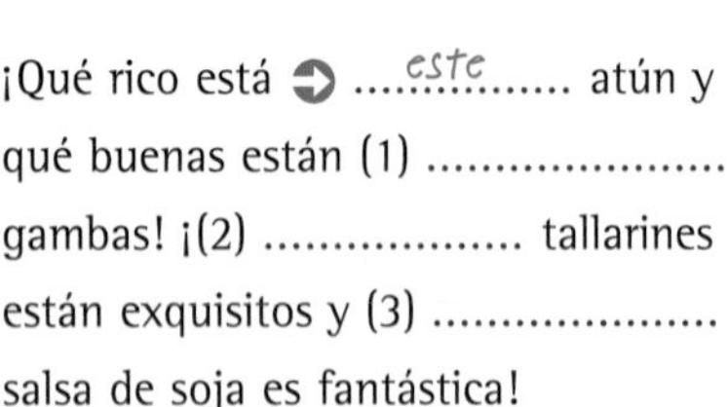

¡Qué rico está ➲ ....*este*...... atún y qué buenas están (1) .... gambas! ¡(2) .... tallarines están exquisitos y (3) .... salsa de soja es fantástica!

Y póngame también (4) .... salmón, (5) .... trucha, (6) .... sardinas y (7) .... mejillones.

Y, por favor, de postre, me trae (8) .... tarta, (9) .... bombones, (10) .... natillas, y (11) .... flan.

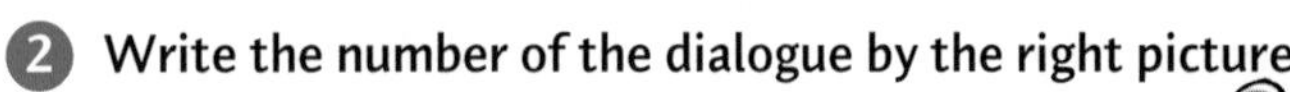

2 Write the number of the dialogue by the right picture.

A1

➲ **María:** **Este** jersey es muy bonito.
Ana: Sí, y **estos** zapatos tampoco están mal.

1. **María:** Mira, **ese** jersey es precioso.
   Ana: Un poco caro, ¿no? Mejor te compras **esos** zapatos.
   María: Sí, o **esa** chaqueta marrón.
2. Ana: **Este** jersey es precioso, pero es carísimo.
   María: Y **aquellas** chaquetas, ¿qué te parecen?
   Ana: ¿Cuáles? ¿Las del fondo?
3. Ana: **Estos** zapatos son bonitos, ¿verdad?
   María: Sí, están bien pero los jerséis me gustan más.
   Ana: ¿**Esos** jerséis? A ver cuánto cuestan.

A ..➲..

B ......

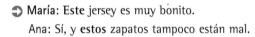

C ......

D ......

3 Look carefully at the context in which the sentences are spoken and underline the appropriate demonstrative.

A1

➲ (Luis está leyendo un libro.)	Luis: **Este**/**ese**/**aquel** libro es fantástico. ¿Lo conoces?
1. (Luis y Pedro están en la cocina comiendo pasteles.)	Luis: ¿**Estos**/**esos**/**aquellos** pasteles los ha hecho tu madre? Están buenísimos.
2. (Pedro saca unas cervezas de la nevera. Luis está sentado en la mesa.)	Luis: No sé si **estas**/**esas**/**aquellas** cervezas estarán muy frías.
3. (Luis y Pedro están de excursión. Muy a lo lejos hay un pequeño bosque.)	Luis: ¿Qué tal si nos acercamos a **este**/**ese**/**aquel** bosque de pinos?
4. (Luis va con Pedro y señala a una chica que ven a mucha distancia.)	Luis: Mira, Pedro, **esta**/**esa**/**aquella** chica es Carmen, la que ha tenido trillizos.
5. (Pedro tiene unos discos en la mano.)	Luis: Si te gustan **estos**/**esos**/**aquellos** discos, puedes llevártelos.

B Uses connected with time: *Este mes. Ese día. Aquel fin de semana.*

■ Demonstratives are also used to situate something in connection with time.

Este, esta, estos, estas are used to refer to the **present** as well as the most immediate **past** and **future**:

- ***Este** <u>verano</u> ha sido un desastre; **este** <u>mes</u> está siendo espantoso, pero **estas** <u>Navidades</u> me voy a Cuba.*

Ese, esa, esos, esas can refer to the **future** or the **past**:

- *Del 1 al 8 de julio no trabajo. Y **esa** <u>semana</u> me voy de vacaciones.* [La semana futura ya identificada.]
- ***Ese** <u>día</u> estaba muy cansado, por eso no te llamé.* [El día pasado del que hemos hablado.]

Aquel, aquella, aquellos, aquellas refer to a **distant past**:

- ***Aquella** <u>semana</u> fue la más feliz de mi vida.* [That week, in the distant past, that we have spoken about.]
- ***Aquel** <u>novio</u> que tenías antes no me gustaba mucho.* [A boyfriend I had in the past.]

4 Link each sentence to its other half.

A2

➲ Hace diez años vendí el Volvo 240. — e

1. Podemos ir pasado mañana si quieres.
2. Nos conocimos la Semana Santa del 87.
3. Me caso el 15 de febrero.
4. Mi antiguo profesor de español era mucho mejor que el que tenemos ahora.
5. Volví a casa el día de Navidad, después de dos años trabajando en el barco.

a. Ese día tienes que estar aquí.
b. Ese día supe que mi mujer estaba embarazada.
c. Me acuerdo porque aquellos días hizo un calor espantoso.
d. Esta semana no tengo mucho trabajo.
e. Aquel coche era fantástico, de verdad.
f. Me encantaban aquellos estupendos ejemplos que ponía.

C *Este, ese, aquel...*

■ Demonstratives can be used **without mentioning the noun** to which they refer, when it is clear what we are talking about. When this happens, we write them with an accent (tilde) to show that they are pronouns:

- *Son preciosas **estas** <u>lámparas</u>. Me llevo **esta**, **esa**, y **aquella** roja.*

- ***Este** <u>vaso</u> está limpio, pero **ese** no.*

- *¿Cuál es tu <u>clase</u>?*
- ***Esa** de la derecha.*

- *¿Te acuerdas de Raquel, la antigua <u>novia</u> de Rafa?*
- *Sí, claro, **aquella** sí que era guapa.*

5 What do the following demonstratives refer to?

A2

➲ **Aquellas** me gustan más.	~~chaqueta~~	gafas	~~pantalones~~	~~caramelos~~
1. ¿Son **estos**?	amigo	personas	chica	hombres
2. Déjame **esa**.	hoja	libros	bolígrafo	plástico
3. **Aquel** era mucho más interesante.	película	novelas	discos	chico
4. Con **este** es suficiente, gracias.	libreta	tijeras	papel	papeles
5. **Esos** para ti, y **estos** para mí.	reloj	silla	pendientes	monedas

D Neutral demonstratives: *¿Dónde pongo esto? No me digas eso. ¿Qué es aquello?*

■ Neutral demonstratives are always singular and are never used with a noun because there are no neuter nouns in Spanish:

	SINGULAR			PLURAL		
MASCULINE	*este*	*ese*	*aquel*	*estos*	*esos*	*aquellos*
FEMININE	*esta*	*esa*	*aquella*	*estas*	*esas*	*aquellas*
NEUTRAL	***esto***	***eso***	***aquello***			

■ The **neutral forms** of the demonstratives are used when we want to refer to something in relation to the ideas of proximity ***aquí, ahí*** and ***allí*** but we do not **know its name, its name is not important** , or **we are not talking about a physical object** (for example an event, a situation, what somebody said, etc.):

WE DO NOT KNOW THE OBJECT'S NAME

- *¿Quieres un...* ashtray?*¿Cómo se dice **eso** en español?* [The speaker does not know the object's name.]
- *¿Has visto **eso**? Parece un ratón, ¿no?* [The speaker doesn't know exactly what the thing is.]]

[The speaker does not know what is inside a box covered in wrapping paper and so cannot refer to it with a noun.]

THE OBJECT'S NAME IS NOT IMPORTANT

- *Tengo que irme ya. ¿Puedes tú recoger todo **esto**?* [All the things that have to be tidied up.]
- *Mira, **esto** lo pones encima del armario, **eso** dentro y **aquello** en la otra habitación.* [Three things we identify by pointing a finger at them.]

IT IS NOT A PHYSICAL OBJECT

- *No lo entiendo. Le he pedido perdón y sigue sin hablarme.*
- *Es que **eso** no es suficiente.* [The fact of saying sorry.]
- *Estábamos durmiendo y, de repente, oímos un ruido muy raro... **Aquello** no me gustaba nada...* [The situation he is telling us about.]
- *Creo que voy a dejar este trabajo.*
- *¿Por qué dices **eso**?* [The words the other person has said.]

👁 **We do not use** these neutral forms to talk about **people** but use the masculine or feminine forms instead:

- *¿Quién es ese?* [~~*¿Quién es eso?*~~]
- *Es mi padre.*

6 A2 **Victor has lost his memory and has great difficulty remembering the objects around him. Help him get it back by completing the spaces with demonstrative.**

Están AQUÍ

- ¿Qué es ➲ ...esto...?
- ○ Son servilletas.
- ¿Y (1) .... tan raro?
- ○ Son tenedores y cuchillos y (2) .... que está aquí son cucharas. ¿No te acuerdas?

Están AHÍ

- ¿Qué es (3) .... que se mueve ahí?
- ○ No te preocupes. Son las cortinas.
- ¿Y (4) .... con tanto pelo que está ahí?
- ○ Es una alfombra. Y (5) .... de ahí debajo, también. Las compramos hace años.

Están ALLÍ

- Oye, ¿y (6) .... ? Parecen monstruos.
- ○ ¿Monstruos? Son las sombras de las plantas del jardín.
- ¿Y (7) .... tan peludo allí, al fondo? ¿Son alfombras?
- ○ No, Víctor, no. Son tus perros, Caín y Abel...

7 A2 **A tourist has just arrived in Spain. Complete the conversation between him (T) and a Spaniard (S) with the information in the box.**

➲ T: (*Tiene una fruta en la mano que no conoce.*) —— a.
E: Granada. Es una fruta de otoño.

1. T: (*Señala un monumento que está bastante lejos.*)
   E: Es la Puerta de Alcalá. Es del siglo XVIII.
2. T: (*Está en una discoteca. Le gusta el ambiente, la música, la gente...*)
   E: Sí, está muy bien. Es el local de moda.
3. E: ¿Qué vas a tomar?
   T: (*Señala una comida que toman unas personas.*)
4. T: Yo no estoy acostumbrado a acostarme tan tarde.
   E: (*Comenta algo sobre esa costumbre en España.*)
5. T: (*Le da un regalo a su acompañante.*)
   E: Muchas gracias. Pero no tenías que regalarme nada.
6. T: Tengo 30 euros.
   E: (*Explica para qué puede servir ese dinero.*)

a. ¿Cómo se llama esto?
b. Pues eso, aquí, es bastante normal.
c. Esto es fantástico.
d. Toma, esto es para ti.
e. Con eso puedes pagar el taxi y poco más.
f. ¿Qué es aquello de allí?
g. Me apetece aquello que comen aquellos señores.

Classify the answers. Which of the following possibilities is the most likely in each case?

No sabe el nombre ....
....

No importa el nombre ....
....

No es un objeto ....
....

8 **Juan and Jorge have just moved to a new house. The whole place is a mess. They do not know what anything is but they are trying to establish a bit of order. Complete the dialogues.**

B1

● ¿Dónde pongo
➲ ...esto... ?

○ (1) .... ponlo en la cocina. Me parece que es la batidora.

● ¿Y (2) .... que está ahí?

○ (3) .... puedes dejarlo en el dormitorio.

○ ¿Y dónde ponemos
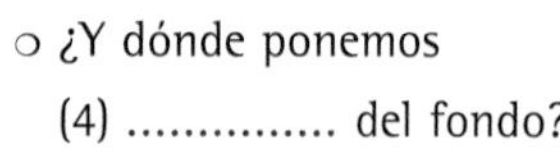
(4) .... del fondo?

● A ver... Huy, me parece que es la lámpara que nos regaló tu madre.

○ Cielos. Es horrible. ¿La ponemos en el desván?

○ Oye, ¿y (5) .... que está ahí qué es?

● Ni idea. Déjalo de momento.

9 **Underline the most appropriate option. Sometimes both are possible.**

B1

➲ ● ¿Quién es ese chico / eso?
○ El novio de Maite.

1. ● ¿Qué es **aquel pájaro** / **aquello**?
○ No sé, parece un pájaro.
2. ● Lucía dice que no te quiere.
○ **Esa chica** / **eso** me da igual.
3. ● ¿Por qué no enviaste **esa carta** / **eso**?
○ Porque no la pude terminar.
4. ● ¿Quieres manzanas?
○ Sí, pero solo una; dame **esa** / **eso**.
5. ● ¿A qué se dedica **ese señor** / **eso**?
○ Me han dicho que es profesor de instituto.
6. ● ¿En qué piensas?
○ En **aquella chica** / **aquello** que vino ayer.
7. ● ¿En qué piensas?
○ En **aquella chica** / **aquello** que ocurrió ayer.
8. ● ¿Dónde puedo poner **este mueble** / **esto**?
○ En el pasillo, aquí molesta.
9. ● ¿**Ése** / **eso** de la barba es tu hermano?
○ No, mi hermano es el de la gorra.

7. Possessives: *mi, tu, su... mío, tuyo, suyo...*

A Possessives before the noun: *mi amigo, mi amiga...*

	SINGULAR	PLURAL
yo	***mi** amigo/amiga*	***mis** amigos/amigas*
tú	***tu** libro/revista*	***tus** libros/revistas*
él/ella/usted	***su** hermano/hermana*	***sus** hermanos/hermanas*
nosotros/as	***nuestro** primo* ***nuestra** vecina*	***nuestros** primos* ***nuestras** vecinas*
vosotros/as	***vuestro** gato* ***vuestra** gata*	***vuestros** amigos* ***vuestras** amigas*
ellos/ellas/ustedes	***su** tío/tía*	***sus** discos/películas*

Esta es **mi** cama y estos son **mis** amigos.

Esta es **nuestra** casa y estos son **nuestros** vecinos.

In Spanish, the possessives do not agree with the corresponding grammatical person: they **agree with the object being talked about.** ***Mi, tu*** and ***su*** agree with the object being talked about **only in number.** ***Nuestro*** and ***vuestro*** agree in **gender** and **number**:

- *Mirad, esta foto es del día de **mi** boda. Estos son **mis** padres, **vuestros** abuelos; este, **mi** hermano Javier, **vuestro** tío. Esta chica del sombrero, **mi** hermana pequeña, **vuestra** tía Alicia. Y estas son **vuestras** primas Ángela y Lucía, **mis** sobrinas.*

Su (talking about a single object) and ***sus*** (talking about various objects) mean:

DE USTED/USTEDES

- *¿Y usted? Vendrá a la boda, ¿verdad?*
- *Sí, claro, muchas gracias.*
- *¿Y **su** mujer y **sus** hijas?*
- *Sí, también. Están encantadas.*
- *Por el hotel no se preocupen ustedes, porque ya tengo **su** reserva.*

DE ÉL/ELLA/ELLOS/ELLAS

- *¿A quién más has invitado a la boda?*
- *Al jefe, con **su** mujer y **sus** tres hijas; a la tía Ana, con **su** novio y **sus** amigas; a los tíos de Almería, con **su** hijo, **su** nuera y **sus** dos nietos; y a las hermanas López, con **su** madre y **sus** novios.*

1 Here you have a selection of summer holiday offers. Complete them with the right possessives.

A1

1
Agencia 'Odisea'
¡Viaje con nosotros y disfrute
de nuestros maravillosos
HOTELES,
de nuestra estupenda
COCINA TRADICIONAL,
de nuestras fantásticas
EXCURSIONES
y de nuestros inmejorables
PRECIOS!
2
Academia de baile
RítmicA
Baila y disfruta con .... música favorita. En nuestras clases de salsa, merengue, tango o rumba aprenderás todo lo necesario para sorprender a .... novio o a .... novia, a .... amigos y a .... amigas.
Especial para ti.
3
El chef en casa
El cocinero para sus fiestas
Disfrute de:
.... delicioso arroz con pimientos.
.... especialidades en cocina tropical.
.... postres de chocolate.
.... experiencia en restaurantes de lujo y .... estudios en las mejores escuelas me permiten ofrecerle el mejor servicio de la ciudad.
Llámeme al 017 65 43 21
4
Queridas familias:
¿Qué vais a hacer con vuestras plantas este verano?
¿Quién va a cuidar .... jardín?
¿Quién va a regar .... macetas?
¿Quién va a podar .... rosas?
Hogar Botánico
¡Llamadnos! Tel. 013 45 67 89
A la vuelta lo veréis todo VERDE.
5
BÚNKER
Empresa de seguridad y servicios
¿Preocupado por la seguridad de .... vivienda durante el verano?
¡RELÁJESE!
Nosotros vigilamos .... apartamento o casa y recogemos .... correo.
Además, por un precio adicional, llenamos .... frigorífico justo a tiempo
y avisamos a .... proveedores habituales (lechero, panadero, ...).
Somos .... ángeles de la guarda.

2 Bea and Miguel are getting separated and are dividing up their things. Read and complete the conversation with the appropriate possessives.

A1

Bea: Te puedes quedar con el equipo de música, pero yo me llevo ➲ mis cedés y (1) .... libros, por supuesto.

Miguel: Perfecto, quédate con (2) .... cedés y con (3) .... libros, pero el microondas es mío.

Bea: ¡Ah, no! Perdona, pero este es (4) .... microondas. El tuyo lo tiene María, ¿no te acuerdas?

Miguel: Pues el lavavajillas sí es mío, y la lavadora, también.

Bea: Mira, me da igual, quédate con (5) .... lavavajillas y (6) .... lavadora; pero (7) .... cuadros y (8) .... sofá no vas a tocarlos.

Miguel: Muy bien, muy bien. Llévate (9) .... sofá y esos cuadros horribles. Ah, y llévate también el abrebotellas de (10) .... madre y el paraguas de (11) .... prima Jacinta y yo me quedo con todo lo demás.

B Possessives after the noun: *un amigo mío, una amiga mía...*

	SINGULAR MASCULINE	SINGULAR FEMININE	PLURAL MASCULINE	PLURAL FEMININE
yo	*un amigo **mío***	*una amiga **mía***	*unos amigos **míos***	*unas amigas **mías***
tú	*ese libro **tuyo***	*aquella casa **tuya***	*esos libros **tuyos***	*aquellas casas **tuyas***
él/ella/usted	*otro coche **suyo***	*otra casa **suya***	*otros coches **suyos***	*otras casas **suyas***
nosotros/as	*otro gato **nuestro***	*otra gata **nuestra***	*otros gatos **nuestros***	*otras gatas **nuestras***
vosotros/as	*ese primo **vuestro***	*esa prima **vuestra***	*esos primos **vuestros***	*esas primas **vuestras***
ellos/ellas/ustedes	*un disco **suyo***	*una mesa **suya***	*unos discos **suyos***	*unas mesas **suyas***

■ These possessives are adjectives and,like all adjectives,must agree in gender and number with the noun,in the same way as articles,demonstratives,quantifiers and indefinite pronouns:

- *He traído muchos discos **míos**.*
- *En mi mesa hay varios libros **vuestros**.*
- *Esta calculadora **tuya** no tiene pilas, ¿sabes?*
- *Javier es un amigo **suyo** de la universidad, ¿no?*

👁 *un amigo ~~de mí~~ (mío), un amigo ~~de ti~~ (tuyo), un amigo ~~de vosotros~~ (vuestro)...*

➲ 4. Adjetivo

3 Link the sentences and complete with the appropriate possessive adjectives.

A1

➲ Estoy saliendo con un chico guapísimo. —— a. ¡No me digas!, ¿y tienes alguna foto *suya* ?

1. A tu marido le gusta mucho Elvis, ¿verdad?
2. Pues nosotros tenemos un amigo que sabe mucho de ordenadores.
3. A Aurelio se le olvida devolver las cosas.
4. ¿Qué os regaló Francisco por vuestra boda?
5. En casa organizamos en Navidad una comida para más de veinte personas.

a. ¡No me digas!, ¿y tienes alguna foto *suya* ?
b. ¿Y eran todos amigos .... ?
c. Ya lo sé, todavía tiene algunos libros .... que le presté el año pasado.
d. Varios cuadros .... Son increíbles.
e. ¡Ah!, ¿sí?, pues ¿por qué no le decís a ese amigo .... que si puede venir a ayudarnos?
f. Sí, tiene un montón de discos ....

4 Your Spanish teacher has asked you to correct this exercise done by a classmate.

A1

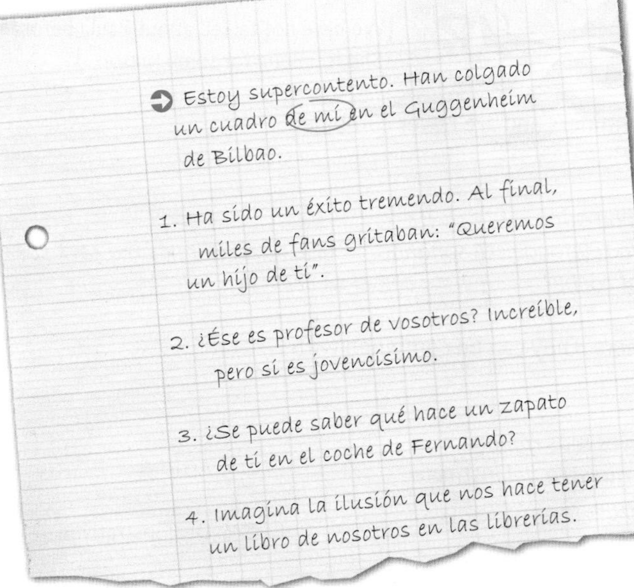
➲ Estoy supercontento. Han colgado un cuadro de mí en el Guggenheim de Bilbao.

1. Ha sido un éxito tremendo. Al final, miles de fans gritaban: "Queremos un hijo de ti".
2. ¿Ése es profesor de vosotros? Increíble, pero sí es jovencísimo.
3. ¿Se puede saber qué hace un zapato de ti en el coche de Fernando?
4. Imagina la ilusión que nos hace tener un libro de nosotros en las librerías.

➲ *un cuadro mío*
1. ....
2. ....
3. ....
4. ....

C *Un amigo mío / Mi amigo*

■ With ***mío, tuyo, suyo...***, in the same way as with other adjectives (*familiar, español,*etc.), we indicate that asingle thing (or various) forms a part of a larger unit of things connected to something or someone:

- *Ester es <u>vecina</u> **nuestra**.*
  [She is one of the group of our neighbours.]
- *He encontrado <u>fotografías</u> **vuestras**.*
  [An unspecified number of photos that are either of you or that you have taken. There may be more of them.]
- *<u>Tres profesores</u> **míos** hablan chino.*
  [Three of the teachers I have. I may have more.]
- *<u>Una novela</u> **suya** ha ganado el premio.*
  [One of the novels that he or she wrote. There may be more.]

■ With ***mi, tu, su...*** we are talking about things that can be identified amongst all the others because of their connection with something or somebody. There are no more or they are the only ones we have talked about:

- *Ester es **nuestra** <u>vecina</u>.*
  [She is the only person identified as our neighbour.]
- *He encontrado **vuestras** <u>fotografías</u>.*
  [he photos that are of you or which you have taken. The only ones we have talked about...]
- ***Mis** <u>tres profesores</u> hablan chino.*
  [The three teachers I have or the three that I have talked about...]
- ***Su** <u>novela</u> ganó el premio.*
  [The only one he or she has written. The one that was entered for the prize...]

Mañana viene Lena Mercadal, **una** <u>amiga</u> **mía** de Menorca.

[We have not talked about her before]

Ah, sí, **tu** <u>amiga</u> de Menorca. Encantado.

[We have talked about her before.]

Esta es Paula, **mi** amiga.
¿Amiga especial?, ¿novia?, ¿amante?, ¿sólo tiene una amiga?...

[We have not talked about Paula before. She is unique for some reason...]

■ Possessives **before the noun** are noun determiners and are never combined with articles or demonstratives:

- ***Su** <u>tío</u> ha llamado. / **Un** <u>tío</u> **suyo** ha llamado.* [~~Un su tío~~ ha llamado.]
- ***Ese** <u>teléfono</u> está sonando. / **Nuestro** <u>teléfono</u> está sonando.* [~~Ese nuestro~~ teléfono está sonando.]
- *¿Fuiste con **tu** <u>coche</u>? / ¿Fuiste con **el** <u>coche</u>?* [¿Fuiste con ~~el tu~~ coche?]

■ Possessive **after the noun** are not determiners. They can be combined with articles or demonstratives:

- *<u>El</u> ordenador **suyo** del otro despacho es más rápido.*
- *El otro día nos llamó <u>un</u> compañero **nuestro** del instituto.*
- *No soporto <u>esa</u> manía **tuya** de gritarme.*

➲ 5. Articles
➲ 6. Demonstratives

5 Complete the sentences as in the example.

A2 ➲ Vinieron todos ...sus hermanos... .

a. hermanos suyos
(b.) sus hermanos

1. .... vive en Nueva York y la otra en Dublín. — a. Una hermana mía / b. Mi hermana
2. Me gustan mucho .... Tienen un color precioso. — a. ojos tuyos / b. tus ojos
3. Estará .... He visto luces encendidas en tu casa. — a. compañero de piso tuyo / b. tu compañero de piso
4. Todos tuvimos que decirle .... para poder pasar. — a. nombres nuestros / b. nuestros nombres
5. Es director de cine, ¿verdad? Me gustaría ver .... — a. su película / b. alguna película suya
6. Yo no estoy de acuerdo, pero es .... Tú decides. — a. vida tuya / b. tu vida
7. Aquí tienes .... que estaban en mi casa. Hay más, pero no podía traértelos todos. — a. estos libros tuyos / b. tus libros

6 There has been a robbery on the Occident Express. Complete the text below by putting the possessives into the right places.

A2 **Marquesa de Montefosco:** ¡Qué desgracia! Esto es terrible. Se han llevado ➲ ...mis... joyas ...., (1) todos .... camisones de seda .... y (2) .... dentadura postiza ....

El Duque y la Duquesa de Aguasturbias: Pues nosotros hemos perdido todo el equipaje: (3) .... dieciocho maletas ...., (4) .... seis abrigos de pieles .... y (5) .... gorros de dormir .... Estamos desolados.

La Marquesa: Querido Duque, ¿y (6) .... magnífica colección de pipas de marfil .... ? ¿Está a salvo?

El Duque: ¡Qué va! También ha desaparecido. Y el anillo de diamantes que le regalé a (7) .... esposa .... con motivo de (8) .... último cumpleaños ....

La Duquesa: Guillermo, te olvidas de (9) .... ordenador portátil .... y de (10) .... doce palos de golf preferidos ....

Hércules Jolms: Cálmense. Parece que se han encontrado algunos (11) .... objetos .... en la Estación de Albacete: Señor Duque, ha aparecido (12) .... ordenador ...., con documentos bastante comprometidos, por cierto.

El Duque: No sé a qué se refiere.

Hércules Jolms: Hay varios (13) .... poemas .... dedicados a la Marquesa de Montefosco. También hemos encontrado algunas (14) .... joyas ...., Señora Marquesa, junto con (15) .... anillo ...., Señora Duquesa. Dos (16) .... pipas ...., y (17) .... doce palos de golf .... estaban en los servicios de la estación, señor Duque.
Hay otro asunto delicado: dos (18) .... camisones ...., Señora Marquesa, estaban en una (19) .... maleta ...., Señor Duque.

La Duquesa: Ahora lo comprendo todo: Querida Marquesa, aquí tiene (20) .... dentadura postiza .... La encontré en el bolsillo de (21) .... pijama ...., Guillermo.

D Without noun: *Tu casa es bonita pero la mía es más grande.*

■ We use ***el mío, el tuyo, el suyo,*** when it is not necessary to use the noun with the possessive, because we already know which one we are referring to:

- *¿Con qué lavas tus sábanas? Están más limpias que* ***las mías.*** [my sheets]
- *Mi sillón es más cómodo que* ***el tuyo.*** [tu sillón]
- *Le he prestado la moto a mi hermano,* ***la suya*** *no funciona.* [your motorbike]
- *Vosotros vais en vuestro coche y nosotros en* ***el nuestro****, ¿vale?* [our car]

7 **Change the following sentences to avoid repeating the noun.**

B1

➲ Tu hija se lo pasa muy bien con <u>mi hija</u>. Se divierten mucho juntas.
Tu hija se lo pasa muy bien con la mía...

1. Me gusta más su dentista que <u>nuestro dentista</u>. Hace menos daño.
....
2. Mi móvil se ha quedado sin batería. ¿Me dejas <u>tu móvil</u>?
....
3. Estas son mis toallas. <u>Tus toallas</u> están en el armario.
....
4. El barrio donde vivo no está mal, pero <u>su barrio</u> es más tranquilo.
....
5. Mi sueldo es más alto que <u>vuestro sueldo</u>. Y eso que yo trabajo bastante menos...
....
6. Yo tengo una letra muy difícil de leer, pero <u>tu letra</u> no se entiende nada.
....
7. Entre la bicicleta de David y <u>nuestra bicicleta</u>, prefiero la de David.
....
8. Tenemos el mismo coche, pero <u>su coche</u> tiene aire acondicionado.
....
9. Nunca te lo había dicho, pero prefiero su café a <u>tu café</u>.
....

E ¿De quién es? Es nuestro: *mío, tuyo y de Pepe.*

■ Possessive adjectives are used with the verb *ser* to express ownership:

- *¿De quién <u>es</u> esta revista?*
  ○ *<u>Es</u> **mía**.*
- *¿De quién <u>son</u> estas gafas?*
  *¿<u>Son</u> las **tuyas**?*
- *¿De quiénes <u>son</u> estas copas?*
  ○ *<u>Son</u> **nuestras**.*
- *¿De quiénes <u>son</u> estos abrigos?*
  *¿<u>Son</u> **suyos**, señores Núñez?*
- *¿Ese sombrero rojo <u>es</u> el **tuyo**?*
  ○ *Sí, ¿te gusta?*
- *¿Este cuadro <u>es</u> **de tu abuela**?*
  ○ *Sí, **suyo**.*

8 **Carmen and her boyfriend Alberto have gone shopping with Inma. After paying,they find that their things and those of another man have got mixed up and have to be separated. Look at their shopping lists and fill the gaps in the exercise on the next page with possessives.**

B1

Inma:

Carmen y Alberto:

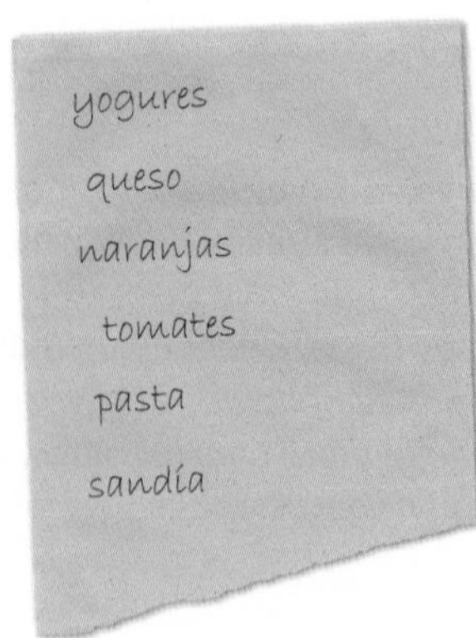

El señor:

Inma: ¿El pan es ➲ ..*nuestro*..?
Carmen: No, no es (1) ....
¿El pan es (2) .... , señor?
Señor: No, (3) .... tampoco.
Alguien lo ha olvidado.
Carmen: Las patatas sí son (4) ....
.... , ¿verdad, señor?
Señor: Sí, son (5) ....
Muchas gracias.
Carmen: ¿De quién es la leche?
Inma: (6) ....
Carmen: ¿Y el café?
Inma: También es (7) .... ,
¿me lo pasas?
Señor: Señora, ¿esa sandía de ahí es
(8) .... ?
Carmen: No, la (9) .... es
aquella que es más grande.
Señor: Entonces es la (10) ....
¿Me la pasa?
Carmen: ¿De quién son las naranjas?
Alberto: (11) .... , cariño.
Inma: No, estas son (12) .... ;
las (13) .... son aquellas.
Inma: Y, ¿de quién son los yogures?
Carmen: Los yogures son (14) ....
....
Inma: ¿Y el queso?
Carmen: También (15) es ....
Inma: Toma, Alberto, los tomates
son (16) ....
Alberto: Gracias, la pasta también es
(17) .... , ¿me la das?

F Special cases: *Tengo el pelo mojado.*

■ In Spanish, possessives are not normally used to talk about the parts of the body, clothes or other things we have on us; in these cases we use the articles ***el, la, los, las***:

- *¿Vas a salir con **el** pelo mojado? ¡Vas a resfriarte!* [~~¿Vas a salir con tu pelo mojado?~~]
- *Llevas una mancha de aceite en **la** camisa.* [~~Llevas una mancha de aceite en tu camisa.~~]
- *Mejor, no voy. Me duele **la** cabeza.* [~~Me duele mi cabeza.~~]
- *¿Os habéis lavado **las** manos?* [~~¿Os habéis lavado vuestras manos?~~]

Te llamo luego.
Estoy lavándome **los** dientes.

➲ 18. Reflexive and opinion-expressing constructions

9 Complete the conversations and link them as in the example.

B1

A. Venga, a dormir. ¿Os habéis puesto ➲ .*el*.. pijama? ¿Os habéis lavado ➲ *las*. dientes? ¿Sí? Pues, a la cama.

B. Oye, pues al principio muy bien, pero luego, un horror, Borja, un horror. Me rompí (1) .... brazo izquierdo por dos sitios, (2) .... dos piernas, (3) .... nariz y (4) .... cadera. Creo que esto de esquiar no es para mí.

C. No, de verdad que no puedo. El sábado tengo una boda y quiero cortarme (5) .... pelo, depilarme (6) .... piernas y pintarme (7) .... uñas de (8) .... pies y de (9) .... manos. Imposible, chica.

D. Mire, es que realmente me encuentro fatal. Me parece que es la gripe. Me duele (10) .... cabeza, (11) .... garganta, (12) .... estómago y tengo muchísima fiebre. De verdad, lo siento.

➲ Un padre habla con sus hijos. .*A*....
1. Dos amigas charlan por teléfono. ....
2. Un empleado llama al trabajo para disculparse por su ausencia. ....
3. Un amigo le cuenta a otro sus vacaciones en Sierra Nevada. ....

8. Indefinite articles: *todos, algunos, alguien, nada, otros...*

A *Algún estudiante, ninguna casa, todos los días...*

■ These indefinite articles are used to talk about **things that we select from a group**. They always refer to a noun that expresses the **type** of person or thing we are talking about:

Alguno/-a /-os/-as

Alguno: One or more things from a group, without specifying which or how many.

- *Se han comido **algún** bombón.*
- *Han dejado **algunos**.*

Ninguno/-a/-os/-as

Ninguno: Nothing (ø) from a group.

- *No se han comido **ningún** bombón.*
- *No han abierto **ninguno**.*

Todos/-as

Todos: The whole group.

- *Se han comido **todos** los bombones.*
- *Han abierto **todos**.*

👁 Before a noun, the masculine singular forms alguno and ninguno are shortened to ***algún*** and ***ningún***:

Algún lápiz [~~*Alguno lápiz*~~] ***Ningún lápiz*** [~~*Ninguno lápiz*~~]

■ These forms agree with the noun they refer to in both gender and number:

Algún** chico / **alguno	***Ningún** chico / **ninguno***	***Todos** los chicos*
***Alguna** chica*	***Ninguna** chica*	***Todas** las chicas*
***Algunos** chicos*	***Ningunos** pantalones*	
***Algunas** chicas*	***Ningunas** tijeras*	

👁 ***Ningunos/-as*** are only used with nouns that are not normally used in the singular: *pantalones, tijeras, prismáticos, gafas*, etc. With nouns that have a singular (*chico*) and a plural (*chicos*) we use ***ninguno/-a***.

■ We can use these forms **with the noun** they refer to or without the noun when we already know which noun we are talking about:

- *¿Tenéis **alguna** pregunta?*
- ○ *No, **ninguna**. Está todo clarísimo.*

- *Jesús tiene un montón de discos de los años ochenta. **Algunos** son muy buenos.*

- *Solo tengo cuatro amigos, pero **todos** son estupendos.*

Alguno/-a/-os/-as and ***ninguno/-a*** are used without a noun and with the preposition de when we mention the group that we are selecting things from:

- ***Algunas** de las preguntas que nos hizo eran muy difíciles.*
- ***Ninguno** de esos discos es de los Rolin Estón.*

1 A1 **Look at the example and guess the answers of these three competitors in a television memory game. Pay careful attention to the gender and number.**

¿Recuerda usted...

➲ ... las películas que vio de pequeño?	Sí, *algunas* .	No, *ninguna* .	Sí, *todas* .
➲ ... los nombres de sus vecinos?	*Algunos* .	No, *ninguno* .	*Todos* .
1. ... sus primeras palabras?	Sí, ...	No, ...	Casi ....
2. ... las gafas de sol que ha tenido hasta ahora?	Solo	Mmm, ...	....
3. ... a sus compañeros de clase de la escuela?	A .... sí .	No, a	Sí, a ....
4. ... a sus profesores de la escuela primaria?	Sí, a	A ...... , me temo.	Claro, a ....
5. ... las marcas de vino que ha probado?	....	Casi	Casi ....
6. ... los discos que le han regalado?	Bueno, ...	¿Discos?	.... , creo.
7. ... los títulos de los libros que ha leído?	Solo	Pues no, ...	....
8. ... las canciones de éxito de la década de los 90?	....	Esto... No, ...	....

2 A1 **Chose and complete with the correct form.**

alguna	algunas	algunos	algún ✓	algún	algún	ningún	ningún	ninguno	todas	todos

➲ ¿Tienes *algún* día libre la semana que viene?

1. No entiendo .... cosas de este libro. ¿Puedes ayudarme?
2. .... jóvenes son muy responsables, pero son pocos.
3. Te puedes llevar .... los diccionarios. No necesito ....
4. No me gustan los caramelos ni los pasteles. .... dulce me gusta.
5. ¿Qué te pasa? ¿Tienes .... problema?
6. Ten cuidado con el horno. En .... caso debes tocar el cristal. Quema.
7. A Jaime le gustan .... las películas de Rigoberto de Nilo.
8. Si necesitas .... chaqueta, yo te puedo prestar una.
9. El perro se escapó y no ocurrió nada al final, pero en .... momento pasamos muchísimo miedo.

3 A1 **Fátima Gómez has been to a school reunion. Complete with *todos, todas, algunos, algunas, ninguno, ninguna*.**

➲ *Todos* , sin excepción, estamos más viejos. ¡Cómo pasa el tiempo! (1) .... se han quedado completamente calvos, aunque Fernando Dávila sigue con su impresionante mata de pelo; (2) .... están bastante más gorditas –Maite Céspedes y Conchi Moreno siguen pesando cincuenta kilos, ¿cómo lo harán?-, pero (3) .... se ha operado nada –al menos eso dicen ellas. ¡Hasta hay (4) .... embarazadas! En general , la verdad es que (5) .... las chicas seguimos estando muy guapas. (6) .... ya se han divorciado, creo que José Miguel Lombardo y Paco Goikoetxea, y vinieron a la fiesta con sus segundas parejas. Es curioso, pero (7) .... de ellos vive en el extranjero, (8) .... se han quedado en España. Solo yo vivo fuera. (9)................ las chicas, sin excepción, trabajamos. Es una suerte. Sin embargo, no (10) .... los chicos tienen trabajo. (11) .... están en paro.

B *Alguien, nadie; algo, nada; todo.*

■ These indefinite articles are used as nouns and are used to talk about **people** (*alguien, nadie*) or **things** (*algo, nada, todo*) **without specifying which type of person or thing we are talking about:**

Alguien [somebody]	Nadie [nobody]	Algo [something]	Nada [nothing]	Todo [everything]

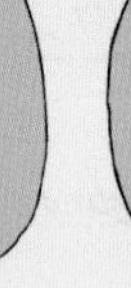

Veo a ***alguien.*** *No veo a* ***nadie.*** *Veo* ***algo.*** *No veo* ***nada.*** *Lo veo* ***todo.***

■ ***Alguien, nadie, algo, nada*** **and** ***todo*** **never change their form and they always agree with the masculine singular:**

- *¡Hola! ¿Hay* ***alguien*** *despiert<u>o</u>?*

  [We could be talking about: a man, a woman, several men, several women...]

- *Tenía* ***algo*** *roj<u>o</u> en la mano.*

  [We could be talking about: a toy, a ball, several pencils several cherries...]

- *Me gusta este libro.* ***Todo*** *está muy clar<u>o</u>.*

  [We could be be talking about: the text, the layout, the examples...]

4 This is a fragment of the script of a detective film. Complete with the words *alguien, nadie, algo, nada* or *todo*.

A2

➲ *Alguien* pone, con mucho cuidado, (1) .... en el bolso de la agente del 069, Laura Ladrón. (2) .... se da cuenta: ni su compañero, el agente Cortés, ni su ayudante. Cuando la agente abre el bolso, ve que dentro hay (3) .... muy extraño, pero no dice (4) .... , porque Cortés siempre quiere saber (5) .... lo que ella hace. La agente cierra el bolso y va a su coche. Allí abre el bolso, pero ya no hay (6) .... El paquete ha desaparecido. Laura se pone muy nerviosa y, de repente, ve que en el asiento de atrás hay (7) .... Es el conocido Manazas, un ayudante del mafioso Gil.

● ¿Buscas (8) .... , muñeca?

○ No, no busco (9) ....

● Tengo un mensaje de mi jefe para ti. Me ha dicho que tiene (10) .... que decirte. Tienes que ir a su casa esta tarde, pero sola; (11) .... puede acompañarte.

○ ¿Y por qué tengo que ir a verlo? Gil es un mafioso y no tengo (12) .... que decirle.

● Pero Gil te interesa mucho. Tiene información sobre (13) .... , sobre una persona que estás buscando. A las cinco y media en su casa, sola, sin (14) .... ¿Lo has entendido (15) .... ?

○ Sí.

● Toma, tengo (16) .... para ti.

Laura ve que Manazas le da (17) .... Es el paquete que antes estaba en su bolso.

5 Complete with the most suitable adjective in the appropriate gender.

A2

➲ Es verdad que no eres guapísima, pero **nadie** es *perfecto* .

1. **Una persona** .... es alguien que no quiere trabajar mucho.
2. **Algo** que es tan .... no puede ser de buena calidad.
3. Si miras las cosas con pesimismo, **todo** lo verás ....
4. Para atraer la atención de un toro necesitas una tela roja o **algo** ....
5. **Nada** es más .... que la velocidad de la luz.

rápido/-a
rojo/-a
barato/-a
perezoso/-a
perfecto/-a ✓
oscuro/-a

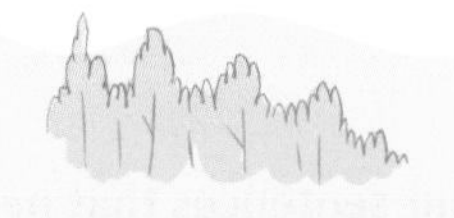

6 Complete with the correct form.

A2

alguien	nadie	algo	nada	algún/-o (-a, -os, -as)	ningún/-o (-a, -os, -as)

- ● Necesito otro pañuelo. ¿Tienes *alguno* más?
  ○ Lo siento. Ya no me queda *ninguno*.
  ● Si quieres una servilleta de papel...
  ○ Bueno, *algo* es *algo*.

1. ● .... sabe lo nuestro, Ernestina, tengo miedo.
   ○ No, hombre, tranquilo, no lo sabe ...., solo nuestros amigos íntimos.
   ● Bueno, es que .... de ellos puede decir ...., ¿no crees?
2. ● ¿Tienes .... para el dolor?
   ○ Pues me parece que no tengo .... Espera, sí, tengo aspirinas.
   ● ¿Sólo aspirinas?
   ○ Pues sí, mejor es .... que ...., ¿no?
3. ● ¿Tienes .... para picar? ¿Aceitunas, por ejemplo?
   ○ Aceitunas sí, creo que tengo .... en el frigorífico.
4. ● ¿Quedan .... galletas? Estaban muy ricas.
   ○ Pues creo que no. He mirado hace un momento y no quedaba ....
5. ● ¿Ha llamado .... ?
   ○ Sí.
   ● ¿Quién era?
   ○ No me lo ha dicho. .... amigo tuyo, supongo.
6. ● Esta sopa necesita .... más. ¿Hay tomates?
   ○ Pues la verdad es que no queda .... tomate.
   ● ¿En serio? ¿ .... ? ¿Y cebolla?
   ○ Ni tomates ni cebolla. No queda ....
7. ● Buenas. Estaba buscando .... bonito para una fiesta.
   ○ Muy bien. Tenemos unos conjuntos muy modernos y unos vestidos preciosos.
   ● ¿Puede enseñarme .... barato?
   ○ ¿ .... vestido o .... conjunto?
8. ● ¿Crees realmente que tus compañeros de trabajo te odian?
   ○ .... , sí. Sobre todo el gerente.
   ● Pero, ¿tú les has hecho .... malo?
   ○ ¿Yo? No, ... Bueno, a .... de ellos sí, ... vez.

C Double negative: *No hay ninguno; no hay nadie; no hay nada.*

■ The negative forms **nadie**, **nada** o **ningún/-o** (**-a**, **-os**, **-as**) can go **before** or **after the verb**. If they go **after**, it is also necessary to express negation before the verb:

Ningún *problema es grave.*	PERO:	***No*** *existe* ***ningún*** *problema grave.*	[~~Existe ningún problema grave.~~]
Nada *le parece bien.*		***No*** *le parece bien* ***nada.***	[~~Le parece bien nada.~~]
Nadie *me comprende.*		***No*** *me comprende* ***nadie.***	[~~Me comprende nadie.~~]

■ In Spanish, the negation must always come before the verb. To do this we use **no** together with **other forms that convey negative meaning**:

No, ni, tampoco...	• ***No*** *me ha llamado* ***ningún*** *amigo.* ***Tampoco*** *me han hecho* ***ningún*** *regalo.* • ***Ni*** *me ha llamado* ***nadie ni*** *me han regalado* ***nada.***
Nunca, jamás...	• ***Nunca / Jamás*** *he tenido* ***ningún*** *problema con esta chica.* • ***Nunca / Jamás*** *he hecho* ***nada*** *malo ni he ofendido a* ***nadie.***
Nadie, nada...	• ***Nadie*** *ha dicho* ***nada*** *malo de ti.* • *Había mucha comida, pero* ***nada*** *le ha gustado a* ***nadie.***
Ningún/-o (-a, -os, -as)	• ***Ningún*** *empleado ha observado* ***ninguna*** *cosa extraña.* • *En* ***ningún*** *caso debes dejar* ***ninguna*** *ventana abierta.* • *Yo creo que en* ***ningún*** *momento he dicho* ***nada*** *en contra de ella, ¿no?* • *De* ***ningún*** *modo va a entrar* ***nadie*** *en esta casa.*

7 **Identify the four sentences that need a double negative and correct them as in the example.**

B1

➲ Yo esperaba una visita, pero ha venido **nadie**. ......
..*no ha venido nadie*.........

Si no lo dices, **ninguno** de ellos lo sabrá.
............✓..............................

1. A **nadie** le importan mis problemas. ....
....
2. Bueno, yo esperaba tu ayuda, pero si no puedes, pasa **nada**. ....
3. Llamé a Berta, a Julia y a Paco, pero **nadie** contestaba al teléfono. ....
4. Dicen que Rosa y aquel chico se besaron, pero yo vi **nada**. ....
5. Tiene cuatro gatos, pero quiere regalarme **ninguno**. ....
6. No lo dudo, será tu hijo, pero se parece en **nada** a ti. ....

D *Otro, otra, otros, otras.*

■ ***Otro/-a /-os/-as*** refers to one or more different objects of the same type:

¡Un billete!

¡Otro billete!

¡Anda! ¡Otros dos!

¡Y otro!

- *¿Sabe si hay **otra** gasolinera en este pueblo? En esta no hay gasolina para motos.*
[The person is asking for a different petrol station to the one they are in.]
- *¿Has cambiado de perfume? Creo que me gustaba más el **otro**.*
[The previous perfume, different from the one being worn now.]

■ These forms agree in gender and number with the noun they refer to:

- *Tengo que buscar **otro** trabajo mejor.*
- *¡Qué cola! ¿No hay **otros** cajeros automáticos cerca?*
- *Si quieres a Andrés, dale **otra** oportunidad.*
- *¿No tienen **otras** gafas más baratas?*

■ When it is clear what the noun is, it is not necessary to repeat it:

- *Ya no vivo en ese piso. Ahora vivo en **otro**.*
- *Los Hidalgo tienen una casa en la costa y **otra** en la montaña.*

■ ***Otro/-a /-os/-as*** can also be combined with other determiners (demonstratives, possessives, definite articles, etc.) but they never combine with ***un/-a /-os/-as***:

- *Hoy te han llamado **otras** dos chicas.*
- *Hay dos posibilidades: una, quedarnos en casa y la **otra**, salir.*
- *Es bonito, pero prefiero ese **otro**.*
- *El hijo mayor es muy simpático, pero sus **otros** hijos, no.*

- *Dame **otro** café.* [~~Dame un otro café.~~]
- *Tienes que venir **otra** vez.* [~~Tienes que venir una otra vez.~~]

👁 Cardinal numbers (*dos, tres...*) go **después de *otros, otras***, not before:
[*Tengo ~~dos otros~~ trabajos para ti.*]
otros dos

8 **Isabel Préslez is a very demanding shopper. Link and complete the sentences with *otro, otra, otros, otras*. Underline the noun that they refer to.**

B1

➲ Estas chaquetas son muy bonitas, pero — ➲ ¿no tiene otras.. más baratas? No quiero gastar mucho.

1. Oh, qué jersey más mono, pero es un poco caro,
2. Me gusta muchísimo esta pulsera de plata, pero
3. Estas botas son estupendas, pero
4. ¡Qué pantalones más divinos! Pero

a. ¿no tiene .... más grande y más sofisticada?
b. ¿no tiene .... más barato? Es para ir muy deportiva.
c. ¿no tiene .... un poco más anchos y más oscuros?
d. ¿no tiene .... con el tacón alto? Son para una fiesta.

9 **Mercatoma department store has its Sale on: for everything you buy they give you several extra, as indicated in the brackets. Complete the advertisement with the missing words.**

B1

➲ Si se lleva un perfume de señora, le regalamos (I) otro... y si se lleva dos perfumes de caballero, le regalamos (III) otros tres...... .

1. Si se lleva unas medias, le regalamos (I) ....
2. Si se lleva tres cedés, le regalamos (III) ....
3. Si se lleva un juego de cama, le regalamos (I) ....
4. Si se lleva dos colchas, le regalamos (II) ....
5. Si se lleva una maquinilla de afeitar, le regalamos (I) ....
6. Y si se lleva una calculadora, le regalamos (II) .... Así podrá descubrir todo lo que se ha ahorrado.

10 **Vicenta is writing to his brother Manolo to tell him about what is going on in the village. Put the words in brackets into the right order and cross out any elements that cannot be used in combination with *otro/-a/-os/-as*.**

B1

Marmolejo, 29 de diciembre de 1970

Querido Manolo:

Te escribo (~~una~~, vez, otra) (➲) otra vez para contarte las últimas novedades en Marmolejo. Papá y yo nos hemos mudado a (una, casa, otra) (1) .... más pequeña en (otra, la, parte) (2) .... del pueblo. El tío Agapito ya no vive con su hijo Paco sino con (otra, su, hija) (3) ...., Elvira. Tu prima Felisa ha tenido (hijos, otros, dos) (4) .... y están todos muy bien. La vaca también ha parido (ternero, un, otro) (5) .... Tu hermano Aureliano ha comprado (tres, casas, otras) (6). .... y quiere hacer un hotel y un restaurante para traer turistas a Marmolejo. Y yo ya no salgo con Rogelio, sino con (chico, otro, aquel) (7) .... de Madrid que conociste en verano. Ya ves que hay muchos cambios en el pueblo. ¿Cuándo piensas venir a vernos?

Un beso de tu hermana,

Vicenta

11 **Apart from having relationship issues, Fránkez and Tristicia sometimes have problems with *otro, otra, otros* y *otras*. Correct the three errors, as well as the example.**

B1

➲ **Fránkez:** En las fiestas miras a unos otros chicos. otros chicos .

1. **Tristicia:** Estás celoso, ojitos de rana. Miro a otros, sí, pero no miro a nadie en especial. A mí los otros no me interesan ....
2. **Fránkez:** ¿Por qué te fijas en unos otros si me tienes a mí? ....
3. **Tristicia:** Fránkez, yo no miro unos otros ojos, no miro otra boca, no miro otras manos. Yo solo te miro a ti. ....
4. **Fránkez:** Eso deseo yo, Tristicia. Porque tú eres mi dulce cucaracha y no hay en todo el mundo ninguna otra. Nunca podrá haber una otra. Solo te quiero a ti ....

9. Cardinal numbers: *uno, dos, tres...*

Cardinal numbers are used to express quantities: *un globo, dos globos, tres globos.* They always refer to a noun, but may also be used alone when it is clear what we are talking about:

- *Tengo **dos** entradas para el concierto, ¿y tú?*
- *Yo tengo **tres**.*

A De 0 a 15

0	*cero*	4	*cuatro*	8	*ocho*	12	*doce*
1	*uno*	5	*cinco*	9	*nueve*	13	*trece*
2	*dos*	6	*seis*	10	*diez*	14	*catorce*
3	*tres*	7	*siete*	11	*once*	15	*quince*

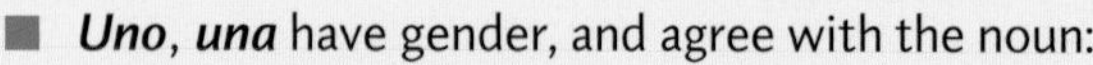

■ ***Uno**, **una*** have gender, and agree with the noun:

- *¿Qué van a tomar?*
- ***Una** cerveza y dos vinos, por favor.*

- *¿Cuántos bocadillos quieren?*
- ***Uno.***

👁 ***Uno*** changes to ***un*** before the noun: ***Un** té y tres cafés, por favor.*

1 Claudio always wants to outdo his friend Julio, and whatever Julio wants, Claudio wants double. Compete by writing the numbers in word form.

A1

➲ Si Julio se come dos bocadillos, él se come ..*cuatro*.. bocadillos.

1. Si Julio se bebe cinco cafés, él se bebe .... cafés.
2. Si Julio se toma una cerveza, él se bebe .... cervezas.
3. Si Julio tiene tres novias, él tiene .... novias.
4. Si Julio invita a seis amigos, él invita a .... amigos.
5. Si Julio se come siete pasteles, él se come .... pasteles.
6. Si Julio compra cuatro botellas de vino, él compra .... botellas de vino.
7. Si Julio alquila cinco vídeos, él alquila .... vídeos.
8. Si Julio se come tres platos de pasta, él se come .... platos de pasta.
9. Si Julio se cae una vez, él se cae .... veces.

2 The following conversation is heard in Carlota's bar between the waiters and the customers. Write the numbers and be careful with *un, uno, una*.

A1

➲ ● Buenas tardes, quería **2** ..*dos*.. cafés y **1** ...*un*. té con limón, por favor.

1. ○ ¿**2** .... tes?
   ● No, **1** ....
2. ● ¿Cuántas cervezas me ha dicho?
   ○ Solo **1** .... , y **3** .... vinos de Rioja.
3. ● **1** .... cerveza, por favor.
   ○ ¡Marchando!
   ● ¿Me pones también **1** .... vaso de agua?
4. ● ¿Qué van a tomar?
   ○ **1** .... bocadillo de queso y **1** .... limonada.
5. ● ¿Cuántos cafés?
   ○ **3** .... : **2** .... solos y **1** .... con leche.
6. ● ¿Cuánto es todo?
   ○ **2** .... bocadillos, **1** .... botella de vino y **1** .... carajillo. Espera, ahora te lo digo.

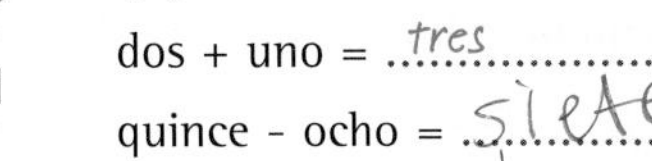

3 **Help Jaime to do his arithmetic.**

A1

dos + uno = tres	seis + tres = nueve	diez + cuatro = catorce
quince - ocho = siete	dos + nueve = dicieueve	doce + tres = cinco
nueve + cuatro = trece	trece - siete = seis	siete + cinco = once

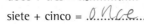

B From 16 a 99

■ From **16** to **29**, the numbers are written as **a single word**::

16	*dieciséis*	20	*veinte*	25	*veinticinco*
17	*diecisiete*	21	*veintiuno*	26	*veintiséis*
18	*dieciocho*	22	*veintidós*	27	*veintisiete*
19	*diecinueve*	23	*veintitrés*	28	*veintiocho*
		24	*veinticuatro*	29	*veintinueve*

- *¿Cuántos años tienes?*
- *Diecisiete. ¿Y tú?*
- ***Veintitrés.***

- *¿Qué día es hoy?*
- ***Diecinueve** de febrero.*

- *¿Cuánto cuestan esos calendarios?*
- *Los grandes **veinticinco** euros y los pequeños **dieciocho**.*

■ From **31** to **99**, the numbers are written are written as two words joined together by ***y***:

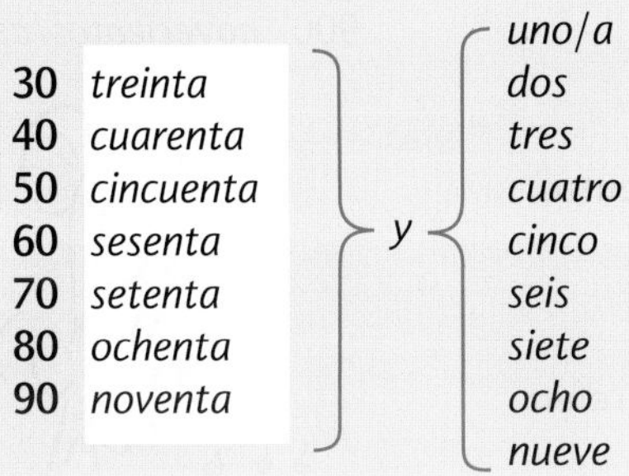

30	*treinta*	*y*	*uno/a*
40	*cuarenta*		*dos*
50	*cincuenta*		*tres*
60	*sesenta*		*cuatro*
70	*setenta*		*cinco*
80	*ochenta*		*seis*
90	*noventa*		*siete*
			ocho
			nueve

- *Mi abuela Lupe tiene **ochenta y tres** años y mi abuelo **noventa**. La tía Amalia tiene unos **sesenta y cinco** años y su marido, el tío Paco, **setenta** o **setenta y dos**. Mi madre tiene **sesenta y siete** años. Mi hermana Blanca tiene **treinta y nueve** y Carlos, su ex-marido, **treinta y dos**. Mi prima Eloísa, que está a la derecha, es la más joven del grupo: tiene **treinta años**.*

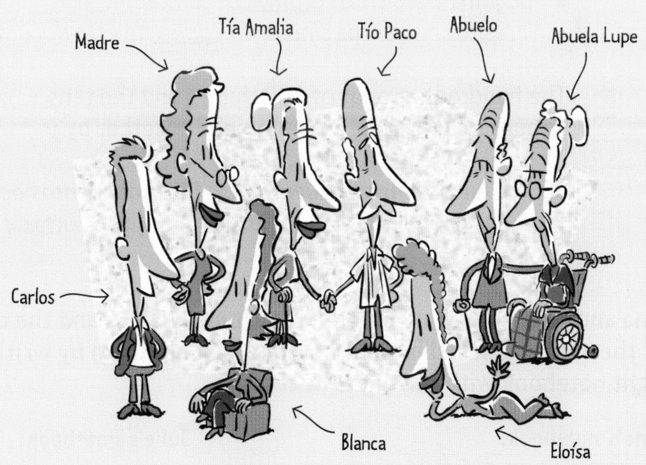

Remember that when numbers end in ***uno/una*** they agree in gender with the noun. ***Uno*** changes to ***un*** before the noun:

- *Te has comido **treinta y una** galletas saladas. Te vas a poner malo.*
- *Carla cumple pasado mañana **veintiún** años.*

4 **All the following people were born on 24 March. Today, 24 March 2015, is everybody's birthday, but how old are they all?**

A1

➔ Carmen: 24-03-1975: cuarenta años.

1. Pepe: 24-03-1976: treinta y nueve años.
2. Celia: 24-03-1984: treinta y uno años.
3. Clara: 24-03-1988: veintisiete años.
4. Marina: 24-03-1996: diecinueve años.
5. Juan José: 24-03-1992: veintitrés años.
6. Beatriz: 24-03-1990: veinticinco años.
7. Pablo: 24-03-1999: dieciseis años.

5 A1 **Carla is moving house and is making a list of all the things to pack into boxes. Help her. Be careful with *un/una*.**

➲ cuadros: 30 *treinta cuadros*
1. novelas: 71 ....
2. libros de arte: 63 ....
3. discos de jazz: 84 ....
4. discos de pop: 3 ....
5. botellas de vino: 9 ....
6. cubiertos: 52 ....
7. plantas: 5 ....
8. candelabros: 2 ....

6 A1 **Antoñito is learning to write numbers, but is not finding it easy. Can you help him?**

➲ ~~veinte y dos~~: *veintidós*
1. diez y siete: ....
2. sietenta y nueve: ....
3. nueventa y seis: ....
4. treintaytrés: ....
5. vientiuno: ....
6. cuarentacinco: ....
7. seisenta y uno: ....
8. ochoenta y dos: ....
9. cincuentaséis: ....

C From 100 to 999

■ We only use ***cien*** when we are talking about the number **100** exactly:

- *Doña Pura tiene **cien** años, ni uno más ni uno menos.*

■ We use ***ciento*** in all other cases:

- *Ese reloj cuesta **ciento dos** euros.* [102]
- *De Granada a Córdoba hay **ciento ochenta y cinco** km.* [185]
- *El noventa **por ciento** de la población está en contra de la decisión.* [90%]

100	*cien; ciento...*
200	*doscientos/as*
300	*trescientos/as*
400	*cuatrocientos/as*
500	***quin**ientos/as*
600	*seiscientos/as*
700	***sete**cientos/as*
800	*ochocientos/as*
900	***nove**cientos/as*

👁 When we are talking about approximate numbers we use **cientos**:

- *Había **cientos** de tortugas en la playa.*

■ The numbers from **200** to **999** agree with the noun to which they refer:

- *Póngame trescient**os** gramos de jamón.*
- *Necesito seiscient**as** cincuenta copias de este documento.*

👁 The hundreds (groups of 100 things) and the tens (groups of 10 things) are not joined together by *y*:

450 *cuatrocientos cincuenta* [*cuatrocientos ~~y~~ cincuenta*] 583 *quinientos ochenta y tres* [*quinientos ~~y~~ ochenta y tres*]

7 A1 **Ana and Julie are saving for a journey (one in Euros and the other in Pounds) and making a note of the amounts saved in their notebooks. Help them by writing the following numbers into the right notebook with the digits next to it.**

Ana's notebook:

Julie's notebook:

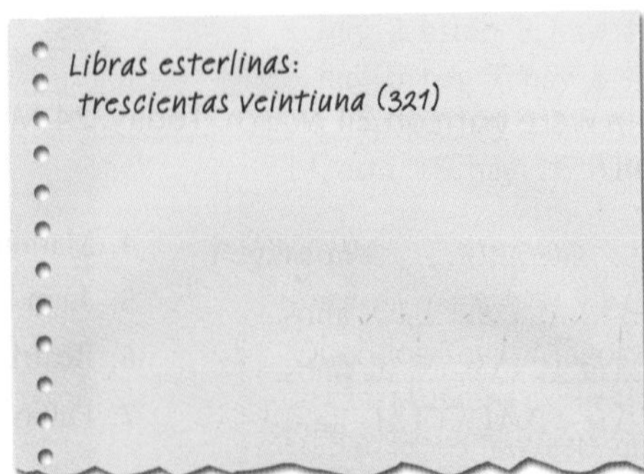

Trescientas veintiuna ✓
Doscientos cincuenta
Seiscientas doce
Ochocientos
Setecientos dos
Quinientas treinta y una
Novecientos veintidós
Setecientas
Cuatrocientas cincuenta

8 **Help! It's the end of the month and there are lots of bills to pay. Complete these cheques with the amounts in words.**

A1

Alquiler: 999 euros novecientos noventa y nueve

Electricidad: 281 euros ....

Móvil: 789 euros ....

Teléfono: 411 euros ....

Agua: 576 euros ....

Droguería: 125 euros ....

D From 1.000 to 999.999

■ The word ***mil*** does not change when talking about round numbers:

1.000	2.000	3.000	10.000	100.000	500.000
Mil	*Dos mil*	*Tres mil*	*Diez mil*	*Cien mil*	*Quinientos/as mil*

1.635 $ *mil seis**cientos** treinta y cinco dólares.*
38.751 m² *treinta y ocho mil sete**cientos** cincuenta y un metros cuadrados.*
912.182 £ *novecient**as** doce mil ciento ochenta y dos libras.*

👁 When we are talking about approximate numbers we use ***miles***:

- *Había **miles** de personas en el concierto.*

9 **Write the following numbers in reverse.**

A2

➲ (2.321) dos mil trescientos veintiuno (1.232) mil doscientos treinta y dos

1. (9.714) nueve mil setecientos catorce ....
2. (76.159) setenta y seis mil ciento cincuenta y nueve ....
3. (1.205) mil doscientos cinco ....
4. (48.118) cuarenta y ocho mil ciento dieciocho ....
5. (10.913) diez mil novecientos trece ....
6. (23.472) veintitrés mil cuatrocientos setenta y dos ....

Dos mil trescientos veintiuno.
Mil doscientos treinta y dos.

E *Millón, millones...*

■ The word ***millón*** is only used in the singular when talking about ***1 millón***.
To talk about more than one million we use the plural: ***millones***.

1.000.000	2.000.000	10.000.000	100.000.000	200.000.000	1.000.000.000
Un millón	*Dos millones*	*Diez millones*	*Cien millones*	*Doscient**os** millones*	*Mil millones*

👁 ***Millón*** is a masculine noun and therefore the hundreds (doscientos, cuatrocientos...) that precede it will always be in the masculine:

*200.340.000 personas: doscient**os** millones trescient**as** cuarenta mil personas.*
*700.278.000 palabras: setecient**os** millones doscient**as** setenta y ocho mil palabras.*

■ When the words ***millón*** or ***millones*** are immediately followed by a noun, they take the preposition ***de***:

- *Más de cuatrocientos **millones de** personas hablan español.*
- ***Un millón de** turistas han visitado Mallorca este año.*

👁 *Un millón **cien mil** turistas han visitado Mallorca este año.*

■ In Spanish, a ***billón*** (1.000.000.000.000) is a million million, and is therefore written with 12 zeros..

10 A2 **You are working on the *Gran Enciclopedia Panhispánica*. You have the population data for these countries and have to write them in words.**

➲ Argentina = 38.812.817 ..*Treinta y ocho millones ochocientos doce mil ochocientos diecisiete habitantes.*..........

1. México = 104.200.165 ....
2. Venezuela = 25.287.670 ....
3. Ecuador = 14.447.494 ....
4. Paraguay = 6.084.491 ....
5. Guatemala = 14.314.079 ....
6. España = 41.077.100 ....
7. Chile = 16.498.930 ....

F How to say numbers in Spanish.

- 345 € = *trescient**os** cuarenta **y** cinco <u>euros</u>.*
  579 personas = *quinient**as** setenta **y** nueve <u>personas</u>.*

- When talking about thousands, you say the number in two halves:
  96.345 € = *noventa **y** seis **mil** // trescient**os** cuarenta **y** cinco <u>euros</u>.*
  269.579 personas = *doscient**as** sesenta **y** nueve **mil** // quinient**as** setenta **y** nueve <u>personas</u>.*

- When talking about millions, you pause after *millón/-es* and again after *mil/miles*:
  204.796.345 € = *doscient**os** cuatro millones // setecient**os** noventa **y** seis **mil** // trescient**os** cuarenta **y** cinco <u>euros</u>.*

You only use ***y*** to connect the tens and the units.

325. 456. 815
Trescientos veinticinco millones **cuatrocientos/as cincuenta y seis mil** ochocientos/**as** quince

The hundreds of millions are always masculine (*-os*) because they agree with the word *millones*.

In the plural, the hundreds of thousands and the hundreds agree with the noun (*-os/-as*).

11 A2 **Mark has a problem when writing numbers: he does not know when to write the *y*. Help him by crossing the y out when it isn't necessary. Then write the number in digits.**

➲ Trescientos ~~y~~ veinte mil seiscientos ~~y~~ treinta y siete ..*320.637*..........

1. Cuarenta y dos mil ciento y cinco ....
2. Tres millones y ochenta y ocho mil trescientos y cuarenta y seis ....
3. Cuatrocientos y cinco mil sesenta y uno ....
4. Cincuenta y nueve mil y once ....
5. Noventa y dos mil trescientos y quince ....
6. Ochocientos y cinco mil quinientos y ochenta ....
7. Trescientos y veintiséis ....
8. Setecientos y setenta mil ....

A2 **12** **Lee el siguiente texto sobre la isla de Golandia y completa las cifras a medio escribir con las del recuadro.**

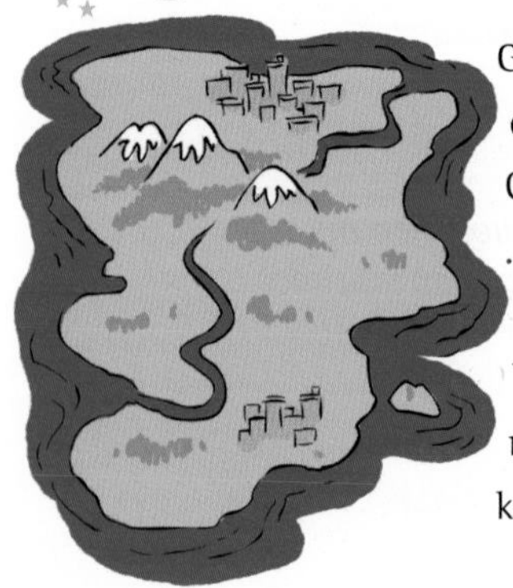

Golandia tiene una superficie de ..*seiscientos*.. quince ..*mil*.. km² y un total de dos millones .... habitantes. La capital, Gola City, está situada al norte del país y tiene .... trescientos habitantes; la segunda ciudad importante de Golandia es Rúcola, con .... siete .... habitantes. El monte principal de la isla es El Golón con una altura de .... y ocho metros, y tiene dos ríos principales: el Gologolo, de .... setenta .... kilómetros y el Golín, de doscientos .... kilómetros.

4.058
615.000
849.300
235
307.000
2.565.000
479

10. Ordinal numbers: *primero, segundo, tercero...*

A Meaning and forms

- Cardinal numbers express the **order** of a series:

  - *La **primera** novela de Clemente Bernad me gustó mucho más que la **segunda**.*
  - *De los seis hijos del doctor Muñiz solo el **segundo** y la **cuarta** han estudiado Medicina.*

- These are the most commonly used cardinal numbers in Spanish:

1º	*primero/a*	6º	*sexto/a*
2º	*segundo/a*	7º	*séptimo/a*
3º	*tercero/a*	8º	*octavo/a*
4º	*cuarto/a*	9º	*noveno/a*
5º	*quinto/a*	10º	*décimo/a*

The masculine forms are written with a floating º symbol after the number: 1º, 5º, 10º, ... The feminine forms have a floating ª symbol: 2ª, 4ª, 7ª...

Before a masculine noun, ***primero*** and ***tercero*** use a shortened form: ***primer*** and ***tercer***.

- *Mira, este es mi **primer** trabajo con el ordenador.*
- *Este es el **tercer** año que vivimos en el extranjero.*

The feminine forms, ***primera*** and ***tercera***, do not change:

- *Vivís en la **primera** puerta de la **tercera** planta, ¿verdad?*

4. Adjective

- In spoken language, cardinal numbers are generally used up to 10º. For higher cardinal numbers, the corresponding ordinal numbers are used:

9. Cardinal numbers

  - *La oficina donde trabajo está en el **primer** piso.*
  - *La **cuarta** sinfonía de Mahler.*
  - *Ha batido el récord en el **tercer** intento.*

  BUT:
  - *Vivimos en el piso **quince** de ese edificio.*
  - *La sinfonía **cuarenta** de Mozart.*
  - *Ganó la edición **treinta y dos** del Festival de la TOTI.*

1 The Alonso Blanco family has lots of children. Look at their ages and put them in order.

A1

Carlos tiene 25 años, María 18 y Juan 15. Francisco, no me acuerdo, pero es mayor que María y menor que Carlos. Laurita tiene 27, y Ana, la mayor, un año más. El más pequeño es Ricardo, que tiene 12 años.

Ana fue la ➲ ..*primera*......... en nacer; Carlos es el .... ; María es la .... ; Juan es el .... , Francisco es el .... ; Laura es la .... y Ricardo es el ....

2 The *What's On* section of the newspaper gives information on the following events. Write the ordinal numbers in words. Take care with the agreements.

A1

➲ 7º ..*Séptimo*........ Premio de Novela Histórica "Marqués de Lozoya"

1. 2º .... Certamen de Pintura al aire libre ciudad de Pedraza
2. 9º .... Festival de la Canción Popular "Agapito Marazuela"
3. 8º .... Concurso de Cocina "Mesón de Cándido"
4. 3º .... Concurso de guitarra flamenca "Fuente y caudal"
5. 1ª .... Muestra de Trajes Regionales Españoles de la ciudad de Sepúlveda
6. 3ª .... Exhibición de gaita asturiana del Concejo de Escamplero
7. 1º .... Congreso Nacional de las Caras de Bélmez de la Moraleda

3 **Write the corresponding ordinal or cardinal number for the following kings and queens.**

A1

➲ Juan Carlos I: *Juan Carlos Primero* .... [1]
1. Carlos III: .... [3]
2. Luis XV: .... [15]
3. Alfonso X: .... [10]
4. Isabel II: .... [2]
5. Alfonso XIII: .... [13]

B How they work

■ They agree with the noun in gender and number:

- *Vivo en el **cuarto** piso, **segunda** puerta.*
- *Las **primeras** gafas que llevé eran cuadradas.*

■ They are used with determiners:

- *Mi **primera** sobrina se llama Carlota y el **segundo** sobrino, Arnau.*

■ When used with nouns, they generally go before:

- *¡Bien! Hoy es el **primer** día de las vacaciones...*

➲ 4. Adjective

■ It is not necessary to use the noun when it is clear what we are talking about:

- *Esta es la **primera** casa construida por Gaudí en Barcelona. Y esta, la **segunda**.*

4 **Look at this week's concert programme of the *Orquesta Filarmónica de Cañadahonda* and complete the text that follows. Take care with the agreements.**

A1 A2

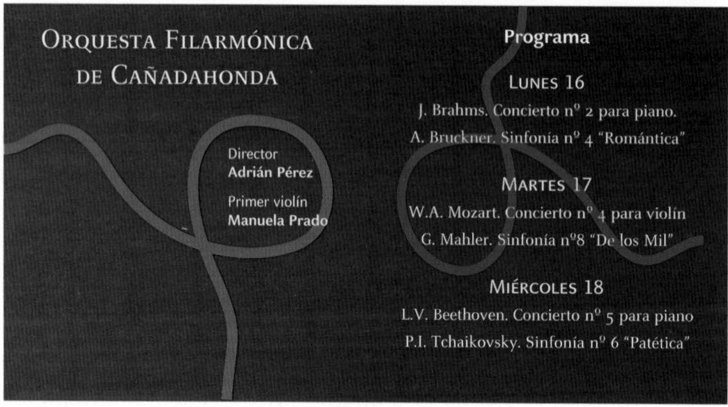

ORQUESTA FILARMÓNICA DE CAÑADAHONDA
Director
Adrián Pérez
Primer violín
Manuela Prado
Programa
LUNES 16
J. Brahms. Concierto nº 2 para piano.
A. Bruckner. Sinfonía nº 4 "Romántica"
MARTES 17
W.A. Mozart. Concierto nº 4 para violín
G. Mahler. Sinfonía nº8 "De los Mil"
MIÉRCOLES 18
L.V. Beethoven. Concierto nº 5 para piano
P.I. Tchaikovsky. Sinfonía nº 6 "Patética"

El ➲ *primer* día, la orquesta va a tocar el .... concierto para piano de Brahms y la .... sinfonía de Bruckner. El .... día, el .... concierto de violín de Mozart y la .... sinfonía de Mahler. Y el .... día va a tocar el .... concierto para piano de Beethoven y la .... sinfonía de Tchaikovsky.

C Uses

■ Ordinal numbers are used to indicate the order of things in a sequence (in space and time):

To talk about the days of the month, Spanish uses cardinals **not** ordinals:

- *¿Cuándo es el cumpleaños de Lourdes?*
- *El tres de enero.* [~~*El tercero de enero*~~]

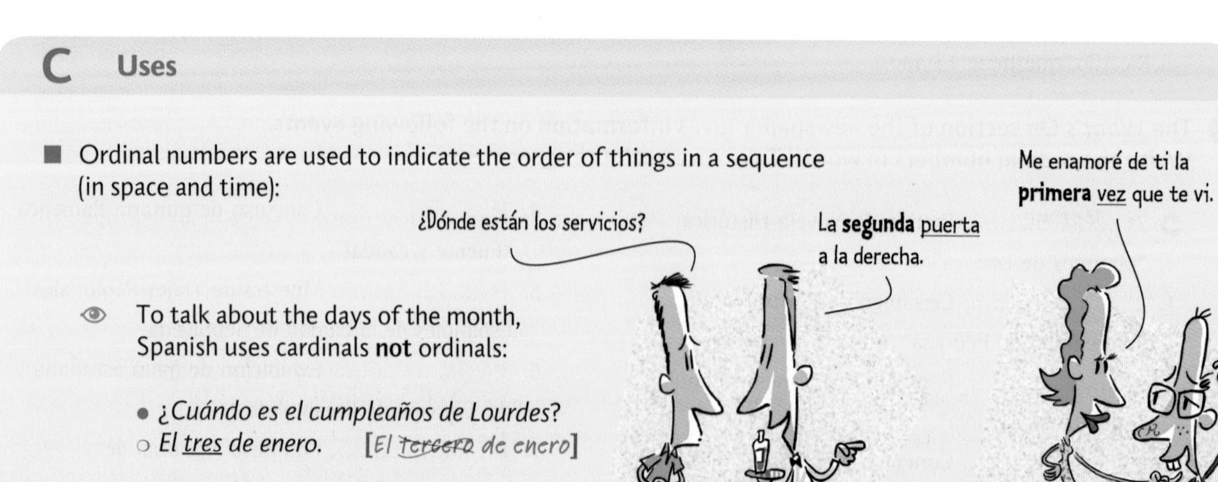

¿Dónde están los servicios?
La **segunda** puerta a la derecha.
Me enamoré de ti la **primera** vez que te vi.

- We can use ***primero***, ***segundo***, ***tercero*** to order the points in a text:
  - *¿Cómo preparas el daiquiri?*
  - ***Primero**, pico cuatro cubitos de hielo y los meto en la coctelera;* ***segundo**, echo una cucharada de azúcar, un vasito de ron blanco y* [First of all...] *un poco de zumo de lima y lo agito bien;* ***tercero**, lo cuelo todo y,* [Next...] *al final, lo pongo en copas de martini.* [Then...]

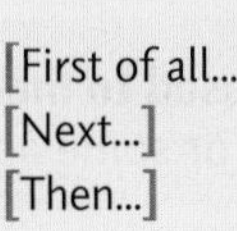

5 **This recipe for bread with tomato and jamón (cured ham) is not right. Put the instructions in the right order.**

A2

.... se echa sal y aceite de oliva.

Primero........ se corta una rebanada de pan.

.... se unta con tomate.

.... se cubre con lonchas finas de jamón.

D Ordinals from 10th upwards

- In formal language, ordinal numbers are used from 10º upwards to talk about:

Events
- *Duodécima (12ª) Asamblea de Micología.*
- *Vigésimo cuarto (24º) Encuentro Nacional de Libreros.*

Anniversaries
- *Trigésimo (30º) aniversario de la muerte del poeta Alberto Mori.*
- *Undécimo (11º) aniversario de la Sociedad Bonaerense de Peletería.*

Position in a series
- *España asciende al vigésimo (20º) puesto de los países desarrollados.*
- *Décimo octavo (18º) día de guerra en Aquinostán.*
- *El corredor español llegó en el puesto trigésimo tercero (33º).*

11º	*undécimo/a*
12º	*duodécimo/a*
13º	*décimo tercero/a*
14º	*décimo cuarto/a*
15º	*décimo quinto/a*
...	
20º	*vigésimo/a*
30º	*trigésimo/a*
40º	*cuadragésimo/a*
50º	*quincuagésimo/a*
60º	*sexagésimo/a*
70º	*septuagésimo/a*
80º	*octogésimo/a*
90º	*nonagésimo/a*

6 **Write the corresponding number next to the following ordinals.**

A2

➲ Vigésimo séptimo: ..27º..
1. Sexagésimo noveno: ....
2. Cuadragésimo sexto: ....
3. Nonagésimo primero: ....
4. Décimo octavo: ....
5. Undécimo: ....
6. Octogésimo segundo: ....
7. Septuagésimo sexto: ....
8. Trigésimo cuarto: ....
9. Quincuagésimo: ....
10. Duodécimo: ....
11. Nonagésimo noveno: ....

7 **Write the missing ordinals in the following newspaper headlines. Take care with the masculine and feminine nouns.**

A2

➲ Un corredor bengalí gana la (22ª) *vigésimo segunda* carrera popular de Vallecas.
1. Se reúne la comisión para la celebración del (45º) .... aniversario del descubrimiento de la isla de Tacri.
2. El (26º) .... Congreso de Medicina Natural tendrá lugar en Berlín, en marzo.
3. La novelista Alameda Robles gana la (19ª) .... edición del premio Ciudad de Murcia.
4. El motorista Nito Fons sufre un accidente y llega a la meta en la (31ª) .... posición.

11. Quantifiers: *demasiado, mucho, bastante...*

Quantifiers are used **to modify the intensity or the quantity** of the meaning of a noun, an adjective, a verb or some adverbs.

A Con sustantivos: *mucho chocolate / muchas galletas*

UNCOUNTABLE NOUNS

Demasiado *chocolate* | ***Mucho*** *chocolate* | ***Bastante*** *chocolate* [enough] | ***Poco*** *chocolate* [Not enough] | *Nada de chocolate*

COUNTABLE NOUNS

Demasiadas *galletas* | ***Muchas*** *galletas* | ***Bastantes*** *galletas* [enough] | ***Pocas*** *galletas* [Not enough] | *Ninguna galleta* / *Ningún plato*

■ With nouns, quantifiers —with the exception of ***nada de***— behave like adjectives: ***demasiado, mucho, poco*** and ***ningún*** agree in gender and number, but ***bastante*** only agrees in number.
These forms may be used without a noun when it is clear what we are talking about.

➲ 8. Indefinite articles

- *¿Tenemos **bastantes** cervezas para todos?*
- ○ *Sí, en la nevera hay **muchas**.*
- *Yo pensaba que había **pocas**.*

- *Date prisa. Tenemos **poco** tiempo.*
- ○ *Tenemos **bastante**. Todavía nos queda una hora.*
- *Sí, pero hay **mucho** tráfico.*

1 A1 **Describe the drawings using the quantifiers *nada de/ningún, poco, bastante, mucho* and *demasiado* in that order. Take care with the agreements.**

➲ *Hay poca agua y muchos cubitos.*

1. ....

2. ....

3. ....

4. ....

2 **Complete with *ningún*, *ninguna* or *nada de*. Check carefully whether the noun is countable or not.**

A1

➲ No hay ..*nada de*........ agua y tampoco queda ..*ningún*........ vaso.
1. Puedes tomarlo. No lleva .... cafeína.
2. No puedo comprarlo. No tengo .... dinero.
3. Ya no queda .... botella de aceite.
4. Todavía no ha entrado .... cliente.
5. Sabe mejor así, sin .... azúcar.
6. Al final no ha hecho .... comentario.

B *Poco/un poco de* + uncountable nouns: *Hay un poco de comida pero hay poca bebida.*

■ Used with uncountable nouns, ***poco*** and ***un poco de*** express small quantity, but with ***poco*** we are focusing on the negative —what there isn't, and with ***un poco*** de we are focusing on the positive— what there is:

No hay mucha limonada pero **hay**.
Hay **un poco de** limonada. Podemos probarla.
Hay **poca** limonada. No hay para los dos.
Hay limonada, pero **no suficiente.**

👁 ***Poco/a/os/as*** agree with the noun. ***Un poco de*** does not take agreements:

- *Queda **poca** leche.*
- *Dame un poco de leche.* [Dame ~~una poca~~ de leche]

3 **The Jiménez family finds it very difficult to make a shopping list. Bonifacio, the husband, always sees what they have, whereas his wife always sees what is missing. Complete the missing words.**

A2

Hay un poco de tortilla de patatas en la nevera. ➲ ..*Bonifacio*......

Nos queda un poco de leche. 1. ....

Hay poco vinagre. 2. ....

Hay muy poco tomate frito. 3. ....

Queda un poco de jamón serrano. 4. ....

Hay un poco de fruta. 5. ....

Tenemos poco atún. 6. ....

Hay poca sal. 7. ....

4 **Complete with *un poco de* or con *poco*, *poca*, *pocos*, *pocas*.**

A2

➲ No veo casi nada. Hay ..*poca*........... luz.
1. Todavía puedo leer. Hay .... luz.
2. La sopa está sosa. Creo que tiene .... sal.
3. La sopa está sosa. Ponle .... sal.
4. Queda .... arroz. Tenemos que comprar más.
5. Queda .... arroz. Puedes probarlo.
6. Tenemos .... dinero. Voy al banco.
7. Tenemos .... dinero. Podemos tomar algo.
8. Hace .... frio. ¿Enciendo la calefacción?
9. Hace .... frio. ¿Vamos a dar un paseo?

C With adjectives, adverbs and verbs: *Corre mucho; es muy rápido; está muy lejos.*

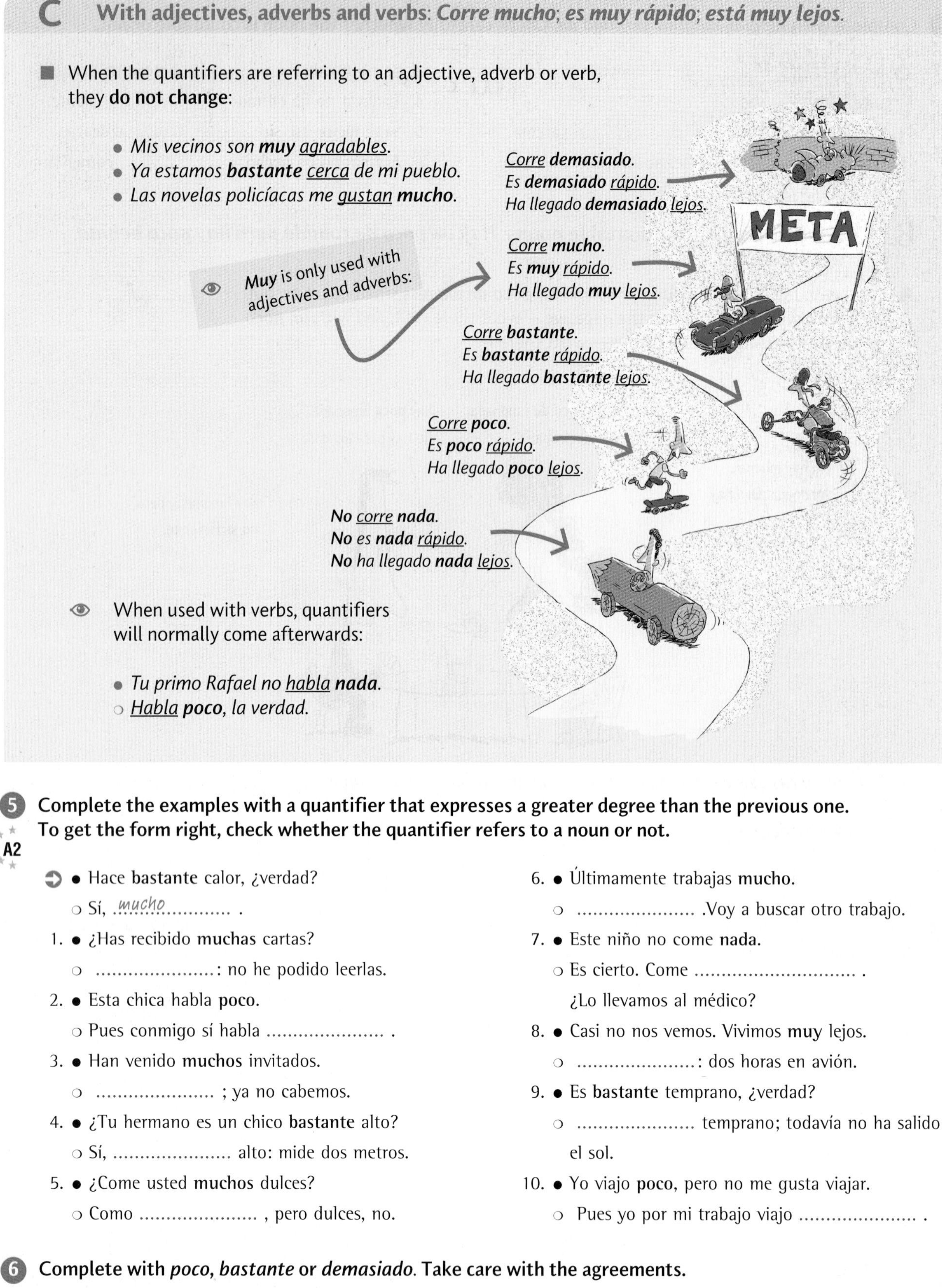

- When the quantifiers are referring to an adjective, adverb or verb, they **do not change**:

  - *Mis vecinos son **muy** agradables.*
  - *Ya estamos **bastante** cerca de mi pueblo.*
  - *Las novelas policíacas me gustan **mucho**.*

*Corre **demasiado**.*
*Es **demasiado** rápido.*
*Ha llegado **demasiado** lejos.*

*Corre **mucho**.*
*Es **muy** rápido.*
*Ha llegado **muy** lejos.*

Muy is only used with adjectives and adverbs:

*Corre **bastante**.*
*Es **bastante** rápido.*
*Ha llegado **bastante** lejos.*

*Corre **poco**.*
*Es **poco** rápido.*
*Ha llegado **poco** lejos.*

*No corre **nada**.*
*No es **nada** rápido.*
*No ha llegado **nada** lejos.*

When used with verbs, quantifiers will normally come afterwards:

- *Tu primo Rafael no habla **nada**.*
- ○ *Habla **poco**, la verdad.*

5 **Complete the examples with a quantifier that expresses a greater degree than the previous one. To get the form right, check whether the quantifier refers to a noun or not.**

A2

➲ • Hace **bastante** calor, ¿verdad?
○ Sí, ...mucho... .

1. • ¿Has recibido **muchas** cartas?
○ ....: no he podido leerlas.
2. • Esta chica habla **poco**.
○ Pues conmigo sí habla ....
3. • Han venido **muchos** invitados.
○ .... ; ya no cabemos.
4. • ¿Tu hermano es un chico **bastante** alto?
○ Sí, ... alto: mide dos metros.
5. • ¿Come usted **muchos** dulces?
○ Como .... , pero dulces, no.
6. • Últimamente trabajas **mucho**.
○ .... .Voy a buscar otro trabajo.
7. • Este niño no come **nada**.
○ Es cierto. Come .... ¿Lo llevamos al médico?
8. • Casi no nos vemos. Vivimos **muy** lejos.
○ ....: dos horas en avión.
9. • Es **bastante** temprano, ¿verdad?
○ .... temprano; todavía no ha salido el sol.
10. • Yo viajo **poco**, pero no me gusta viajar.
○ Pues yo por mi trabajo viajo ....

6 **Complete with *poco, bastante* or *demasiado*. Take care with the agreements.**

A2

➲ Este barco puede llevar 2000 personas y hoy lleva 2500. Es ...demasiado... peso.

1. Corres .... El límite de velocidad es 120 Km. por hora y tú vas a 150.
2. Son dos personas y cada uno toma 2 litros de agua al día. Con 4 litros tienen .... agua para hoy.
3. Estudia .... Seguro que no pasa el examen.
4. Estoy engordando. Como .... dulces y hago .... deporte.
5. Todas las naranjas no caben en esta bolsa. Son ....

SECTION 3

Personal pronouns

Pero, Antonia, ¿a mí me gustan los caracoles?

12. Personal pronouns. Introduction.

To use personal pronouns well you need to be able to identify the subject and the different types of objects a verb can have.

➲ 13. Subject pronouns

➲ 15. Object pronouns

A Subject, direct object and indirect object

- In some cases we only need to say the **subject** and the **verb** that agrees with it:

  - ***Laura pinta.***

We are only talking about one subject (Laura) who is carrying out an activity (painting)..

➲ 19. Conjugation. The basic building blocks

- In other cases you also have to talk about another element, different from the subject, which is **directly related to the verb**. This other element is the **direct object** (DO) or accusative:

  - *Laura pinta* ***paisajes.***
  - *Laura pinta* ***a sus hijos.***

We say that Laura paints and that Laura paints: landscapes, her children...

👁 **The do can refer to people or things.** When it refers to people, we use the preposition **a**:

- *Desde la ventana veo* ***mi coche.***
- *Desde la ventana veo* ***a mi hijo.***

- In other cases, the verb can have another object that normally refers to the receiver of the action of the verb. This new element is called the indirect object (IO) or dative, and may be combined with the **DO**:

  - *Laura les pinta paisajes* ***a sus hijos.***
  - *Laura les pinta hojas* ***a los árboles.***

We are also able to indicate who receives the things that Laura paints.

👁 **The IO puede can refer to people or things**, and is always preceded by the preposition **a**:

- *Les he comprado unos juguetes* ***a mis sobrinos.***
- *Le he quitado la mancha* ***a la camisa.***

1 **The Gómez family has lots of children, and each of them, except the baby, helps with the housework.**

A1

Paco, el padre, hace la compra.
Dolores les prepara el desayuno a sus hermanos pequeños.
Eduardo pone la ropa en la lavadora.
Leonor les echa agua a las plantas cada día.
María, la madre, les hace la comida y la cena a todos.
Elisabeth lleva a los pequeños al cole.
Felipa, la asistenta, limpia la casa y cuida al bebé.
Así, la casa siempre funciona bien.

Now answer these questions. Your answers will show you the subject of each sentence.

➲ ¿Quién limpia la casa y cuida al bebé? ➲ *Felipa*
1. ¿Quién les echa agua a las plantas? 1. Leonor
2. ¿Quién hace la compra? 2. Paco
3. ¿Quién prepara el desayuno? 3. Dolores
4. ¿Quién lleva a los pequeños al cole? 4. Elisabeth
5. ¿Quién pone la ropa en la lavadora? 5. Eduardo
6. ¿Quién hace la comida? 6. María
7. ¿Qué funciona bien? 7. La casa

Now answer these questions. Your answers will tell you the DO (accusative) of each sentence.

➲ ¿Qué limpia Felipa? ➲ *La casa*
8. ¿Qué les echa Leonor a las plantas? 8. agua
9. ¿Qué prepara Dolores? 9. el desayuno
10. ¿Qué hace el padre? 10. la compra
11. ¿A quién lleva Elizabeth al cole? 11. los pequeños
12. ¿Qué pone Eduardo en la lavadora? 12. la ropa
13. ¿A quién cuida Felipa? 13. bebé
14. ¿Qué hace la madre? 14. la comida

Now answer these questions. Your answers will tell you the IO (dative) of each sentence.

➲ ¿A quién le hace María la comida? ➲ *A todos*
15. ¿A qué le echa agua Leonor? 15. las plantas
16. ¿A quién le prepara Dolores el desayuno? 16. sus hermanos
17. ¿A quién le hace María la cena? 17. todos

2 **Link the sentences with their other halves, as in the example. Decide if the words in the column on the right are DO or IO.**

A2

➲ Andrés riega cada dos días... — b. el jardín *CD*
Andrés les riega las plantas... — a. a sus amigos que están de viaje *CI*

1. El secretario anota siempre... a. todas las citas ....
   El secretario le anota sus citas... b. a la directora ....
2. El profesor les enseña música jugando... a. las matemáticas ....
   El profesor enseña con juegos... b. a los niños ....
3. El hijo les lava y les plancha la ropa... a. a sus padres ....
   La lavadora lava y seca en dos horas... b. las camisas ....
4. Paco pone en la mesa... a. la comida ....
   Paco le pone la comida... b. a Marta ....

B Reflexive constructions: *Ella se pinta.*

■ With the reflexive forms (***acostarse, lavarse, vestirse***...), the **object** (direct or indirect) and the **subject** refer to the **same person or thing:**

- ***Laura se pinta** en sus cuadros.*
  SUBJECT = DO

- ***Laura se pinta los labios.***
  SUBJECT = IO

3 Link as in the example and indicate which of the sentences on the left are reflexive.

A2

➲ a. Raúl se ata los zapatos. Reflx. — b. Es ya mayor y puede hacerlo solo.
b. Raúl les ata los zapatos. ...... — a. Son pequeños y tiene que ayudarles.

1. a. Tú siempre me pones la comida primero. ...... — a. Eres muy amable conmigo.
   b. Tú siempre te pones la comida primero. ...... — b. Eres un maleducado.
2. a. Me he cortado el pelo. ...... — a. Con mi nueva máquina no necesito a nadie.
   b. Me han cortado el pelo. ...... — b. Mis peluqueros son muy buenos.
3. a. Nos hemos despertado pronto esta mañana. ...... — a. Nos hemos enfadado mucho con ellos.
   b. Nos han despertado pronto esta mañana. ...... — b. Pusimos el despertador a las 6:30 para salir temprano.

C Constructions that express opinions: *A Jaime le gustan las motos.*

■ With **verbs** like ***apetecer, doler, encantar, gustar, molestar, preocupar***, etc., the subject is something that produces an effect (sensation, feeling, emotion or reaction) in someone, and the indirect object (io) refers to the receiver, the person who feels this effect:

- ***A Alfredo** le gustan los cuadros de Laura.*
  IO SUBJECT

➲ 18. Reflexive and opinion-expressing constructions

4 Underline the subject of the following sentences.

➲ a. Eduardo tiene muchas plantas.
b. A Eduardo le gustan las plantas.

1. a. Esta mañana me duele la cabeza.
   b. Alicia tiene la cabeza muy pequeña, ¿verdad?
2. a. A los niños les apetecen unos helados.
   b. Los niños han pedido unos helados.
3. a. A nosotros ese problema no nos preocupa.
   b. Nosotros resolveremos ese problema.
4. a. ¿Tu madre ha llamado a los niños?
   b. A Rocío le encantan los niños.
5. a. ¿Les molesta a ustedes el ruido?
   b. Los niños hacen mucho ruido.
6. a. Las chicas prefieren la música disco.
   b. A las chicas les encanta la música disco.
7. a. La tele le molesta a tu madre.
   b. Tu madre no quiere ver la tele.

13. Subject pronouns:: *yo, tú, él...*

A Forms: *yo, tú, él...*

- The Personal pronouns that are used as the subject of the sentence and therefore agree with the verb are:

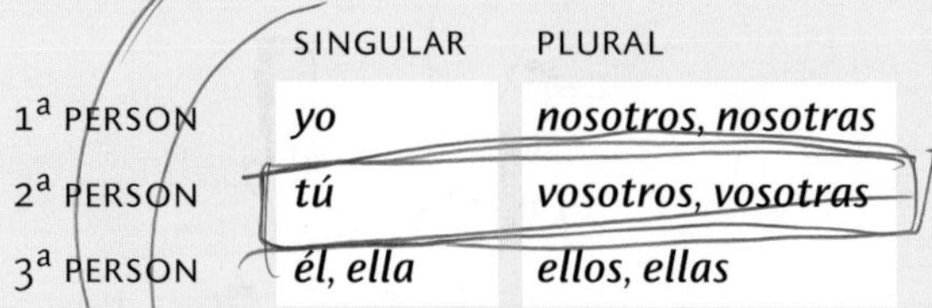

	SINGULAR	PLURAL
1ª PERSON	*yo*	*nosotros, nosotras*
2ª PERSON	*tú*	*vosotros, vosotras*
3ª PERSON	*él, ella*	*ellos, ellas*

➲ 14. Pronouns with prepositions

- In mainland Spanish (unlike the Spanish of the Canary Islands) ***tú*** and ***vosotros/vosotras*** are used in less formal relationships or between friends. ***Usted*** and ***ustedes*** are used in more formal or hierarchical relationships:

¿Vosotros queréis algo más?

INFORMAL	FORMAL
tú	*usted*
vosotros/vosotras	*ustedes*

¿Ustedes quieren algo más?

👁 ***Usted, ustedes*** always take verbs in the 3rd person:

MÉDICO: *Se encuentra **usted** estupendamente.*
PACIENTE: *¿Está **usted** seguro, don Dimas?*

Doctor and patient have a formal relationship. *Encuentra* and *está* are third person singular forms.

MANUEL: *¿Te encuentras bien?*
PACO: *Yo, estupendamente; ¿y **tú**?, ¿cómo estás?*

Manuel and Paco have an informal relationship. *Encuentras* and *estás* are 2nd person singular forms.

1 Claudia is talking to her friend Marta. Which pronoun does she use to talk about...?

A1

➲ Claudia ..*yo*..........
1. Claudia y Marta ....
2. Claudia y el novio de Claudia ....
3. unos amigos de Claudia ....
4. Marta ....
5. el ex-novio de Claudia ....
6. una amiga de Marta ....
7. las hermanas de Marta ....
8. Marta y el novio de Marta ....
9. Marta y su hermana ....

yo ✓	nosotras	ellos	vosotros	vosotras	nosotros	tú	él	ellas	ella

2 *¿Tú* or *usted*? Link and indicate which form is used to talk to each of these people.

A1

➲ Con una dependienta de una tienda. ..*usted*...
1. Con la novia de un amigo. ....
2. Con un compañero de la universidad. ....
3. Con una vecina de setenta años. ....
4. Con un policía de tráfico. ....
5. Con un vecino de dieciocho años. ....
6. Con un camarero en un restaurante. ....
7. Con un niño pequeño. ....

a. ¿Sabe cómo se sale hacia Madrid?
b. ¿Y vas a venir mañana a clase?
c. ¿No me puede hacer una rebaja?
d. ¿Necesita ayuda, doña Reme?
e. Por favor, ¿nos trae la cuenta?
f. Te vas a caer. Ten cuidado.
g. Aquí tienes el aceite que me ha pedido tu madre.
h. Eres la persona perfecta para Pepe, de verdad.

B With and without the pronoun: *¿Cómo te llamas?/¿Tú cómo te llamas?*

■ Unlike other languages, in Spanish the subject pronoun **is not always used** with the verb. Its use is **necessary** when we want to highlight or contrast the person or people identified as the subject as opposed to other people:

Hola, soy Pepe. Llámame.

There are no people to contrast Pepe with, only him.

Hola, **Yo** soy Pepe y **él** es Javier.

There is a contrast of people. *Yo/él.*

PACO: *Alicia y yo vamos a cenar fuera, ¿os venís?*
SONIA: *Es que **nosotras** habíamos pensado ir al concierto de Gamberries.*

Sonia says *nosotras* to contrast the plans she and her friend have with those suggested by Paco.

The forms ***usted/ustedes*** cannot always be used to create a contrast. They are also used to make the formal mode of address clear:

- *Adelante, pase **usted**, pase. Siéntese **usted**.*
- *¿Vendrán **ustedes** a la inauguración?*
- *¿Han reservado **ustedes** mesa?*
- *Debe traer **usted** el pasaporte.*

3 Complete with the best option.

A1

a. **yo** voy después
b. voy después

- La próxima semana voy a París y, si tengo tiempo, ...voy después... a Bruselas.
- ¿Ah sí? Qué suerte.
- La próxima semana Carlos se va unos días a París.
- Sí, ya lo sé. ...Yo voy después... , del diez al veinte de mayo.

1. a. **nosotras** no queremos
   b. no queremos

- El jefe ha propuesto venir a trabajar los sábados; y algunos en la oficina han dicho que sí, pero ....
- ¿Y si venís el sábado también tenéis que trabajar el lunes?
- ¿Tenemos que venir el sábado a trabajar? ¿Es obligatorio?
- Bueno, obligatorio no. Si .... , podemos quedarnos el lunes hasta las nueve.

2. a. sabe cocinar
   b. **ella** sabe cocinar

- Lucía es fantástica: trabaja muy bien, ... , y, además, baila.
- Tú también bailas muy bien.
- Yo no tengo ni idea de cocina, y tú tampoco. ¿ .... ?
- Espero que sí. Esta cena es importante para nosotras.

3. a. **él** no se levanta
   b. no se levanta

- Carlos dice que si quieres ir tú a pescar a las seis, que muy bien, pero que .... tan temprano un domingo.
- Carlos últimamente está muy raro: .... hasta las once, fuma sin parar, no me habla... No sé, chica, muy raro.

4. a. **ellas** no vinieron
   b. no vinieron

- Marina y Antonia me dijeron que iban a venir, pero al final ....
- Avisamos a las chicas y a los chicos, pero .... Solo los chicos.

5. a. lo has roto **tú**
   b. lo has roto

- No le eches la culpa al perro. El jarrón .... Solo quiero saber por qué ....

14. Pronouns with prepositions: *a mí, para ti, con él...*

A Formas

■ When personal pronouns are used after a preposition, we use the subject forms, except *yo* and *tú*:

➲ 13. Subject pronouns

PREPOSITION	PRONOUN
a	***mí***
de	***ti***
en	*él, ella*
para	*usted*
por	*nosotros/-as*
sin	*vosotros/-as*
contra	*ellos, ellas*
desde	*ustedes*
...	

[a ~~yo~~ a mí]
[para ~~tú~~ para ti]

¿Son para mí?
No, no son para ti.

- *Estoy segura de que mi novio piensa mucho **en mí**.*
- *Me han hablado muy bien **de ti**.*
- *¿Puedo hacer algo **por usted**?*
- *No sé qué van a hacer **sin nosotros**.*
- *Esto me lo han dado en la fotocopiadora **para vosotras**.*
- *Ellos no están **contra usted** están **contra mí**.*
- ***A mí** me han regalado un bolígrafo, ¿y **a vosotros**?*
- *Si te pones delante **de ella**, no va a ver nada. Eres muy alto.*

The prepositions ***entre***, ***hasta*** (when it means "even") and ***según*** are used with the forms ***yo*** and ***tú*** rather than the *mí and ti*:

- ***Entre tú** y **yo** no hay nada.*
- *Eso, **hasta yo** lo entiendo.*
- ***Según tú**, ¿quién ganará las elecciones?*

1 **Complete with the appropriate pronouns. Then link each sentence from the first column with the correct response from the second.**

A1

vosotras	vosotros	tú	ti ✓	mí	usted	ustedes

➲ • Mira, he comprado estos pasteles pensando en ..ti..... , que te gustan tanto.

1. • Mirad, me he acordado de .... y he traído la tarta que os gusta tanto a las dos.
2. • Señora Cuevas, le he traído rosas porque sé que a .... le encantan.
3. • Me he comprado esos dulces que .... compras siempre, a ver qué tal están.
4. • Dime la verdad, ¿hay algo entre .... dos? Porque todo el mundo dice que sois novios.
5. • Para .... es muy importante: tienen que venir a mi boda. No sería igual sin ....

yo ✓	mí	nosotros	nosotras	ti	vosotros

a. ○ Ah, ¿son para .... ? Muchas gracias, es verdad que son preciosas.

b. ○ Muchas gracias. ¿Te quedarás a comerla con .... verdad?

c. ○ ..yo..... también te he comprado una cosa: mira.

d. ○ Entre .... no hay absolutamente nada. Te lo prometo. Somos simplemente amigos.

e. ○ Muchas gracias. Nosotros ya no salimos nunca. Pero iremos por .... Os queremos mucho a los dos.

f. ○ Te van a encantar, son buenísimos. ¿Y son todos para .... o me dejarás comer uno?

B Conmigo, contigo, con él...

conmigo [con mí]
contigo [con ti]
con él, ella
con usted
con nosotros/-as
con vosotros/-as
con ellos/-as
con ustedes

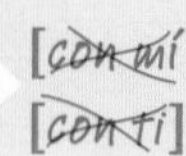

Ni contigo ni sin ti
tienen mis males remedio.
Contigo porque me matas,
sin ti porque yo me muero.

- *Clara va a venir **conmigo** al ginecólogo. Menos mal, porque no quiero ir sola.*
- *Voy a ir **con ella** al ginecólogo, porque no quiere ir sola.*

- *No pienso irme a vivir **contigo**. Eres un desastre.*
- *No me voy a vivir **con él** porque es un desastre.*

- *Stephan no quiere salir ni **contigo** ni **conmigo**.*
- *Stephan no quiere salir **con nosotras**. ¿Estará enfadado?*

2 Read Ana and Montse's letter to their brother Daniel, and complete it by writing in the correct option from the box below. **A1**

Querido Daniel:

➲ Sin ..ti.. ya nada es igual en casa. Desde que te fuiste con esa chica sueca, la tía Berta no para de hablar (1) de .... Dice que (2) para .... eres el más simpático de la familia, el más inteligente. (3) A .... casi ni nos habla y a tía Rita solo le grita. Tú sabes que (4) con .... siempre ha tenido una relación difícil, pero ahora es insoportable. El abuelo dice que tenemos que hablar en serio (5) con .... , y que si no dejas a la sueca, toda la herencia, al final, será (6) para .... y tú te quedarás sin nada. Pero no te preocupes porque no es mucho y ya sabes que el abuelo siempre piensa que todos estamos (7) contra .... , y cambia de opinión con frecuencia. Mamá insiste en que solo podemos confiar (8) en .... porque es la única que puede poner orden en esta casa, pero sigue yendo al bingo todas las tardes.

Un abrazo de tus hermanas y recuerdos a Inge,

Ana + Montse

➲ tú / (ti) / te	5. tú / ___tigo / ti
1. te / ti / tú	6. nosotras / nos
2. la / ella / le	7. lo / él / le
3. nosotras / nos	8. ella / la / le
4. ella / la / le	

3 Write the preposition with the appropriate form of the pronoun, as in the example, and then put them in the appropriate sentence. **A1**

Preposición + Pronombre			
para	+	yo ✓	para mí
a	+	tú	....
con	+	yo	....
sin	+	nosotras	....
entre	+	tú y yo	....
con	+	tú	....
según	+	tú	....
de	+	tú	....
hasta	+	yo	....
sobre	+	tú	....
de	+	yo	....
por	+	yo	....
para	+	ellos	....

➲ ¿El regalo es para mí ? ¡Muchísimas gracias!
1. ¿Quieres venir .... al cine esta tarde?
2. No puedo salir .... esta noche. Lo siento.
3. Los espárragos que hay en la nevera son ....
4. Gracias .... ahora soy una mujer feliz.
5. Este secreto debe quedar ....
6. Nuestros maridos no podrían vivir ....
7. Cada día te siento más lejos ....
8. Estos ejercicios son muy fáciles, ... los hago bien.
9. Cuidado, tienes un camión detrás ....
10. ¿Y, ... , cuál es la mejor solución al problema?
11. Venga, por favor, apúntate a la excursión. Hazlo ....
12. Mira, mira, en el periódico de hoy hay un artículo ....

15. Object pronouns: *me, te, nos... lo, la, le, los...*

A First and second person: *me, te, nos, os.*

■ When the objects of a sentence refer to the persons ***yo, tú, nosotros/-as, vosotros/-as***, we use **the same form** of the pronoun for both the direct object (DO) and indirect object (IO):

GRAMMATICAL PERSON	*yo*	*tú*	*nosotros/-as*	*vosotros/-as*
FORMS OF DO AND IO	*me*	*te*	*nos*	*os*

➲ 12. Personal pronouns
➲ 16. Position and combination
➲ 17. Presence and redoubling

• *¿Me han llamado?*
○ *Sí, te han llamado tres clientes.*

• *Renata nos ha invitado a su casa. Os recojo a las nueve, ¿vale?*

• *¿Me das las señas de Enrique?*
○ *Te doy el móvil y la dirección de casa.*

• *Los ladrones nos dieron un susto tremendo.*
○ *¿Y os robaron algo?*

1 **Earth is visited by some extraterrestrials. Complete the sentences with *me, te, nos, os.***

A1

➲ ¿ ..Me.. has llamado tú a mi antena telepática?

1. Sí, he sido yo. ¿ .... prestas tu pistola de rayos?

2. ¿ .... lleváis a los dos a vuestro planeta? Queremos conocerlo.

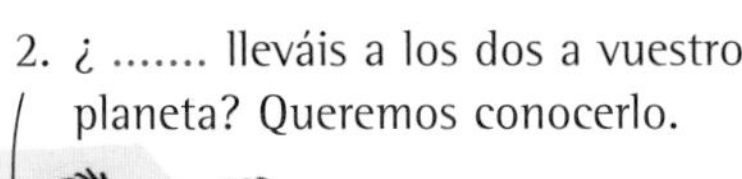
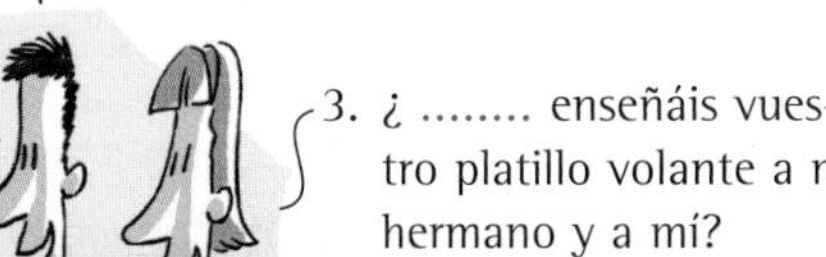

3. ¿ .... enseñáis vuestro platillo volante a mi hermano y a mí?

4. ¿Vosotros coméis comida como la nuestra? ¿......... preparo algo?

5. ¿ .... controlan mucho tus jefes?, ¿y tu mujer?

6. ¿......... enseño una foto de mi hijo? ¿Vosotros también tenéis hijos como los humanos?

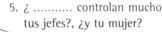

7. Los terrícolas .... hacen preguntas muy raras. Creemos que tienen miedo.

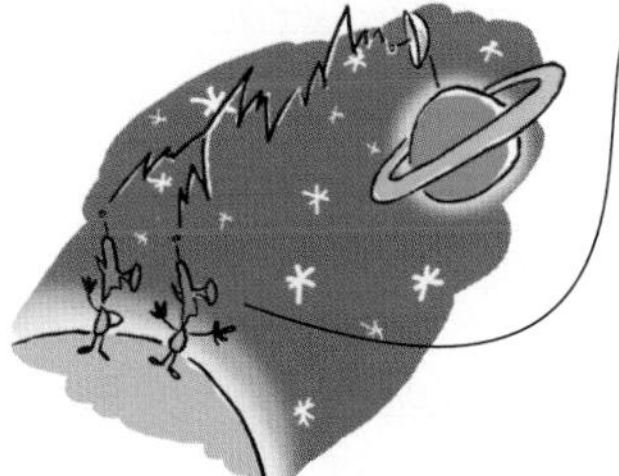
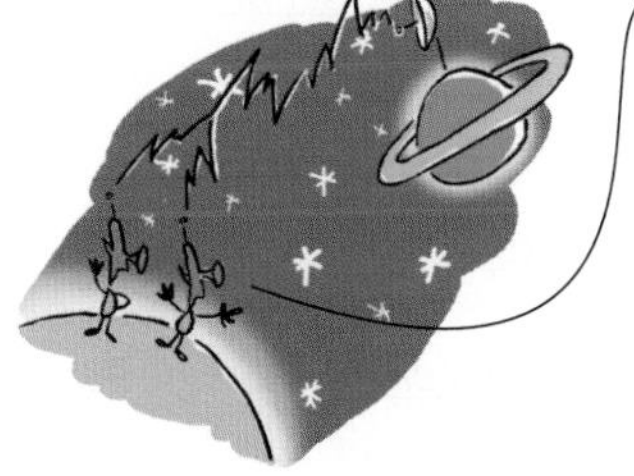

8. Queridos terrícolas: .... invadiremos en el año 2040 y .... quitaremos la Tierra para siempre.

B Third person: *lo, la, los, las / le, les.*

- When the object of a sentence refers to a third person or persons (***él, ella, ellos, ellas***) or to the ***usted, ustedes***, polite forms, we use **different pronoun forms for the direct object** (CD) **and indirect object** (IO):

GRAMMATICAL PERSON	DO FORMS MASCULINE	FEMININE	IO FORMS MASCULINE AND FEMININEDO
Él, ella, usted	*lo*	*la*	*le*
Ellos, ellas, ustedes	*los*	*las*	*les*

- We use the pronouns to refer to a person or a thing dwe have talked about before, or that has been clearly identified

DO

lo
- *¿Has recibido mi e-mail?*
- *Sí, lo he leído. Es muy interesante.*

- *¿Y Juan? No lo encuentro.*

la
- *¿Llevas la cartera?*
- *Sí, la llevo en el bolso.*

- *¿Ha venido Elisa? Todavía no la he visto.*
- *Ha venido, pero la han llamado y se ha tenido que ir.*

- *¿La acompaño en coche, señora Cueto?*

los
- *¿Y los documentos? ¿Los habéis visto?*

- *He quedado con tus primos. Los he invitado a comer.*

- *¿Qué tal Ángela y Alfredo?*
- *Pues ayer los llamé y están muy bien.*

las
- *¿Estas gafas son tuyas? Las he encontrado en el coche.*

- *¿Sabes algo de las hermanas de Sofía?*
- *Ayer las vi. Fuimos a dar una vuelta.*

IO

le
- *¿Y el coche?*
- *Le están cambiando el aceite.*

- *¿Has hablado con tu hermano?*
- *No, le he escrito un e-mail.*

- *¿Ya has hecho la ensalada? ¿Le has echado sal?*

- *Hoy es el cumpleaños de Julia. Y no le he comprado nada.*

- *¿Quiere que le traiga un café, señor Pérez?*

les
- *Aquí tienes los sobres. ¿Les pones el sello?*

- *Ayer quedé con mis amigos y les devolví las llaves del piso.*

- *¿Has avisado a sus padres?*
- *Sí, les he dejado un mensaje.*

- *¿Has regado ya las plantas?*
- *No, les estoy quitando los bichos.*

- *Las chicas están muy contentas. Les han dado un premio.*

2 Victoria's grandmother is a bit deaf. Complete as in the example.

A1 A2

➲ **Victoria**: Víctor baila la rumba con mucho estilo.
Abuela: ¿Qué? ¿Que ..*la*..... baila vestido?

1. **Victoria**: Víctor plancha las camisas mejor que mi madre.
   Abuela: ¿Qué? ¿Que .... plancha con vinagre?
2. **Victoria**: Víctor corta el pelo como un profesional.
   Abuela: ¿Qué? ¿Que .... corta en un funeral?
3. **Victoria**: Víctor ayuda a las ancianitas a ir a la iglesia.
   Abuela: ¿Qué? ¿Que .... ayuda con la anestesia?
4. **Víctor**: Conocí a Victoria en un gimnasio.
   Abuela: ¿Qué? ¿Que .... conociste en un armario?
5. **Víctor**: Victoria cuida a sus sobrinos todas las noches.
   Abuela: ¿Qué? ¿Que .... lleva en coche?
6. **Víctor**: Victoria lleva a su madre a jugar al mus.
   Abuela: ¿Qué? ¿Que .... lleva en autobús?
7. **Víctor**: Victoria prepara los macarrones como nadie.
   Abuela: ¿Qué? ¿Que .... prepara con alguien?

3 Complete the following conversations with the appropriate pronouns.

A1 A2

➲ **Víctor**: ¿Y mi pijama? No lo veo.
Victoria: Está secándose. ..*Le*..... he quitado las manchas.

1. **Víctor**: ¿Vas a ver a tus sobrinos este fin de semana?
   Victoria: Claro, ¿no te acuerdas? .... doy clases de natación todos los sábados.
2. **Victoria**: ¿No te parece que la sopa está un poco sosa?
   Víctor: Es que .... he echado poca sal. Es más sano.
3. **Victoria**: ¿Cómo están tus tíos?
   Víctor: No lo sé. Esta semana no .... he llevado el correo y no los he visto.
4. **Víctor**: Ha llamado un tal Javier preguntando por ti.
   Victoria: ¡Anda, se me había olvidado! .... pedí unos libros prestados y no se los he devuelto.
5. **Victoria**: El perro está muy nervioso.
   Víctor: No pasa nada. Ahora .... pongo la correa y salimos a dar una vuelta.

4 Complete the following sentences with *lo, la, los, las, le, les*.

A1 A2

Nuestro robot C3PO hace cosas extrañas:

➲ Ha aprendido a preparar natillas. ..*Las*..... hace muy ricas.

1. Se enfadó y .... rompió la antena a mi coche.
2. Alquiló un vídeo y .... metió en el microondas.
3. .... dio un susto tremendo a mi tía Eugenia.
4. Se ha comido mi radio y .... ha vomitado.
5. .... ha regalado una cama de agua a mis padres.
6. .... ha echado aceite lubricante a las plantas de mi abuela.
7. Sacó a pasear a los niños y .... llevó al bingo.
8. Discutió con el abuelo y .... encerró en el armario.
9. Se ha enamorado de mi hermana Fernanda. Esta noche .... ha invitado a cenar.
10. Ha cogido los discos de Julio Iglesias de mi padre y .... ha tirado por la ventana.
11. No soporta a las amigas de mi madre. El otro día .... echó a la calle.

C Neutral *Lo*: *Yo eso no lo entiendo. Parece fácil, pero no lo es.*

■ The direct object do pronoun ***lo*** can refer to things that we name with masculine singular nouns, but it may also refer to things that we talk about without naming them (neither masculine nor feminine):

• *No puedo entender su libro.*	*No puedo entender**lo**.*	***Lo*** = *su libro* (masculino)
• *No puedo entender a ese hombre.*	*No puedo entender**lo**.*	***Lo*** = *ese hombre* (masculino)
• *No puedo entender por qué no vienes.*	*No puedo entender**lo**.*	***Lo*** = *por qué no vienes* = *eso* (neutro)

■ We use the **neutral *lo*** DO pronoun when referring to objects that we don't identify as either masculine or feminine, because:

WE DON'T KNOW THE NAME OF THE OBJECT/THING.	• *¿Qué ha sido eso?, ¿**lo** has visto?*	• *¿Me das esto? **Lo** necesito.*
NO IMPORTA EL NOMBRE IN NOT IMPORTANT.	• *¿Puedes tú recoger todo eso?* ○ *Sí, ya **lo** recojo yo mañana.*	• *¿Me acercas aquello de allí?* ○ *Sí, ahora mismo te **lo** doy.*
IT IS NOT A CONCRETE OBJECT/THING (facts, situations, things we say, think, know, feel, etc.).	• *¿Sabes qué? Al final, Carlos se ha casado.* ○ *No **lo** puedo creer. ¿Con quién? No me **lo** digas... ¡Con Adelina!*	• *¿Qué pasó el sábado en la piscina?* ○ *No **lo** sé. ¿Por qué **lo** dices?*

■ We also use ***lo*** when referring to the objects of the verbs***ser, estar*** and ***parecer***:

• *Es muy rico, pero no **lo** parece.*

• *Mira, tu jefe está completamente loco.*
○ *No, no **lo** está.*

• *Ya no eres cariñoso conmigo.*
○ *Sí que **lo** soy, pero tú no te das cuenta.*

5 A2 **The actress Margarita Bosque has been murdered. The police are questioning her lover, Amadeo Sanjosé. Indicate what *lo* refers to in each case and mark whether it is neutral (N) or masculine (M).**

A= Amadeo P= el policía

➲ P: ¿Cuándo durmió en su chalet por última vez?
A: No **lo** recuerdo. Hace poco. (.N..)
a. su chalet
b. el último día que durmió en su chalet ✓

1. P: ¿Había otro hombre en la vida de Margarita Bosque?
A: **Lo** siento. No tengo esa información. (....)
a. el hecho de tener Margarita otro amante
b. el hecho de no tener esa información

2. P: El cadáver tenía esto en un bolsillo. ¿Sabe qué es?
A: No **lo** he visto en mi vida. (....)
a. el cadáver
b. el objeto encontrado en el bolsillo

3. P: ¿Y entiende eso que hay apuntado en su diario?
A: ¿Cómo se atreve a tocar**lo**? (....)
a. el diario
b. las cosas escritas en el diario

4. P: ¿A usted este asesinato le parece sorprendente?
A: Claro que me **lo** parece. (....)
a. el asesinato
b. sorprendente

5. P: Yo creo que este crimen no es un asesinato profesional.
A: Pues, yo creo que sí **lo** es. (....)
a. este crimen
b. un asesinato profesional

6. P: Le aseguro que muy pronto vamos a detener al culpable.
A: Así **lo** espero. (....)
a. al culpable
b. el hecho de detener al culpable

7. A: ¿Puedo llamar a mi abogado?
P: Si **lo** tiene, está en su derecho. (....)
a. el abogado
b. el hecho de llamar al abogado

16. Position and combination of object pronouns

A One pronoun: *Te he visto. Os he visto.*

- Object pronouns go **before the verb**, except when the verb is in the affirmative imperative:

➔ 17. Presence and redoubling

DO + VERB

- *¿Me llevas a la estación?*
- *Te he visto en El Corting Less.*
- *No nos llames tan tarde.*
- *Os necesito ahora.*

- *Tú abres el frigorífico pero no lo cierras.*
- *La ensalada está muy rica. ¿La has hecho tú?*
- *Los niños están con mi madre. ¿Los recojo yo?*
- *Las camisas están ahí, pero no las he planchado.*
- *Se ducha tres veces al año.*

IO + VERB

- *¿Me haces un favor?*
- *Te he mandado un e-mail.*
- *Nos regaló una mesa horrorosa.*
- *¿Os leo un cuento?*

- *Ayer quedé con Paco y le devolví su libro.*
- *Hoy es el santo de Pepa. ¿Le envio un SMS?*
- *Si ves a los vecinos, no les digas nada.*
- *Llamé a tus tías y les di el móvil del pintor.*
- *A José María le encantan los caracoles.*

1 Put the words in each sentence in the right order and then match them to the correct picture.

A1

A ......

B ......

C ......

D ......

I

➔ ¿compro-le-entradas-para la ópera?
¿Le compro entradas para la ópera?

1. ¿en su restaurante de siempre-reservo-mesa-le?
   ....
2. ¿a alguna parte-llevo-lo?
   ....
3. ¿un baño caliente-preparo-le?
   ....

II

4. ¿a la peluquería-llevo-te?
   ....
5. ¿música-pongo-te?
   ....
6. ¿enciendo-te-el aire acondicionado?
   ....
7. ¿el cinturón de seguridad-abrocho-te?
   ....

III

8. ¿laváis-los dientes-os?
   ....
9. ¿acostáis-temprano-os?
   ....
10. ¿llevan-os-al médico?
   ....
11. ¿os-hacen regalos-en Navidad?
   ....

IV

12. han aplaudido-nos-durante veinte minutos
   ....
13. han tirado-ropa interior-al escenario-me
   ....
14. muchos autógrafos-han pedido-nos
   ....
15. han hecho-me-miles de fotos
   ....

B Combination of two pronouns: *Te lo compro. Os lo compro.*

■ When we need to use **two pronouns** (one DO and the other IO) the order is:

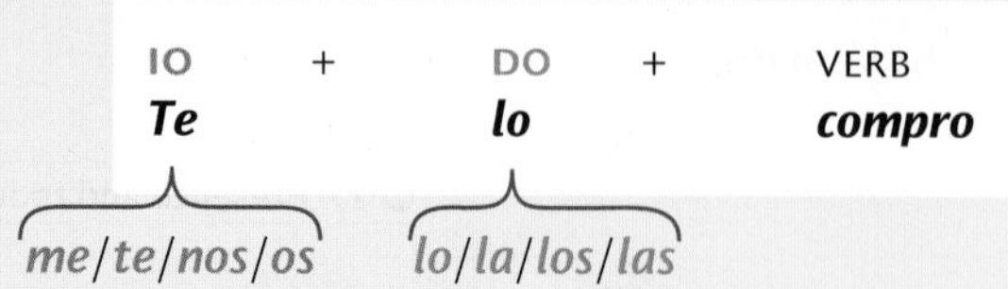

12. Personal pronouns
15. Object pronouns

- *Oye, me gusta mucho esa camisa tuya. ¿Me la dejas?*
- *Necesitamos tu ordenador. ¿Nos lo prestas?*
- *He recibido unas fotos preciosas de José. ¿Te las mando?*
- *Sé dos chistes nuevos. ¿Os los cuento?*

2 **Ana and Andrés are about to have a baby daughter. Andrés is very nervous and wants to make sure everything is ready. Complete the responses.**

A1 A2

En casa

➲ **Andrés:** ¿Has preparado la ropa de la niña?
Ana: Sí, ya ..*la*.... he preparado.

1. **Andrés:** ¿Llevas todos los documentos?
Ana: Sí, ... llevo todos: el informe médico, la ecografía, todo.
2. **Andrés:** ¿Has cogido la cámara de vídeo?
Ana: No, no .... he cogido. ¿Dónde está?
3. **Andrés:** ¿Llevas el osito de peluche?
Ana: Claro que .... llevo.

En el hospital

4. **Andrés:** ¿Te ha traído el agua la enfermera?
Ana: Sí, ... ha traído, pero está muy fría.
5. **Ana:** ¿Nos van a devolver los documentos?
Enfermera: Sí, no os preocupéis. El médico .... devolverá enseguida.
6. **Andrés:** ¿Os han traído el café?
Abuelos: Sí, ... han traído, no te preocupes.
7. **Ana:** ¿Me puedes abrir la ventana?
Andrés: Ahora mismo .... abro.

C Combination of two pronouns: *Se lo compro. Se la compro.*

■ When the IO pronoun refers to a third person (*él, ella, ellos, ellas*) or the second person polite form (*usted, ustedes*) and it is combined with a DO pronoun (*lo/la/los/las*), the CI pronoun always takes the form *se*:

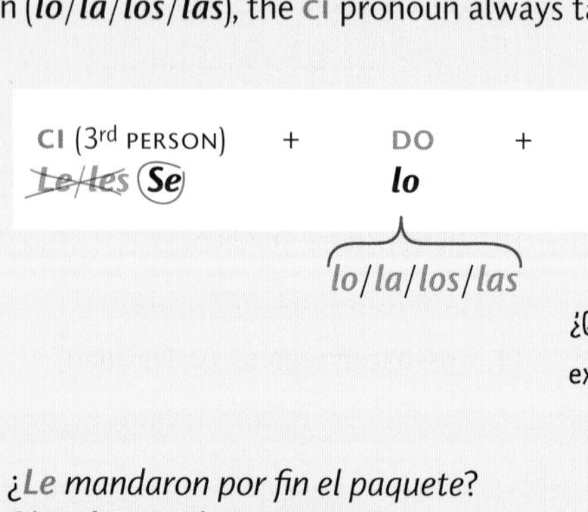

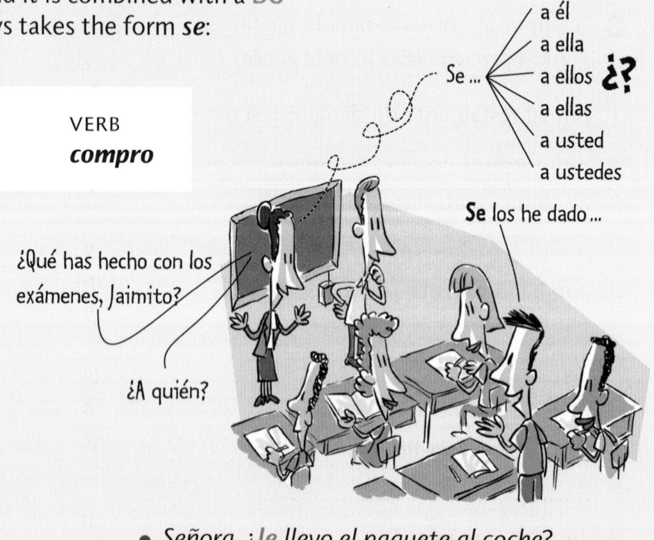

Se ...
a él
a ella
a ellos
a ellas
a usted
a ustedes
¿?
Se los he dado ...
¿Qué has hecho con los exámenes, Jaimito?
¿A quién?

- *¿Le mandaron por fin el paquete?*
○ *Sí, se lo mandaron ayer.*

- *¿Le diste a Linus la receta?*
○ *Sí, se la di por teléfono.*

- *¿Les robaron las joyas a tus padres?*
○ *Sí, se las robaron todas.*

- *¿Podrían cambiar las toallas?*
○ *Por supuesto, señores, ahora mismo se las subimos a la habitación.*

- *Señora, ¿le llevo el paquete al coche? ¿O se lo enviamos a su casa?*

- *¿Les has comprado los bombones ya?*
○ *Todavía no.*
- *Ah, ¿no? Pues no se los compres, que son alérgicos al chocolate.*

3 **Ana and Andrés have had a baby girl, Lucía, who is doing well. However, Andrés can't stop worrying and asking Ana questions.**

A2

➲ **Andrés:** ¿Le has dado la manzanilla?
Ana: Sí, ...se... ...la... he dado hace un rato.

1. **Andrés:** ¿Le has puesto el chupete?
Ana: Sí, ... he puesto, pero no le gusta.

2. **Andrés:** ¿Le has cambiado el pañal?
Ana: No, Andrés, todavía no .... he cambiado.

3. **Andrés:** ¿Le has limpiado los oídos?
Ana: Sí, ... he limpiado.

4. **Andrés:** ¿Le han hecho los agujeros en las orejas?
Ana: No, no .... han hecho. ¿ .... vamos a hacer?

5. **Andrés:** ¿Le has dado el masaje?
Ana: Sí, ... he dado y le ha encantado.

4 **Ana is a teacher in a nursery school. Complete as in the example.**

A2

➲ **Lucía:** Señorita Ana, ¿me puedes quitar el abrigo?
Ana: Sí, Lucía, ahora mismo ..te lo quito.. .

1. **Ana:** Miguel, ¿le has devuelto las tijeras a Omar?
Miguel: Sí, seño, ... Creo que está cortando las cortinas de la ventana.

2. **Ángela:** Seño, ¿me puedes limpiar los mocos?
Ana: Sí, Ángela, ahora mismo ....

3. **Sara** y **Sofía:** Seño, ¿nos pones el vídeo de Cenicienta?
Ana: Dentro de un rato .... , ¿vale?

4. **Ana:** ¿Queréis leer un cuento?
Niños: No, seño. Tú ....
Es que nosotros no sabemos leer todavía.

5. **Ana:** ¿Le has dado el rotulador verde a Adrián?
Leo: No, seño, no .... Es mio.

6. **Lara:** Seño, ¿me das una galleta?
Ana: Claro, Lara. .... ahora mismo.

7. **Carmen** y **Andrés:** Seño, ¿nos das la plastilina?
Ana: Sí, enseguida ....

8. **Ana:** ¿Os habéis lavado las manos?
Niños: No, seño, no ....

9. **Ana:** Omar, ¿les has echado la comida a los peces?
Omar: Sí, ... y .... han comido en un minuto.

10. **Ana:** Carmen, ¿tú le has dado un empujón a Sofía?
Carmen: No, yo no .... Ha sido Miguel.

D With affirmative imperative, infinitive and gerund: *déjasela, dejársela, dejándosela...*

■ With the **affirmative imperative, infinitive** and **gerund** forms, object pronouns take the form of verb suffixes, coming after the verb and forming a single word with it:

AFFIRMATIVE IMPERATIVE + DO/IO	INFINITIVE + DO/IO	GERUND + DO/IO
Escríbela	*Escribirla*	*Escribiéndola*
Escríbele	*Escribirle*	*Escribiéndole*

AFFIRMATIVE IMPERATIVE + IO + DO	INFINITIVE + IO + DO	GERUND + IO + DO
Escríbesela	*Escribírsela*	*Escribiéndosela*

- *Déjasela un momento a ella.*
- *Dejársela fue un error.*
- *Dejándosela no solucionas nada.*

👁 When we add the pronouns to the verb, the word stress does not change. For this reason, when the stressed syllable becomes the third or fourth in the word, we have to mark it with an accent (tilde).

Deja	*Dejar*	*Dejando*
Déjasela (4)	*Dejársela* (3)	*Dejándosela.* (4)

👁 With the pronoun os the final *-d* of the imperative form of vosotros is dropped:

- *Poneos los abrigos.* [~~*Ponedos los abrigos*~~]

➲ 34. Imperative

➲ 20. Non-personal forms

5 ***El baile del cachimbo.* is the dance sensation of the summer.**
The chorus repeats the actions using pronouns. Complete as in the example.

A2

1ª estrofa	El coro dice:	El coro repite: ¡ahora házselo a tu pareja!
Y uno, dos y tres. Levanta los brazos,	➲ a. *Levantándolos*	➲ b. *Levantándoselos*
mueve las manitas,	1 a.	1 b. ....
ahora dobla las rodillas	2 a.	2 b. ....
y un, dos, tres. Gira la cabecita.	3 a.	3 b. ....
Adelante y atrás, mueve las caderas,	4 a.	4 b. ....
sube la pierna derecha al compás,	5 a.	5 b. ....
y mueve el cuello sin parar.	6 a.	6 b. ....
¡Ay!, ¡qué gustito!, ¡ay!, ¡qué gustito!		

6 **The director of *La Bella Durmiente* (The Sleeping Beauty) and *La Cenicienta* (Cinderella) is giving instructions to the actors. Put the correct pronouns in the gaps and don't forget the accents.**

A2

La Bella Durmiente

- Acércate despacio a la princesa. ➲ ..... Bésa*la*.. (1) ......coge...... la mano para ayudarla a levantarse. Estupendo, muy bien... Ahora (2) ....mira....... intensamente y (3) ....di....... que la quieres... ¡Genial, estupendo!
- A ver, ahora, todos vosotros (4) ....despertad.......; venga, (5) ...... levantad....... Si la Bella Durmiente está despierta, vosotros también.

La Cenicienta

- Bien, ahora tú, (6) ....prueba....... el zapato de cristal a Anastasia, la hermanastra. (7) ....coge....... el pie con mucha suavidad... Eso es, muy bien. Ahora (8) ....pon .... el zapato. Así, con delicadeza. Muy bien, estupendo...
- Ahora tú, Anastasia, muy enfadada, (9) ....tira....... el zapato a la cabeza. (10) ....di....... que es un inútil. ¡Espléndido! ¡Sublime!

E With periphrastic verbs: *Tienes que comértelo / Te lo tienes que comer*

■ With **periphrastic verbs** (combinations of a conjugated and a non-conjugated verb), the object pronouns can come either before the conjugated verb or after the non-conjugated verb:

vas a comprar
+
te lo
Te lo vas a comprar.
Vas a comprártelo.

- *Te lo tengo que decir.*
- *Se lo voy a decir.*
- *Te lo estoy diciendo.*
- *Os la puedo enseñar.*

- *Tengo que decírtelo.*
- *Voy a decírselo.*
- *Estoy diciéndotelo.*
- *Puedo enseñárosla.*

When the pronouns are put after the verb, they become suffixes and form a single word (*Voy a regalárselo*); however, when the pronouns are put before the verb they are written separately (***Se lo** voy a regalar*).

➲37. Periphrastic verbs

7 **Bea and Miguel are visiting a psychologist. Put the correct pronouns in the gaps and don't forget the accents.**

B1

➲ **Bea:** Miguel, ... llámame alguna vez al trabajo.
1. **Miguel:** Bea, ... deja...... salir con mis amigos algún día. No pasa nada.
2. **Bea:** Tú siempre ...... estás regañando...... por hablar por teléfono con mis amigas.
3. **Miguel:** Y tú, ¿ ...... puedes dejar...... ver el fútbol en paz?
4. **Bea:** ....compra.... flores y .....di..... cosas bonitas.
5. **Psicólogo:** Tranquilos. No os enfadéis. ..... tenéis que decir..... siempre lo que pensáis el uno al otro.
6. **Bea** y **Miguel:** ¿ ..... tenemos que decir..... siempre, siempre lo que pensamos?, ¿en serio?
7. **Psicólogo:** Pues claro. Tenéis que recuperar el romanticismo. Tú, Bea, ... manda..... mensajes al móvil, ... diciendo..... que lo quieres. Y tú, Miguel, ... llama.... para ..... decir..... que estás deseando verla.

8 **Lucía is a bit of a rebel. Put in the missing pronouns and don't forget the accents.**

B1

Mamá: Lucía, recoge tus juguetes. ➲ .....Recógelos, por favor, Lucía. (1) ¿ No ..... quieres recoger..... ? (2) Pues ..... vas a recoger..... , por las buenas o por las malas. (3) Venga, Lucía, ... tienes que recoger..... .

Lucía: (4) Ya ..... estoy recogiendo..... , mamá.

Mamá: Tómate la leche, Lucía.

Mamá: (5) Lucía, ¿ ..... vas a tomar..... la leche?

Lucía: (6) Ya ..... estoy tomando ..... , mamá.

Mamá: Lucía, apaga la televisión. (7) ..... Apaga..... , por favor. Lucía, (8) ..... tienes que apagar..... , ya es muy tarde. (9) ¿ ..... vas a apagar..... o no?

Lucía: (10) Ya ..... estoy apagando..... , mamá.

F In reflexive and opinion-expressing constructions: *Se las lava. Le gusta el chocolate.*

■ We can combine IO and DO. pronouns in reflexive constructions. In these cases, **the reflexive pronoun goes before the non-reflexive pronoun:**

- *Se ha cortado las uñas pero no se las ha pintado.*
- *Ese vestido está muy bien. ¿Te lo pruebas?*
- *Me aprietan los zapatos.*
  - *Pues, quítatelos.*
- *Me lo puedo tocar pero no puedo vérmelo.*

■ In opinion-expressing constructions with verbs like ***gustar***, ***encantar***, ***interesar***, ***apetecer***, ***preocupar***, ***molestar***, ***doler***, etc., etc., we only use IO pronouns. They cannot be used with DO pronouns, as these constructions don't have a DO, only a subject and an IO:

➲ 18. Reflexive and opinion-expressing constructions

- *Me gustan mucho los garbanzos, pero es que ahora no me apetecen.* [~~Me los apetecen.~~]
- *¿Te duele la garganta?*
  - *Me molesta un poco, sí.* [~~Me la molesta.~~]

Los garbanzos y la garganta son SUJETO y no CD.

9 **This family has some rather strange habits. Complete with one or two pronouns.**

B1

➲ Mi madre se lava las manos continuamente. Se... .las.. lava unas veinte veces al día.
1. A mi padre .... duelen los huesos cuando va a llover. Le molestan especialmente las rodillas.
2. Yo me pongo normalmente dos pares de calcetines de lana. Siempre tengo los pies fríos. ¡ .... pongo incluso en verano!
3. A mis hermanos les gustan mucho los animales. .... interesan sobre todo los insectos. Son grandes coleccionistas.
4. A mi abuela le dan mucho miedo las tormentas. .... da pánico que le caiga un rayo en la cabeza.
5. Mis hermanas y yo nos pintamos las uñas de los pies de colores. .... pintamos así porque somos muy modernas.
6. En mi casa, nos acostamos todas las noches a las 10.30, y .... levantamos a las 6.30. En eso, mi padre es inflexible.
7. A mí me encanta mi familia. Y a vosotros, ¿qué .... parece?

17. Presence and redoubling of pronouns

A Use of *lo, la, los, las* / *le, les*: *Lo ha comprado. Le ha dado un regalo a María.*

■ If we are referring to the DO, we use the **object pronouns** (*lo/la/los/las*) when talking about **things** or **people** we have already **identified**:

- *¿Dónde has puesto la caja?*
  ○ *La he tirado. Estaba rota.*
- *¿Y mi equipaje?*
  ○ *Ya lo he guardado.*
- *Las toallas las he cambiado. Estaban mojadas.*
- *¿Has encontrado a tus amigos?*
  ○ *No, los estoy buscando.*

Unlike IO, pronouns, we don't use DO pronouns if the DO has not been previously identified:

- *He cogido las fotocopias.*
- *¿Has llamado al camarero?*
- *Lleva a tus padres al cine.*

[~~Las~~ he cogido las fotocopias.]
[¿~~Lo~~ has llamado al camarero?]
[Llévalos a tus padres al cine.]

■ If we are referring to the IO, we use the **object pronouns** (*le, les* or *se+lo/la/los/las*) both with an IO **identified before** and **also with an IO we identify after** the pronoun:

OBJECT IDENTIFIED BEFORE THE NOUN

- *Quedé con mis amigas y les enseñé mi casa.*
- *Llama a tu hermano y dile que ya está la cena.*
- *Esto ya lo sabe tu jefa. Se lo he explicado yo.*
- *Ese libro es de tu padre. Se lo pedí prestado.*

OBJECT IDENTIFIED AFTER THE NOUN

- *¿Le dejarás el recado a la secretaria?*
- *Le he comprado este brillante a Ana.*
- *Llévales estos vasos a tus padres.*
- *Le he cambiado la rueda al coche.*
- *¿Y el niño?*
  ○ *Se lo he llevado a mis tías.*
- *Esto tengo que decírselo a mi marido.*
- *¿Le has echado sal a la comida?*

12. Personal pronouns
15. Object pronouns

1 **Replace the underlined words with *lo/la/los/las* in some cases and with *le/les* (*se*) in others.**

A1

➲ **Mamá:** ¡Luis! ¿Has cogido tú las tijeras?
Luis: No, mamá, yo no ..*las*.... he cogido.

1. **Mamá:** ¡Luis! ¿Has escondido el mando a distancia?
Luis: No, mamá, no .... he escondido.
2. **Mamá:** ¡Luis! ¿Has encerrado a tu hermana en el armario de vuestro dormitorio?
Luis: Sí, mamá, ... he encerrado yo. Me estaba molestando todo el rato.
3. **Mamá:** ¡Carmen! ¿Has visto las llaves del coche?
Carmen: Creo que Luis .... ha tirado por la ventana hace un rato.
4. **Mamá:** ¡Luis! ¿Has visto al gato?
Luis: Creo que Carmen .... ha metido en la lavadora.

➲ **Carmen:** Hoy me he peleado con Álvaro en clase y ..*le*.... he dado una patada.

1. **Luis:** Pues yo me he caído de la bici y .... he roto el faro.
2. **Luis:** Y lo peor es que la bici no era mía, era de José Enrique. .... la había pedido prestada.
3. **Carmen:** ¿Por qué no llamamos a los abuelos y .... pedimos algo de dinero para chucherías?
4. **Luis:** No, mejor llamamos a la tía Adoración y .... decimos que nos lleve al cine.
5. **Carmen:** ¿Y las llaves del coche de mamá? ¿ .... las has devuelto?
6. **Luis:** Las llaves del coche están llenas de barro. ¿........ lo quitas tú o .... lo quito yo?

2 **Cross out the unnecessary pronouns.**

A1

➲ No sé dónde ~~las~~ he puesto las gafas.
1. Ponle un poco más de sal al gazpacho.
2. Lo han descolgado el teléfono. No paraba de sonar.
3. Voy a comprarle un hueso de plástico nuevo al perro.
4. ¡Qué roscos más ricos! ¡Y qué buenos los hacía la abuela! ¿Te acuerdas?
5. A mi cuñada no la puedo soportar, es que es imbécil.
6. Les di mi más sincera enhorabuena a los novios.
7. La prepararé la ensaladilla y la meteré enseguida en el frigorífico.
8. Le hemos inflado las ruedas al coche y le hemos cambiado el aceite.
9. No las he metido las sábanas en la secadora. Las he tendido.

B Redoubling: *Me ha mirado a mí.*

■ When we want to differentiate between the person identified as the DO or IO and other people, we use ***a mí, a ti, a él, a ella, a usted, a nosotros/-as, a vosotros/-as, a ellos, a ellas, a ustedes***, in addition to the normal object pronouns:

Me pinta un paisaje **a mí**.
[No a él]

- ***Me*** *ha mirado* ***a mí*** *y no* ***a ti.***
- ***Les*** *ha comprado el regalo* ***a ellos****, no* ***a ellas.***
- *A nuestros vecinos no les gusta el nuevo ascensor, pero* ***a nosotros nos*** *encanta.*
- ***Lo*** *llamó* ***a él****, y no a su hermano. Estoy segura.*
- *Yo* ***os*** *mandé el fax* ***a vosotras****, pero lo recibió la secretaria.*
- ***Les*** *enseñaré el piso* ***a ustedes*** *a las dos, porque a las cuatro vienen otros señores a verlo.*

■ Redoubling is also used to clarify the meaning of the 3rd person object pronouns:

lo ⟶ *a él, a usted* (masc.)
la ⟶ *a ella, a usted* (fem.)
los ⟶ *a ellos, a ustedes* (masc.)
las ⟶ *a ellas, a ustedes* (fem.)

le ⟶ *a él, a ella, a usted*
se (→ le / les)
les ⟶ *a ellos, a ellas, a ustedes*

Buenas tardes, señora. Soy Carlos, compañero de trabajo de su hijo y amigo de su hija. Resulta que **la** llamé por teléfono **a ella** y **le** dejé un mensaje, pero no contestó. Ya **se lo** dije **a su hijo**, pero **la** llamo ahora **a usted** para que **se** lo recuerde **a ella**.

👁 Pronouns with prepositions can never be used by themselves to identify the DO or IO:

- ***Me*** *traerá un regalo* ***a mí.*** [~~Traerá un regalo a mí.~~]
- *¿****Nos*** *ha llamado Pedro* ***a nosotros****?* [~~¿Ha llamado Pedro a nosotros?~~]
- ***Les*** *pidieron un consejo* ***a ellos.*** [~~Pidieron un consejo a ellos.~~]

3 Complete as in the model.

A2

➲ I. ● Concha, ¿me quieres? — a. te quiero
○ Claro que te quiero . — b. te quiero a ti
II. ● Es verdad que en mi vida hay muchas mujeres, pero yo solo te quiero a ti .

1. I. ● Fíjate qué mala suerte: de todo el bloque de vecinos solo .... — a. nos han robado
II. ● ¿Qué os pasa? — b. nos han robado a nosotros
○ Es que .... la cámara de vídeo.

2. I. ● ¡Camarero, la cuenta! Yo .... — a. os invito
II. ● Es que a mi fiesta .... , no a ellas. — b. os invito a vosotras

3. I. ● A Rosa le preocupa mucho el dinero, pero .... — a. a mí me da igual
II. ● ¿Qué prefieres? ¿Pollo o ternera? — b. me da igual
○ Pues, no sé, ...

4. I. ● Perdone, señor, ¿quiere ver la nueva enciclopedia que tenemos en oferta? — a. no me interesa
○ No, gracias, ... — b. a mí no me interesa
II. ● A mi novio le encanta el fútbol, pero ....

5. I. ● A ti no, porque tú estás acostumbrado, pero .... hablar en público. — a. le molesta mucho
— b. a ella le molesta mucho
II. ● El humo .... Tiene un problema respiratorio.

4 The instructions for this game are a little complicated. Complete as in the model.

A2

➲ Vamos a ver, Carmen, yo te... doy a ti la pelota y tú se... la das a Luis.
1. Y si no ...... encuentro a ti, ¿a quién se la doy?
2. No importa. Luis ...... la da a mí y yo ...... la doy a vosotras, ¿vale? Sara y Sofía, ¿lo habéis entendido?
3. No, no lo hemos entendido. ¿Tú ...... la das a nosotras? ¿Sí? Y nosotras, ¿a quién se la damos?
4. Vosotras ...... la dais a nosotros, a Luis y a mí.
5. Perdona, mamá, pero desde aquí no ...... veo a Luis y a ti.

5 Fránkez and Tristicia are having problems in their relationship and with pronouns. Help them to use them correctly.

B1

Tristicia:	➲ Fránkez, ya no llevas a mí a los funerales.	➲ No me llevas a los funerales...
Fránkez:	➲ Tristicia, ¿por qué ya no miras a mí como antes?	➲ No me miras como antes
Tristicia:	(1) Pasa algo a nosotros. (2) Antes besábamos a nosotros más.	1. ....
Fránkez:	(3) Yo adoro a ti, mi dulce cucaracha.	2. ....
Tristicia:	(4) Y yo también te quiero a ti mucho, más que a una tormenta con truenos y relámpagos.	3. .... 4. ....
Fránkez:	(5) Pues si queremos tanto a nosotros, (6) ¿por qué no compramos a nosotros un helado gigante de tela de araña y vamos al cementerio a ver salir la luna entre las tumbas?	5. .... 6. ....

6 Fránkez and Tristicia don't just have problems with their relationship; they have trouble with pronouns too. Can you help them to use them well?

B1

	a.	b.	c.	d.	e.
➲ Le di la enhorabuena...	a. a Leticia ✓	b. a Felipe ✓	c. a ustedes	d. a usted ✓	e. a los Reyes
1. Lo felicitó por su victoria...	a. a él	b. a ella	c. a ustedes	d. a usted	e. a las animadoras
2. Les dieron el pésame...	a. a su madre	b. a sus hijos	c. a ellas	d. a usted	e. a ustedes
3. La quise mucho...	a. a mi novio	b. a Corina	c. a usted	d. a mis gatas	e. a mis canarios
4. Se la enseñó...	a. a ella	b. a su marido	c. a ustedes	d. a ellos	e. a sus amigas
5. Los he suspendido...	a. a ustedes	b. a ella	c. a ellos	d. a usted	e. a mi alumno
6. Las he aprobado...	a. a él	b. a ustedes	c. a ellos	d. a ellas	e. a mi alumna

18. Reflexive and opinion-expressing constructions

A Reflexive constructions: *Me baño. Me lavo los dientes.*

■ In reflexive constructions, the **subject** and **object** (direct or indirect) are the same; in other words they refer to the same person or thing.
When we conjugate a reflexive verb, **the effects of this verb are limited to the subject**:

Yo me afeito por las mañanas.

• *Poncio se lava las manos.*

■ These are the **pronouns** used in the reflexive:

yo	*me acuesto*
tú	*te acuestas*
él/ella/usted	*se acuesta*
nosotros/-as	*nos acostamos*
vosotros/-as	*os acostáis*
ellos/ellas/ustedes	*se acuestan*

The verb ending and the pronoun refer to the same person.

➲ 15. Object pronouns

1 Indicate which verbs are reflexive in the following sentences. Be careful with the pronoun-verb agreements.

A1

➲ Mañana me despierto a las diez.
1. ¿Me dejas cincuenta euros?
2. Te acuestas siempre tempranísimo.
3. Te he visto esta tarde en el centro comercial.
4. ¿Se ha puesto ya Laura el abrigo?
5. Le he comprado un gorro a Encarna.
6. Nos vestimos y salimos, ¿vale?
7. La gente nos mira de una forma rara.
8. Si salimos, os llamo.
9. Si os ponéis delante, no veo nada.
10. A mis padres no les gusta esta música.
11. Mis padres se levantan a eso de las 7.

2 Link as in the example.

A1

➲ a. Nos pintamos toda la cara de blanco.	a. Parecían fantasmas.
b. Les pintamos toda la cara de blanco.	b. Parecíamos fantasmas.
1. a. Se ahogó en la piscina del hotel.	a. Fue un accidente. Él mismo se entregó a la policía.
b. Lo ahogó en la piscina del hotel.	b. Fue un accidente. Tropezó y se dio un golpe en la cabeza.
2. a. Todas las noches se limpiaba los zapatos antes de acostarse.	a. Era un hombre muy metódico, obsesionado por su aseo personal.
b. Todas las noches le limpiaba los zapatos antes de acostarse.	b. Estaba siempre pendiente de él.
3. a. Le tiró una copa encima y le manchó el pantalón.	a. Era muy torpe. Siempre llevaba la ropa sucia.
b. Se tiró una copa encima y se manchó el pantalón.	b. Así fue como se conocieron.
4. a. Se quitaron la ropa.	a. Para meterse en la cama.
b. Les quitaron la ropa.	b. Les robaron todo.

B Uses: *Te has mojado. Te has mojado el pelo. Te has mojado la blusa.*

■ In Spanish, the reflexive indicates that the subject is carrying out the action on themselves, on a part of their bodies or on something they are carrying or have:

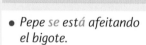

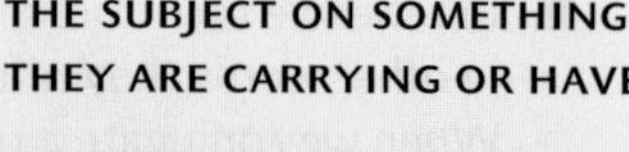

VERBS	THE SUBJECT ON THEMSELVES	THE SUBJECT ON A PART OF THEIR BODIES	THE SUBJECT ON SOMETHING THEY ARE CARRYING OR HAVE
bañarse ***ducharse*** ***vestirse*** ***etc.***	• *Yo me baño todos los días, nunca me ducho.* • *Amalia se viste siempre de negro.*		
afeitarse ***depilarse*** ***tatuarse*** ***etc.***	• *¿Todavía no te has afeitado?* • *Estoy harto de depilarme.*	• *Pepe se está afeitando el bigote.* • *Ana se depiló las piernas y las axilas.*	
cortarse ***lavarse*** ***mancharse*** ***mojarse*** ***pintarse*** ***ponerse*** ***quitarse*** ***secarse*** ***etc.***	• *¿Me esperas un momento mientras me lavo?* • *Vaya, ya te has manchado otra vez.* • *¿Te pones al lado de Cati? Os voy a sacar una foto.* • *¿Por qué nunca te secas al salir de la ducha?*	• *¿Os habéis lavado las manos?* • *Nos vamos a manchar las manos.* • *Se puso la dentadura.* • *Pablo se seca el pelo con secador.*	• *Joan se lava la ropa a mano.* • *¡Me he manchado el bolso con el café!* • *¿Nos ponemos el pijama?* • *¿Te has secado los zapatos antes de entrar?*

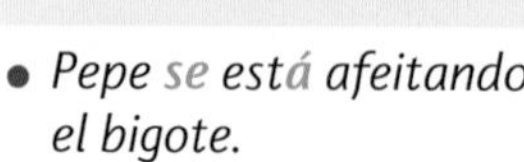

■ We can use the direct object pronouns *lo, la, los, las,* with this type of construction:

• *¿Pepe se ha afeitado el bigote?, ¿en serio?*
○ *Sí, se lo afeitó ayer.*

• *¿Me pinto las uñas o me las corto?*

👁 In Spanish, this construction is used to refer to actions that in other languages (including English) are expressed with the possessive:

• *Me pongo la chaqueta.* ~~*Pongo mi chaqueta.*~~
• *Quitaos el abrigo.* ~~*Quitad vuestros abrigos.*~~
• *¿Te has cortado el pelo?* ~~*¿Has cortado tu pelo.*~~
• *Se rompió la nariz.* ~~*Rompió su nariz.*~~

➲ 7. Possessives ➲ 16. Position and combination

3 Complete the reflexive constructions for this children's song with the correct pronoun and/or verb ending.

A2

Mamá ➲ ..*Se*... lav..*a*.. los dientes.
Papá (1) se duch..... cantando.
Mis hermanitos (2) se acuest.....
y (3) ..... duerm..... en su cuarto.
Todos en casa bien pronto
(4) ..... metemos en la cama,

pues siempre (5) ..... levanta.....
a las seis de la mañana.
En cuanto el sol (6) ..... despierta,
yo (7) ..... levant..... y (8) ..... vist..... ,
papá (9) ..... afeit..... la barba,
mamá (10) ..... bañ..... y ..... pein..... .
Y tú, ¿cómo (11) ..... levant..... ?

4 **Martita is finding being a teenager difficult. Look at the things she does and fill in the missing words.**

A2

➲ ..*Se*... come ..*las*.. uñas.
1. No .... quita nunca .... gafas de sol.
2. No .... lava .... manos antes de cenar.
3. No .... corta .... pelo nunca.
4. .... pone .... vaqueros más viejos que tiene.
5. .... pinta .... labios de color naranja.
6. .... ha tatuado .... brazos.
7. .... ha teñido .... pelo de lila.

5 **Who will wake up whom tomorrow morning?**

A2

➲ (Yo solo)	a. Los despierto.		
1. (Yo a ti)	b. Os despierta.		
2. (Tú a mí)	c. La despiertas.		
3. (Yo a mis amigos)	d. Me despierto.		
4. (Tú a tu hermana)	e. Os despertáis.		
5. (Nosotros a ti)	f. Te despierto.		
6. (Ella a vosotros)	g. Me despiertas.		
7. (Vosotros solos)	h. Te despertamos.		

And who cuts whose hair at Pepe's hairdressing salon?

8. (Pepe a mí)	a. Le cortas el pelo.
9. (Pepe a sí mismo)	b. Te corta el pelo.
10. (Vosotros a vosotros mismos)	c. Me corta el pelo.
11. (Pepe a ti)	d. Se corta el pelo.
12. (Tú a Pepe)	e. Le corta el pelo.
13. (Laura y Pepe a sus hijos)	f. Les cortan el pelo.
14. (Laura a Pepe)	g. Les corta el pelo.
15. (Laura a unos clientes)	h. Os cortáis el pelo.

C Reciprocity: *Nos conocemos. Nos queremos.*

■ By using the reflexive we can express that two or more subjects carry out an action reciprocally, or to each other:

- *Pepe y su primo se pegan por todo.*
  [Pepe hits his cousin + His cousin hits Pepe.]

- *Ana y tú os escribís, ¿no?*
  [Ana write letters to you + You write letters to Ana.]

- *Isabel y Fernando se quieren.*
  [Isabel loves Fernando + Fernando loves Isabel.]

FERNANDO ISABEL

6 **Montse is telling Elvira things about her relationship with Ercan. Write in the correct pronoun.**

B1

Elvira: ¿Dónde ➲ ..*os*...... conocisteis Ercan y tú?
Montse: (1) .... vimos por primera vez en un viaje a Turquía. Él era el guía.
Elvira: ¿Y (2) .... enamorasteis enseguida?
Montse: ¡No, qué va! A principio solo (3) .... caímos bien, pero un día me invitó a cenar, dimos un paseo y...
Elvira: Y (4) .... besasteis.
Montse: No, no: ¡me llevó a ver a su madre! Desde ese día su madre y yo no (5) .... entendemos.

Later on, Elvira gives Begoña a summary.

Montse y Ercan ➲ ..*se conocieron*.. en un viaje a Estambul, pero no (6) .... enseguida, al principio solo (7) .... bien. El primer día que salieron juntos no (8) .... ; él es muy tradicional y la llevó a conocer a su madre. Y desde ese día la madre de Ercan y Montse no (9) ....

D Changes of state: *El fuego se ha apagado y la comida se ha enfriado.*

■ With verbs such as:

abrir, cerrar, calentar, enfriar, encender, apagar, instalar, borrar, mojar, secar, romper, derramar, manchar, parar, mover, dormir, despertar, acostar, levantar, bajar, divertir, aburrir, marear, preocupar, cansar, alegrar, sorprender, enamorar, etc.

we refer to a SUBJECT-(or **agent**), that carries out an action, and a DIRECT OBJECT-(like a **patient**, that changes as a result of this action:

- *¿Tú has calentado los macarrones?*
  [You (plural), the person who causes the change, is the SUBJECT-**Agent**; *the macaroni* is the DO-**Patient**: it goes from being cold to being hot.]
- *Borrad ese párrafo, por favor.*
  ["Vosotros", la persona que causará un cambio, is the SUBJECT-**Agent**; *the paragraph,* which will de deleted are the DO-**Patient**.]
- *Alberto nos alegró con esa noticia.*
  ["Alberto", the person who produced the feeling, is the SUBJECT-**Agent**; *we,* the people affected by this feeling, are the DO-**Patient**.]

Marisa derrama el café y mancha el bolso.

■ With these verbs, when we only want to talk about a change of state that takes place in a person or a thing, and not who or what causes this change, we use a reflexive conjugation, and in this case the SUBJECT **is the patient, the person affected by the change of state.**

- *Los macarrones ya se han calentado.*
  [*The macaroni,* the thing affected by the change, which goes from being cold to being hot, is the SUBJECT-**Patient**.]
- *El párrafo se borrará.*
  [*The paragraph,* the thing affected by the change, which is there now but will disappear, is the SUBJECT-**Patient**.]
- *Nosotros nos alegramos con esa noticia.*
  [*Nosotros (we),* the person affected by the news, which experiences a feeling, is the SUBJECT-**Patient**.]

- *El café se derrama y el bolso se mancha.*

	NON REFLEXIVE CONJUGATION		REFLEXIVE CONJUGATION
	Calentar		***Calentarse***
Yo	calient*o*	+ algo	*me* calient*o*
Tú	calient*as*		*te* calient*as*
Él, ella, usted	calient*a*		*se* calient*a*
Nosotros/-as	calent*amos*		*nos* calent*amos*
Vosotros/-as	calent*áis*		*os* calent*áis*
Ellos/-as, ustedes	calient*an*		*se* calient*an*

- *La fiesta es genial. Me estoy divirtiendo mucho.*
- *Papá, ¿ya te has dormido?*
- *La puerta se ha abierto con el viento.*
- *Aquí, sin calefacción, nos enfriaremos muy pronto.*
- *Si no paráis un poco, os cansaréis.*
- *Hoy los niños se han despertado solos.*

7 B1 **In a scene from a film, an invisible man enters a kid's bedroom. Carefully read the account of the scene, underlining all the things the invisible man does to scare the kid, and then describe the 10 incredible things the poor kid sees, as in the example.**

This is what the invisible man does:

El hombre invisible abre la puerta. Entra silenciosamente y enciende la luz. El niño mira asustado. El hombre invisible conecta la radio. Hay un vaso en la mesita de noche. El hombre invisible llena el vaso de agua. Después acerca el vaso a la cama del niño y luego aleja la mesita de la cama. Todo esto asusta muchísimo al niño. Ahora el hombre invisible eleva el vaso sobre la cama del niño, derrama el agua sobre la manta y rompe el vaso. El niño está a punto de gritar cuando el hombre invisible desconecta la radio, apaga la luz, cierra la puerta y se va.

This is what the kid sees:

➲ La puerta se abre.
➲ La luz se enciende.
1. ....
2. ....
3. ....
4. ....
5. ....
6. ....
7. ....
8. ....
9. ....
10. ....

8 B1 **Choose the right verb, and the right person and tense, as in the example.**
In one case you need to use the reflexive conjugation, and in the other the non-reflexive of the same verb.

alegrar(se)	cansar(se) ✓	mojar(se)	despertar(se)
instalar(se)	secar(se)	acostar(se)	curar(se)

➲ • ...Me canso... muchísimo en esta clase de gimnasia.
○ Es que este tipo de ejercicio .....cansa..... muchísimo.

1. Esa herida .... con el tiempo, pero la infección de oído solo la puede .... el médico.
2. ¿Por qué sales ahora? Está lloviendo. .... tú y .... al perro.
3. Yo .... cuando me dijeron que te habías casado. Esas noticias siempre ....
4. ¿Cada noche .... tan tarde como hoy? ¿No os vais a la cama en cuanto .... al bebé?
5. Puedes .... tú personalmente el programa o puedes darle a este botón y el programa .... automáticamente.
6. Esta secadora es rapidísima. .... en menos de quince minutos. Y la ropa .... completamente.
7. Mi mujer y yo .... a las ocho, y luego, media hora más tarde, ... a los niños.

E *Ir(se), llevar(se) / venir(se), traer(se)*

■ The verbs *ir* and *llevar* are used to indicate a movement towards THERE; in other words, towards a space that is not the same as the space where the person speaking is (HERE). ('AQUÍ'):

Bueno, mamá, **voy** a casa de la abuela a **llevar**le la tarta.
'ALLÍ'
'AQUÍ'

Caperucita Roja **iba** todos los días a la casa de su abuela y le **llevaba** comida.
'ALLÍ'
'ALLÍ'

■ The verbs *venir* and *traer* are used to indicate a movement towards HERE; towards a space where the person speaking is:

¡Qué pronto **vienes** hoy, Caperucita!
¿Qué me **has traído**?
'ALLÍ'
'AQUÍ'

■ We also use the verbs *venir* and *traer* when we talk about movement towards the mental space where the person speaking is, and which they think of as their space (the place where we will be in the future, our home, our place of work, with us, with me, etc.):

¿Puedes **venir** a MI CASA mañana y **traer**me la carta?
¡Claro que puedo **ir** a TU CASA mañana y **llevar**te la carta!

- *¿Quieres **venir** conmigo al teatro?*
- *Me encantaría **ir** contigo, pero no puedo.*

¡Claro que puedo ~~venir~~ a tu casa y ~~traerte~~ la carta!

■ '**HERE**', the place where the person speaking is, can be a large or a small space, depending on what other space it is being compared to:

- *Ven aquí, a mi dormitorio. No vayas a la terraza ahora.* [my bedroom = HERE / the terrace = THERE]
- *Tenéis que venir primero a ver mi piso y luego iremos nosotros a ver el vuestro.* [my flat/apartment = AQUÍ / your flat/apartment = THERE]
- *¿Cuándo vienen a Madrid tus padres? ¿Van a un hotel o van a tu casa? Si quieres, pueden venir a casa.* [Madrid = HERE / your town = THERE; hotel and your house = THERE / home = HERE]
- *Cuando vengas a España, no vayas a Palencia. Ven a Barcelona primero y, luego, ve a Granada.* [Spain = HERE / your country = THERE; Palencia = THERE / Barcelona = HERE; Granada = THERE...]

Tienes que venir a mi galaxia, a mi sistema solar, a mi planeta, a mi país, a mi casa...

9 What place is Adela referring to?

A2

	HERE To where she is	THERE To another place
➲ ¡¿Emilio?! ¿Vas a **traer** a ese tipo? No me gusta nada.	✓	....
1. ¿Puedes **llevarme** el libro que te presté, por favor?	....	....
2. **Ven** mañana y hablamos. ¡Ah! Y **tráeme** el CD, si te acuerdas.	....	....
3. Espera, parece que ha sonado el timbre. ¡Un momento, ya **voy**!	....	....
4. Las gemelas, sí. Ellas **vienen** a verme de vez en cuando.	....	....
5. Rosa, no. Ella nunca **fue** a verme.	....	....
6. El otro día Jorge me **llevó** un ramo de flores. ¿No es encantador?	....	....
7. Si quieres puedes **llevarte** ya la plancha. He comprado una.	....	....
8. Es una larga historia. Si **vienes** luego, te lo explico.	....	....

10 Brian is in a Spanish class in Paris. ¿*Ir, venir, llevar* or *traer*?

A2

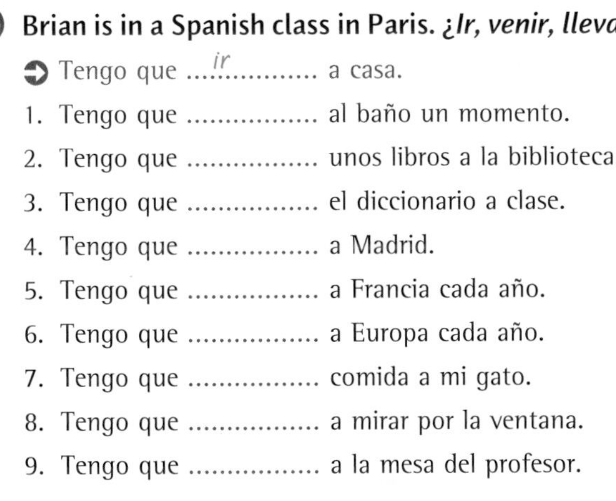

➲ Tengo que ...*ir*............ a casa.
1. Tengo que .... al baño un momento.
2. Tengo que .... unos libros a la biblioteca.
3. Tengo que .... el diccionario a clase.
4. Tengo que .... a Madrid.
5. Tengo que .... a Francia cada año.
6. Tengo que .... a Europa cada año.
7. Tengo que .... comida a mi gato.
8. Tengo que .... a mirar por la ventana.
9. Tengo que .... a la mesa del profesor.

11 is talking to various people. Complete the lines with the right form of *ir, venir, llevar* or *traer*.

A2

➲ Mira, creo que no voy a ..*ir*............ a la fiesta. Está lloviendo mucho.
1. Oye, al final .... a la cena de Jorge. ¿Tenemos que .... algo?
2. ¿Te .... el fin de semana conmigo a casa de mis padres? Son muy simpáticos. Ya verás.
3. Bueno, el jueves yo voy a estar todo el día en la oficina. ¿Por qué no .... y salimos a desayunar juntas?
4. ¿Te dejaste el anillo? Pues no lo he visto por aquí. No sé dónde puede estar. A lo mejor lo olvidaste en la cocina. Espera, ... a ver.
5. Lo pasamos muy bien en la playa. Por cierto, que estuvimos esperándote y nada. ¿Por qué no .... ?
6. ¿ .... al cine conmigo mañana?

- With the verbs for movement *(ir, venir, llevar, traer,* etc.) we use the reflexive conjugation to highlight the fact that something leaves its place of origin.

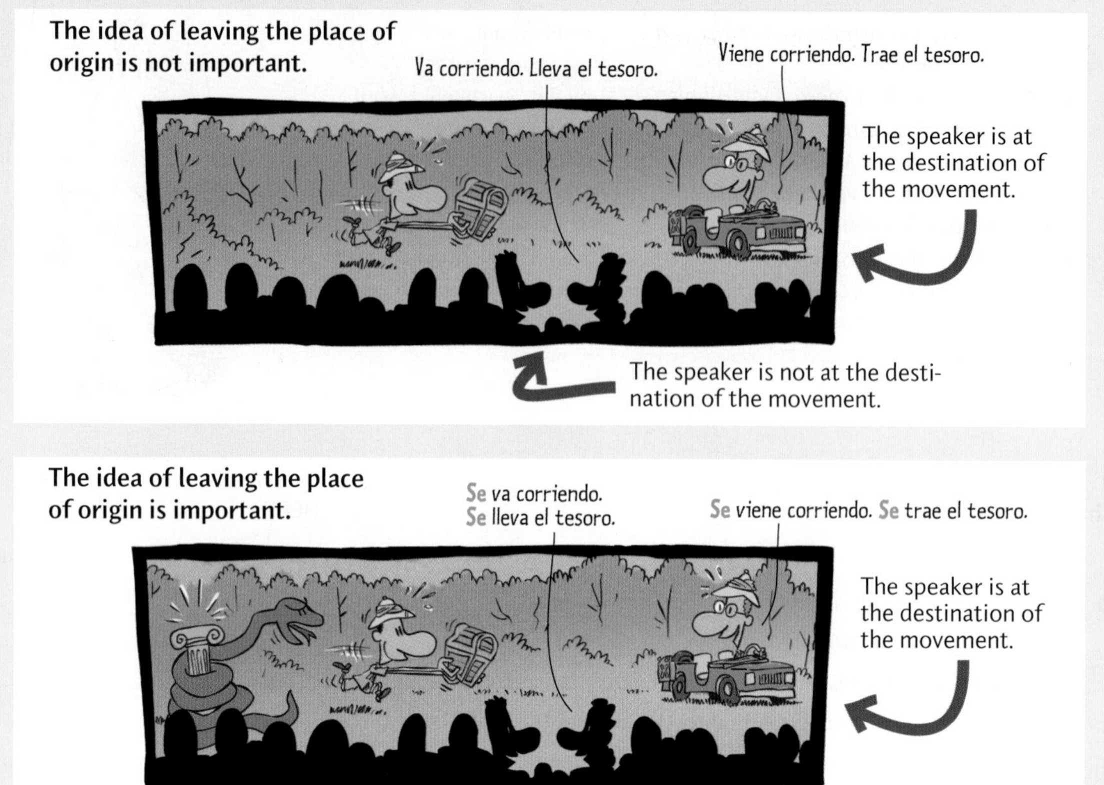

The idea of leaving the place of origin is not important.
Va corriendo. Lleva el tesoro.
Viene corriendo. Trae el tesoro.
The speaker is at the destination of the movement.
The speaker is not at the destination of the movement.
The idea of leaving the place of origin is important.
Se va corriendo.
Se lleva el tesoro.
Se viene corriendo. Se trae el tesoro.
The speaker is at the destination of the movement.

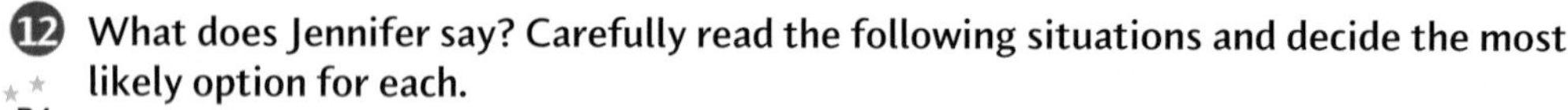

The speaker is not at the destination of the movement.

12 **What does Jennifer say? Carefully read the following situations and decide the most likely option for each.**

B1

1. Jennifer vive en Londres, pero encuentra un buen trabajo en Madrid y decide cambiar de ciudad.
   a. ¡Voy a Madrid! b. ¡Me voy a Madrid!
2. Cuando se está vistiendo para salir, tiene una duda.
   a. ¿Qué ropa es mejor para llevar? b. ¿Qué ropa es mejor para llevarme?
3. Cuando está haciendo la maleta, ve que no puede meter toda la ropa que tiene, y tiene que elegir.
   a. ¿Qué ropa llevo? b. ¿Qué ropa me llevo?
4. Antes de salir para el aeropuerto, quiere despedirse de su madre.
   a. Primero voy a casa de mi madre. b. Primero me voy a casa de mi madre.
5. En el aeropuerto, alguien le pregunta sobre su vuelo.
   a. Voy a Madrid. b. Me voy a Madrid.
6. Ya en Madrid, recuerda que no se despidió de su amiga Jessica en Londres.
   a. ¡Me he venido sin decirle adiós!
   b. ¡He venido sin decirle adiós!
7. Su amigo Eddie la espera en el aeropuerto.
   a. Mira, he traído un regalo para ti.
   b. Mira, me he traído un regalo para ti.
8. Le pide ayuda a Eddie con las maletas.
   a. ¿Tú puedes llevar esta?
   b. ¿Tú puedes llevarte esta?

13 **What does Jennifer say? Carefully read the following situations and decide the most likely option for each.**

B1

➲ Lo siento, pero tengo que irme a las cuatro. Me esperan en casa. ➲ ✓

➲ ¡No soporto más tu maldita música! ¡Mañana mismo voy a casa de mi madre! ➲ me voy

1. ¿A dónde va Liz con esas maletas? ¿Es que se va? 1. ....
2. El niño no puede estar solo ni un segundo. En cuanto me voy, se pone a llorar. 2. ....
3. ● ¿Sabéis que Andrew hace hoy una fiesta con comida brasileña?
   ○ Es la primera noticia que tengo. ¿Tú piensas irte?
4. ● Pues no sé. Si tú vas, quizá yo también. 4. ....
5. Espera un momento. Voy a comprar el periódico y ahora vuelvo. 5. ....
6. No quiero hablar más contigo. Voy a mi casa. 6. ....
7. Las chicas buenas van al cielo. Las malas, a todas partes. 7. ....
8. Yo vengo mucho a este bar porque es barato. 8. ....
9. ¡A dormir, niños! ¡Que los Reyes Magos se vienen mañana! 9. ....
10. Antes de irte a Sevilla, deberías llevarte el coche al taller para una revisión. 10. ....
11. Marga se va a enfadar. He traído sus discos sin darme cuenta. 11. ....

F Eating and drinking verbs:: *comer(se), beber(se), tomar(se)...*

■ With verbs such as *comer, beber, fumar, tomar, tragar,* etc., we use the non-reflexive conjugation when:

We don't specify the food that is being eaten:
- *Come con la boca cerrada, por favor.*
- *No comas mucho.*
- *Come despacio.*

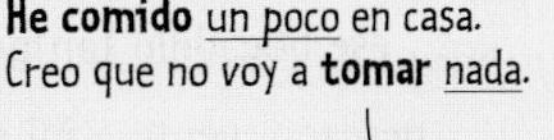

He comido un poco en casa.
Creo que no voy a **tomar** nada.

Pues yo, de primero voy a **tomar** ensalada y de segundo pescado con patatas.

We talk about types of food, types of dishes, etc.
- *No puedo tomar azúcar, porque soy diabético.*
- *Mis hijas solo toman cereales en el desayuno.*
- *Hoy vamos a comer salmón. ¿Te apetece?*
- *Ya no fuma tabaco negro.*

We talk about unspecified amounts:
- *Comieron muchos caramelos y se pusieron malos.*
- *Si vas en un avión, a veces tienes que tragar saliva para oír mejor.*
- *¿Has probado mi tarta?*
- ○ *He tomado un poco. Está muy rica.*
- *Has comido pocas cerezas. Toma más.*
- *¿Has visto? Ese niño tan pequeño está comiendo pasta, él solo y sin mancharse.*

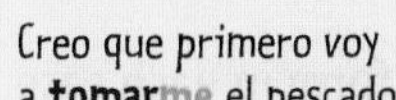

Creo que primero voy a **tomarme** el pescado.

■ However, we use the reflexive conjugation when: we talk about consuming specific things:
- *¿Todavía no te has tomado el zumo?*
- *Yo me estoy comiendo este muslo de pollo.*
- *¿Me puedo comer tu fruta?*
- *¿Y mi chocolate?*
- ○ *Me lo he comido.*
- *Trágate lo que tienes en la boca.*
- *En la cena se come un plato de pasta entero.*
- *Me tomé dos manzanas riquísimas.*
- *Se bebe toda la botella sin parar.*

14 ¿*Comer* or *comerse*? Put each expression in the right column, as in the example.

A2

	Comer	Comerse
➲ mucho	mucho	....
➲ lo que tienes en la mano	....	lo que tienes en la mano
1. carne de pollo	....	....
2. un filete de ternera riquísimo	....	....
3. esa manzana	....	....
4. manzanas	....	....
5. poco pan	....	....
6. un poco de pan en las cenas	....	....
7. pescado frito	....	....
8. el pescado de ayer	....	....
9. todo eso	....	....
10. nada	....	....
11. su bocadillo	....	....
12. rápido	....	....
13. de mi plato	....	....
14. el martes	....	....
15. 35 aceitunas seguidas	....	....
16. muchas aceitunas	....	....

15 Use *comer* or *comerse* in the right form.

B1

➲ ¿Ese niño va a comerse........... ese bocadillo tan grande él solo?

1. Si te apetece .... pescado, vente a mi casa. Tengo salmón.
2. ¿Te gusta el caviar? Puedes .... el mío. Yo lo odio.
3. Si no cabemos todos en la mesa, los niños pueden .... antes y luego nosotros .... tranquilamente.
4. Tienes que .... lo que queda en el plato. Si no, tu padre se enfadará.
5. Yo .... todas las mañanas un ajo crudo. Es bueno para todo.
6. Desde que la dejó el novio, no .... nada, la pobre.
7. No pude envenenarlo: no .... ni uno solo de los pasteles que le ofrecí.
8. De repente, se puso a .... huevos como un loco, y .... veinte.

16 Choose the best form in each case.

B1

➲ (Tomo/Me tomo) Me tomo.......... esta cerveza mientras tú (1) (fumas/te fumas) .... el cigarrillo, y ya no (2) (bebemos/nos bebemos) .... ni (fumamos/nos fumamos) .... más hasta mañana.

(3) Yo normalmente (tomo/me tomo) .... vino tinto (4) (comiendo/comiéndome) .... , y blanco si lo que (5) (tomo/me tomo) .... es pescado o sopa. ¿Tú vas a (6) (tomar/tomarte) .... tu sopa sin nada? ¿Quieres (7) (beber/beberte) .... un poco de agua quizás?

(8) Aquí tienes, abuela, (toma/tómate) .... el jarabe primero y, luego, (9) (tomas/te tomas) .... la pastilla, pero (10) (la tragas/te la tragas) .... entera, ¿eh?

G Impersonal constructions with *se*: *Aquí se vive bien / Se invitó a toda la familia.*

■ When we don't want to indentify the Agent that carries out the action, we use a verb in the third person of the reflexive conjugation (*se vende/n*):

PERSONAL CONSTRUCTION
We identify the agent:

• *Mis vecinos venden la casa.*

IMPERSONAL CONSTRUCTION
We don't identify the agent:

■ With verbs that refer to an Agent that carries out the action, –SUBJECT– and to a Patient affected by the action –DO– (*buscamos algo / a alguien, traemos algo / a alguien, pintamos algo / a alguien*, etc.), **in the impersonal construction with *se*** the Agent is not identified, and the patient may be the DO or the SUBJECT:

If the Patient is **a thing** or **an indefinite person**, it agrees with the verb as SUBJECT:

- *Se vende coche de segunda mano.*
- *Se compra ropa usada.*
- *Se busca ayudante.*
- *Se venden motos.*
- *Se compran muebles.*
- *Se buscan camareros que sepan inglés.*

If the Patient is **a definite person**, it is marked as the DO with the preposition *a* and the verb is always singular.

- *Se contrató a un nuevo profesor de chino, el Sr. Chang.*
- *¿Se ha avisado también al vecino del 5º?*
- *Así no se trata a los profesores.*
- *¿Se ha avisado a todos los vecinos?*

• *Así se riegan las plantas.*
[The plants is the thing affected. They are the SUBJECT-**patient**.]

• *Así se alimenta a los bebés.*
[babies is the person affected. They are the DO-**patient**.]

- Verbs that don't take a DO (*vivir, crecer, estar, salir, hablar*, etc.) are always singular in impersonal constructions with ***se***:

  - *En las ciudades pequeñas se vive sin estrés.*
  - *En esta empresa se discute de todo.*
  - *Se está bien en la terraza. Podemos comer fuera.*

- We use the impersonal construction with ***se*** to **generalise** the same way that we generalise by using *la gente, todo el mundo, nadie, las personas*, etc.

  - *Aquí en invierno no se sale a la calle.*
  - *Aquí en invierno la gente no sale a la calle.*
  - *Aquí en invierno nadie sale a la calle.*
  - *Aquí en invierno las personas no salen a la calle.*

Generalising with *se* (agent omitted or deleted)	**Specifying (agent explicit)**
• *Aquí no se puede jugar con la pelota.*	*Pero yo siempre juego.*
• *Se duerme mejor en invierno.*	*¿Tú no duermes mejor?*
• *Cada día se lee menos.*	*Excepto nosotros, que lee**mos** muchísimo.*
• *¡Eso no se toca!*	*No lo toques, por favor.*

17 Write on the notice for each of the following ideas, like in the example:

A2

➲ Vender coche usado.

1. Adivinar el futuro.

2. Comprar oro.

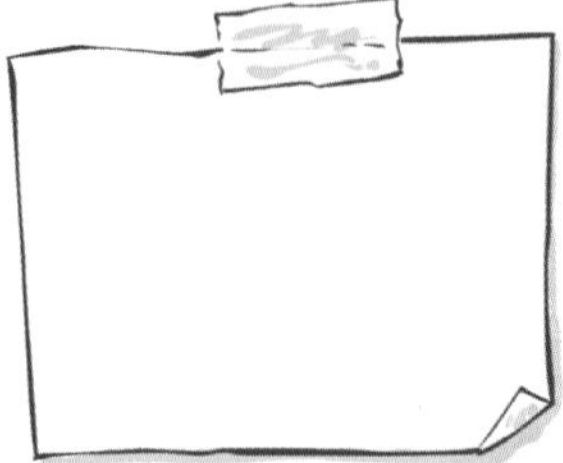

3. Hacer fotocopias.

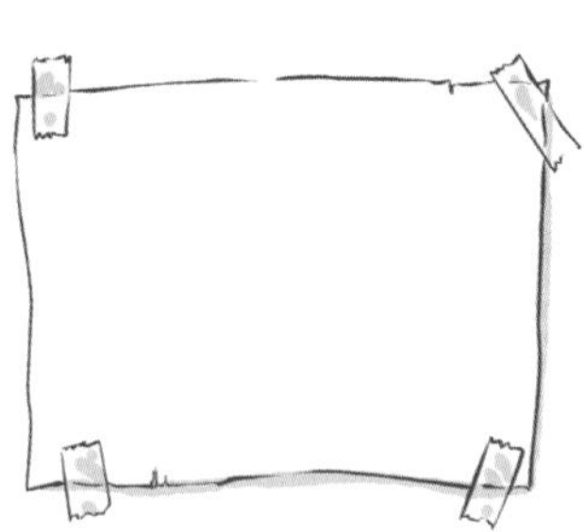

4. Alquilar motos de agua.

5. Vender billetes de lotería.

6. Cuidar a personas enfermas.

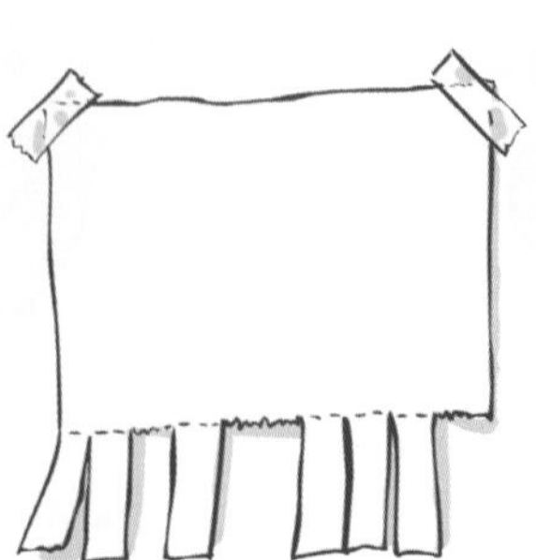

7. Regalar dos perritos.

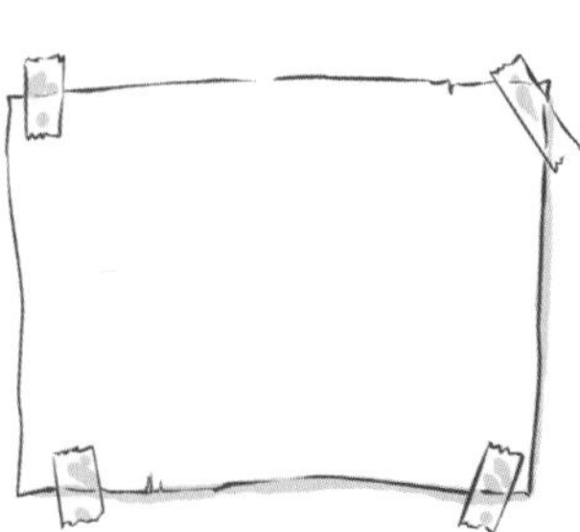

8. Prohibir tirar basura.

18 Give this recipe for *ceviche* a more impersonal style, using constructions with *se*.

B1

Ingredientes:

1/2 kilo de pescado (blanco o azul) cortado en cuadros pequeños
2 cebollas rojas, muy picadas
4 tomates, muy picados
2 pimientos (uno amarillo y otro naranja), muy picados
20 limones
Un poco de cilantro, muy picado
Sal y aceite de girasol

➲ Ponga / ..Se ponen........... los pedacitos de pescado crudo en una fuente de cristal.

1. Cúbralos / .... con sal y el jugo de unos diez o doce limones.
2. Tape / .... la fuente con plástico de cocina.
3. Poner / .... en el frigorífico durante al menos 4 horas.
4. Mezcle / .... las cebollas, los tomates, los pimientos y el cilantro con el jugo de los limones que quedan.
5. Póngale / .... un poco de sal.
6. Deje / .... reposar una hora.
7. Saque/ .... el pescado de la nevera y lávelo / .... bien.
8. Mezcle .... con los ingredientes anteriores.
9. Añada / .... sal y aceite al gusto.
10. Puede / .... servir inmediatamente o dejar reposar para que todos los sabores se combinen.

19 Carefully read the following situations and decide the most likely option for each.

B1

➲ Últimamente ....se edifican muchas viviendas, pero están carísimas.

1. Para este puesto .... personas muy capacitadas.
2. En España .... pocos puestos de investigación.
3. .... los bomberos para toda clase de accidentes.
4. Al sur de Marruecos casi no .... español.
5. .... un niño de cinco años que en el momento de su desaparición llevaba pantalón blanco y abrigo azul. Se llama Pepito.
6. .... préstamos a las víctimas del terremoto.
7. Desde aquí .... su ventana.
8. No _______ quién es el autor. .... que es un sabio del siglo XV.
9. En verano .... muchas frutas.
10. Cuando .... demasiadas cosas, ... pocas.

dar
crear
necesitar
buscar
✓ edificar
avisar
hablar
ver
saber
comer
esperar
obtener
pensar

20 Change the sentences as in the example, using the verb in the impersonal form without identifying the agent.

B1

➲ Dentro de unos años **nadie** escribirá en papel. ...no se escribirá...

1. En el maratón **los corredores** llegan agotados. ....
2. En España **los hombres** hablan todo el tiempo de fútbol. ....
3. No te preocupes por los gritos. Es que en mi casa **discutimos** así. ....
4. **Los estudiantes** estudian mucho en el instituto pero fracasan en la prueba de acceso a la universidad. ....
5. Aquí por las tardes **la gente** pasea por ese parque. ....
6. Donde **las personas** están bien de verdad es en casa. ....

H Opinion-expressing constructions: *Me gusta... Les da miedo... Nos parece bien...*

■ In this type of construction, there is an element (the **subject**) that produces an emotion, sensation, feeling or reaction... (expressed by the **verb**) in someone (the **indirect object**):

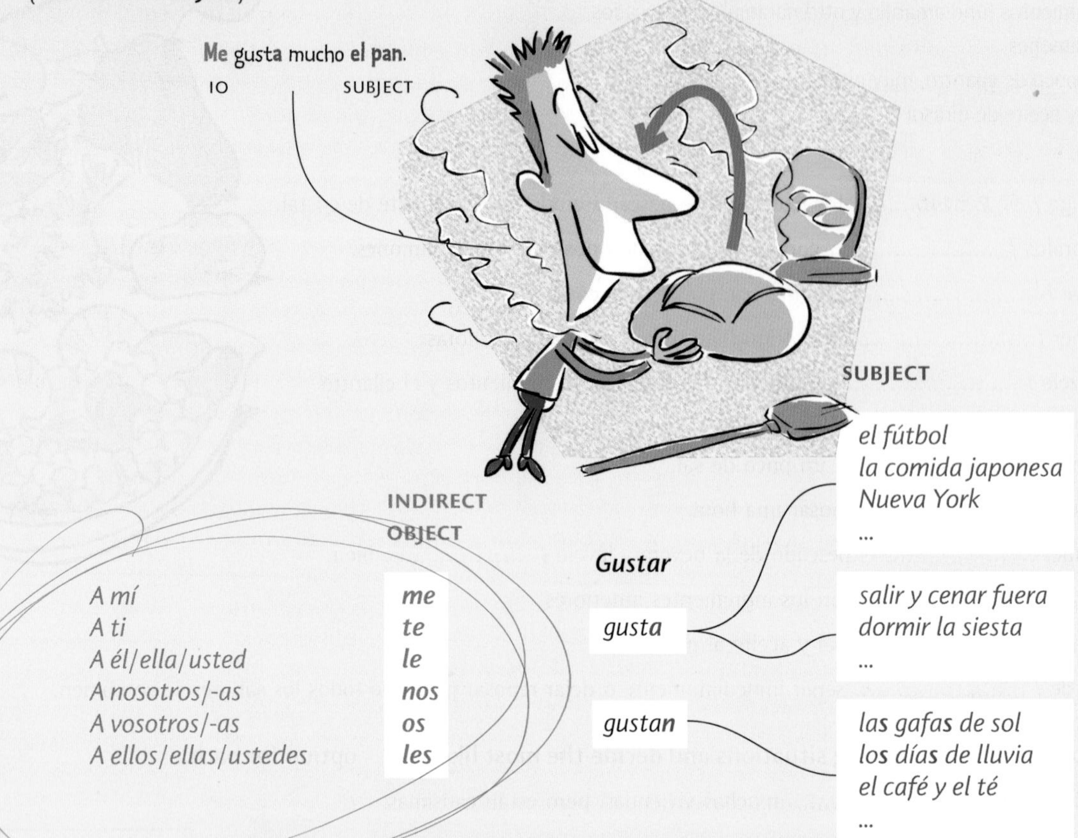

■ Apart from gustar, other verbs like ***apetecer***, ***doler***, ***encantar***, ***fastidiar***, ***interesar***, ***molestar***, ***preocupar***, etc also work like this:

➲ 16. Position and combination
➲ 17. Presence and redoubling

- *Pues hoy no **nos** apetece nada salir.*
- ***A mi madre le** duelen **los huesos** cuando cambia el tiempo.*
- *¿**A usted le** interesan **las películas de ciencia ficción**?*
- *¿No **te** preocupa nada **el futuro**?*

👁 In these constructions, when the subject is a combination of various infinitives, or of infinitive plus noun, the verb goes in the singular. The verb only goes in the plural if there is a plural noun closer to the verb than the infinitive:

- *Me gusta **ir al cine y leer en la cama**.*
- *Me gusta **el cine y leer en la cama**.*
- *Me gusta **ir al cine y las novelas de misterio**.*

  PERO: *Me gusta**n las novelas de misterio** y leer en la cama.*

■ In some constructions of this type, the effect (emotion, reaction, sensation, etc) that the subject causes in someone is expressed with the verb plus an adjective, noun or adverb:

Dar + *igual, miedo, pena, rabia, risa, vergüenza...*
Resultar/Parecer + *estupendo, increíble, raro...*
Caer + *bien, mal, regular...*

- *Me dan asco **las ratas**.*
- *Les parece fatal **ir a la cena sin un regalo**.*
- *¿**A ti te** cae bien **mi padre**?*

21 **Sofía is preparing for a conversation exchange with Pierre, a French boy. Complete the list the things she plans to tell him about her family, and what she wants to ask him about his.**

A2

➲ A mi padre ENCANTAR cocinar y beber vino. ✓

1. A mi madre NO GUSTAR los chicos con el pelo largo.
2. A mis hermanas GUSTAR la ropa y salir por la noche.
3. A mí ENCANTAR sobre todo viajar y dormir.
4. A todos nosotros GUSTAR mucho el queso francés.
5. A todos nosotros DOLER a menudo la cabeza.

➲ ¿A ti GUSTAR las motos? ✓

6. ¿A tus padres MOLESTAR el tabaco?
7. ¿A tus hermanos INTERESAR la ecología?
8. ¿A vosotros GUSTAR la sangría y la paella?
9. ¿A vosotros MOLESTAR los gatos?
10. ¿A tu hermana GUSTAR esquiar?

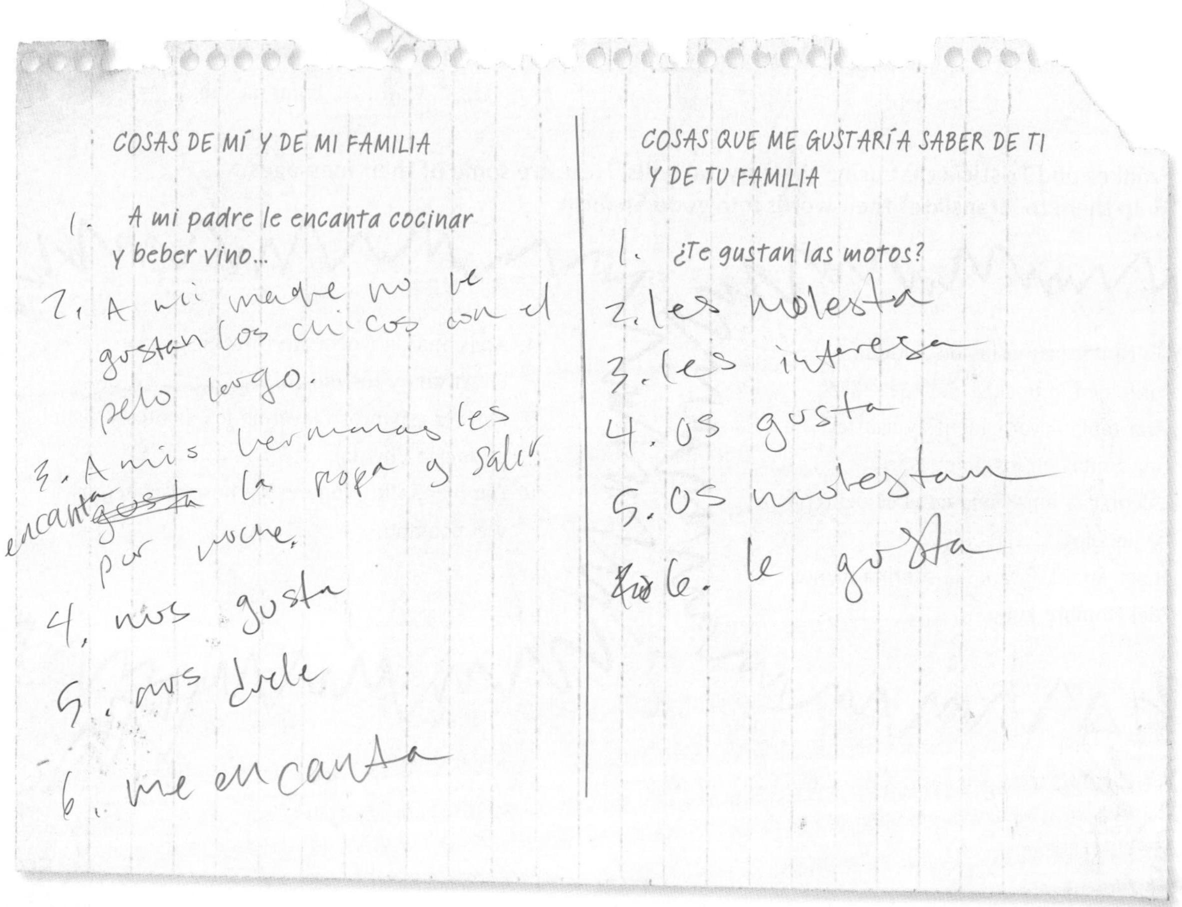

COSAS DE MÍ Y DE MI FAMILIA
1. A mi padre le encanta cocinar y beber vino...
COSAS QUE ME GUSTARÍA SABER DE TI Y DE TU FAMILIA
1. ¿Te gustan las motos?

22 **Below you will find some extracts from a debate on sexist stereotypes. Complete with pronouns and the correct forms of the verbs, and then match them to their other halves.**

B1

Los hombres dicen:

➲ No es verdad. A nosotros sí (GUSTAR) *nos gusta* la ropa.

1. ¡Qué tontería! A mí (ENCANTAR) .... ocuparme de las cosas de la casa. (GUSTAR) .... mucho ordenar los armarios.
2. ¿A vosotros (FASTIDIAR) .... hablar de vuestros sentimientos? ¿(DAR VERGÜENZA) .... compartir vuestros secretos?
3. No sé si a todos nosotros (MOLESTAR) .... cuidar a los niños.
4. ¿A ti no (GUSTAR) .... tomar algo con los amigos?

a. Yo creo que a nosotros no (MOLESTAR) .... contar nuestras cosas, pero somos más reservados.
b. A mí, por ejemplo, (ENCANTAR) *me encanta* ir de tiendas.
c. No obstante, reconozco que a muchos amigos míos (MOLESTAR) .... Sobre todo, planchar.
d. Pues a mí (ENCANTAR) .... ir al bar y charlar un poco después del trabajo. Es la mejor terapia.
e. A mí, la verdad, (FASTIDIAR) .... tener que ver la misma película de dibujos veinte veces.

Las mujeres dicen:

➲ A nosotras (ENCANTAR) nos encanta....... ir a la peluquería.

6. A mí personalmente (FASTIDIAR) .... ir de compras.
7. ¿Has dicho que a ti (MOLESTAR) .... el desorden?
8. A mí (ENCANTAR) .... meterme en la cocina y preparar la comida. (RELAJAR) .... ensayar nuevos platos.
9. ¿En serio piensas que a todas nosotras (GUSTAR) .... los bebés?

f. ¿A ti no (GUSTAR) .te gusta........ cambiarte el color del pelo?
g. Porque a mí no (GUSTAR) .... mucho, la verdad; y eso que he tenido dos hijos.
h. A mí marido también, pero (MOLESTAR) .... mucho cómo deja el fregadero después.
i. A mí no (MOLESTAR) .... nada. Mi marido es igual. Nunca pongo nada en su sitio y a él no (IMPORTAR) ....
j. Pero a muchas amigas mías (ENCANTAR) .... comprar ropa.

23 Fránkez and Tristicia chat using their crystal balls. Here are some of their messages. Help them to "translate" their words into good Spanish.

B1

➲ Encantar las fiestas de Jálogüin y los gritos en la noche. ....Me encantan....

1. Dar rabia llevar cadenas y asustar ancianitas en los parques. ....
2. Alegrar la luna llena en el cementerio y tus ojos. ....
3. Caer fatal Lobezna, la sobrina menor del Hombre Lobo. ....
4. Apasionar la Noche de Difuntos, viajar en escoba y tus ojos. ....
5. Parecer espantoso lavarme los dientes y visitar al doctor Chéquil. ....
6. Dar alergia los yogures de hormigas negras y el champú. ....

Ahora Fránkez le cuenta a Vic Fut cómo es Tristicia.

Ahora Tristicia le cuenta a La Momia cómo es Fránkez.

A Fránkez le encantan las fiestas de Jálogüin y los gritos en la noche.

SECTION 4

Verbs

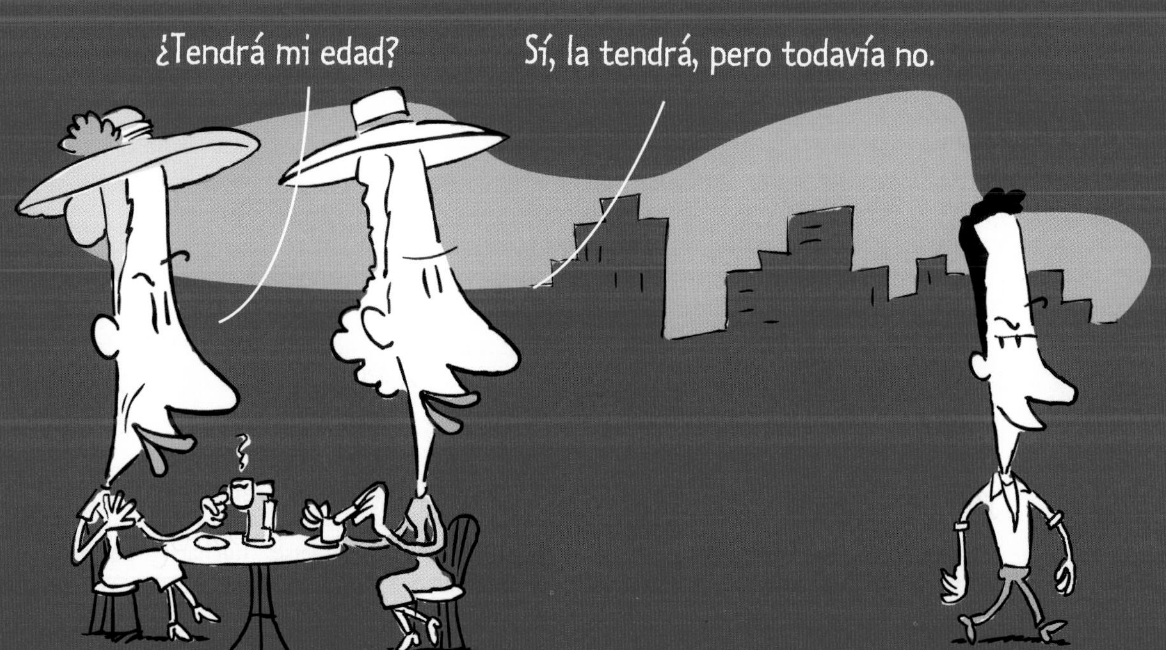

¿Tendrá mi edad?
Sí, la tendrá, pero todavía no.

19. Conjugation. The basic building blocks.

A Talking about a verb: the infinitive.

- When we **talk about a verb**, we use the **infinitive**, which is the verb form that can be found in a dictionary. It is a non-personal verb form, meaning that it doesn't conjugate.

➲ 20. Non-personal forms

- In Spanish the infinitive has three endings, each with a different classifying vowel. All verbs are classified according to these endings:

ENDING IN *-ar*	ENDING IN *-er*	ENDING IN *-ir*
Estudiar	*Aprender*	*Decidir*
Hablar	*Comer*	*Decir*
Jugar	*Correr*	*Escribir*
Pasear	*Leer*	*Salir*
Trabajar	*Ver*	*Pedir*

pasear. (De *paso.*) intr. Ir andando por distracción o por ejercicio. **2.** Ir c

ver. (Del lat. *videre.*) tr. Percibir por los ojos los objetos mediante

decir. (Del lat. *dicere.*) tr. Manifestar con palabras el pensamiento. **2.** Asegurar

¿Tú querer casarte conmigo?
Sí, pero esperar nosotros un poco. Ser muy jóvenes.
¿Quieres casarte conmigo?
Sí, pero esperaremos un poco. Somos muy jóvenes.

Verbs that have a reflexive form add the pronoun -se to the infinitive. For example: *duchar<u>se</u>, mover<u>se</u>, vestir<u>se</u>.*

➲ 18. Reflexive and opinion-expressing constructions

1 A1 **Ms Morpheme is an instructor in the Grammex gym. Today she has prepared an exercise routine in order to perfect conjugation... Table 1: Here are a number of infinitives; put them into the appropriate group.**

salir escuchar ✓ poner ser conducir oír entrar llamar tener poder decir aprender reproducir haber partir

-ar	-er	-ir
escuchar		

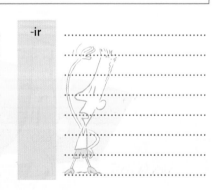

Put these other verbs into the same table. They are all verbs with a reflexive form.

levantarse irse ocuparse cortarse vestirse acostarse perderse ducharse ponerse

Look up some of these verbs in your dictionary. Notice the abbreviations that accompany them.

2 This quiz is the second exercise that Morpheme has prepared for today. You have three minutes to work out and write down the infinitives of the verbs in the box. Here's a clue: look at the vowel in the ending.

A1

estudiamos ✓	salís	cocina	aprenden	estás	escribimos	pedís	vemos	bebe
trabajan	traen	dormís	comemos	vivimos	sentamos	sentimos	cantas	lee

-ar		-er		-ir	
	estudiar		....		....
	....		....		....
	....		....		....
	....		....		....
	....		....		....
	....		....		....

B Conjugar un verbo

■ In Spanish, the endings of the verb tenses are very important because they tell us about the tense and the person we are referring to. So conjugating a verb means using the correct form of the tense and the person that we are talking about.

To conjugate a **regular verb**, we change the ending of the infinitive for a tense and person ending. For example:

Estudiar *estudi* + TERMINACIÓN		*Aprender* *aprend* + TERMINACIÓN		*Escribir* *escrib* + TERMINACIÓN	
estudio	[yo Presente]	*aprendo*	[yo Presente]	*escribo*	[yo Presente]
estudias	[tú Presente]	*aprendes*	[tú Presente]	*escribes*	[tú Presente]
estudié	[yo Indefinido]	*aprendí*	[yo Indefinido]	*escribí*	[yo Indefinido]
estudiaste	[tú Indefinido]	*aprendiste*	[tú Indefinido]	*escribiste*	[tú Indefinido]

■ To conjugate an **irregular verb**, apart from changing the endings, we have to know what sort of irregularity it has. This irregularity generally affects the stem, or first part of the verb. For example:

Jugar, en Presente, en algunas personas, cambia la ***-u-*** por ***-ue-***:
jugar → [*jueg* + TENSE AND PERSON ENDING]

Querer, en Presente, en algunas personas, cambia la ***-e*** por ***-ie-***:
querer → [*quie* + TENSE AND PERSON ENDING]

Pedir, en algunos tiempos, en algunas personas, cambia la ***-e-*** por ***-i-***:
pedir → [*pid* + TENSE AND PERSON ENDING]

3 This is exercise 3. To be able to conjugate, it is very important to know how to separate or split verbs. In the list below, separate the stem from the ending.

A1

cambiar	cambi + ar	poder	....	nacer	....
abrir	....	conducir	....	encantar	....
terminar	....	pedir	....	romper	....
escribir	....	recibir	....	prohibir	....
aprender	....	salir	....	soñar	....
comer	....	querer	....	dormir	....
desayunar	....	poner	....	pensar	....

C Concordar el verbo con el sujeto

- In Spanish, the verb conjugation has **six different endings** for the six possible persons of the subject. The verb always agrees with the subject in whichever person it appears:

SINGULAR	1ª persona	***Yo***	*como*
	2ª persona	***Tú***	*comes*
	3ª persona	***Él, ella, usted***	*come*
PLURAL	1ª persona	***Nosotros/-as***	*comemos*
	2ª persona	***Vosotros/-as***	*coméis*
	3ª persona	***Ellos, ellas, ustedes***	*comen*

- *Tú sabes más de lo que dices.*
- *Lola y yo no sabemos nada de eso.*
- *¿Saben ellos ya lo que pasó?*

¡Creo que he descubierto algo importante! Pero no sé qué...

CANTA ABA-S

- **Some person endings are always the same and are repeated in all verb tenses. If you take a careful look at the endings below it will make conjugating easier:**

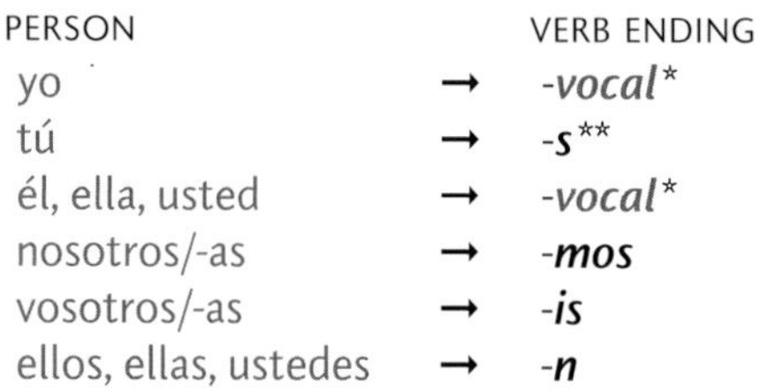

PERSON		VERB ENDING
yo	→	*-vocal**
tú	→	*-s***
él, ella, usted	→	*-vocal**
nosotros/-as	→	***-mos***
vosotros/-as	→	***-is***
ellos, ellas, ustedes	→	***-n***

* There is no single vowel as this changes with the verb tense.

** Except in the Pretérito indefinido and the Imperativo.

4 A1 **And this is the last exercise in today's gym routine. Write each of these verb forms next to the corresponding person. There are forms from several different tenses, so pay special attention to the verb endings.**

desayunas ✓	salimos	hacéis	tenemos	escribes	cantamos	envías	comunicáis	creo
llamarán	sabe	sabemos	fueron	decían	saldremos	tradujeron	sabes	estaban	venís

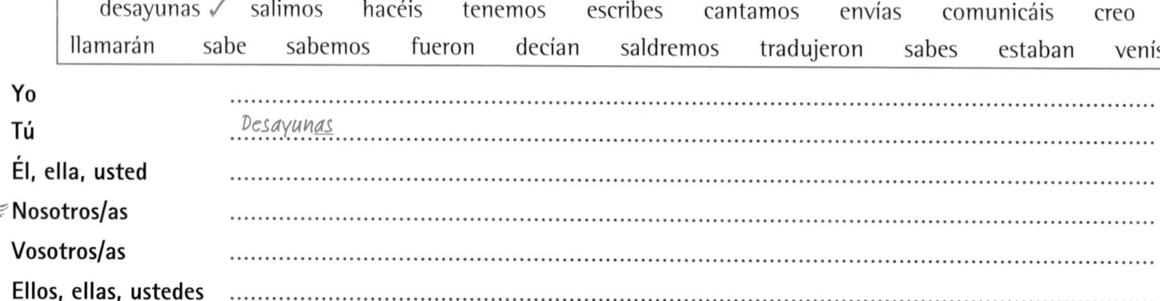

Yo ....

Tú Desayunas..

Él, ella, usted ....

Nosotros/as ....

Vosotros/as ....

Ellos, ellas, ustedes ....

5 A1 **This evening,Mar has invited some friends for an evening meal. They have been talking about the occasion, and the fragments below are some of the things they have said. Complete the sentences with the verbs, paying special attention to the agreement with the subject.**

vais ✓	pueden	iréis	podrás	cenan
llegaremos	sales	llevamos	agradecerán	

➲ ¿Vosotros a qué hora vais.......... a llegar?
1. Nosotros .... sobre las ocho.
2. ¿Tú .... llegar a esa hora?
   Como .... tan tarde del trabajo...
3. ¿Y Mar y su familia por qué .... tan pronto?
4. Bueno, ¿qué les ....?: ¿vino, postre, unas flores...?
5. Nada de chocolate, que los niños de Mar no .... comer.
6. Un buen vino siempre lo .... , ¿no?
7. ¿Vosotros .... en coche?

20. Non-personal forms: *hablar, hablando, hablado.*

A Meaning and form of the infinitive: *hablar, comer, vivir.*

- The infinitive is a verbal noun. It is the **name** we give to an **activity**.
  - ***Pintar*** *es hacer dibujos.*

- The infinitive is the basic form of the verb, which is why it is the form you will find in a dictionary. In Spanish, the infinitive can have three endings.

1st CONJUGATION *-ar*	2nd CONJUGATION *-er*	3rd CONJUGATION *-ir*
Cantar	*Comer*	*Salir*
Saltar	*Saber*	*Dormir*
Volar	*Tener*	*Venir*
Soñar	*Volver*	*Elegir*
Comprar	*Conocer*	*Abrir*

➲ 19. Conjugation. The Basic...
➲ 37. Periphrastic verbs

1 Using your dictionary, find the infinitive that corresponds to the nouns below, as in the example.

A1

la canción	➲ *cantar*	la entrada	5.	la ida	10. ....
el salto	1.	la venida	6.	el amor	11. ....
el cuento	2.	la venta	7.	la carrera	12. ....
la rueda	3.	el hecho	8.	la vuelta	13. ....
la salida	4.	el sentimiento	9.	el sudor	14. ....

B The infinitive as a noun

- As a noun, the infinitive is used in the same ways as a noun:

As SUBJECT	As DIRECT OBJECT	With PREPOSITIONS
• *La salida fue difícil.* • ***Salir*** *fue difícil.*	• *¿Quieres agua?* • *¿Quieres **beber**?*	• *No puedes salir sin paraguas.* • *No puedes salir sin **llevar** paraguas.*
• *El descanso ayuda mucho.* • ***Descansar*** *ayuda mucho.*	• *No sabe nada.* • *No sabe **escribir**.*	• *¿Vas a Madrid?* • *¿Vas a **salir**?*
• *Está prohibido el baño.* • *Está prohibido **bañarse**.*	• *Prefiero la soledad.* • *Prefiero **estar** solo.*	• *Es la hora de la comida.* • *Es la hora de **comer**.*

- With opinion-expressing constructions like ***me gusta, me encanta, me pone nervioso, me da miedo,*** etc., the thing that you like, love, makes you nervous or makes you frightened is the **subject**. This is why, in cases like these we use nouns or ***infinitives***:
  - *Me gusta mucho la natación.*
  - *Me gusta mucho **nadar**.*
  - *A mí no me da miedo la oscuridad.*
  - *A mí no me da miedo **salir** de noche.*
  - *Me tranquilizan tus palabras.*
  - *Me tranquiliza **saber** que estás bien.*

¿Que es lo que más te gusta **hacer** los fines de semana?
Pues no sé... **salir** con los amigos, **hacer** deporte, **dormir** mucho, **ver** la tele... Lo normal.

➲ 18. Reflexive and opinion-expressing ...

2 **Cross out the only option that is not a possible response to the questions.**

A2

➲ ¿Qué quieres ahora?	~~Comiendo un poco~~ / Comer un poco / Un poco de comida
1. ¿Qué te gusta más?	El coche rojo / Ver la tele / Conduciendo motos
2. ¿Qué es lo que te preocupa?	La carrera de mañana / Correr mañana / Corriendo mañana
3. ¿Qué haces?	Acabo de comer / Acabo de comiendo / Voy a comer
4. ¿Qué es lo que te da miedo?	Durmiendo sola / Estar contigo / Las moscas
5. ¿Qué es bueno para el resfriado?	Una infusión de menta / Durmiendo mucho / Llevar poca ropa

C The infinitive as a verb

■ As a verb, the infinitive takes a **subject**. Normally the context is enough for us to tell what the subject is, so we only mention it explicitly to avoid possible confusion:

We don't mention the subject because the context makes it clear

- *Si quieres **comer**, tengo algo en el frigorífico.* [comer-tú]
- *No **le** gusta **esperar**.* [esperar-él/ella]
- *El sueño de **Javi** es **no trabajar**.* [no trabajar-Javi]
- *Los policías **nos** obligaron a **salir**.* [salir-nosotros]
- *¿Está prohibido **fumar**?* [fumar-en general]
- *Antes de **llegar**, la llamé.* [llegar-yo]

We mention the subject to avoid confusion

- *Antes de **llegar** ellos, la llamé.* [if I say only *llegar*, you might think I'm talking about 'llegar-yo']
- *Después de **llegar** yo, se fueron.* [if I say only *llegar*, you don't know if I'm talking about 'yo' or 'ellos']

■ The infinitive can take all the different types of object that any verb can:

DIRECT OBJECT (DO):	• ***Decir** eso me parece maleducado.*
INDIRECT OBJECT (IO):	• ***Decirle** eso a tu madre me parece maleducado.*
OBJECTS REPRESENTED BY A WHOLE PHRASE:	• ***Decirle** eso a tu madre a las cuatro de la madrugada y en su propia casa me parece maleducado.*
SUBORDINATE OBJECTS:	• ***Decirle** que nunca vas a volver a tu madre a las cuatro de la madrugada y en su propia casa me parece maleducado.*

3 **Write out the meanings of the following signs. The sentences provided in the box on the right may help you in choosing the verb.**

A2

➲ no girar a la izquierda
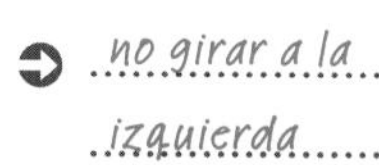
1. ....
2. ....
3. ....

4. ....
5. ....
6. ....
7. ....

- No me **beses** aquí. No se puede.
- No pasa nada. Vamos un poco más lejos y **comemos** allí.
- No **gires a la izquierda**. Está prohibido. ✓
- ¿Te estás **haciendo pipí**? Pues espérate un poco a llegar a casa.
- Si te **duermes**, vamos a otro sitio.
- No es posible el **giro a la derecha**.
- ¿Por qué estás **tocando el claxon**?
- Si **adelantas**, nos multarán.

4 **What is the subject of the following infinitives?**

B1

➲ Trabajar tanto no debe ser bueno. ...En general...........

➲ Siéntense. ¿Les apetece **tomar** algo? ...Ustedes..............

1. Me encanta **andar** por las montañas. ....
2. Yo dije que me iba antes de **salir** Cristina. ....
3. Yo dije que me iba antes de **salir**. ....
4. **Tener** hijos es una experiencia inolvidable. ....
5. Tus amigos saben **ser** muy amables con la gente. ....
6. ¿Os prohibió **pasar** la policía? ....
7. ¿Me permite **entrar**, Sra. López? ....
8. Mi profesor dice que es muy útil **hablar** varias lenguas. ....
9. No me obligues a **hacer** eso. ....
10. ¿No os ha invitado Pepe a **comer** en su casa, chicas? ....
11. ¡Antonio! ¡Luis! ¡Venid a **ayudar**me! ....
12. Ese trabajo es bueno. El problema es que te piden **tener** estudios superiores. ....

¡Me encanta andar
por las montañas!

D Meaning and form of the gerund: *hablando*, *comiendo*, *viviendo*

■ The gerund is a verbal adjective that talks about an activity being carried out:

- *Francisco se relaja **pintando** cuadros.*

■ Its **regular form** is made by changing the ending of the infinitive to the following endings:

-ar	*-ando*	*Hablar* → *hablando*
-er, *-ir*	*-iendo*	*Comer* → *comiendo* *Vivir* → *viviendo*
👁 (vocal + *-iendo*) =	*-yendo*	*Caer* → *cayendo* *Ir* → *yendo*

■ Verbs ending in *-ir* with an *-e-* or a *-o-* in the last syllable of the stem (*e...ir, o...ir*) have an **irregular form**: these vowels are changed to *-i-* and *-u-* respectively:

-e- → -i-	-o- → -u-
Decir *diciendo* [~~deciendo~~] *Reír* *riendo* [~~reiendo~~]	*Morir* *muriendo* [~~moriendo~~] *Dormir* *durmiendo* [~~dormiendo~~]

👁 Examples of these verbs are: *pedir, repetir, seguir, sentir, mentir, competir, elegir, herir, medir, preferir, podrir,* or related compound forms: *contra**decir**, son**reír**, im**pedir**, per**seguir**, pre**sentir**,* etc.

5 **What can you see in these drawings? Choose from the verbs in the box.**

A2 B1

nadar
hacer
hablar ✓
poner
morder

➲ Veo a un chico ...hablando....... con una chica.

1. Veo a un niño .... en la piscina.

2. Veo a una niña .... dibujitos.

3. Veo a un policía .... una multa.

4. Veo un perro .... un hueso.

6 **All these verbs end in *-ir*. Circle the irregular ones (*e...ir, o...ir*) and in each case write the appropriate gerund form.**

A1

➲ vivir ...*viviendo*...	4. reír	8. ir	12. producir ....
1. morir ...*muriendo*...	5. sufrir	9. salir	13. mentir ....
2. repetir	6. oír	10. competir	14. compartir ....
3. dormir	7. decidir	11. seguir	15. sentir ....

E Uses of the gerund: *Está subiendo. Subiendo a la derecha.*

■ Con ***estar*** + gerund enables us to talk about the development of an action **in any verb tense**:

➲ 37. Periphrastic verbs

¿Puedes venir un segundo?
Ahora no puedo. Me **estoy duchando**.

UNFINISHED ACTIONS	FINISHED ACTIONS
• *No hagas ruido. Los niños **están** durmiendo.*	• *El pobre está muy cansado. **Ha estado trabajando** todo el día.*
• ***Estábamos viendo** el partido tranquilamente y, de pronto, se fue.*	• ***Estuve hablando** dos horas con ella, pero no conseguí nada.*

7 **Transform the verbs in bold, as in the example.**

B1

Acciones en sí mismas	Acciones consideradas en su desarrollo
• Mi primo **ha trabajado** tres años como camarero.	➲ ...*Ha estado trabajando*... tres años...
• Me encontré con Patricia cuando **entraba** al cine.	1. ... cuando ....
• Ilsa **estudia** español desde el mes pasado.	2. Ilsa .... español...
• Yo **salí** con una chica francesa dos años.	3. Yo .... con una chica francesa...
• Yo ya me **iba**, cuando de pronto ella me llamó.	4. Yo ya me .... cuando...
• **Trabajé** en esa empresa hasta que me casé.	5. .... en esa empresa...

■ We also use the gerund to talk about the way to do something, or to get to a place:

¿**Cómo** se aprende mejor una lengua?
Estudiando y, sobre todo, **hablando** mucho.

Perdone, ¿**dónde** están los servicios?
Bajando las escaleras, a la izquierda.

8 **Connect each question to the most logical answer.**

B1

➲ ¿Cómo has solucionado el problema?
1. ¿Cómo puedo mejorar, doctor?
2. Aparicio, ¿dónde está mi maleta?
3. Eso está muy lejos. ¿Cómo voy a ir?
4. ¿Dónde hay una farmacia, por favor?
5. ¿Cómo has conseguido adelgazar tanto?

a. Cuidando su alimentación y durmiendo 8 horas al día.
b. Pues fácil, yendo al gimnasio tres veces por semana.
c. Cogiendo un taxi. Solo así llegarás a tiempo.
d. Pues siga recto y, subiendo aquella calle, a la derecha.
e. Mira, entrando al comedor, a la derecha de la puerta.
f. Simplemente hablando con ella.

➲ *f*....
1. .....
2. .....
3. .....
4. .....
5. .....

■ We do not use the gerund, we use the **infinitive**:

AS SUBJECT:	• ***Pilotar** aviones* es emocionante.	[~~Pilotando~~ aviones es emocionante.]
AS DO:	• *Ella odia **llegar** tarde.*	[Ella odia ~~llegando~~ tarde.]
WITH PREPOSITIONS:	• *Perdona por no **llamarte**.* • *Lávate antes de **comer**.*	[Perdona por no ~~llamándote~~.] [Lávate antes de ~~comiendo~~.]

9 **Margaret is studying Spanish and is still having difficulties with the gerund and infinitive. Correct her mistakes.**

B1

A mí me gusta mucho (➲) ~~**haciendo**~~ deporte, porque (➲) **haciendo** deporte estás mejor físicamente. Antes de (1) **viniendo** a España, yo jugaba en un equipo de baloncesto. (2) **Jugando** al baloncesto es muy divertido. Ahora estoy (3) **buscando** aquí gente para (4) **hacer** un equipo y poder jugar otra vez. Empecé a (5) **buscando** hace una semana, y ya somos seis. También me gusta (6) **estudiar** lenguas, claro, y (7) **hablando** con los españoles. Después de (8) **estando** en España dos meses, voy a ir a Argentina. (9) **Viajar** es muy interesante para mí.

➲ hacer
➲ ✓
1. ....
2. ....
3. ....
4. ....
5. ....
6. ....
7. ....
8. ....
9. ....

F Meaning and form of the past participle: *hablado, comido, vivido.*

■ The past participle is a verbal adjective that expresses the **result of a process**:

• *Un cuadro **pintado**.*

[the result of the action of painting is a painted picture]

■ Its regular form is made by changing the verb ending to the following endings:

-ar	*-ado*	*Hablar* → *hablado*
-er, -ir	*-ido*	*Comer* → *comido* *Vivir* → *vivido*

■ The most common **irregular past participles** are the following:

Hacer → ***hecho***	*Romper* → ***roto***	*Morir* → ***muerto***
Satisfacer → ***satisfecho***	*Volver* → ***vuelto***	*Abrir* → ***abierto***
Decir → ***dicho***	*Poner* → ***puesto***	*Cubrir* → ***cubierto***
Ver → ***visto***	*Escribir* → ***escrito***	*Freír* → ***frito*** (*o freído*)
	Resolver → ***resuelto***	*Imprimir* → ***impreso*** (*o imprimido*)

All their compound forms have the same irregularity:
Deshacer → ***deshecho*** *Contradecir* → ***contradicho*** *Prever* → ***previsto***
Devolver → ***devuelto*** *Descubrir* → ***descubierto*** *Reabrir* → ***reabierto***

10 A1 **Carmencita is still very young, and thinks that all past participles are regular. Help her by identifying and correcting the seven mistakes she has made.**

➲ Esta mañana he ~~hacido~~ ..hecho.... un dibujo muy bonito, y la profesora me ha **dicho** ....✓.... que dibujo muy bien.

1. Mi perrito Güili se ha **escapado** .... y no ha **volvido** .... Nadie lo ha **visto** .... A lo mejor se ha **morido** .... , el pobre.
2. Mi mamá me ha **ponido** .... hoy pollo **frito** .... para comer, pero no me gusta, y no he **comido** .... nada.
3. Yo estaba jugando y he **rompido** .... una lámpara del comedor, pero mis papás han **ido** .... a comprar y todavía no lo han **descubrido** ....
4. He **encontrado** .... una carta en un sobre. Entonces he **abrido** .... la carta, pero todavía no sé leer y no sé quién la ha **escribido** ....

G Use as an adjective: *Una cosa terminada. Está terminada. La tengo terminada.*

■ When used as an adjective, the past participle **always agrees** with the noun it refers to **in gender and number**:

Noun + PAST PARTICIPLE

- *Los <u>archivos</u> **protegidos** con contraseña no se pueden abrir fácilmente.*
- *En verano hay muchos <u>perros</u> **abandonados** en la carretera.*

Estar + PAST PARTICIPLE

- *No puedes abrir los <u>archivos</u> de mi ordenador. Están **protegidos** con contraseña.*
- *Mira esa pobre <u>perrita</u>. Está **abandonada**.*

Tener + PAST PARTICIPLE

- *No puedes abrir los <u>archivos</u> de mi ordenador. Los tengo **protegidos** con contraseña.*
- *Tienes **abandonadas** esas pobres <u>plantas</u>. Cuídalas un poco más, hombre, que son muy bonitas.*

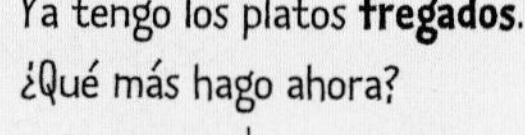

Ya tengo los platos **fregados**.
¿Qué más hago ahora?

11 A2 B1 **If somebody does a thing, that thing has been done. Complete the descriptions of the results of the following actions with the correct form of the past participle.**

• Alguien ha abierto una ventana.	➲ Hay una ventana ..abierta.... .
• Has puesto la comida en la mesa.	1. La comida está .... en la mesa.
• Ya has dicho todo lo que tenías que decir.	2. Todo está ya ....
• Alguien ha roto tres platos en tu cocina.	3. Hay tres platos .... en la cocina.
• Borja ha hecho todas las tareas de casa esta mañana.	4. Ya las tiene ....
• Has sorprendido a tus amigos con una visita inesperada.	5. Están ....
• Tu compañero te ha resuelto varias dudas sobre los pronombres.	6. Esas dudas ya están ....
• Ya has estudiado la mitad de los temas de Historia.	7. Ya tienes .... la mitad de los temas.

H Use of the combined forms of the verb: *he salido, había salido, habré salido...*

■ With the auxiliary verb **haber** + PAST PARTICIPLE we can make the following compound verb forms:

Pretérito perfecto:	Presente de ***haber*** + PAST PARTICIPLE	*He **comido**, has **comido**, ha **comido**...*
Pretérito pluscuamp.:	Imperfecto de ***haber*** + PAST PARTICIPLE	*Había **sido**, habías **sido**, había **sido**...*
Futuro perfecto:	Futuro de ***haber*** + PAST PARTICIPLE	*Habré **ido**, habrás **ido**, habrá **ido**...*

■ In these forms, the past participle cannot be separated from the auxiliary ***haber***:

➲ 22. Pretérito perfecto

- ***Hemos hablado** mucho.* [~~Hemos mucho hablado.~~]
- ***Han llegado** recientemente.* [~~Han recientemente llegado.~~]

➲ 27. Pretérito pluscuamperfecto

➲ 29. Futuro perfecto

■ In addition, these forms do not change, meaning that they do not agree with any other element of the sentence:

- *Nosotras hemos **salido** tarde.* [*Nosotras hemos ~~salidas~~ tarde.*]
- *A María la he **llamado** ya.* [*A María la he ~~llamada~~ ya.*]

12 Order the words to make coherent sentences, putting the infinitive into the correct form of the past participle.

B1

- Retrasar / Os / mucho / habéis. ➲ *Os habéis retrasado mucho.*
- Resolver / han / bien / el / Los / problema / científicos 1. ....
- Convencer / Elena / me / había / explicación / no / con / su 2. ....
- Devolver / ¿no / Todavía / libros / has / los? 3. ....
- Asustar / habrá / la / Pedro / con / gritos / sus 4. ....
- Prever / Los / habían / economistas / crisis / una 5. ....

13 Complete with the correct past participle form of the verb indicated.

B1

publicar

➲ La editorial Infusión ha *publicado* muchos libros sobre comida dietética.
➲ Ese es un libro *publicado* en Infusión.
➲ Ese libro que tú dices está *publicado* en Infusión.
➲ Infusión tiene *publicadas* muchas obras sobre comida dietética.

romper

1. ¿Qué le habrá pasado? ¿Tendrá las dos piernas .... ?
2. ¿La pierna derecha también está ....?
3. Con las dos piernas .... no se puede ni mover, el pobre.
4. Pobre Javi. Yo creo que se ha .... las dos piernas.

abrir

5. Si tienes niños, una ventana .... es un peligro.
6. ¿Por qué has .... la ventana?
7. ¿Por qué tienes todas las ventanas .... ?
8. ¿La ventana del dormitorio está .... ?

resolver

9. Si tú quieres, el problema está ....
10. Todavía no tengo los dos problemas más importantes ....
11. Se lo he dicho claramente y ya está. Problema ....
12. ¿Has .... tus problemas ya?

21. Presente de indicativo

A Regular verbs: *hablo, como, vivo...*

■ To form the Presente de indicativo we change the verb ending to the following **endings:**

	-ar	*-er*	*-ir*	*Hablar*	*Comer*	*Vivir*
Yo	*-o*	*-o*	*-o*	*hablo*	*como*	*vivo*
Tú	*-as*	*-es*	*-es*	*hablas*	*comes*	*vives*
Él, ella, usted	*-a*	*-e*	*-e*	*habla*	*come*	*vive*
Nosotros/-as	*-amos*	*-emos*	*-imos*	*hablamos*	*comemos*	*vivimos*
Vosotros/-as	*-áis*	*-éis*	*-ís*	*habláis*	*coméis*	*vivís*
Ellos, ellas, ustedes	*-an*	*-en*	*-en*	*hablan*	*comen*	*viven*

■ The word stress always falls on the stem for *yo, tú, él,* and *ellos,* and on the ending for nosotros and *vosotros,* as shown by the underlining in the examples above.

1 **Which person is the verb form talking about? Choose the possible subject or subjects from the options in the box and circle the verb ending that tells you.**

A1

Tú	Lucía y Sole	Usted	Usted y su marido	Yo	El amigo de Hans	Elena y yo	Vosotros tres

➲ ¿**Habla** español? (Usted / El amigo de Hans.........)

1. **Como** a las dos, más o menos, y **ceno** sobre las diez. (..)
2. No **puede** aprender español si no **estudia**, no **lee**, no **escribe**, no **practica**. (................/................)
3. Si **vives** en Móstoles, seguro que **comes** muchas empanadillas. (..)
4. Mira: **subes** hasta el segundo piso, **llamas** a la puerta C o **abres** con la llave, y **entras**. (................................)
5. ¿Qué **miráis**? (..)
6. Si **cantan** (................/................), entonces **bailamos**. (................................)
7. ¿Dónde **vivís**? (..)

2 **Complete with the right** ***Presente de indicativo*** **verb ending. You can work out the person from the context.**

A1

➲ Mira, te present*o*.... a Sasha. Enseñ*a*.... búlgaro en una escuela privada.

1. ● Perdona mis errores, es que todavía no toc...... la guitarra muy bien.
   ❍ Es verdad que no toc...... muy bien. ¿Por qué no dej...... la música para más tarde?
2. ● ¿Qué signific...... madrugar?
   ❍ Si un día tú te levant...... temprano, eso signific...... que madrug...... .
3. Por aquí pas...... un autobús cada cinco minutos.
4. ● Perdona, pero yo deb...... irme. Me esper...... mis padres arriba.
   ❍ Bueno, pero antes nos beb...... una cerveza más, ¿vale?
5. Alberto, ¿por qué no me escuch......? ¿Es que yo no signific...... nada para ti?
6. ● Miroslaw y tú habl...... muy bien inglés.
   ❍ Bueno, ni él ni yo habl...... tan bien, pero es verdad que practic...... mucho.
7. Mafalda y tú hacéis muy buena pareja. ¿Cuánto tiempo llev...... de novios? ¿Viv...... juntos?

B Verbs with vowel changes: *quiero / puedo, juego...*

■ In many verbs, **the last vowel of the stem changes when the word stress falls on it.** This means that it changes for all persons except *nosotros* and *vosotros*:

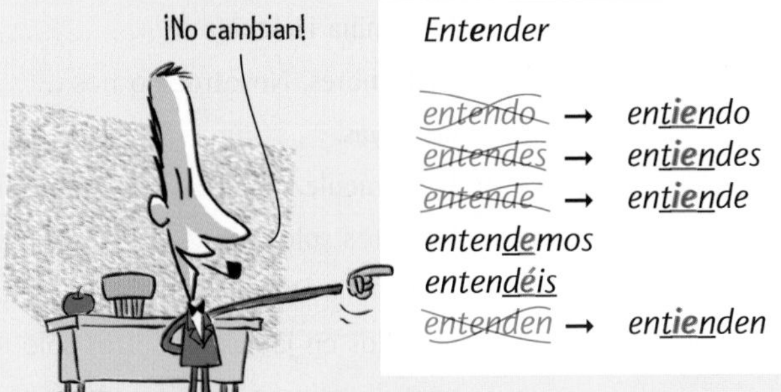

Entender

~~entendo~~ → *entiendo*
~~entendes~~ → *entiendes*
~~entende~~ → *entiende*
entendemos
entendéis
~~entenden~~ → *entienden*

■ With some verbs, this change means that the vowels ***e***, ***o***, and ***u*** at the end of the stem, lengthen into a diphthong *-ie-*, *-ue-* when they are stressed:

-e- → *-ie-*		*-o-* → *-ue-*		*-u-* → *-ue-*	
Querer	*Querer*	*Poder*	*Poder*	*Jugar*	*Jugar*
Sentar		*Doler*			
Cerrar	*quiero*	*Morir*	*puedo*		*juego*
Pensar	*quieres*	*Dormir*	*puedes*		*juegas*
Empezar	*quiere*	*Volar*	*puede*		*juega*
Comenzar	*queremos*	*Recordar*	*podemos*		*jugamos*
Perder	*queréis*	*Encontrar*	*podéis*		*jugáis*
Entender	*quieren*	*Costar*	*pueden*		*juegan*
Sentir		*Volver...*			
Preferir...					

3 Does the vowel change or not? Guess the verb, check the person markers and decide.

A1 A2

-e- → -ie

➲ Qu.*ie*....ro comer temprano.
1. P.......rden el tiempo.
2. ¿Emp.......zo ya?
3. P.......nsamos que no.
4. Pref......ren salir mañana.
5. Después c.......rras la puerta.
6. No ent.......ndéis nada.
7. Lo s.......ntimos mucho.

-o-, -u- → -ue

8. Me d.........le la cabeza.
9. ¿Rec.........rdáis a Javi?
10. Sin agua, las plantas se m.....ren.
11. ¿J.......gamos al Trivial?
12. Me enc.......ntro cansado.
13. D.......rmes demasiado.
14. C.....sta mucho dinero.
15. ¿Cuándo v.......lves a Almería?
16. V.......lamos a 700 km/h.

C Verbs with vowel changes: *pido, repito...*

■ With other verbs, the vowel *-e-* at the end of the stem changes to an *-i-* when it is stressed:

-e- → *-i-*	(Only verbs with ...*e*...*ir*)		
Pedir	*Pedir*	*Repetir*	*Reír*
Impedir			
Seguir	*pido*	*repito*	*río*
Perseguir	*pides*	*repites*	*ríes*
Repetir	*pide*	*repite*	*ríe*
Competir	*pedimos*	*repetimos*	*reímos*
Reír	*pedís*	*repetís*	*reís*
Sonreír...	*piden*	*repiten*	*ríen*

All verbs with ...*e*...*ir* and ...*o*...*ir* change according to one of the patterns explained in notes B and C.

4 **Help "translate" Fránkez and Tristicia's opinions about their neighbours with the right form of the verb in the Presente de Indicativo tense.**

A1 A2

➲ *Familia Dráculez siempre nerviosa, no **sonreír**. Nosotros alegres, sonreír continuamente.*	➲ La familia Dráculez siempre está nerviosa, no *sonríe*. Nosotros somos alegres, *sonreímos* continuamente.
1. *Familia Dráculez **reír** de nuestras costumbres. Nosotros no reír de costumbres de familia Dráculez.*	1. La familia Dráculez se .... de nuestras costumbres. Nosotros no nos .... de las suyas.
2. *Los Dráculez **pedir** sangre humana fresca. Nosotros solo pedir sangría.*	2. Los Dráculez .... sangre humana fresca. Nosotros solo .... sangría.
3. *Familia Dráculez **perseguir** murciélagos para meterlos en jaulas. Nosotros solo perseguir para divertirnos.*	3. La Familia Dráculez .... murciélagos para meterlos en jaulas. Nosotros solo los .... para divertirnos.
4. *Los Dráculez **repetir** los mismos chistes mil veces. Nosotros no repetir los mismos chistes nunca.*	4. Los Dráculez .... los mismos chistes mil veces. Nosotros no los .... nunca.
5. *Los Dráculez **competir** contra otros vampiros. Nosotros no competir. Colaborar.*	5. Los Dráculez .... contra otros vampiros. Nosotros no .... Colaboramos.
6. *Familia Dráculez **medir** menos de dos metros Nosotros medir mucho más: ser grandes y hermosos.*	6. La familia Dráculez .... menos de dos metros. Nosotros .... mucho más: somos grandes y hermosos.

D First person irregular: *hago, pongo, salgo...*

■ There is a group of very common verbs that is **irregular only in the first person singular**:

				-ecer**, -**ocer**, -**ucir**: -**zco	
Hacer	*hago, haces, hace...*	***Ver***	*veo, ves, ve...*	*Parecer*	*parezco, pareces...*
Poner	*pongo, pones, pone...*	***Dar***	*doy, das, da...*	*Agradecer*	*agradezco, agradeces...*
Salir	*salgo, sales, sale...*	***Saber***	*sé, sabes, sabe...*	*Conocer*	*conozco, conoces...*
Valer	*valgo, vales, vale...*	***Caber***	*quepo, cabes, cabe...*	*Conducir*	*conduzco, conduces...*
Traer	*traigo, traes, trae...*			*Introducir*	*introduzco, introduces...*
Caer	*caigo, caes, cae...*			*Traducir*	*traduzco, traduces...*
				Producir	*produzco, produces...*

■ When a verb has this irregularity, it will also be found in all its related **compound verbs**:

Deshacer → deshago *Rehacer → rehago* *Suponer → supongo* *Componer → compongo*
Atraer → atraigo *Distraer → distraigo* *Aparecer → aparezco* *Desaparecer → desaparezco*

5 **Joselito is learning to speak. Help him by identifying and correcting the mistakes he makes (there are five more of them).**

A1 A2

➲ Ahora **pono** *pongo* el papel aquí.
y **escribo** ....✓.... , ¿ves?
1. Yo **hablo** .... mejor que Hanna, porque **sabo** .... más.
2. Hanna se **parece** .... a su papá, y yo me **parezo** .... a mi mamá.
3. Yo no **conozo** .... Alemania.
4. Yo no **salo** .... a la calle solo porque me **caio** ....

6 **Complete with the correct form of the verb.**

A1 A2

How different the two of us are! ¡Qué diferentes somos tú y yo!

➲ Tú siempre **haces** lo que quieres. Yo ..*hago*.......... lo que es necesario hacer.

1. Tú **ves** problemas en todo. Yo .... problemas solo donde realmente los hay.
2. Tú nunca **das** sin recibir algo a cambio. Cuando yo .... algo, no espero nada.
3. Tú **traes** a casa a todo el mundo. Yo solo .... a mis mejores amigos.
4. Tú no **sabes** reconocer tus defectos. Yo .... perfectamente cuándo hago algo mal.
5. Tú **conduces** pensando que no hay nadie más en la carretera. Yo .... con cuidado.
6. Tú **desapareces** de pronto sin decirme nada. Yo nunca .... Siempre estoy cuando me llamas.
7. Tú siempre **supones** que todo está bien. Yo no .... nada.
8. Tú eres muy egoísta, pero no lo **reconoces**. Yo, por lo menos, ... que soy una pesada.

E First person irregular and other changes: *Tener, venir, decir, oír, estar*.

■ Some verbs have an irregular **first person singular** as well as some other **irregularity**. The syllable that carries the stress is underlined:

	1st pers. / *e* → *-ie-*		1st pers. / *e* → *-i-*	1st pers. / + *-y-*	1st pers. / *acento*
	Tener	***Venir***	***Decir***	***Oír***	***Estar***
Yo	*tengo*	*vengo*	*digo*	*oigo*	*estoy*
Tú	*tienes*	*vienes*	*dices*	*oyes*	*estás*
Él, ella, usted	*tiene*	*viene*	*dice*	*oye*	*está*
Nosotros/-as	*tenemos*	*venimos*	*decimos*	*oímos*	*estamos*
Vosotros/-as	*tenéis*	*venís*	*decís*	*oís*	*estáis*
Ellos, ellas, ustedes	*tienen*	*vienen*	*dicen*	*oyen*	*están*
	Irregular 1st person singular and vowel changes			Irregular 1ª persona singular and a *-y-* is added.	Irregular 1st p. singular and accent/word stress change.

7 **Complete the sentences with the most appropriate verb from the box in the *Presente de indicativo*.**

A1 A2

decir oír venir estar tener

➲ Yo ..*vengo*......... aquí cada día solo para verte. Tú ..*vienes*........ para verme también. Tú y yo ..*venimos*...... con la esperanza de vernos.

1. Cuando hablo de ti siempre .... cosas bonitas. Tú también .... cosas bonitas de mí. Tanto tú como yo .... cosas hermosas el uno del otro.
2. Yo .... bonitos recuerdos de ti, y tú .... bonitos recuerdos de mí. Es decir, que los dos .... bonitos recuerdos.
3. Yo me pongo nervioso cuando .... tu voz. Tú cierras los ojos cuando .... mi nombre. Nosotros dos sentimos algo cuando .... nuestras voces.
4. Creo que yo .... enamorado de ti y que tú también .... enamorada de mí. Está claro que tú y yo .... enamorados.
5. Si tú .... a mi casa, yo .... contento. Cuando yo te .... "te quiero", tú .... campanas en tu corazón. Cuando tú .... conmigo, yo no .... miedo.

¿Te quieres casar conmigo?
¡Vale!

F Very irregular verbs: *ir, ser, haber*.

	Ir	*Ser*	*Haber*
Yo	*voy*	*soy*	*he...*
Tú	*vas*	*eres*	*has...*
Él, ella, usted	*va*	*es*	*ha...* (hay)
Nosotros/-as	*vamos*	*somos*	*hemos...*
Vosotros/-as	*vais*	*sois*	*habéis...*
Ellos, ellas, ustedes	*van*	*son*	*han...*

Haber is an auxiliary verb. We use the *Presente of haber* to form the *Pretérito perfecto*: ***he** comido, **has** ido, **ha** dicho...*

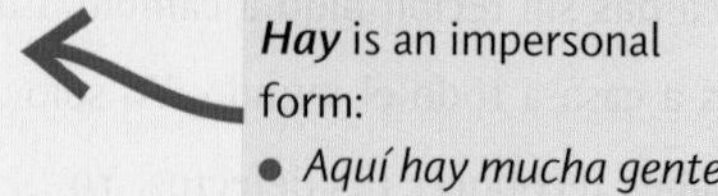

Hay is an impersonal form:
- *Aquí hay mucha gente.*

➲ 36. *Haber and estar*

Ser is not an auxiliary verb.

➲ 35. *Ser and estar*

8 Complete with the correct verb, in the correct person.

A1 – A2

ir ser haber

➲ Hola, *soy*....... Ernesto. ¿Tú cómo te llamas?

1. ● ¿Por qué me dices eso ahora? ¡Todas las mujeres .... iguales!
   ❍ Bueno, Antonio, tranquilo.
2. ● ¿Podéis hacerlo solas o .... yo a ayudaros?
   ❍ No, gracias, ya .... terminado. Nos .... Adiós.
3. ● Perdone, ¿ .... un banco cerca de aquí?
   ❍ Sí, ... dos al final de esta calle.
4. ● ¡Hola, guapa! ¿ .... venido para felicitarme por mi cumpleaños?
   ❍ Pues no exactamente. Solo .... venido a recoger mis cosas.
5. Carolina .... alemana, pero sus abuelos .... españoles.
6. Quiero comprarme una lámpara en Yanokea, pero no tengo coche. ¿Cuándo .... vosotros?

G Uses. Present affirmations: *Mi novio está en Madrid*.

■ We use the *Presente* to affirm things in present time, which we want to present as certain and completely under control. We are declaring **what we know about the present** or asking others what they know.

¿Qué gato **es** ese?
Es Julio César, el gatito de mi hermano.

How things are in the PRESENTE:

THE QUALITIES OF THINGS
- ***Es** una casa antigua y **tiene** un patio interior precioso.*
- *Me gusta más el otro coche. **Corre** más y **gasta** menos gasolina.*

HABITUAL SITUATIONS
- *Yo **duermo** normalmente ocho o nueve horas al día.*
- *¿**Vives** todavía en aquella casa tan incómoda y fría?*

MOMENTARY SITUATIONS
- *Podemos vernos ahora. Mi novio **está** en Madrid.*
- *Manuela **tiene** fiebre y no **puede** ponerse al teléfono en este momento.*
- *¿**Está** todavía abierto el supermercado?*

■ If we want to present the information as not totally certain, we use the **Futuro**:
- *No sé. **Será** un gato jugando.*

➲ 28. Futuro

■ If we affirm situations that refer to things that have happened in the past, we use the **Pretérito imperfecto**:
- *Aquel gatito **era** Julio César.*

➲ 25. Pretérito imperfecto

9 What can we know for sure now?

A2

➲ A Claudio le **encantaba** el Real Madrid.

1. Las llaves **están** en el bolso de Carmen.
2. Estuve en casa de Juan. **Tenía** un jardín precioso.
3. Rosa **es** una estupenda bailarina.
4. ¿Gerardo y Luisa? Hace mucho tiempo que se casaron. Ya **tendrán** hijos.
5. Ernestina **tiene** fiebre.

¿Es verdad ahora?	Es verdad	No lo sabemos
➲ Claudio **es** del Real Madrid.	....	.....✓.....
1. Carmen **tiene** las llaves.	....	....
2. Juan **tiene** un bonito jardín.	....	....
3. Rosa **baila** muy bien.	....	....
4. Gerardo y Luisa **son** padres.	....	....
5. Ernestina **está** enferma.	....	....

H Uses. Future affirmations: *Mi novio vuelve mañana.*

■ We also use the *Presente* to talk about future time (making it clear that we're talking about the future), when we want to present the information as certain and totally under control. We are talking about something we know and that will happen, regardless of what the weather is like. We are declaring **what we know about the future** or asking others what they know.

¿Te vienes a estudiar mañana a mi casa?
Vale, a las cuatro en punto **estoy** allí.

How things are in the **FUTURO**:

INFORMATION THAT IS CERTAIN

- *Mi novio **vuelve** mañana. Si quieres, nos vemos esta tarde.*
- *El martes no **hay** clase, pero el jueves **tenemos** dos exámenes.*
- *El día 23 **es** el cumpleaños de Samuel. **Cumple** un año.*
- *Lola, ¿qué **haces** mañana por la tarde? ¿**Trabajas**?*

INSTRUCTIONS

- *Mira, **sales** por esa puerta, **giras** a la izquierda y **sigues** hasta el final...*
- *¿Primero **apago** la tele y luego le **doy** al botón o al contrario?*

■ If we want to present the information as a prediction, we use the **Futuro**:

- *A las cuatro **estaré** allí.*

➲ 28. Futuro

10 Complete with the correct form of the Presente. Use the verbs in the box.

A2

● ¿Cuándo tienes un par de días para terminar nuestro trabajo?

○ Pues por ahora lo tengo difícil. A ver: el martes ...*ceno*... con Marta. El miércoles no .... nada, pero el jueves .... mis padres de Mallorca y tengo que ir a recogerlos al aeropuerto, y el viernes .... el cumpleaños de Mari. Luego, la semana siguiente, el lunes .... una reunión de trabajo muy importante. El día 11 .... el concierto de Rosa, y eso no me lo pierdo, y al día siguiente me .... a la playa al apartamento de Ramón, que está libre ese día. Pero el martes 9 y el miércoles 10 no .... ninguna obligación especial. ¿Trabajamos esos días?

cenar ✓
ir
tener
tener
tener
ser
ser
volver

Septiembre — Semana 35		Septiembre — Semana 36	
1 Lunes		8 Lunes	*8:30 – Reunión de trabajo*
2 Martes	*Cena con Marta a las nueve*	9 Martes	
3 Miércoles		10 Miércoles	
4 Jueves	*Mis padres...*	11 Jueves	*Concierto de Rosa*
5 Viernes	*Cumpleaños de Mari*	12 Viernes	*PLAYA!!!!!!*
6 Sábado		13 Sábado	
7 Domingo		14 Domingo	

I Uses. General affirmations: *Los hombres son así.*

- We use the Presente to make or ask for statements about things in general that we present as certain and totally under control. We are saying **what we know about things in general**.

How things **ALWAYS** are:

KNOWN FACTS
- *Los niños **son** niños.*
- *Un león nunca **ataca** a un elefante.*
- *¿Cuánto **es** 9 x 8?*

11 Complete the text with the correct verb, and learn something about the Bengal cat. Use a dictionary if necessary.

B1

ser ✓ tener pesar poder poder ayudar medir

El Gato de Bengala ...es.......... un felino salvaje, natural de Asia, pero también .... vivir como gato doméstico. Las madres .... de 2 a 4 cachorros después de una gestación de unos 65 días. A veces, el padre .... a criar a los cachorros. .... vivir de 12 a 15 años. .... normalmente 60 cm, aunque algunos autores indican hasta un metro, más la cola que alcanza los 45 cm. .... entre 3 y 8 kg.

nadar mantener necesitar alimentar amar encantar

Se .... de mamíferos medianos y pequeños, aves, reptiles y peces. Es de hábitos nocturnos, se .... activo desde el atardecer hasta el amanecer. A pesar de ser un animal de origen salvaje, es de carácter noble, ... la vida familiar y .... cariño. Lo más curioso, quizá, es que le .... el agua y .... con gran agilidad.

12 Which concept are we talking about with these sentences in the Presente?

B1

Momento presente (P)	Momento futuro (F)	En general (G)

- ➲ Los triángulos **tienen** tres lados. (..G......)
1. Recuerda que **estamos** en una iglesia. (.........)
2. No te **preocupes**. **Estoy** en tu casa a las seis en punto. (.........)
3. Ya sé que la comida se está quemando. Ahora mismo **voy**. (.........)
4. Me **duele** la cabeza. ¿**Tienes** una aspirina? (.........)
5. Los elefantes no **vuelan**, hijo. (.........)
6. **Vas**, le **das** un beso y te **vienes** corriendo otra vez, ¿vale? (.........)
7. Oye, si seguís con ese tema, me **levanto** y me voy. (.........)
8. La paciencia **es** la madre de la ciencia. (.........)
9. ¿A qué hora **empieza** el partido? (.........)

13 Below you will find descriptions of different types of people. Complete them with the verbs in the box, and connect them to the person they describe.

B1

hacer ✓ gastar ver reírse pensar ahorrar sentir

➲ Una persona muy metódica...	➲ siempre ..hace...... las cosas de la misma manera.
1. Una persona egoísta...	a. .... las emociones con mucha intensidad.
2. Una persona sensible...	b. .... de todo y también de sí misma.
3. Una persona tacaña...	c. .... mucho en sí misma y poco en los demás.
4. Una persona con sentido del humor...	d. lo .... todo negro.
5. Una persona pesimista...	e. .... mucho y .... poco con los demás.

22. Pretérito perfecto de indicativo

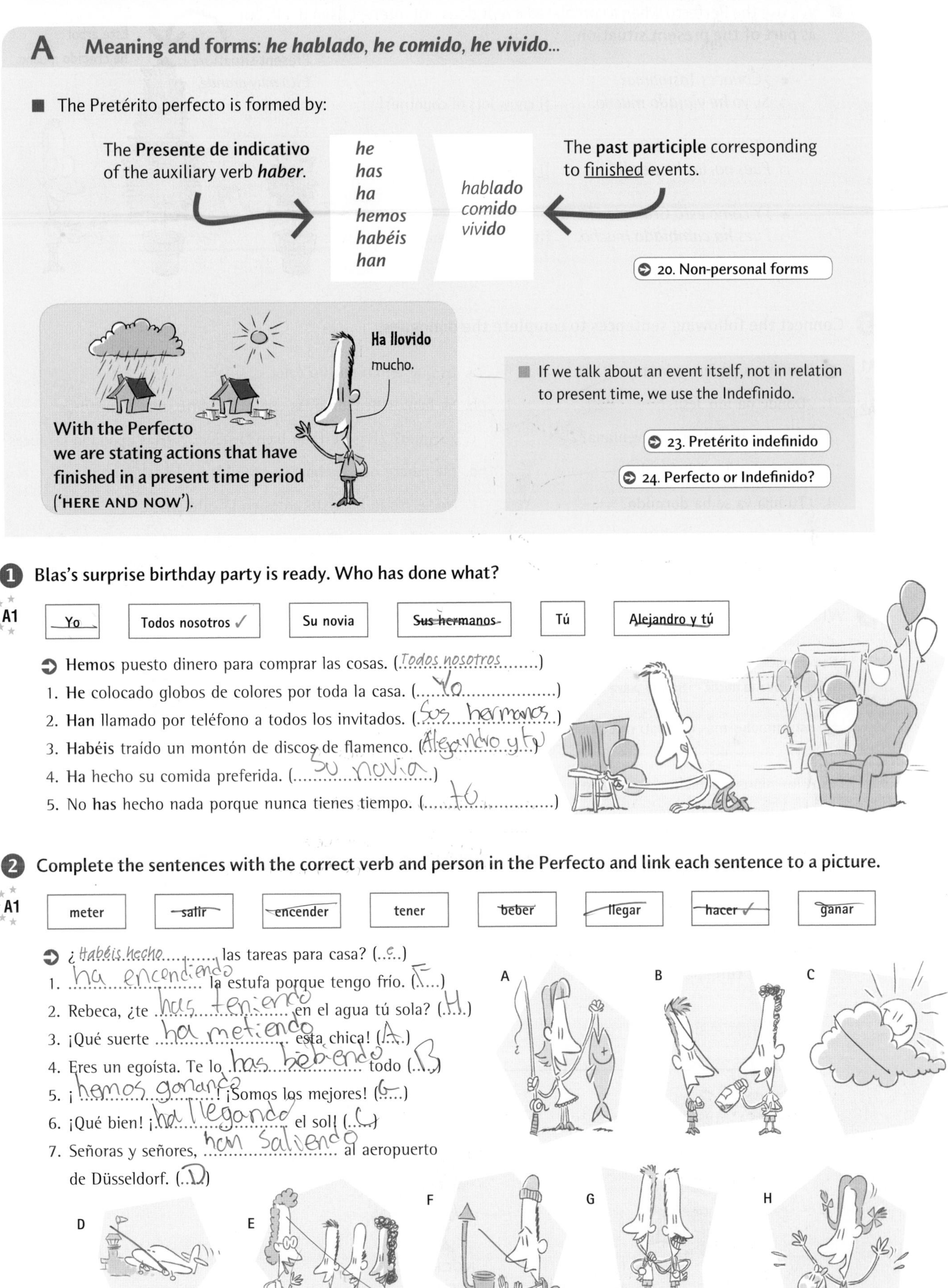

A Meaning and forms: *he hablado, he comido, he vivido...*

■ The Pretérito perfecto is formed by:

The **Presente de indicativo** of the auxiliary verb ***haber***. → *he / has / ha / hemos / habéis / han* + *habl**ado** / com**ido** / viv**ido*** ← The **past participle** corresponding to finished events.

➲ 20. Non-personal forms

With the Perfecto we are stating actions that have finished in a present time period ('HERE AND NOW').

■ If we talk about an event itself, not in relation to present time, we use the Indefinido.

➲ 23. Pretérito indefinido

➲ 24. Perfecto or Indefinido?

1 **Blas's surprise birthday party is ready. Who has done what?**

A1

Yo	Todos nosotros ✓	Su novia	Sus hermanos	Tú	Alejandro y tú

➲ Hemos puesto dinero para comprar las cosas. (*Todos nosotros*)
1. He colocado globos de colores por toda la casa. (Yo)
2. Han llamado por teléfono a todos los invitados. (Sus hermanos)
3. Habéis traído un montón de discos de flamenco. (Alejandro y tú)
4. Ha hecho su comida preferida. (Su novia)
5. No has hecho nada porque nunca tienes tiempo. (tú)

2 **Complete the sentences with the correct verb and person in the Perfecto and link each sentence to a picture.**

A1

meter	salir	encender	tener	beber	llegar	hacer ✓	ganar

➲ ¿*Habéis hecho* las tareas para casa? (E)
1. ha encendiendo la estufa porque tengo frío. (F)
2. Rebeca, ¿te has teniendo en el agua tú sola? (H)
3. ¡Qué suerte ha metiendo esta chica! (A)
4. Eres un egoísta. Te lo has bebendo todo (B)
5. ¡hemos ganando! ¡Somos los mejores! (G)
6. ¡Qué bien! ¡ha llegando el sol! (C)
7. Señoras y señores, han saliendo al aeropuerto de Düsseldorf. (D)

A B C D E F G H

B The recent past: *Ha llovido mucho. Este verano ha llovido mucho.*

■ We use the Perfecto when a completed event does not interest us in itself, but as **part of the present situation**:

- ¿*Conoces Tasmania?*
- *Sí, yo **he viajado** mucho.* [I know lots of countries]

- ¿*Tienes las llaves?*
- *Pues no, las **he perdido**.* [I don't have the keys]

- ¿*Y cómo está Granada ahora?*
- *Pues **ha cambiado** mucho.* [It is very different]

Present situation: *Está muy grande.*

Este árbol **ha crecido** mucho.

3 Connect the following sentences to complete the dialogues.

A1 A2

➲ Bueno, ya podemos irnos.
1. ¿Dónde **ha ido** Jesús?
2. ¿Por qué **has abierto** la ventana?
3. ¡Pepe, el niño se **ha caído**!
4. ¿Tu hija ya se **ha dormido**?
5. ¿**Has visto** mis gafas? No las encuentro.
6. ¿Ya estáis aquí?

a. Es que tengo mucho calor.
b. Sí, **hemos llegado** a las cuatro y cuarto, más o menos.
c. ¿Seguro? ¿**Has cerrado** bien la puerta? ¿**Has apagado** las luces?
d. Me parece que las **has puesto** al lado del teléfono.
e. No sé. Yo lo **he visto** antes en la cafetería.
f. Sí, se **ha levantado** muy temprano y estaba muy cansada.
g. Tranquila, no le **ha pasado** nada.

4 What has happened? Complete as in the example.

A1 A2

Comer muchos dulces	Seguir un régimen	Ganar el gordo de la lotería
Bailar toda la noche	Ir a la playa	Salir en televisión muchas veces

➲ Está mucho más delgado que antes. *Ha seguido un régimen.*
1. Están cansados. Han bailado toda la noche
2. A los niños les duele el estómago. Han comido muchos dulces
3. Lleva un coche carísimo. ha ganado la lotería
4. Están muy morenos. Han ido a la playa
5. Ahora es muy famosa. Ha salido en televisión

He pasado una noche estupenda...

¡Hmmm!

... pero no ha sido esta.

■ We also use the Perfecto when we want to place completed events in **a present time period**:

PRESENT TIME PERIOD: **hoy** / **today**

<u>Hoy</u> **he plantado** un árbol.

<u>Esta mañana</u> **he plantado** un árbol.

MAÑANA MORNING | TARDE AFTERNOON | NOCHE NIGHT

Hoy
Esta mañana
Esta tarde
Esta noche

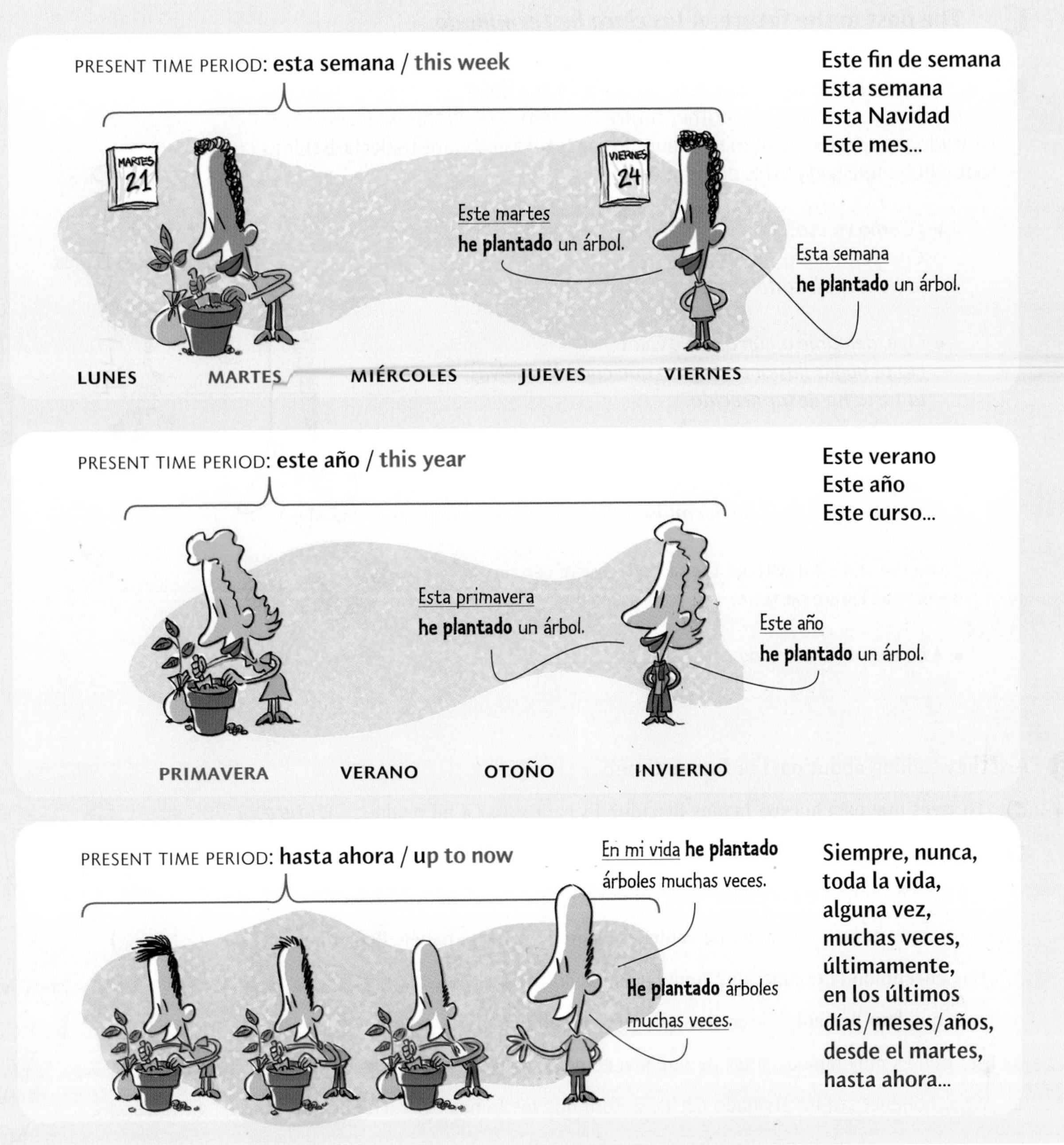

5 **Pedro is a lucky man. Angel has always had bad luck. Decide which things have happened to each of them?**

A2

➲ Pedro *ha tenido muchos amores* en su vida.		~~a. Estar solo.~~
Ángel *ha estado solo* toda su vida.		~~b. Tener muchos amores.~~
1. Pedro siempre ha conseguido hasta ahora.		a. Conseguir buenos trabajos.
Ángel ha tenido muchas veces.		b. Tener trabajos difíciles.
2. Pedro ha ganado en los últimos años.		a. Perder mucho dinero.
Ángel ha perdido últimamente.		b. Ganar mucho dinero.
3. Pedro ha tenido este año.		a. Ponerse enfermo tres veces.
Ángel se ha puesto en los últimos meses.		b. Tener muy buena salud.
4. Pedro ha conocido esta semana.		a. Conocer a una chica fantástica.
Ángel se ha separado esta semana.		b. Separarse de su mujer.
5. Pedro ha encontrado esta mañana.		a. Encontrar una billetera.
Ángel ha perdido esta mañana.		b. Perder su billetera.

C The past in the future: *A las cinco he terminado.*

- We also use the Pretérito perfecto to state with a degree of certainty, future events that are previous to another future moment. We do this when we explicitly adopt a specific point of reference in the future and want to declare things that will be finished at this point in time:

  - *¿Cómo va eso?*
  - ○ *Casi terminado. En dos horas lo **hemos pintado** todo.*

  - *Oye, dejadme algún dulce, ¿vale?*
  - ○ *No te hagas ilusiones. Seguro que cuando vuelvas, la tarta **ha desaparecido**.*

  - *¿Si salimos mañana a las siete está bien? ¿Estarás cansado para conducir?*
  - ○ *No, con seis horas **he dormido** suficiente, no te preocupes.*

A las cinco ya **he llegado**.

- To do the same, but without the same degree of certainty, we use the Futuro perfecto:

  - *A las cinco habré llegado.* ➲ 29. Futuro perfecto

6 Are they talking about past or future time?

B1

➲ ¿Tú crees que para la cena **hemos llegado**? Es para avisar a mi madre... (Futuro...)

➲ Si estás tan seguro de que **han llegado** ya, ¿por qué no te das más prisa? (Pasado...)

1. Yo **he hecho** todo lo que podía hacer. Ahora termina tú. (.............)
2. Si veis un restaurante pintado de verde, eso significa que ya **habéis llegado** al pueblo. (.............)
3. ¿**Has encendido** la calefacción? Aquí hace mucho frío... (.............)
4. Pepe, que **han llamado** a la puerta. ¿Por qué no abres? (.............)
5. Este tren es muy rápido. Antes de que nos demos cuenta, **hemos llegado** a Bilbao. (.............)
6. ¡Vaya, hombre! ¡Ya **he olvidado** decirle a Rosa que los frenos del coche no funcionan! (.............)
7. Venga, un poco de ánimo. Para las siete ya **hemos limpiado** toda la casa. (.............)
8. ¿Qué **has dicho** de las siete? ¡Tenemos que irnos ya! (.............)

7 Somebody made the predictions on the left, but the reality is what you can see on the right. Were the predictions correct or not?

B1

➲ No te preocupes: a las siete lo **he terminado**, seguro. — **Terminó a las 6:30.** (..Sí.....)

➲ Ahora no puedo, pero a las siete lo **termino**, no te preocupes. (..NO....)

1. Te digo que para Navidad ya **ha nacido** Luisito, ya verás. — **Nació en noviembre.** (.........)
2. Te digo que Luisito **nace** en Navidad, ya verás. (.........)

3. Su avión **aterriza** a las 11:15 en el aeropuerto de Jizro. — **Aterrizó a las 11:05** (.........)
4. A las 11:15, seguro que el avión ya **ha aterrizado**. (.........)

5. • Evaristo, ¿recuerdas que mi madre viene a comer el domingo y que el horno no funciona? — **Lo arregló el jueves.** (.........)
   ○ Que sí, mujer, que para el domingo ya **he arreglado** el horno...
6. El fin de semana, que tengo tiempo, **arreglo** el horno. (.........)

23. Pretérito indefinido

A Meaning and forms: *hablé, comí, viví...*

- The Pretérito indefinido is used to talk about a **finished** event, **not connected to the present time period.**

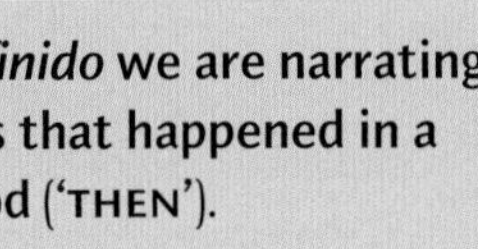

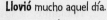

With the *Indefinido* we are narrating **finished** events that happened in a past time period ('THEN').

Llovió mucho aquel día.
Ooo

- The *Indefinido* of regular verbs is formed by changing the ending of the infinitive for the following **endings**:

	-ar	*-er / -ir*				
Yo	*-é*	*-í*				
Tú	*-aste*	*-iste*				
Él, ella, usted	*-ó*	*-ió*	→	*-yó*	*Caer* → *cayó* *Oír* → *oyó*	~~*caió*~~ ~~*oió*~~
Nosotros/-as	*-amos*	*-imos*				
Vosotros/-as	*-asteis*	*-isteis*				
Ellos, ellas, ustedes	*-aron*	*-ieron*	→	*-yeron*	*Caer* → *cayeron* *Oír* → *oyeron*	~~*caieron*~~ ~~*oieron*~~

When the stem ends in a vowel, the *-i-* becomes a *-y-* : *caer, construir, creer, huir, influir, leer, oír, sustituir ...*

In the Indefinido, there is no final *-s* para la 2nd person singular (*tú*).

- In addition, with the Indefinido of regular verbs, the word stress is always on the final syllable, as shown by the underlining in the examples:

	Hablar	*Comer*	*Vivir*
Yo	*Hablé*	*Comí*	*Viví*
Tú	*Hablaste*	*Comiste*	*Viviste*
Él, ella, usted	*Habló*	*Comió*	*Vivió*
Nosotros/-as	*Hablamos**	*Comimos*	*Vivimos**
Vosotros/-as	*Hablasteis*	*Comisteis*	*Vivisteis*
Ellos, ellas, ustedes	*Hablaron*	*Comieron*	*Vivieron*

* These forms are the same as those of the Presente de Indicativo.

The word stress is often the only way to tell the Indefinido apart from other verb forms:

[yo Presente]		[él Indefinido]
Hablo	→	Habló
Entro	→	Entró
Bailo	→	Bailó

1 **Identify all the verbs that are in the *Indefinido* form, and then put all the others into this same form, as in the example.**

A1 A2

compraron	➲ ✓	he decidido	9. no sé	ha leído	19. ....
llamo	➲ llamé	pasó	10. ✓	vimos	20. ✓
abres	1. abriste	invitabas	11. invitabaste	encontrarás	21. ....
cerrábamos	2. cer ✓	ha salido	12. no sé	entraban	22. entrabaron
baila	3. bailó	comíamos	13. ✓	estudió	23. ✓
canto	4. canté	dejaste	14. ✓	han construido	24. ✓
acabasteis	5. ✓	terminarán	15.	saludé	25. ....
oías	6. oiste	vivíamos	16.	estudiabais	26. estudiasteis
hablo	7. hablé	cree	17. creyó	escondes	27. escondiste
han huido	8. no sé	habéis bebido	18.	decidiréis	28. ....

2 **Is the verb in bold in the *Presente* or the *Indefinido*? Use the context to help you decide.**

A1 A2

➲ Mi mujer y yo **dormimos** mucho. Si no dormimos, estamos siempre muy cansados. ➲ ...Presente...........

➲ Mi mujer y yo **dormimos** mucho. Ellos casi no dormían. Estaban haciendo turismo a todas horas. ➲ ...Indefinido.........

1. **Hablamos** de los problemas entre hombres y mujeres. ¿Te apetece participar? 1. ....P.......
2. **Hablamos** de los problemas entre hombres y mujeres. Pero nadie dijo nada interesante. 2. ....I.......
3. **Llegamos** a Madrid el martes y todavía no hemos visto el museo del Prado. 3. ....I.......
4. **Llegamos** a Madrid el martes. ¿Nos vas a recoger en el aeropuerto? 4. ....P.......
5. **Compramos** una botella de agua mineral y nos vamos, ¿vale? 5. ....P.......
6. **Compramos** una botella de agua mineral que nos costó carísima. 6. ....I.......
7. Le **escribimos** un e-mail y todavía no nos ha contestado. 7. ....I.......
8. Le **escribimos** un e-mail y nos vamos, ¿de acuerdo? 8. ....P.......

B Verbs with an irregular stem: *dijo, puso, estuvo...*

■ Most of the verbs that are irregular in the *Indefinido* have an **irregular stem**:

			Verbs ending in *-ducir* → *-duj-*
Saber → ***sup-***	*Tener* → ***tuv-***	*Querer* → ***quis-***	*Conducir* → ***conduj-***
Poder → ***pud-***	*Estar* → ***estuv-***	*Venir* → ***vin-***	*Producir* → ***produj-***
Poner → ***pus-***	*Andar* → ***anduv-***	*Hacer* → ***hic- e***	*Traducir* → ***traduj-***
Haber → ***hub-***	*Decir* → ***dij-***	***hic- iste***	*Introducir* → ***introduj-***
Caber → ***cup-***	*Traer* → ***traj-***	***hiz- o***	*Reducir* → ***reduj-***

👁 *Con**tener**, inter**venir**, des**hacer**, contra**decir**, re**producir**,* and their related compound verbs.

■ All the following verbs take a single, **special ending** in the Indefinido::

		Estar	*Hacer*	*Decir*
Yo	***-e***	*es<u>tu</u>ve*	*<u>hi</u>ce*	*<u>di</u>je*
Tú	***-iste***	*estu<u>vis</u>te*	*hi<u>cis</u>te*	*di<u>jis</u>te*
Él, ella, usted	***-o***	*es<u>tu</u>vo*	*<u>hi</u>zo*	*<u>di</u>jo*
Nosotros/-as	***-imos***	*estu<u>vi</u>mos*	*hi<u>ci</u>mos*	*di<u>ji</u>mos*
Vosotros/-as	***-isteis***	*estu<u>vis</u>teis*	*hi<u>cis</u>teis*	*di<u>jis</u>teis*
Ellos, ellas, ustedes	***-ieron*** (***-eron****)	*estu<u>vie</u>ron*	*hi<u>cie</u>ron*	*di<u>je</u>ron*

* Si la raíz termina en *-j*.

■ Unlike regularly conjugated verbs, the stress is on the stem in the 1st and 3rd persons singular (*yo* y *él-ella-usted*), as indicated by the underlining in the examples above.

3 **Lourdes is still very young and thinks that all verbs in the Indefinido are regular. Help her by finding and correcting the six mistakes she's made (apart from the example).**

A2

➲ Ayer **estuvimos** ....✓........ en casa de Susi y sus papás nos ~~**ponieron**~~ ....pusieron... una película de dibujos animados muy bonita.

1. ¿Por qué no **veniste** .... con nosotras a la playa? **Hacimos** .... un castillo de arena y nos **bañamos** ....
2. Montse **conducíó** .... el cochecito de Rosendo, y yo **quise** .... también conducirlo, pero no **podí** .... porque Rosendo me lo **quitó** ....
3. Papá me **dició** .... que me ibas a comprar un regalo. ¿Por qué no me lo **compraste** .... ? ¿Es que no **teniste** .... tiempo?

4 **Complete the following sentences with the correct verb from the box in the Indefinido.**

A2

venir/decir/querer
saber/poner ✓
producir/introducir
traducir/poder
haber/hacer
tener/conducir

➲ Cuando vi el fuego y el humo, me ..puse......... muy nervioso y no .supe......... qué hacer.

1. El otro día me pasó una cosa muy rara en el ordenador del trabajo: cuando .... la contraseña, se .... un fallo general en el servidor de la oficina.
2. Yo te .... que tú sí podías venir conmigo. Si no .... , es porque no ....
3. Lo pasamos muy bien y, además, ... un viaje muy bueno, porque .... Miguel, y él conduce muy bien.
4. Me dieron un montón de folios para traducir, pero tenía demasiado trabajo en aquel momento. Solo .... cuatro páginas. No .... hacer más.
5. Mira, es que se puso muy nerviosa. No .... manera de calmarla. Yo .... todo lo que pude.

C Verbs with vowel changes: *pidió, durmió...*

■ **Verbs ending in -*ir* that have an -*e*- or an -*o*- in the last syllable of the stem** (*e...ir, o...ir*, that are also irregular in the Presente), change this vowel in the third persons singular and plural:

e → i	*Pedir*	*o → u*	*Dormir*
	pedí		*dormí*
	pediste		*dormiste*
	pidió		*durmió*
	pedimos		*dormimos*
	pedisteis		*dormisteis*
	pidieron		*durmieron*

!Qué mal **dormí** ese día!
Ah, pues nosotros **dormimos** muy bien.
Pues el pobre Joaquín no **durmió** nada, ¿os acordáis?

👁 Verbs like *repetir, sentir, seguir, mentir, competir, elegir, herir, medir, reír, preferir, morir*, or related compound verbs: *sonreír, impedir, perseguir, presentir*, etc. The verb ***oír*** is regular (*oyó, oyeron*).

5 **The following verbs are all from the 3rd conjugation (ending in –*ir*), but five of them are regular and ten are irregular. Work out which is which, and write the third person singular and plural of all of them.**

A2

➲ morir ..murió.......... (irr.)...murieron.....

➲ vivir ...vivió.......... (r.).....vivieron.....

1. repetir ....
2. herir ....
3. discutir ....
4. oír ....
5. impedir ....
6. medir ....
7. salir ....
8. repartir ....
9. mentir ....
10. decidir ....
11. preferir ....
12. perseguir ....
13. reír ....
14. presentir ....
15. competir ....

D *Dar, ir, ser*

Dar	*Ir / Ser*
di	*fui*
diste	*fuiste*
dio	*fue*
dimos	*fuimos*
disteis	*fuisteis*
dieron	*fueron*

Ir and *ser* have **the same form** in the Indefinido.

- *La manifestación **fue** un éxito: **fue** mucha gente.*

6 **Complete the sentences with one of the three verbs in the Indefinido.**

A2

ser	ir	dar

➲ Lo pasé muy bien, de verdad. ....Fue...... una fiesta de cumpleaños estupenda.

1. • ¿Os ha dado Alberto algo para mí?
   ○ Pues no. .... los dos con él al cine ayer, pero no nos .... nada.
2. • ¿Qué tal ayer con Celia?
   ○ Muy mal. Marta y yo .... a su casa para hablar tranquilamente. .... muy amables y muy educados, pero ella empezó a insultarnos y nos ....
3. Nosotros le .... una pastilla, pero ella empezó a temblar y se puso roja, roja... .... horrible.

E Uses: *El viernes pasado los vi. Cuando entraba, los vi.*

■ We use the Indefinido **to place finished events 'THEN'** in the past where they happened. For this reason, the Indefinido contrasts with the Perfecto, which places events in the (**'HERE AND NOW'**), in a present time period:

- *Aquel día me **asusté** mucho. He tenido pesadillas desde entonces.*
- *El verano pasado **vi** dos o tres veces a Valeria, pero este verano no la he visto.*
- *Lo que te ha dicho hoy no me ha sorprendido. Lo que te **dijo** el otro día sí me **sorprendió**.*

➲ 22. Pretérito perfecto

➲ 24. ¿Perfecto o Indefinido?

7 **Change the present viewpoint on the left, for the past viewpoint on the right, using the same grammatical person.**

A2 B1

('THEN')

Thinking of a present time period	Thinking of a past time period
➲ Hemos comido demasiado, ¿no crees?	➲ Ayer ....comí...... demasiado.
1. Oye, **he oído** que te vas. ¿Es verdad?	1. El otro día .... que Lola se iba, ¿es verdad?
2. Esta mañana no **he tomado** café. ¿Me invitas?	2. Aquella mañana no .... café. No tenía dinero.
3. ¡Mirad, es Juan! ¡Por fin **ha llegado**!	3. Juan no aparecía, pero a las doce por fin ....
4. ¿**Has llamado** al médico?	4. ¿.............. al médico el lunes?

('AQUÍ')

■ We also use the Indefinido to **narrate finished events** in the past. It is always understood that the event started, unfolded and finished at the point in the narration where we find ourselves. This is why the Indefinido contrasts with the Imperfecto, which describes an event not yet finished at this point:

- *Cuando ya estaba llegando al trabajo, me **acordé** de Luis y **volví** a su casa a recogerlo.*
- *Antes me llamaba todos los fines de semana, pero el fin de semana pasado no me **llamó**.*
- *No tenía las llaves. Por eso **entré** por la ventana y **abrí** desde dentro.*

➲ 25. Pretérito imperfecto

➲ 26. ¿Imperfecto, Indefinido o Pretérito perfecto?

8 **Change the viewpoint from describing to that of narrating in the past, using the same grammatical personl.**

A2 B1

Describing (unfinished processes)	Narrating (finished events)
➲ Mientras ella se **duchaba**, yo limpié el cuarto.	➲ Cuando se ....duchó....... , nos fuimos.
1. Antes **hablabas** francés peor que ahora.	1. ¿.................. francés en tu viaje a Marsella?
2. En Galicia, todos los días **comíamos** marisco.	2. Ayer .... marisco en el restaurante de Luis.
3. En aquel tiempo esas cosas **influían** mucho sobre mí.	3. Esas cosas .... mucho en mi decisión.
4. Yo os estaba llamando, pero no me **oíais**.	4. ¿.................. las voces de Javi?
5. Nosotros **bebíamos** y **bebíamos**, y ellas nos miraban.	5. Al final, nos lo .... todo.

24. Perfecto or Indefinido? *Ha salido / Salió*

- With the Pretérito perfecto and the Indefinido we are able to talk about the same reality (finished events in the past) from two different perspectives:

When we use the Indefinido we are thinking about the event in itself and in the past time period in which this event happened (finished **'THEN'**).

When we use the Perfecto we are thinking about this event in relation to the present, and in a larger present time period that includes where we are now (finished **'HERE AND NOW'**).

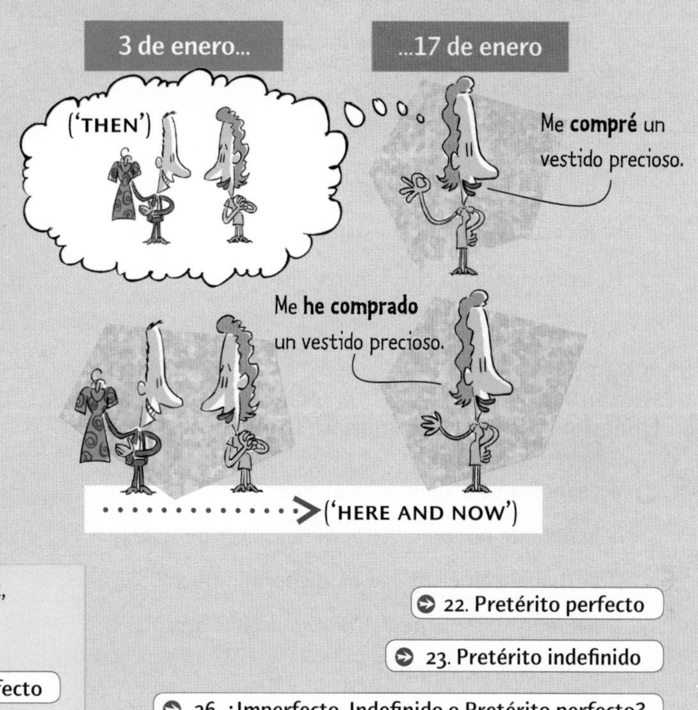

3 de enero...
...17 de enero
('THEN')
Me **compré** un vestido precioso.
Me **he comprado** un vestido precioso.
('HERE AND NOW')

- If we consider the event as not finished yet, we use the **Imperfecto**.

25. Pretérito imperfecto

22. Pretérito perfecto

23. Pretérito indefinido

26. ¿Imperfecto, Indefinido o Pretérito perfecto?

A Espacios actuales y no actuales: *Este año ha sido horrible / El año pasado fue horrible*

- Some of the time adverbials that we use or are thinking of when talking about events in the past, can be easily identified with one or the other time periods ('HERE AND NOW'= the time period where we are and 'THEN'= a past time period):

WHEN WE TALK ABOUT...	***Hoy***, ***Esta** tarde*, ***Esta** semana*, ***Este** mes*, ***Este** año*, ***Este** siglo*, ***Esta** Navidad*, ***Este** verano*, ***Esta** vez*, ***Hasta** ahora*, ***Últimamente***, ***Todavía** no...*	we use the PERFECTO because we are talking about 'HERE AND NOW': The day, the week, the month, Christmas, the summer, the year, the century... **where we are in time.**
WHEN WE TALK ABOUT...	***Ayer***, *El **jueves***, *La semana **pasada***, *El mes **pasado***, ***En febrero***, ***El 7 de abril***, ***El otro día***, ***Ese/Aquel** día/mes/año...*, *En **ese/aquel** momento*, ***Esa/aquella** vez*, ***La última** vez*, ***En 1987***, ***Hace** dos años*, ***Cuando vivía** en Madrid...*	we use the INDEFINIDO because we are talking about 'THEN': A day, a week, a month, a summer, a Christmas, a year... **in the past.**

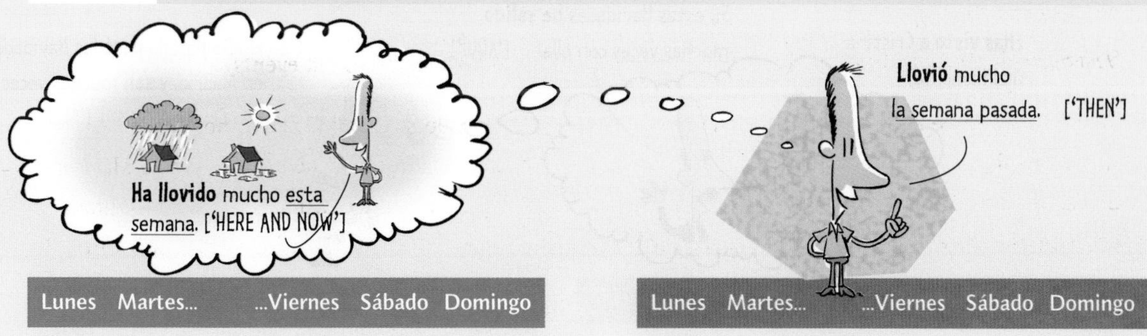

Ha llovido mucho esta semana. ['HERE AND NOW']
Lunes Martes... ...Viernes Sábado Domingo
Llovió mucho la semana pasada. ['THEN']
Lunes Martes... ...Viernes Sábado Domingo

1 What are they talking about? Underline the most likely option.

A2

➲ ¿**Has visto** mis gafas de sol?

a. La semana pasada.

b. Hoy.

1. Alguien **ha matado** a Julio César.

   a. Julio César es el Emperador romano.

   b. Julio César es su gato.

2. Nadie **bailó**.

   a. En la fiesta del fin de semana pasado.

   b. En esta fiesta donde estamos.

3. **He conocido** a un chico maravilloso.

   a. El lunes pasado.

   b. Este verano.

4. Nos **compramos** un Mercedes.

   a. En 1999.

   b. Esta misma mañana.

5. **Fue** muy importante para la humanidad.

   a. El descubrimiento del fuego.

   b. La era de la informática.

6. No **ha dicho** ni una sola palabra.

   a. El día de su último cumpleaños.

   b. Desde esta mañana hasta ahora.

7. ¿Comprasteis toda la comida vosotros?

   a. Para la cena de hoy.

   b. Para la cena del otro día.

2 Underline the most appropriate form for each context.

A2

➲ ● ¿Sabes si va a venir Julia al cine?

○ Esta tarde no la **he visto/vi**, pero ayer **he hablado/hablé** con ella y me **ha dicho/dijo** que sí.

1. ● Estamos ya a viernes. ¿Todavía no **has arreglado/arreglaste** el grifo?

   ○ Es que esta semana no **he tenido/tuve** tiempo.

2. ● Este fin de semana lo **hemos pasado/pasamos** muy bien con mis hermanas, ¿verdad?

   ○ Yo creo que el fin de semana pasado **ha sido/fue** mejor, sin tus hermanas.

3. ● Montserrat, ¿y tú? ¿No **has ido/fuiste** este año a ningún concierto?

   ○ Pues sí, en febrero **he ido/fui** a uno de Plácido Carreras, y este mes **he estado/estuve** en otro de José Domingo.

4. ● ¿Qué **has hecho/hiciste** hoy?

   ○ Nada interesante. Pero ayer **he salido/salí** con Rebeca a cenar, para celebrar nuestro aniversario. Nos **hemos casado/casamos** un 11 de julio, ¿no te acuerdas?

B Unspecified time periods: *Nunca ha pasado nada / Nunca pasó nada*

■ With other markers that have a broader and less precise meaning, we can refer to either present or past periods, depending on the context. In these cases our use of the Perfecto or Imperfecto will indicate clearly which of the two time periods we are referring to ('here and now'= up to now /'then'= in a past time period):

WHEN WE TALK ABOUT...	*Siempre, Nunca, En la vida, Alguna vez, Varias veces, En los últimos días / meses / años, Al final...*	■ we use the PERFECTO if we are talking about **'HERE AND NOW'.** **Up to now.**	■ we use the INDEFINIDO if we are talking about **'THEN'.** **In a past time period.**

¿Has visto a Cristina últimamente?
Sí, estas Navidades he salido muchas veces con ella. ['AQUÍ']
El año pasado pasé las Navidades en Madrid, y salí muchas veces con Cristina. ['ALLÍ']
Navidades 2004
2005

3 Are we talking about 'HERE AND NOW" or 'THEN'?

A2

➲ Dos veces la semana pasada... (.'THEN'...)
1. Dos veces este año... (..............)
2. Ahora mismo... (..............)
3. Un día, hace 5 años... (..............)
4. Nunca en mi vida... (..............)
5. Alguna vez hasta ahora... (..............)
6. Cuando terminé el curso, al final... (..............)
7. Cervantes, durante toda su vida... (..............)
8. Nunca en mi antigua relación con Susana... (..............)
9. Ese verano, ninguna vez... (..............)
10. De pequeño, yo nunca... (..............)
11. Con aquel amigo de la escuela primaria, siempre... (..............)
12. Esta semana, al final... (..............)
13. En aquellos tres últimos días... (..............)
14. El primer coche que tuve... (..............)
15. La política social del actual presidente... (..............)

4 Choose the most appropriate verb and complete with the correct form of the Indefinido or Perfecto.

B1

estar / ir / ir

➲ • ¿Tú ..has ido.. alguna vez a Disneylandia?
❍ Yo sí, cuando era pequeño .fui........ tres veces.
• Pues yo no he estado.. nunca.

dar / funcionar

1. • ¿Qué tal va tu ordenador nuevo?
❍ Fatal, siempre está dando problemas.
• A mí el mío me .... muy bien hasta ahora.
❍ Pues me alegro por ti. Yo echo de menos el que tenía antes. Aquel nunca me .... ningún problema.

decir / decir / decir

2. • Te .... mil veces que está muy feo meterse el dedo en la nariz.
❍ Mil veces no. Hoy me lo .... una vez, y ayer me lo .... dos veces. Total, tres. ¡Prffrrrrffrrff!

pasar / pasar / casarse

3. Mi bisabuelo, y también sus padres, ... la mayor parte de su vida en Argentina. Pero mi madre .... hace muchos años con un español. Por eso yo nací aquí en España y .... toda mi vida en Madrid.

estar / decir / tener

4. • ¿Cómo va la cosa con Julieta?
❍ Mal. En este último mes .... muchos problemas. La última vez que nos vimos .... discutiendo todo el día, y el otro día, me .... que me dejaba.

cambiar / enfadarse

5. • ¿Por qué .... la familia cuando murió?
❍ Es que, antes de morir, Aureliano .... su testamento a favor de su amante.

5 Write out the results of the competitions between the villages of Villatripa de Arriba and Villatripa de Abajo, using the verbs ganar, perder or empatar in the Perfecto or Indefinido.

B1

	Cuándo	Qué
Competiciones ganadas	➲ Siempre.	El concurso anual de baile.
	1. En los años 90, siete veces.	El campeonato de fútbol.
	2. En los últimos diez años, dos veces.	El concurso de levantar piedras.
Competiciones perdidas	3. En las fiestas del verano pasado.	La carrera de sacos.
	4. Casi siempre en los últimos años.	El concurso de belleza masculina.
	5. Siempre hasta ahora.	El tiro al plato de espaldas.
Competiciones empatadas	6. En el año 2004.	En el concurso de paellas de marisco.
	7. Últimamente, muchas veces.	En el concurso de bandas de música.

100 KG.
300 KG

➲ Siempre hemos ganado el concurso anual de baile.
1. ....
2. ....
3. ....
4. ....
5. ....
6. ....
7. ....

C Recent time periods: *Ya he terminado / Ya terminé*

■ To talk about a very recent event, we can use the **Pretérito perfecto**, but we can also use the **Indefinido**. There is only a small difference in perspective between them.

With the **Perfecto** we present the event as **part of the present situation**:

- *¿Dónde está Pedro?*
- ○ *No sé. Se* ***ha ido*** *hace un par de minutos.*

He hablado con Bea hace un rato, y me **ha dicho** que...

With the **Indefinido** we present the event in itself, taken in isolation and less connected to the present:

- *¿Dónde está Pedro?*
- ○ *No sé. Se* ***fue*** *hace un par de minutos.*

Hace un rato **hablé** con Bea, y me **dijo** que...
3:30
3:45

WHEN WE TALK ABOUT...

Ya...
A las diez y media (de 'hoy')...
Hace un rato...
Hace un momento...

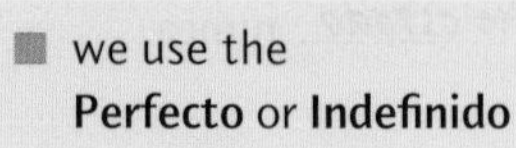

■ we use the **Perfecto** or **Indefinido**

- ¡*Vaya*! ¡*Se* ***ha ido*** / ***fue*** *la luz*! ['ahora mismo']
- ¿***Has apagado*** / ***Apagaste*** *el horno*? ['ya']
- ¡*Por fin*! ¡*Ya* ***ha funcionado*** / ***funcionó***!
- *Ya están aquí tus padres.* ***Han llegado*** / ***Llegaron*** *a las diez.*
- *¿Luis? Pues, mira, hace solo un momento que se* ***ha ido*** / ***fue***.

6 B1 **When they talk about an immediate event, Fránkez always thinks of it as something related to the present time, while Tristicia always thinks of it as an event inside her. They can't express it, since they don't know the Perfecto and the Indefinido, but you can. Complete with the right form of the verb, as in the examples.**

Fránkez: ¡Dios mío, ya **empezar** (➲) (ha empezado..........) a llover!
Tristicia: Sí, ya **empezar** (➲) (empezó..........) a llover. ¿Y qué?
Fránkez: Pues que nosotros no **traer** (1) (..........) paraguas.
Tristicia: Pues en la casa yo **recordár**telo (2) (te lo..........) .
Fránkez: Sí, pero yo **olvidar**lo (3) (lo..........) .
Tristicia: Hace un momento yo **ver** (4) (..........) un castillo para refugiarnos de la lluvia.
Fránkez: ¿Dónde, allí? Ir rápido. **Empezar** (5) (..........) a llover más fuerte. ¡Menos mal! Vamos dentro! ¿**Mojar**te (6) (¿Te..........) mucho?
Tristicia: No, **tapar**me (7) (Me..........) la cabeza con una bolsa de plástico.
Fránkez: ¿Tú **cerrar** (8) (..........) la puerta?
Tristicia: Sí, **cerrar** (9) (..........) al **entrar**.
Fránkez: ¡Uf! ¡Nosotros **tener** (10) (..........) suerte!
Tristicia: Sí. ¡Menos mal que yo **encontrar** (11) (..........) el castillo.

25. Pretérito imperfecto de indicativo

A Meaning of the Imperfecto

The Presente expresses events that are **not yet finished in the present:**

- *Sí, **hace** frío porque esta casa **es** un poco vieja y, además, por las noches no **funciona** la calefacción.*

■ The Imperfecto changes this perspective to **a moment in the past:**

- *Sí, en aquella casa **hacía** frío porque **era** un poco vieja y, además, por las noches no **funcionaba** la calefacción.*

We use the Imperfecto to describe UNFINISHED EVENTS at a moment in the past.

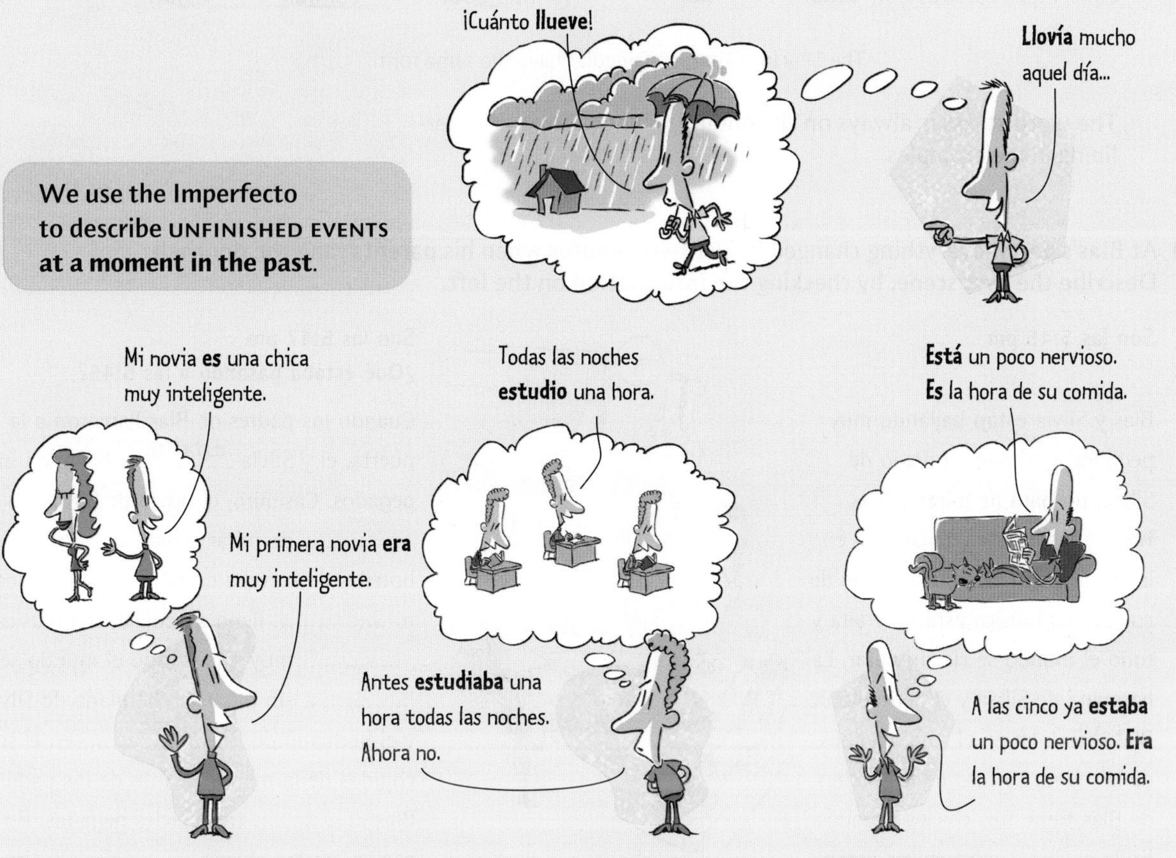

¡Cuánto **llueve**!
Llovía mucho aquel día...
Mi novia **es** una chica muy inteligente.
Mi primera novia **era** muy inteligente.
Todas las noches **estudio** una hora.
Antes **estudiaba** una hora todas las noches. Ahora no.
Está un poco nervioso. **Es** la hora de su comida.
A las cinco ya **estaba** un poco nervioso. **Era** la hora de su comida.

1 **José Luis got married and has changed a lot. Describe the changes, putting the following information in the correct column.**

A1

➲ Nunca leía novelas. ✓
a. No le gustaba ir a los restaurantes.
b. Llevaba una ropa muy clásica.
c. Nunca come en casa.
d. Tiene tres perros.
e. Sale todas las noches con sus amigos.
f. No tenía amigos.
g. Le encanta leer. ✓
h. Viste muy moderno.
i. Quería tener muchos hijos.

José Luis **antes** de casarse:	José Luis **ahora:**
➲ *Nunca leía novelas*	*Le encanta leer*
1.	....
2.	....
3.	....
4.	....

B Regular forms: *hablaba, comía, vivía...*

■ To form the Imperfecto of regular verbs we change the endings of the Infinitive for the following **endings**:

	-ar	*-er / -ir*	*Hablar*	*Comer*	*Vivir*
Yo	***-aba***	***-ía***	*hablaba*	*comía*	*vivía*
Tú	***-abas***	***-ías***	*hablabas*	*comías*	*vivías*
Él, ella, usted	***-aba***	***-ía***	*hablaba*	*comía*	*vivía*
Nosotros/-as	***-ábamos***	***-íamos***	*hablábamos*	*comíamos*	*vivíamos*
Vosotros/-as	***-abais***	***-íais***	*hablabais*	*comíais*	*vivíais*
Ellos, ellas, ustedes	***-aban***	***-ían***	*hablaban*	*comían*	*vivían*

The 1st y la 3rd persons singular have the same form.

The word stress is always on the ending, as shown by the underlining in the examples.

2 **At Blas's party, everything changed in just two minutes when his parents rang the doorbell. Describe the first scene, by checking the information on the left.**

A1 A2

Son las 5:45 pm

Blas y Silvia **están** bailando muy pegados. Casimiro, el novio de Silvia, no **para** de mirar a Blas. **Hay** varias botellas de cerveza en la mesa y el cenicero **está** lleno de colillas. La música **está** muy alta y todo el mundo se **ríe** sin parar. La hermana de Silvia y el hermano de Blas **duermen** en el sofá, cogidos de la mano. La foto de los padres de Blas **tiene** tres chicles pegados. En la cocina, cuatro chicos **están** tirándose aceitunas unos a otros.

Son las 5:47 pm
¿Qué estaba pasando a las 5:45?

Cuando los padres de Blas llamaron a la puerta, él y Silvia ...*estaban*... bailando muy pegados. Casimiro, el novio de Silvia, no .... de mirar a Blas. .... varias botellas de cerveza en la mesa y el cenicero .... lleno de colillas. La música .... muy alta y todo el mundo se .... sin parar. La hermana de Silvia y el hermano de Blas .... en el sofá, cogidos de la mano. La foto de los padres de Blas .... tres chicles pegados. En la cocina, cuatro chicos .... tirándose aceitunas unos a otros.

3 **Who are the verbs in bold talking about? Work it out from the context.**

A1 A2

Yo	Usted	Ella	Él

➲ ¿No lo **sabía**, Sra. Elgorriaga? (...*usted*...)

1. ¿No **sabía** que teníamos una fiesta? Qué despistada es, ¿no crees? (.............)
2. Buenas tardes. ¿Qué **quería**? (.............)
3. ● ¿Qué **quería**? (.............)
   ○ No sé. Se ha quedado callado y se ha ido.
4. La admiraban porque **jugaba** al tenis muy bien, ¿recuerdas? (.............)
5. ● ¿Juegas al tenis los fines de semana?
   ○ **Jugaba.** Ya no. (.............)
6. En realidad, no me **quería**. Solo se quería a sí mismo. (.............)
7. Nos separamos un año después de conocernos. No la **quería** de verdad. (.............)
8. **Tenía** una perrita preciosa, pero se la regaló a su novio. (.............)
9. **Tenía** un gato, pero donde vivo ahora no puedo tener animales. (.............)

He venido porque tenía muchas ganas de verte.
¿Quién? ¿Tú o Toby?

C Very irregular verbs: *ir*, *ser*, *ver*.

	Ir	*Ser*	*Ver*
Yo	*iba*	*era*	*veía*
Tú	*ibas*	*eras*	*veías*
Él, ella, usted	*iba*	*era*	*veía*
Nosotros/-as	*íbamos*	*éramos*	*veíamos*
Vosotros/-as	*ibais*	*erais*	*veíais*
Ellos, ellas, ustedes	*iban*	*eran*	*veían*

- *Juan **era** un poco raro: **iba** al cementerio los días de luna llena y solo **veía** películas de zombis.*

Ir and ***Ser*** put the word stress on the stem.

4 Complete with the correct form of the Imperfecto.

➲ Ya no vemos mucho a nuestra hija. Antes sí la *veíamos* .

1. Ya no voy a la playa en verano. Antes sí ....
2. Ya no soy tan optimista. Antes sí lo ....
3. Sois muy antipáticos conmigo. Antes .... más simpáticos.
4. No veo nada con esta luz. Con la que has puesto antes .... mejor.
5. Mis padres ya no son tan estrictos conmigo. Antes .... mucho más estrictos.
6. ¿Veis mucho a Roberta ahora? Antes la .... todos los días, ¿no?
7. Ya somos mayores. Cuando .... jóvenes, era diferente.
8. ¿Ya no vais a Madrid en Navidades? Antes .... siempre.

■ When we use the Presente we are in the present moment, describing what is happening at that moment. With the Imperfecto, our point of view moves to the past and we put ourselves **in a past moment** and describe what was happening at **that moment**. This is why the uses of the Imperfecto are the same as those of the Presente, but moved back to a moment in the past.

➲ 21. Presente de indicativo

D Uses of the Imperfecto. Describing qualities: *Era una chica muy guapa.*

We use the Presente to describe how people or things are at the moment:

■ We use the Imperfecto to do this same thing, but remembering **people or things from the past**:

Es un ordenador muy bueno. **Tiene** un disco duro de 500 Mb y el procesador **va** a 348 MHz. **Puedes** hacer un montón de cosas con él.

Mi primer ordenador **era** muy malo. **Tenía** solo 500 Mb de disco duro y el procesador **iba** lentísimo. No **podías** hacer casi nada con él.

5 Luisa is remembering the following people and things and is describing what they were like. Complete her description, using the verbs given.

A2 B1

1. La CASA donde vivía de pequeña.

ser estar
haber tener

..*Estaba*... en las afueras de la ciudad. .... unas vistas preciosas. .... un parque muy cerca. .... muy fresca en verano.

2. Un CHICO que conoció en una fiesta de disfraces.

parecerse ir
llevar ser

Manuel .... el hermano de mi mejor amiga, pero no .... en nada a ella. En aquella fiesta .... disfrazado de pollo y .... zapatos de tacón.

3. Su primer JEFE.

tener gustar
saber llamarse

.... Casimiro. .... una mirada un poco extraña. Le .... mucho mandar y .... que todos le teníamos mucho miedo.

4. El COCHE que tenía su jefe.

llegar gastar
costar ser

.... un deportivo rojo precioso. .... 25.000 euros, ... hasta 200 Km/h, y solo .... 6,5 litros de gasolina cada 100 Km.

E Uses of the Imperfecto. Describing habitual situations: *Antes dormía mucho*.

We use the Presente to describe habitual situations and events in the present:

Me **encanta** el agua. Mi madre me **lleva** todas las semanas a la piscina. Algunas veces **vamos** con mis amigos. Mi mamá **está** casi siempre conmigo, pero a veces me **baño** yo sola con mi flotador.

■ We use the Imperfecto to do this same thing, but remembering events that we talk about as being habitual at a **moment in the past**:

Cuando era pequeña me **encantaba** el agua. Mi madre me **llevaba** todas las semanas a la piscina. Algunas veces **íbamos** con mis amigos. Mi madre **estaba** casi siempre conmigo, pero muchas veces me **bañaba** yo sola con mi flotador.

6 Fránkez and Tristicia have a new house and are very happy. Put their words into perfect Spanish.

A2 B1

➲ Antes **tener** coser a mano nuestras cicatrices. Ahora **tener** una máquina de coser.
1. Antes **cocinar** con fuego y **ser** muy difícil. Ahora **tener** horno y microondas.
2. Ahora **poder** ver el mundo entero en una televisión. Antes siempre **ver** el mismo cementerio.
3. Antes **buscar** cucarachas por la calle. Ahora **comprar** ranas tiernas en la tienda de la esquina.
4. Ahora **estar** calientes todo el invierno. Antes **pasar** frío si no **hacer** fuego con los árboles de los cementerios.

➲ Antes .*teníamos*. que coser a mano nuestras cicatrices. Ahora .*tenemos*.. una máquina de coser.
1. Antes .... con fuego y .... muy difícil. Ahora .... horno y microondas.
2. Ahora .... ver el mundo entero en una televisión. Antes siempre .... el mismo cementerio.
3. Antes .... cucarachas por la calle. Ahora .... ranas tiernas en la tienda de la esquina.
4. Ahora .... calientes todo el invierno. Antes .... frío si no .... fuego con los árboles de los cementerios.

F Uses of the Imperfecto. Describing temporary situations: *A las dos estaba durmiendo*.

We use the Presente to describe what is happening at a specific moment in the present:

Mira, creo que no **voy** a ir a la fiesta. **Estoy** cansada, **tengo** un montón de trabajo y, además, **hace** mucho frío y **está** lloviendo.

■ We use the Imperfecto to do this same thing, but remembering what was happening at **a specific moment in the past**:

Me llamó Guada a las cinco porque no **iba** a venir a mi fiesta. **Estaba** cansada, **tenía** un montón de trabajo y, además, **hacía** mucho frío y **estaba** lloviendo.

➲ 37. Perífrasis verbales

7 Yesterday, five crimes were commited in the city. Where were you at these times? Complete this brief report for the police.

B1

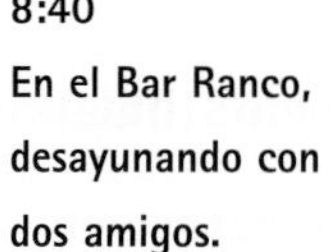

8:40
En el Bar Ranco, desayunando con dos amigos.

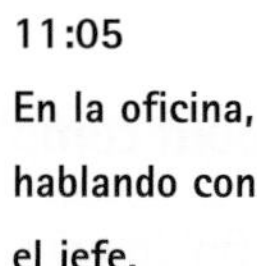

11:05
En la oficina, hablando con el jefe.

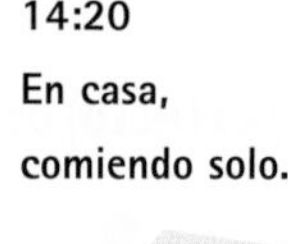

14:20
En casa, comiendo solo.

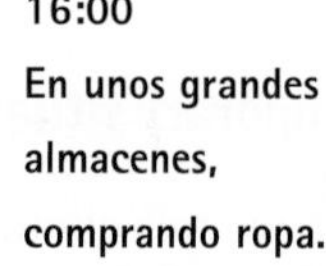

16:00
En unos grandes almacenes, comprando ropa.

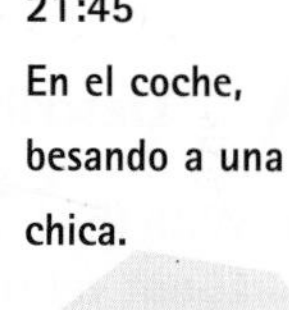

21:45
En el coche, besando a una chica.

¿Dónde estaba usted?	¿Qué hacía en ese momento?
➲ A las 8:40 *Estaba en el Bar Ranco.*	*Estaba desayunando con dos amigos.*
1. A las 11:05	....
2. A las 14:20	....
3. A las 16:00	....
4. A las 21:45	....

8 Lidia is remembering when she met the two great loves of her life. Complete her memories by putting the verbs in the correct form of the Imperfecto.

B1

Yo ➲ *estaba* sentada en un banco del parque. (1) .... las cinco de la tarde. (2) .... primavera. (3) .... un sol espléndido. En el parque (4) .... un olor maravilloso a hierba fresca y a flores. En los árboles, los pajaritos (5) .... La gente (6) ...., los niños (7) .... de un lado a otro, jugando. Ella (8) .... leyendo un libro en un banco enfrente de mí, y de vez en cuando me (9) .... Entonces llegó un hombre con un bebé y le dio un beso en la mejilla.

Ser	Estar
Ser	Mirar
Haber	Correr
Hacer	Cantar
Estar ✓	Pasear

Conocer	Poder
Bailar	Gustar
Parecer	Querer
Ser	Estar
Mirar	Ser

Aquella noche yo estaba con unos amigos en una discoteca. Ella (10) .... amiga del amigo de una amiga, y yo no la (11) .... , pero me (12) .... una chica muy atractiva. Mientras yo (13) .... , ella me (14) .... , y yo no (15) .... dejar de mirarla a ella tampoco. (16) .... ya muy tarde, y yo (17) .... cansada y (18) .... irme a casa, pero me (19) .... aquel juego de miradas. De pronto, ella sacó unas gafas de miope de su bolso, se las puso y se fue corriendo.

26. Imperfecto, Indefinido or Pretérito perfecto?

- The **Imperfecto** is used to **describe** the past:

With the **Imperfecto** we place ourselves '**INSITE**' a past event and describe an unfinished activity '**THEN**'.

Llovía mucho aquel día.

Unfinished 'THEN'

- The **Indefinido** is used to **narrate** the past:

With the **Indefinido** we place ourselves '**AFTER**' a past event and talk about an action or activity that finished '**THEN**'.

Llovió mucho aquel día.

Finished 'THEN'

A Describing temporary situations (Imperfecto) or talking about completed events (Indefinido)

- With the Imperfecto we talk about an event as not yet finished at a <u>specific moment</u> in the past.
We describe a **temporary situation**:

  - *Ayer, <u>a las cinco</u>, todavía **estaba** estudiando.*

- With the Indefinido we talk about that activity as having already finished <u>at that moment</u>.
We talk about a **completed event**:

  - *Ayer **estuve** estudiando <u>hasta las siete</u>.*

➲ 37. Periphrastic verbs

- *Cuando **bajaba** las escaleras,* [bajando] *me encontré una maleta.*

- *Cuando **bajé** las escaleras,* [completamente] *me encontré una maleta.*

1 **Decide which verb form goes with which explanation, as in the example.**

A2
B1

Cuando **cruzaba** la calle, escuché una voz que me llamaba...

Cuando **crucé** la calle, escuché una voz que me llamaba.

	Verb form:	Explanation:
➲ Ayer iba a la farmacia, y cuando **cruzaba/crucé** la calle, escuché una voz que me llamaba...	a. (*crucé*........)	Ya estaba al otro lado de la calle.
	b. (*cruzaba*.......)	No había terminado de cruzar.
1. Cuando **volvíamos/volvimos** a casa nos encontramos un maletín lleno de joyas...	a. (...............)	El maletín estaba en su casa.
	b. (...............)	El maletín estaba en la calle.
2. Cuando la **llevábamos/llevamos** al hospital, dijo que ya se sentía bien y volvimos a casa...	a. (...............)	Llegaron al hospital.
	b. (...............)	No llegaron al hospital.
3. La pobre María estaba muy triste y yo muy nervioso. No **sabía/supe** qué decirle...	a. (...............)	No le dijo nada.
	b. (...............)	No sabemos si le dijo algo o no.
4. El otro día fui a ver "Continuator III". La película me **parecía/pareció** muy interesante...	a. (...............)	Finalmente le gustó la película.
	b. (...............)	No sabemos si finalmente le gustó.
5. Cuando los atracadores **escondían/escondieron** el dinero, apareció la policía...	a. (...............)	La policía vio dónde lo escondieron.
	b. (...............)	La policía no vio el dinero.

B Completed activities (Indefinido) and parts of an activity (Imperfecto)

■ We can talk about short activities (*comerse un bocadillo*) or longer ones (*estudiar Medicina durante cinco años*). The duration is not important:

	SHORT ACTIVITIES	LONG ACTIVITIES
COMPLETED ACTIVITY: we place ourselves '**AFTER**' this activity and use the **Indefinido**.	*Me **comí** el bocadillo **en tres minutos**.*	*Juan José **estuvo** estudiando Medicina **cinco años**.*
	·····1:06·····1:07·····1:08·····	···1995······1996·····1997·····1998······1999···
PART OF AN ACTIVITY: we place ourselves '**INSIDE**' this activity and use the **Imperfecto**.	*A la 1:07 **estaba** comiéndome un bocadillo.*	*En 1998 **estaba** estudiando Medicina.*

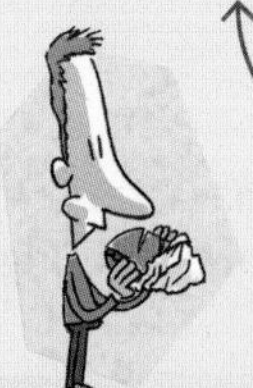

👁 This is why, when we refer to the **total duration** of an activity (*en una hora, durante tres años, toda la tarde, dos días, hasta las 7, tres veces, mucho tiempo, etc.*), we use the **Indefinido**, and not the **Imperfecto**:

- *Ayer **trabajé** todo el día.* [*Ayer ~~trabajaba~~ todo el día.*]
- *Anoche **estuvimos** jugando hasta muy tarde.* [*Anoche ~~estábamos~~ jugando hasta muy tarde.*]
- ***Estuvo** en el hospital tres meses* [*~~Estaba~~ en el hospital tres meses.*]

2 **Are we talking about one part of an activity or about the complete activity? Study the example and make sentences with the verb *estar* in the imperfecto or indefinido.**

A2
B1

18:06

18:15

18:38

18:40

➔ **Cuando nos llamaste** al móvil, Daniela y yo *estábamos*...... esperando a Marta en la parada del autobús. ...*Estuvimos*...... esperándola **más de media hora**, hasta que, al final, nos cansamos y nos fuimos.

1. Estoy cansado, sí. Es que ayer .... trabajando **desde** las 8 **hasta** casi las 11. Vamos, que **a las diez y media** de la noche todavía .... revisando papeles allí solo, en la oficina, como un idiota.
2. Mi jefe .... de viaje en Canadá **tres meses** el año pasado. Cuando tuvimos el accidente en la empresa nos llamó desde Toronto, porque **en aquel momento** .... allí visitando a una hermana suya.
3. • **Cuando nació Carmen**, nosotros .... viviendo en París.
   ○ Ah, ¿sí? ¿Y **cuánto tiempo** .... allí?
   • Pues .... viviendo allí **hasta** que Carmen cumplió dos años, y entonces volvimos a Almería.
4. • Oye, te llamé el domingo **a las nueve** y no .... en casa.
   ○ Sí, es que **a esa hora** .... durmiendo. .... en la cama **toda la mañana.**
5. **El día de mi último cumpleaños** yo .... haciendo un curso de español de dos semanas en Granada. Pero solo .... allí **diez días.**
6. Mira **esta foto:** aquí .... todos celebrando la boda de Bea. .... bailando y contando chistes **toda la noche.** Fue una noche magnífica.

C Stative qualities (Imperfecto) or dynamic qualities (Indefinido)

■ When we are referring to the stative properties or characteristics of an object, we remember an image from the past and describe the way the object was:

STATIVE QUALITIES: **Objects**

***Una chica* preciosa**

• *La chica que conocí ayer era preciosa.*

[*La chica que conocí ayer ~~fue~~ preciosa.*]

■ When we are referring to the dynamic properties or characteristics of an activity, we remember a sequence of images from beginning to end and we talk about how the activity was.

DYNAMIC QUALITIES: **Activities**

***Una fiesta* preciosa**

• *La fiesta del sábado fue preciosa.*

[*La fiesta del sábado ~~era~~ preciosa.*]

3 **How should you ask about the qualities of the following things? Chose between *¿Cómo era*? or *¿Cómo fue*?, as in the examples.**

A2 B1

➲ La fiesta de cumpleaños • ¿Cómo fue la fiesta de cumpleaños? ○ Estupenda. Lo pasamos muy bien.

➲ Tu profesora de español • ¿Cómo era tu profesora? ○ Un poco seria, pero muy buena profesional.

1. Tu primera casa • .... ○ Enorme. Teníamos cinco dormitorios.
2. El partido de fútbol • .... ○ Aburridísimo. No metieron ningún gol.
3. El perrito que tenías • .... ○ Pequeñito, con mucho pelo y un poco tonto.
4. La falda que llevaba Elena • .... ○ Roja, creo, y muy cortita.
5. Tu primer día de trabajo • .... ○ Un poco duro, porque no conocía a nadie.
6. Tu hermana de pequeña • .... ○ Muy alegre y muy cariñosa.
7. El ladrón • .... ○ Rubio, alto, con los ojos azules.
8. La conferencia • .... ○ Horrible. No había nadie, y ahora lo comprendo.
9. El hotel donde dormiste • .... ○ De tres estrellas, bastante nuevo.
10. El viaje • .... ○ Muy tranquilo. Un poco largo, pero tranquilo.
11. El curso de alemán • .... ○ Fue muy difícil. Y el profesor era horrible.
12. El reloj que te regalaron • .... ○ Bonito, pero muy malo: solo funcionó dos días.

If we refer to the **total duration** of a quality (*una hora, durante dos semanas, todo el día, mucho tiempo...*), we are talking about a completed activity and **the Indefinido is the only option:**

- *Yo antes **tenía** el pelo largo.*
- ***Tuve** el pelo largo <u>dos o tres años</u>, pero luego me cansé.*
  [~~Tenía~~ el pelo largo dos o tres años.]

4 **¿Imperfecto or Indefinido? Complete with the verb on the left, as in the examples.**

B1

llevar ➲ Recuerdo perfectamente que en aquella fiesta llevabas puesto tu abrigo negro.
➲ Llevó puesto su abrigo negro toda la noche.

ser
1. Cuando yo la conocí, Elisa .... una buena estudiante. Luego cambió mucho.
2. .... una buena estudiante durante un par de años. Luego cambió mucho.

estar
3. Gonzalo .... muy gordo una temporada, pero se puso a régimen y adelgazó.
4. Gonzalo .... muy gordo, por eso se puso a régimen, para adelgazar.

ser
5. Cuando se construyó, el edificio del Ayuntamiento .... azul.
6. El edificio del Ayuntamiento .... azul durante varios siglos, pero ahora es blanco.

llamarse
7. Este pueblo .... Guarromán mucho tiempo, pero le cambiaron el nombre por Limpiadillo.
8. Antes, este pueblo .... Guarromán, pero ahora se llama Limpiadillo.

D Describing habitual situations (Imperfecto)

■ When we talk about events that we want to present as habits at a time in the past, we place ourselves 'INSIDE' that period and describe how the situation was 'THEN':

- *Yo, de pequeño, era muy buen estudiante. Escribía y leía todas las tardes...*

■ For this reason, **we use the Imperfecto** to indicate regularity (*antes, habitualmente, normalmente, frecuentemente, siempre, nunca, cada día, a veces, dos veces al día, una vez por semana...*):

- *En aquella empresa **trabajaba** normalmente todo el día.* [*En aquella empresa ~~trabajé~~ normalmente todo el día.*]
- *Cuando éramos pequeños siempre **estábamos** jugando hasta muy tarde.* [*Cuando éramos pequeños siempre ~~estuvimos~~ jugando hasta muy tarde.*]
- *Antes **íbamos** al cine todos los fines de semana.* [*Antes ~~fuimos~~ al cine todos los fines de semana.*]

5 In each of the sentences below, decide what we are talking about and circle the correct form of the verb in each case

B1

Imperfecto → Habitual situation
Indefinido → Completed event

➲ a. Antes (iba)/fui mucho al cine Ideal. (situación regular)
➲ b. Ayer iba/(fui) al cine Ideal. (hecho completo)

1. a. Cuando era pequeño solo **iba/fui** a un parque de atracciones una vez. (............................)
   b. Cuando era pequeño, cada fin de semana **iba/fui** a los parques de atracciones. (............................)
2. a. El verano pasado **estábamos/estuvimos** 15 días en la playa y 15 días en la sierra, pero este año no hemos salido de casa. (............................)
   b. Cuando Carmen era pequeña, todos los veranos **estábamos/estuvimos** 15 días en la playa y 15 días en la sierra, pero ahora no quiere viajar con nosotros y nos quedamos en casa. (............................)
3. a. Los padres no sabían qué nombre ponerle, pero al final la **llamaban/llamaron** Nicasia. (............................)
   b. Se llamaba Nicasia, pero sus amigos la **llamaban/llamaron** normalmente "Casi". (............................)
4. a. Estaba loco con su gato. Lo **llevaba/llevó** al veterinario dos veces al mes. (............................)
   b. No cuidaba nada a su gato. Lo **llevaba/llevó** dos veces al veterinario en toda su vida. (............................)
5. a. Aquel primer concierto de Broos Printing **era/fue** genial. (............................)
   b. Cuando era más joven, sus conciertos **eran/fueron** geniales, pero ya no es lo mismo. (............................)

E Narrating events

■ With the **Imperfecto we stop time** in a story to describe a momentary situation; with the **Indefinido** we indicate that something happened completely and **make time move forwards** towards a new situation:

EL OTRO DÍA **salíamos** DEL CINE [en este punto de la historia, ellos están saliendo] CUANDO, DE PRONTO, UN SEÑOR CON UN ASPECTO MUY RARO **se acercó** A NOSOTROS [en este punto de la historia, el señor está junto a ellos] Y **empezó** A CANTARNOS UNA CANCIÓN [en este punto de la historia, el señor ya está cantando] EN UNA LENGUA MUY EXTRAÑA. NOSOTROS NO **entendíamos** NADA Y NO **sabíamos** QUÉ HACER [en este punto de la historia, ellos están sorpendidos y desconcertados]. **Estuvo** CANTANDO ASÍ DOS O TRES MINUTOS [en este punto de la historia, el señor ya ha terminado de cantar], Y CUANDO YA **se iba** [en este punto de la historia, el hombre ya se va] **llegó** UNA AMBULANCIA [en este punto de la historia, la ambulancia ya está con ellos] Y SE LO **llevó** [en este punto de la historia, el señor ya está dentro de la ambulancia y la ambulancia se ha ido]...

6 **Fránkez is telling a story about something incredible that happened to him yesterday. Can you "translate" his little story? For each verb you'll need to choose the right form of the Imperfecto or the Indefinido.**

B1

Ayer, yo **caminar** tranquilamente por el cementerio, porque **ir** al castillo de Tristicia para llevarle pasteles de serpiente, y, de pronto, en el camino, un Hombre Lobo muy malo **salir** de entre las tumbas y **ponerse** enfrente de mí, enseñándome los dientes. Yo **estar** muerto de miedo, pero **salir** corriendo y, al final, **conseguir** escapar de él. **Poder** hacer dos cosas: o **volver** a mi casa o **intentar** llegar al castillo de Tristicia, a pesar de todo. **Decidir** seguir andando para visitarla. Cuando **entrar** en el castillo, ella **estar** acostada en la cama, pero **tener** una cara muy extraña con muchos pelos. Por eso yo, rápidamente, **dejar** la comida al lado de su cama y **volver** a mi castillo corriendo. Yo soy Fránkez, no soy Brus Güilis.

Ayer, yo caminaba tranquilamente por el cementerio...

....

....

....

....

....

....

....

F ¿Imperfecto or Pretérito perfecto? *Salía / Ha salido*

■ We decide between the Imperfecto and the Perfecto using exactly the same rules as we use to decide between the Imperfecto and the indefinido:

DESCRIBING **MOMENTARY SITUATIONS**	TALKING ABOUT **COMPLETED EVENTS**
• ***Hoy**, a las cinco, todavía **estaba** estudiando.*	• ***Hoy** **he estado** estudiando hasta las siete.*

7 **Decide which verb form goes with which interpretation, as in the example.**

B1

➲ Pues iba yo a la farmacia, y cuando **cruzaba/he cruzado** la calle, he escuchado una voz que me llamaba...
a. (*cruzaba*) Ha escuchado la voz cruzando la calle.
b. (*he cruzado*) Ya estaba al otro lado de la calle cuando ha escuchado la voz.

1. Cuando la **llevábamos/hemos llevado** al hospital, ha dicho que ya se sentía bien y hemos vuelto...
a. (..................) No han llegado al hospital.
b. (..................) Sí han estado en el hospital.

2. La pobre María estaba muy triste, y yo muy nervioso. No **sabía/he sabido** qué decirle...
a. (..................) No sabemos si le ha dicho algo o no.
b. (..................) Sabemos que no le ha dicho nada.

3. La última novela de Agapito Tristán me **parecía/ha parecido** muy mala...
a. (..................) Ha leído la novela completa.
b. (..................) No sabemos si ha terminado de leerla.

8 **Are we talking about part of an activity or the complete activity?**
Look carefully at the example and make sentences with the verb *estar* in the Imperfecto or the Perfecto.

B1

➲ Cuando nos has llamado al móvil, Daniela y yo *estábamos*.... esperando a Marta en la plaza Nueva. ..*Hemos estado*....... esperándola **más de media hora**, hasta que, al final, nos hemos cansado y nos hemos ido.

1. Mi jefe .... en Canadá **tres meses** este año. Precisamente el día del accidente .... en Toronto.
2. • **¿Cuánto tiempo** .... encerrados Rosa y tú en la casa?
   ○ **¡Toda la tarde** .... encerrados! **Cuando Jenaro ha llegado** con la llave todos .... ya desesperados.
3. • Oye, te he llamado esta mañana **a las nueve** y no .... en casa.
   ○ Sí, lo que pasa es que **a esa hora** .... durmiendo. .... en la cama hasta las diez y media, más o menos.

G Narratives happening now or not happening now

■ If the event is still unfinished at the point of the story where we find ourselves, we use the**Imperfecto**:

The qualities of things
Habitual events
Momentary situations

■ If the event has already finished and is complete at the point of the story where we find ourselves, we use the Indefinido or the Perfecto.

Perfecto to place the story in a present time period:

Events completed 'HERE' AND NOW' (*Hoy, este mes, esta mañana, este año...*)

Indefinido to place the story in a past time period:

Events completed 'THEN' (*Ayer, aquel día, el lunes pasado, el mes pasado...*)

TALKING ABOUT A PRESENT TIME PERIOD

Hoy...

Para:
CC:
Asunto:

Querido Evaristo:
No **he podido** ir con vosotros porque **he estado** toda la noche con Elena. Sí, aquella profesora de español que **era** tan guapa y que me **gustaba** tanto. Ya sabes que desde que la conocí **hemos salido** algunas veces a tomar café, que ella siempre me **hablaba** de sus alumnos y que yo muchas veces **intentaba** sacar el tema de los novios sin resultado. Pues esta tarde **hemos ido** al cine y la **he invitado** a cenar después en mi casa. Lo **tenía** todo preparado: una comida perfecta, velas, música romántica... Pero Elena **ha llegado** a casa con un chico. Yo no **sabía** qué hacer ni qué decir, pero ella **ha aclarado** inmediatamente la situación: **era** su novio. Al final **ha sido** una cena un poco accidentada, como ves.

TALKING ABOUT A PAST TIME PERIOD

Cuando estaba en Berlín...

Conocí a Elena en Berlín. Yo **estaba** en una oficina de la embajada y ella **trabajaba** como profesora de español en una universidad. Elena **tenía** entonces unos 25 años. **Era** un poco más joven que yo. Ella **estaba** muy contenta con su trabajo allí, y muchas tardes **salíamos** a tomar un café para hablar de sus alumnos. Me **gustaba** mucho aquella chica. Un día **salimos** para ir al cine y la **invité** a cenar a mi casa. Lo **tenía** todo preparado: una comida perfecta, velas, música romántica... Pero ella **llegó** a casa con un chico. Yo no **sabía** qué hacer ni qué decir. Entonces ella **aclaró** la situación: **era** su novio. Al final **fue** una cena estupenda. La comida, quiero decir.

9 ¿Imperfecto or Perfecto? In each case decide which.

B1

Para:

CC:

Asunto:

Hola, Carolina. Te escribo este mail para contarte por qué no ➲ he podido ir a tu fiesta. Es que esta tarde (1) .... al cine con Mario. Sí, ese chico que (2) .... tan feo, ¿recuerdas? Te lo presenté el otro día en el café y, después, te (3) .... varias veces de él. Bueno, pues resulta que, después del cine, Mario me (4) .... a cenar en su casa. Yo no (5) .... , pero, al final, (6) .... a cenar a su casa con Hans. Mario no lo (7) .... , así que le (8) .... que Hans (9) .... mi novio, y el pobre se lo (10) .... Al final, la cena (11) .... realmente horrible. El pollo (12) .... quemado y la Coca-Cola (13) .... light sin cafeína y, además de todo, (14) .... que escuchar durante toda la cena un disco de grandes éxitos de Julio Iglesias. Creo que (15) .... mi peor noche en los últimos seis meses. Bueno, nos vemos mañana y te cuento más.

➲ poder ✓	1. ir	2. ser	3. hablar	4. invitar	5. querer	6. ir	7. conocer
8. decir	9. ser	10. creer	11. ser	12. estar	13. ser	14. tener	15. ser

10 ¿Imperfecto or Indefinido? In each case decide which.

B1

➲ Conocí a Mario en Berlín. Yo (1) .... como camarera en una cervecería y él (2) .... empleado en una oficina de la embajada. En aquel tiempo, yo (3) .... 32 años, y él 28. Un día me (4) .... mi edad y le (5) .... Yo no (6) .... contenta con mi trabajo, incluso me daba un poco de vergüenza decírselo, así que le (7) .... que (8) .... profesora de español. Él (9) .... muy enamorado de mí, pero yo no. (10) .... demasiado feo para mi gusto, y no (11) .... una mente demasiado brillante tampoco. Pero él siempre me (12) .... a tomar café, y yo cada vez le (13) .... mentiras y más mentiras. Un día (14) .... al cine y después él me (15) .... a su casa para cenar. Yo no (16) .... qué hacer para no decirle directamente que él no me (17) .... Así que (18) .... a un amigo alemán y (19) .... los dos juntos a su casa. Le (20) .... que (21) .... mi novio. El pobre Mario se (22) .... muy triste. Al final, la cena (23) .... un desastre. Sobre todo la comida.

➲ conocer ✓	8. ser	16. saber
1. trabajar	9. estar	17. gustar
2. ser	10. ser	18. llamar
3. tener	11. tener	19. ir
4. preguntar	12. invitar	20. decir
5. mentir	13. contar	21. ser
6. estar	14. ir	22. poner
7. decir	15. invitar	23. ser

27. Pluscuamperfecto de indicativo

A Meaning and forms: *había hablado, había comido, había vivido...*

■ The Pretérito pluscuamperfecto is formed with:

➲ 20. Non-personal forms

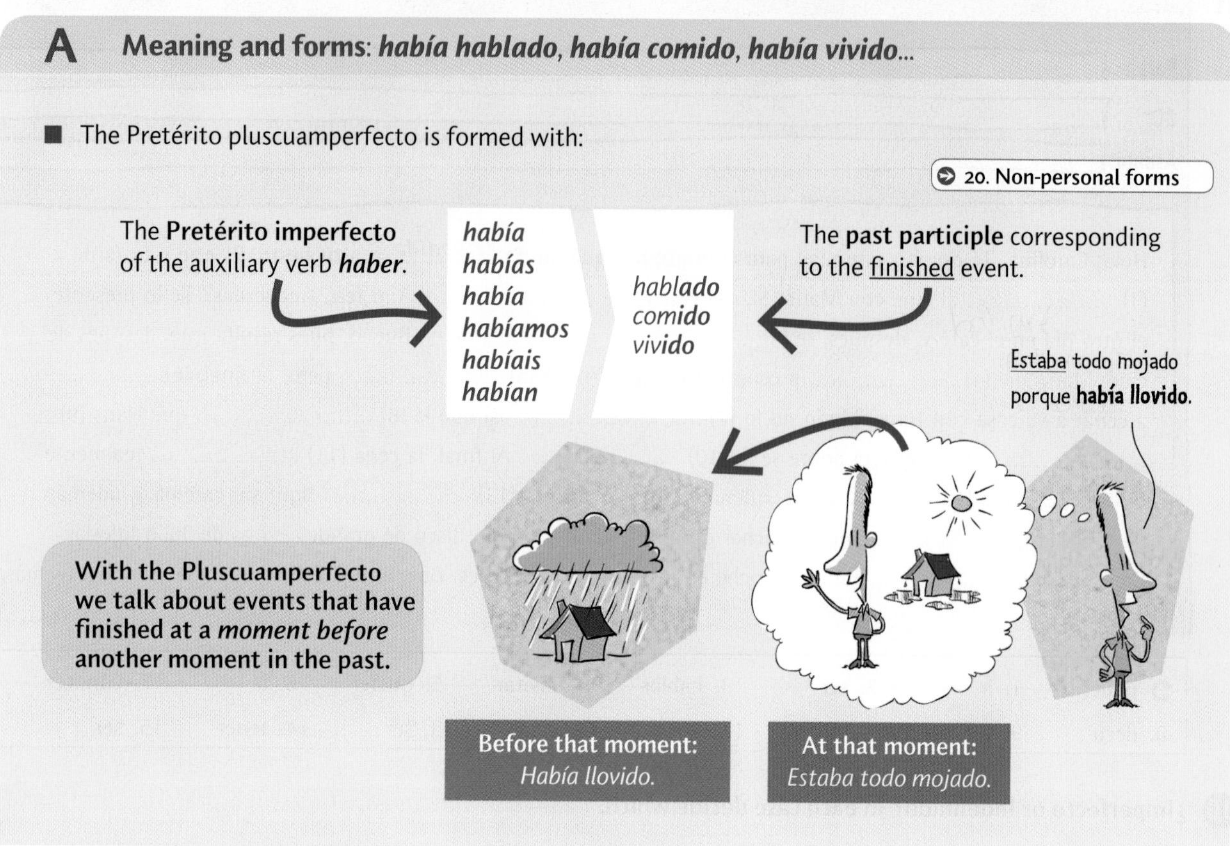

The **Pretérito imperfecto** of the auxiliary verb ***haber***.
había
habías
había
habíamos
habíais
habían
hablado
comido
vivido
The **past participle** corresponding to the finished event.
Estaba todo mojado porque **había llovido**.
With the Pluscuamperfecto we talk about events that have finished at a *moment before* another moment in the past.
Before that moment: *Había llovido.*
At that moment: *Estaba todo mojado.*

1 **Write each verb in the appropriate form of the Pluscuamperfecto and relate them to the corresponding drawing.**

B1

- ¿Sabes que Toby se escapó ayer por la tarde? No me lo explico.
- Pues es fácil. Cuando se escapó, **tú** ➲ ...*habías salido (c)*... con Antonio a dar una vuelta. Toby pudo salir perfectamente por la puerta principal, porque, cuando yo volví, me di cuenta de que **Antonio y tú** os (1) ....*dejado*..... la puerta abierta al salir. **Yo**, por mi parte, (2) ....*ido*....... a comprar al supermercado porque necesitábamos comida para la noche. También **las ventanas** se (3) ....*quedado*..... abiertas porque también las encontré abiertas al volver. Y **Marisa** se (4) ....*quedado*..... dormida después de la comida y ella, cuando duerme, duerme. Si, además de todo esto, recuerdas que **Toby** ya (5) ....*visto*.. por la ventana a Mopa, la nueva perrita de la vecina, está ya todo explicado, ¿o no?

B Use: the anterior past.

■ From the present, we can talk about finished events in the past with the **Perfecto** or the **Indefinido**. But, when we place ourselves at a specific point in the past, we use the Pluscuamperfecto to refer to events that had already finished **before this time in the past**:

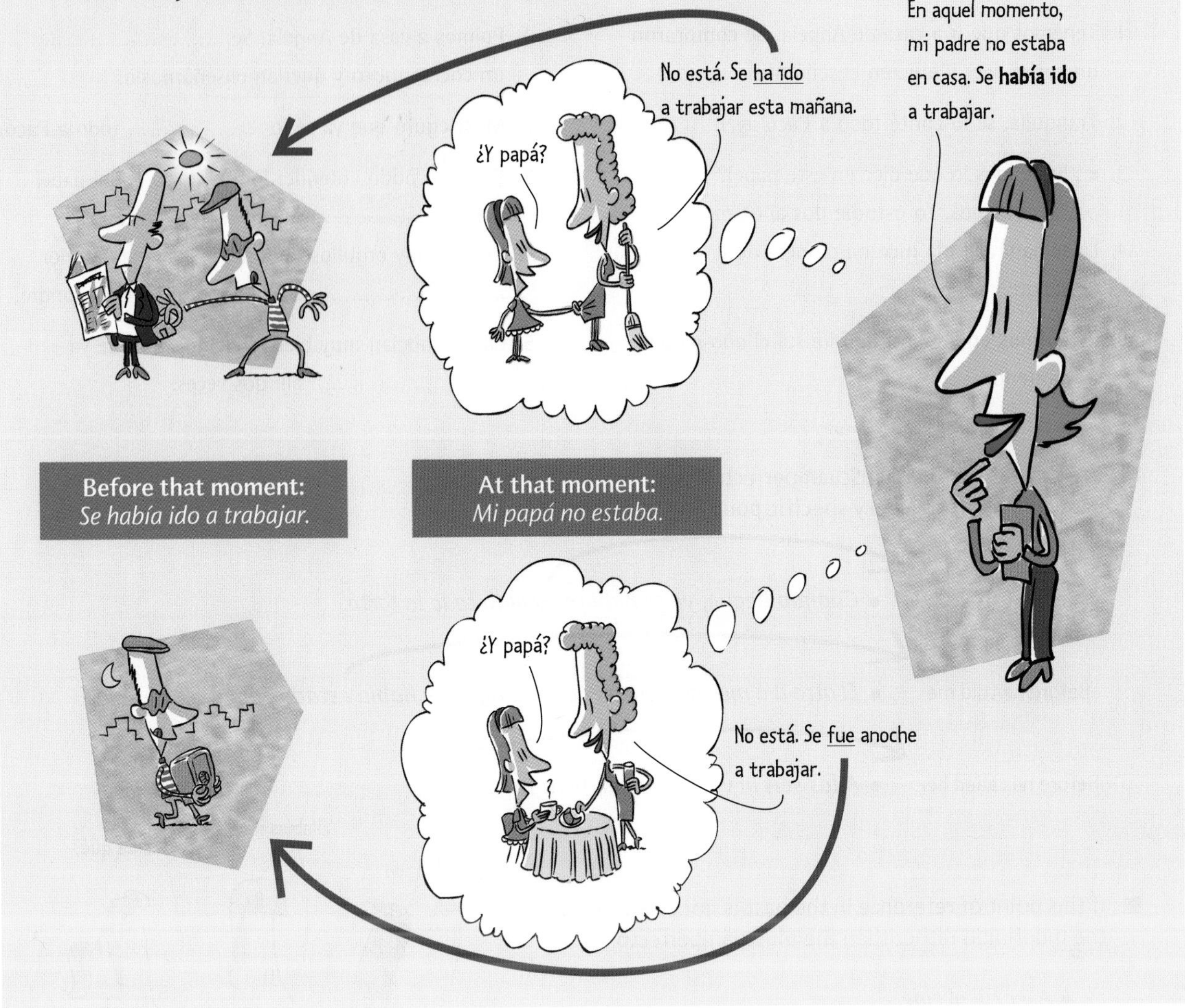

En aquel momento, mi padre no estaba en casa. Se **había ido** a trabajar.

¿Y papá?

No está. Se ha ido a trabajar esta mañana.

Before that moment: *Se había ido a trabajar.*

At that moment: *Mi papá no estaba.*

¿Y papá?

No está. Se fue anoche a trabajar.

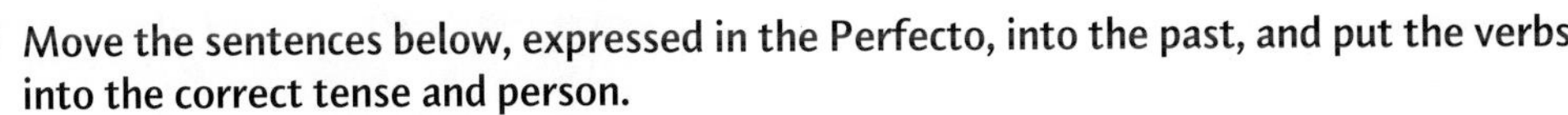

2 **Move the sentences below, expressed in the Perfecto, into the past, and put the verbs into the correct tense and person.**

B1

Antes de ahora	Antes de aquel momento
• "Oye, son las seis y todavía no **ha llegado** nadie".	➔ A las seis todavía no *había llegado* nadie.
• "¡Ya estoy aquí! ¡Qué bien, lo **habéis arreglado** ya todo!"	1. Cuando llegué, lo .... ya todo.
• "**He preparado** unas tapas. ¿Os apetecen?"	2. .... unas tapas, pero no comieron nada.
• "Sí, ella siempre **ha sido** muy buena " conmigo.	3. Le mentí diciéndole que .... muy buena conmigo.
• "Si tienes buenas notas es porque **has estudiado** mucho."	4. Tenía muy buenas notas. Es lógico: .... mucho.
• "Nos **hemos dejado** las llaves dentro. ¿Cómo entramos ahora?"	5. No pudimos entrar porque nos .... las llaves dentro.
• "Horror. Nuestro tren ya se **ha ido**. ¡Menudo lío! ¿Qué hacemos ahora?"	6. Llegaron a la hora exacta a la estación, pero el tren se ....

3 **Move the sentences below, expressed in the Indefinido, into the past, changing the form of the verb.**

B1

En un momento pasado	Antes de aquel momento
➲ Lo siento. Patricia no está. **Salió** hace un rato.	➲ Corrí todo lo que pude, pero Patricia ya *había salido*...... cuando llegué a su casa.
1. Tenemos que ir a casa de Ángela. Se **compraron** un coche ayer y quieren enseñárnoslo.	1. Fuimos a casa de Ángela. Se .... un coche nuevo y querían enseñárnoslo.
2. Tranquila, se lo **conté** todo a Paco ayer.	2. Me aseguró que ya se lo .... todo a Paco.
3. • ¿Entiendes lo que dice en este papel? ○ Más o menos. Yo **estudié** dos años ruso.	3. Casimiro pudo entender lo que decía aquel papel porque .... ruso dos años.
4. La semana pasada **hice** mi primera donación de sangre.	4. Estaba muy orgulloso porque la semana anterior .... su primera donación de sangre.
5. **Estuvimos** en la playa de Mónsul el año pasado y el anterior.	5. Ellos conocían muy bien el camino porque ya .... allí dos veces.

■ We can only use the pluscuamperfecto if we present an event as happening **before a very specific point** in the past:

Before I arrived	• ***Cuando llegué, ya*** *se* ***habían comido*** *toda la tarta.*
Before he told me	• *El otro día me encontré a Paco.* ***Me dijo*** *que* ***había estado*** *enfermo.*
Before he called her	• ***A las seis*** *la volví a llamar, pero se* ***había ido.***

■ If this point of reference in the past is not clear, we use the Indefinido rather then the pluscuamperfecto:

- *Ayer* ***fui*** *al cine.*
- ○ *¡Ah! ¿Sí? ¿Y qué película* ***fuiste*** *a ver?*

Ayer había ido al cine.
¿Habías ido?
¿Antes de qué?

4 **Look at the following sentences and decide whether they are correct, or whether the Indefinido should be used.**

B1

➲ La sopa no estaba buena porque le **había echado** mucha sal. (.......✓..........)

➲ El sábado ~~habíamos ido~~ a un restaurante muy bueno, pero este restaurante es horrible. (...*fuimos*........)

1. Estábamos ya en la puerta, pero no pudimos entrar al concierto porque Jorge se **había dejado** las entradas en casa. (.....................)
2. En marzo **había viajado** por primera vez a Madrid y, después, visité Valencia y Barcelona. (.....................)
3. Le puso la dirección y el sello a la carta y la **había echado** en el buzón. (.....................)
4. Héctor nació muy flaco, pero cuando lo vi por segunda vez, ya **había engordado** un montón. (.....................)
5. Nosotros **habíamos comido** cuando llegamos. (.....................)
6. El fin de semana pasado mi novio **había venido** a verme. (.....................)
7. El programa no te funcionó porque no lo **habías instalado** correctamente. (.....................)

28. Futuro

A Meaning

- As with the Presente, the Futuro expresses a present or future reality. It differs from the Presente in that with the Futuro we only **predict or suppose** what a reality that we have not yet experienced, might be.

Making affirmations about the present or the future:	Making a supposition about the present, or a prediction about the future:
• *Ahora **tiene** mucho trabajo.* [Afirmación sobre algo presente.]	• *Ahora **tendrá** mucho trabajo.* [Suposición sobre algo presente.]
• *Mañana **acaba** el trabajo.* [Afirmación sobre algo futuro.]	• *Mañana **acabará** el trabajo.* [Predicción sobre algo futuro.]

1 **ich of the two moments are we talking about with these forms of the Futuro?**

Future moment: (F)

Present moment: (P)

A1

➲ Al mundo **vendrán** trece millones de naves. **Vendrá** una confederación intergaláctica de Ganímedes, de la constelación Orión, de Raticulín, de Alfa y de Beta. (..F...)

1. • ¿El hijo pequeño de Alfredo es rubio?
   ○ Pues no sé, pero si todos sus hijos son rubios, éste también **será** rubio. (......)
2. Si tú se lo pides, no **dirá** nada. (......)
3. • ¿Y tus amigos? No los veo.
   ○ **Estarán** en el banco. Tenían que sacar dinero. (......)
4. • No nos queda dinero.
   ○ **Iré** al banco, no te preocupes. (......)
5. Mi hijo se **llamará** Nemesio. Me encanta ese nombre. (......)
6. • ¿Cómo se llama el hijo de Inma?
   ○ Pues no sé, pero se **llamará** Nemesio. A ella le encanta ese nombre. (......)

B Regular forms: *hablaré, comeré, viviré...*

- To form the Futuro of regular verbs we use the **infinitive** plus **the endings** of the Presente of *haber*:

	Presente de *haber*		-ar/-er/-ir	Hablar	Comer	Vivir
Yo	*he*	*Hablar Comer Vivir*	*-é*	*hablaré*	*comeré*	*viviré*
Tú	*has*		*-ás*	*hablarás*	*comerás*	*vivirás*
Él, ella, usted	*ha*		*-á*	*hablará*	*comerá*	*vivirá*
Nosotros/-as	*hemos*		*-emos*	*hablaremos*	*comeremos*	*viviremos*
Vosotros/-as	*habéis*		*-éis*	*hablaréis*	*comeréis*	*viviréis*
Ellos, ellas, ustedes	*han*		*-án*	*hablarán*	*comerán*	*vivirán*

- **The word stress always falls on the ending,** as shown by the underlining in the examples above.

2 **Transform the following statements into predictions or suppositions using the appropriate form of the verb.**

A1 A2

Statements	Predictions or suppositions
➲ Si no estudias, no **llegas** a ninguna parte.	➲ Si no estudias, nunca ..*llegarás*..... a ninguna parte.
María Elena **vuelve** a las cinco.	1. María Elena .... a las cinco, más o menos.
Nunca **cambio** de opinión.	2. Nunca .... de opinión, nunca.
No hay problema. Si llueve, **comemos** dentro.	3. Mejor fuera, pero, si llueve, ... dentro.
No puede correr mucho. Le **duele** la rodilla.	4. Le .... la rodilla y, por eso, no corre mucho.
¿Me **invitas** a cenar esta noche?	5. ¿Me .... a cenar algún día?
Si no quieres hablar tú, **hablo** yo.	6. Si no quieres hablar tú, ... yo.
¿Puedo ir a veros mañana? ¿**Estáis** en casa?	7. ¿Puedo ir a veros mañana? ¿ .... en casa?
No se hablan. **Están** enfadados.	8. No sé. Si no se hablan, es que .... enfadados.

C Irregular verbs: *diré, querré, tendré*...

■ Irregularities in the Futuro always affect the stem, or first part of the verb. The most common verbs with irregular stems are listed below:

Decir → ***dir-***	*Querer* → ***querr-***	*Tener* → ***tendr-***
Hacer → ***har-***	*Haber* → ***habr-***	*Poner* → ***pondr-***
	Poder → ***podr-***	*Venir* → ***vendr-***
	Saber → ***sabr-***	*Salir* → ***saldr-***
	Caber → ***cabr-***	*Valer* → ***valdr-***

■ The **ending** is always regular:

Decir	*Querer*	*Tener*
diré	***querré***	***tendré***
dirás	***querrás***	***tendrás***
dirá	***querrá***	***tendrá***
diremos	***querremos***	***tendremos***
diréis	***querréis***	***tendréis***
dirán	***querrán***	***tendrán***

¿Cómo **seré** de mayor, mamá? ¿**Seré** guapa? ¿**Seré** rica?

Todavía eres muy pequeña, pero dentro de poco **sabrás** lo que quieres ser y **podrás** elegir. Y estoy segura de que **harás** cosas importantes. **Habrá** muchas cosas nuevas en tu vida. **Saldrás** de casa para vivir sola y **vendrás** a visitarme alguna vez, espero.

The corresponding compound verbs also have the same irregularity:

*Des**hacer** → des**haré*** *Re**hacer** → re**haré***
*Man**tener** → man**tendré*** *Su**poner** → su**pondré***, etc.

3 **Little Samuel José thinks that all verbs are regular in the Futuro. Help him learn by finding and correcting his mistakes (there are eight more).**

A1 A2

➲ Yo **teneré** ..*tendré*..... una moto como mi papá, y **seré** ....✓....... muy fuerte, como mi papá.

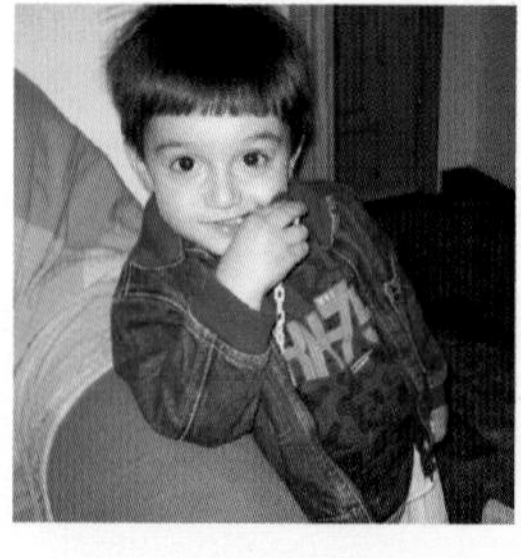

1. Si me quitas mi libro de animales, se lo **deciré** .... a mi tito José, y **venirá** .... y te lo **quitará** .... y me **dará** .... muchos besos.
2. Mi mamá **volverá** .... pronto y me **ponerá** .... la tele para ver los dibujos animados.
3. Después de comer **saliré** .... a la calle y **jugaré** .... con mis amigos.
4. El año que viene **iré** .... a la escuela y así **saberé** .... leer cuentos y **poderé** .... escribir cartas a los Reyes Magos.
5. Los Reyes Magos me **traerán** .... juguetes, y los **poneré** .... en el suelo para jugar y luego los **recogeré** ....

Y mi mamá me **quererá** .... mucho.

4 Complete with the correct form.

A1 A2

➲ Si tú no me **quieres**, alguien me ..querrá.... .

1. Si el amor no **cabe** en tu corazón, en otro corazón ....
2. Si no **tienes** paciencia conmigo, otros la ....
3. Si tú no me **dices** cosas románticas, alguien me las ....
4. Si no **vienes** a buscarme cuando estoy triste, alguien ....
5. Si no **sales** al balcón para recibirme, otros ....
6. Si tú no **haces** lo que yo quiero, alguien lo ....
7. Si tú no **sabes** cómo tratarme, estoy segura de que alguien ....
8. Si tú no **vales** para ser un buen marido, alguien ....
9. Si contigo no **puedo** ser feliz, con otros .... serlo.
10. Si contigo no **hay** esperanza, con otros la ....

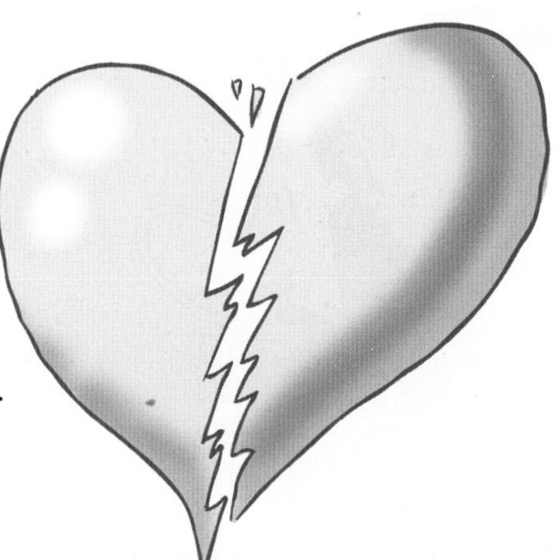

D Uses. Predicting the future: *Mi novio volverá mañana.*

■ When we use the Futuro to talk about future time, we are predicting the future. We do this to indicate that we are talking about events that can only be confirmed by the passage of time. We are **predicting** what the future will be, or asking others to make predictions:

WHAT THE FUTURE MIGHT BE	Predictions	• *No debes preocuparte.* ***Volverá*** *mañana.* • *El martes* ***tendremos*** *sol en la mitad sur y* ***habrá*** *nubes en el norte.* • *Al final no se* ***casará*** *con ella, ya* ***verás****.* • *A las cuatro y media* ***estaré*** *esperándote en el aeropuerto.* • *¿Voy contigo o* ***sabrás*** *hacerlo tú solo?*

¿Te vienes a estudiar mañana a mi casa?
Vale, a las cuatro en punto **estaré** allí.
PRESENT
FUTURE

■ Si queremos presentar la información más objetivamente, usamos el **Presente** o ***Ir a*** + INFINITIVO:

- *A las cuatro* ***estoy*** *allí.*
- *A las cuatro* ***voy a estar*** *allí.*

➲ 21. Presente de indicativo

➲ 37. Periphrastic verbs

5 Connect the sentences on the left with the ones on the right.

A2

➲ Ven a tu concesionario Aupel y prueba nuestros coches.	(..G...)	a. A tu novio le encantará.
1. Estás muy guapa con ese vestido.	(.......)	b. Otro día me lo dirás.
2. Préstame el libro de cocina.	(.......)	c. ¡No irás a ninguna parte con el dinero del banco!
3. ¿Tendrás tiempo mañana para ayudarme?	(.......)	d. Ella me necesita.
4. Este niño será médico.	(.......)	e. Te lo devolveré mañana.
5. Bueno, si no quieres hablar ahora, vale.	(.......)	f. Dentro de media hora te sentirás mejor.
6. Tómate estas pastillas.	(.......)	g. Vivirás experiencias inolvidables. ✓
7. ¡Alto, Flanagan! ¡Deja el revólver!	(.......)	h. Yo no puedo mover estos muebles solo.
8. Tarde o temprano, volverá.	(.......)	i. Se pasa todo el día examinando a su prima.

6 **Complete the fortune-teller's predictions by putting the verb into the correct form.**

A2

Quedar ✓
Sentir
Cambiar
Conocer

➲ Pronto te ...*quedarás*..... calvo.

1. Antes de un mes .... a una mujer guapísima y te .... muy enamorado de ella.
2. En ese momento tu vida .... completamente.

Morir
Tener
Querer
Ganar
Abandonar

3. Tu mujer te ....
4. .... 100.000 euros en un concurso de televisión.
5. Tu mujer .... volver contigo.
6. .... siete hijos y cuatro perros.
7. Y si no me pagas, ... joven.

7 **The Rocamora-Holehole marriage is not going well. On the left you can see the things that are happening, but how will they end? Chose the appropriate consequences in each case.**

A2

Romperse la comunicación ✓
La próxima Navidad no estar juntos
Arruinarse
Salir con otra
Separarse
Conocer a otra persona más interesante que él

➲ Casi no se hablan. *Se romperá la comunicación.*

1. Él sale mucho y conoce a mucha gente nueva. ....
2. Ella esquía y navega con nuevos amigos. ....
3. Los dos gastan demasiado. ....
4. Nunca están juntos en las fiestas importantes. ....
5. Cada vez tienen menos cosas en común. ....

E Uses. Making suppositions about the present: *Mi novio estará en Madrid ahora.*

■ We use the Futuro to talk about present time, when we are talking about something we are not in complete control of, and that we do not consider certain. We are just supposing what the present may be, or asking others to make suppositions:

Estará *en Madrid* *ahora.* = ***Supongo que está*** *en Madrid* *ahora.*

WHAT THE PRESENT MIGHT BE

Suppositions

- *No debes preocuparte por el niño.* ***Estará*** *con su hermano mayor.*
- ***Será*** *una casa antigua, porque le ha costado muy poco dinero.*
- *Este coche no está mal, pero ¿no crees que el Peyó* ***correrá*** *más?*
- *Yo duermo ocho horas diarias, pero Rosa* ***dormirá*** *más.*
- *¿****Vivirá*** *Claudio todavía en aquella casa tan incómoda y fría?*
- *Manuela se encuentra mal.* ***Tendrá*** *fiebre.*
- *¿****Estará*** *todavía abierto el supermercado? ¿Tú qué crees?*

¿Qué **será** eso que se mueve?
No sé, **será** un gato buscando comida.
REALITY NOT FULLY KNOWN

■ If we are talking about present activities in an objective and certain way, we use the **Presente**:

- *Es un gato buscando comida.*

➲ 21. Presente de indicativo

8 **Be economical. Change the part of the sentence in bold for the corresponding future.**

B1

➲ **Me da la impresión de que no le gusta** estar con nosotros. ➲ No le ...*gustará*..... estar con nosotros.

1. **Me imagino que tiene** cosas más interesantes que hacer. 1. .... cosas más interesantes que hacer.
2. **Yo pienso que no sabe** dónde estamos. 2. No .... dónde estamos.
3. **Posiblemente tiene** demasiado trabajo. 3. .... demasiado trabajo.
4. **Supongo que no le gustan** las fiestas. 4. No le .... las fiestas.
5. **Seguro que viene** más tarde. 5. .... más tarde.
6. **Quizá está** enfermo, ¿no? 6. .... enfermo.
7. **A mí me parece que no quiere** encontrarse con Rosa. 7. No .... encontrarse con Rosa.
8. **Probablemente no sabe** nada sobre la fiesta. 8. No .... nada sobre la fiesta.
9. **A lo mejor tiene** que cuidar a su hermanito. 9. .... que cuidar a su hermanito.

9 **Connect the things that Pepe says (on the left) with the most probable explanation in each case (on the right).**

B1

➲ Es mejor no molestar a Luis ahora. Estará cenando. —— a. Pepe sabe qué está haciendo Luis ahora. b. Pepe imagina qué puede estar haciendo Luis.

1. ● ¿Quién llama a la puerta?
   ○ **Será** el cartero.
   a. Pepe está mirando por la ventana.
   b. Pepe está duchándose.
2. ● ¿De quién es este bolígrafo?
   ○ **Será** mío. Déjalo ahí.
   a. Pepe reconoce perfectamente su bolígrafo.
   b. Pepe no recuerda exactamente si ese boli es suyo.
3. ● Pepe, ¿quién sabe que somos novios?
   ○ Tranquilo, solo lo **sabe** Emilio.
   a. Sin duda, Emilio conoce su relación.
   b. Posiblemente, Emilio conoce su relación.
4. ● Barti no ha comido nada.
   ○ No le **gustará** el pescado.
   a. Barti es el gato de Pepe.
   b. Barti es el gato del amigo de Pepe.
5. Oye, Claudia, ¿cuántos años **tendrá** Alonso?
   a. Alonso es el hijo de Claudia.
   b. Alonso es el vecino del cuarto piso.
6. ● ¿Tiene sal la carne, Pepe?
   ○ **Tendrá** un poco.
   a. Pepe ha probado ya la carne.
   b. Pepe no ha probado todavía la carne, pero conoce los gustos del cocinero.
7. ● A Rosita le duele mucho la cabeza.
   ○ Es que **está** con gripe. **Tendrá** fiebre.
   a. Pepe conoce la enfermedad de Rosita, pero no tiene termómetro.
   b. Pepe no sabe qué le pasa a Rosita, pero ha comprobado su temperatura con un termómetro.

10 **You are at a party with a friend and see someone you quite fancy, but neither of you know her. You can talk to her directly or talk to your friend about her. Put the verbs into the correct form.**

B1

Si hablas con ella:	Si hablas con tu amigo:
➲ ¿Cómo te ..*llamas*...?	➲ ¿Cómo se ..*llamará*..?
1. ¿Cuántos años ....?	1. ¿Cuántos años ....?
2. ¿De dónde ....?	2. ¿De dónde ....?
3. ¿A quién .... en esta fiesta?	3. ¿A quién .... en esta fiesta?
4. ¿Te .... bailar?	4. ¿Le .... bailar?
5. ¿Qué perfume ....?	5. ¿Qué perfume ....?
6. ¿............ con alguien?	6. ¿................. con alguien?
7. ¿............ salir a tomar algo fuera de aquí?	7. ¿ .... salir a tomar algo fuera de aquí?
8. ¿Me .... tu número de móvil?	8. ¿Me .... su número de móvil?
9. ¿Te .... que te llame?	9. ¿Le .... que la llame?

querer
salir
ser
tener
importar
conocer
gustar
dar
llamar ✓
usar

29. Futuro perfecto

A Meaning and forms: *habré hablado, habré comido, habré vivido...*

■ The Futuro perfecto is formed with:

➲ 20. Formas no personales

The **Futuro** of the auxiliary verb ***haber***.

habré
habrás
habrá
habremos
habréis
habrán

hablado
comido
vivido

El **participio** correspondiente al hecho <u>terminado</u>.

We use the Futuro perfecto to **predict** or **suppose** events that are FINISHED already or before a given moment in the future.

¿Porqué está todo tan mojado?
No sé. **Habrá llovido.**

1 **Transform the following statements into suppositions by using the appropriate Futuro perfecto form of the verb.**

A2
B1

If we are making a statement...	If we are only supposing...
➲ Esto no funciona. **Hemos hecho** algo mal.	➲ Esto no funciona. ...*Habremos hecho*... algo mal.
1. **Has trabajado** mucho, pero no veo el resultado.	1. .... mucho, pero no veo el resultado.
2. La perra está ladrando. ¿La **habéis asustado**?	2. La perra está ladrando. ¿No la ....?
3. Creo que **hemos tomado** la carretera equivocada.	3. .... la carretera equivocada, no sé.
4. Ya no me llama. Me **ha olvidado**.	4. Ya no me llama. Me ....
5. Tus amigos no van a llegar. Se **han perdido**.	5. Si no llegan, es que se ....
6. María **ha salido** un momento a comprar pan.	6. ¿María? No sé. .... un momento.

B Uses. Imagining the recent past: *Habrá dormido poco, supongo*.

■ We use the Futuro perfecto in **the same cases we use the Pretérito perfecto,** but with one **difference:**:

➲ 22. Pretérito perfecto

Pretérito perfecto: We are talking about a past reality that we control: We state this as fact.

Futuro perfecto: We are talking about a past reality that we are not fully in control of: We only **suppose** this reality.

Habrá salido = *Supongo que ha salido*

Affirming the event: **We control** the information.	**Supposing the event:** We **are not totally in control** of the information.
● *¿Por qué estás tan cansado?* ○ *Es que esta noche <u>he dormido</u> poco.*	● *¿Por qué está Luisa tan cansada?* ○ ***Habrá dormido** poco.*
● *¿Dónde están las llaves?* ○ *Las <u>he puesto</u> encima del televisor.*	● *¿Dónde están las llaves?* ○ *Las **habré puesto** encima del televisor.*
● *Ayer no vinieron para arreglar el grifo.* ○ *No, pero <u>han venido</u> esta mañana.*	● *Ayer no vinieron para arreglar el grifo.* ○ *No, pero **habrán venido** esta mañana.*

2 **Read carefully what Ana says about her boyfriend: What does Ana know, and what is she only supposing?**

A2
B1

Para:

CC:

Asunto:

Hola, Andrea.
Te escribo porque estoy desesperada. Esteban está últimamente muy raro conmigo. No ha salido con sus amigos en las últimas semanas y, sin embargo, siempre está fuera y dice que no tiene tiempo de nada. Se habrá creído que soy tonta y que no me doy cuenta de nada. Tampoco me ha regalado nada para mi cumpleaños. Dice que es culpa de su mala memoria. Seguramente se le habrá olvidado, pero es que son tantas cosas…
Habrá conocido a alguna chica y se habrá enamorado, seguro. Esta semana ha estado todas las tardes con una compañera de trabajo que no me gusta nada. Ella le ha ayudado mucho siempre, pero ya es demasiado tiempo juntos, ¿no crees? Dime qué piensas.
Besos, Ana.

➲ Su novio no sale últimamente con sus amigos. (Lo sabe.........)

➲ Su novio cree que es tonta. (Lo imagina...)

1. Su novio no le ha hecho ningún regalo de cumpleaños. (..................)
2. Su novio ha olvidado hacerle el regalo. (..................)
3. Su novio ha conocido a otra chica. (..................)
4. Su novio se ha enamorado de otra persona. (..................)
5. Su novio ha estado esta semana muchas veces con una compañera de trabajo. (..................)
6. La compañera de su novio le ha ayudado muchas veces. (..................)

C Uses. Predicting the past in the future: *Mañana habré terminado.*

■ We use the Futuro Perfecto to make statements about **future events that will happen before a given point in the future.** We do this when we specifically place ourselves at **a precise point of reference** in the future and predict what will be done by this time:

- *¿Cómo va eso?*
- *Ya queda poco. <u>En dos horas</u> lo **habremos pintado** todo.*

- *Oye, dejadme algo de tarta, ¿vale?*
- *No sé. Me temo que <u>cuando vuelvas</u> la tarta **habrá desaparecido**.*

- *¿Si salimos <u>mañana a las siete</u> está bien? ¿Estarás cansado para conducir?*
- *No, con seis horas **habré dormido** suficiente.*

A las cinco ya **habré llegado.**

■ To do the same thing with a greater degree of certainty, we use the Pretérito perfecto:

- *A las cinco he llegado.* ➲ 22. Pretérito perfecto

3 **Somebody made the predictions on the left. On the right you have what really happened. Did they predict correctly, or not?**

B1

➲ A las siete **habré terminado.**	**Terminó a las 6:30.**	(.Sí......)
➲ **Terminaré** a las 7.		(.No....)
1. En marzo ya **habrá nacido** Luisito.	**Nació en febrero.**	(.........)
2. En marzo **nacerá** Luisito.		(.........)
3. Cuando venga tu madre el domingo **arreglaré** el horno.	**Lo arregló el jueves.**	(.........)
4. Cuando venga tu madre el domingo, ya **habré arreglado** el horno.		(.........)
5. El avión **aterrizará** a las 11:15 en el aeropuerto de Jizro.	**Aterrizó a las 11:05**	(.........)
6. A las 11:15, el avión ya **habrá aterrizado** en Jizro.		(.........)

30. Condicional

A Regular and irregular forms: *hablaría, comería, viviría, querría...*

■ To form the Condicional simple of regular verbs, we use the **infinitive** plus the **endings** of the Imperfecto of *haber*:

	Imperfecto de *haber*		-ar/-er/-ir	Hablar	Comer	Vivir
Yo	*había*	Hablar Comer Vivir	*-ía*	*hablaría*	*comería*	*viviría*
Tú	*habías*		*-ías*	*hablarías*	*comerías*	*vivirías*
Él, ella, usted	*había*		*-ía*	*hablaría*	*comería*	*viviría*
Nosotros/-as	*habíamos*		*-íamos*	*hablaríamos*	*comeríamos*	*viviríamos*
Vosotros/-as	*habíais*		*-íais*	*hablaríais*	*comeríais*	*viviríais*
Ellos, ellas, ustedes	*habían*		*-ían*	*hablarían*	*comerían*	*vivirían*

■ **The word stress is always on the ending**, as shown by the underlining in the previous examples.

- *Después de vuestra experiencia allí, ¿**volveríais** a vivir en un pueblecito?*
- *Pues **dependería** de las circunstancias.*

➲ 28. Futuro

■ The **verbs that are irregular** in the Condicional simple are exactly the same as those that are irregular in the Futuro:

Decir → ***diría***	*Querer* → ***querría***	*Tener* → ***tendría***
Hacer → ***haría***	*Haber* → ***habría***	*Poner* → ***pondría***

- *¿Tú qué **harías**? ¿**Saldrías** con ella y le **dirías** algo?*
- *Yo tampoco **sabría** qué hacer, la verdad.*

- *¿Dónde **pondrías** el sofá? ¿Al lado de la ventana o en esa pared?*

1 **Little Pablito thinks that all verbs in the Condicional are regular. Help him to learn by finding and correcting his mistakes, as in the example (you have to find nine more).**

A2

➲ Si yo fuera grande, ~~**tenería**~~ ...*tendría*... muchos libros muy gordos, y **leería** ......✓...... mucho todos los días.

1. Y así **sabería** .... mucho de gramática y **podría** .... hablar perfectamente.
2. Y también **salería** .... yo solo a la calle, porque ahora no me dejan mis papás, y **pasearía** .... por toda la ciudad, y **hacería** .... todo lo que me gusta, y tú **venirías** .... conmigo.
3. Si yo fuera ya mayor, **sería** .... un profesor muy inteligente y **daría** .... conferencias y **deciría** .... cosas muy interesantes.
4. Yo **querería** .... escribir una gramática, pero no sé escribir todavía. En esa gramática **ponería** .... cosas muy interesantes, y no **habería** .... ninguna gramática mejor que esa, y me **haría** .... rico.
5. Yo, en tu lugar, no me **reiría** .... tanto de mí y de mi hermano. **Poderías** .... tener problemas si se lo decimos a nuestra mamá.

B Making suppositions about the past: *Serían las cinco, más o menos.*

With the Futuro we make or ask for suppositions about things in the present that we are not certain about:

■ With the Condicional simple we make **suppositions about a past reality** or ask for suppositions about this past time:

¿Qué **será** eso que se mueve ahí?
No sé. **Será** un gato jugando.
¿Qué **sería** aquello que se movía allí?
No sé. **Sería** un gato jugando.

Saldría = ***Supongo que** salía/salió*

Affirming the past:

- *<u>Eran</u> las cinco, más o menos.*
- *Estaba muy caliente. ¿<u>Tenía</u> fiebre?*
- *Llegamos tarde porque <u>perdimos</u> el autobús.*

Making suppositions about the past:

- *En aquel momento **serían** las cinco, más o menos.*
- *Estaba muy caliente. ¿**Tendría** fiebre?*
- ***Perderían** el autobús y, por eso, llegaron tarde.*

2 Change the form of the verb to show that they are making suppositions about something in the past.

A2 B1

The party on Sunday

¿Por qué no ha venido Jorge a la fiesta?

➲ Pues no sé, **estará** enfermo...
o no **sabrá** la dirección...
o **estará** enfadado con nosotros...
o **tendrá** cosas más interesantes que hacer...
o no le **apetecerá**... ¿Quién sabe...?

A day later

¿Por qué no vendría Jorge a la fiesta de ayer?

➲ Pues no sé, ...estaría... enfermo...
1. o no .... la dirección...
2. o .... enfadado con nosotros...
3. o .... cosas más interesantes que hacer...
4. o no le .... ¿Quién sabe...?

3 **People are saying that yesterday in the village square Jorge was seen kissing someone very passionately. How does the form of the verb change if the people speaking know what happened or are merely supposing?**

A2
B1

If they know, they say...	If they are only supposing, they say...
No ➲ ...era...... Jorge. ➲ ...Era....... otro chico.	No ➲ ..sería...... Jorge. ➲ ...Sería...... otro chico.
(1) .... su novia y (2) .... despidiéndose.	**Sería** su novia, y **estarían** despidiéndose.
Es que no la **veía** desde hacía mucho tiempo.	No la (3) .... desde hacía mucho tiempo.
(4) .... un poco bebidos.	**Estarían** un poco bebidos.
No (5) .... besando a una chica.	No **estaría** besando a una chica.
(6) .... a un chico.	**Sería** a un chico.
Querían escandalizar a la gente.	(7) .... escandalizar a la gente.

C Making hypothetical statements about the present and the future: *Yo no diría nada...*

■ When we use the Condicional simple to refer to something in the present or the future, we are talking or asking about a **hypothetical reality**:

We state (or ask) hypothetically:

- *Yo, en tu lugar, **iría** al médico.* [But I am not you and cannot go for you.]
- *Te **ayudaría** con mucho gusto, pero es que tengo que irme.* [I cannot help you.]
- *Eres muy alta. **Serías** muy buena como jugadora de baloncesto.* [But you are not a basketball player.]
- *Si tuvieras tiempo, ¿**harías** más deporte?* [Because you do not take much exercise.]

■ Because of this hypothetical sense, we can also use the Condicional simple to make a request or a suggestion **more indirect or polite**:

	Expressed more politely:
¿Puedes ayudarme a cambiar este mueble?	*¿**Podrías** ayudarme a cambiar este mueble?*
¿Tienes un boli rojo, por casualidad?	*¿**Tendrías** un boli rojo, por casualidad?*
¿Le importa si abro un poco la ventana?	*¿Le **importaría** si abro un poco la ventana?*
Yo creo que lo mejor es no decir nada.	*Yo creo que lo mejor **sería** no decir nada.*

4 **Decide whether the two options are possible or not, and cross out any that are not.**

B1

➲ ¿**Tienes/Tendrías** unas monedas para prestarme?

➲ ¿**Tienes/Tendrías** muchos hijos si fueras rico?

1. Me **gusta/Me gustaría** mucho tu camisa. ¿Dónde la has comprado?
2. Si fueras un animal, ¿qué animal **serás/serías**?
3. ¿Qué tres cosas os **llevaréis/llevaríais** a una isla desierta?
4. Mi mujer ideal es la actriz Charo Nestón. Me **casaré/casaría** ahora mismo con ella.
5. Si yo pudiera, no lo **contrataré/contrataría**.
6. ¿Cómo **será/sería** tu mundo ideal?
7. Me **gusta/gustaría** ser muy guapa y atractiva, y quedarme embarazada, pero soy un hombre.
8. ¿Os **importa/importaría** hablar más alto?
9. ¿**Puedes/Podrías** venir conmigo mañana al banco?
10. Ha sido muy amable con nosotros. Yo creo que **debemos/deberíamos** regalarle algo.
11. Me **encantaría/Me encanta** conducir el coche de mi papá. Pero soy un bebé.
12. Han estado muy antipáticos durante todo el día. **Podríamos/Podemos** hablar con ellos para aclarar las cosas.

31. Condicional compuesto

A Forms: *habría hablado, habría comido, habría vivido...*

- The Condicional Compuesto is formed with:

The **Condicional** of the auxiliary verb ***haber***.

habría
habrías
habría
habríamos
habríais
habrían

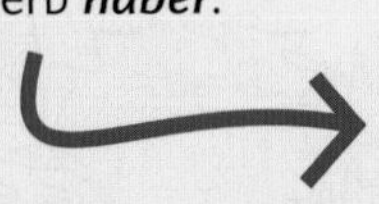

*habl**ado***
*com**ido***
*viv**ido***

The **past participle** corresponding to the finished event.

➲ 20. Non-personal forms

1 Complete the form of the Condicional Compuesto in the correct person.

A2 B1

- ¿Recuerdas cuando el león se enfadó y casi se sale de la jaula? ¡Qué miedo!, ¿no? ¿Te imaginas que se hubiera escapado? ¿Qué habría pasado?
- Bueno, todos los que estábamos allí ➲ habríamos salido corriendo, supongo. En concreto, yo me (1) .... metido inmediatamente en el coche, y creo que Rosa también. Y tú también te (2) .... asustado. No digas que no. Rosa y tú os (3) .... asustado tanto como yo.
- Es posible. Pero estoy seguro de que Lou no (4) .... tenido tanto miedo.
- No, ella no se asusta fácilmente, es verdad. ¿Y Alex y Jenaro?
- Pues seguro que le (5) .... explicado al león que no está bien comer personas. Ellos son así...

B Making suppositions about the anterior past: *Habría salido, porque no abría.*

With the Futuro perfecto we make or ask for suppositions about the recent past:

- With the Condicional compuesto we speculate about a past before a moment in the past or ask for speculation about this time:

¿Por qué está todo tan mojado?
No sé. Habrá llovido.
¿Por qué estaba todo tan mojado aquel día?
Pues no sé. Habría llovido.
Habría salido = Supongo que había salido

Making statements about the anterior past:

- *Ya lo sabía, porque se lo había dicho Rosario.*
- *Ayer tenías mala cara. ¿Es que habías dormido mal?*
- *No pudo llamar: le habías dado el número equivocado.*

Speculating about the anterior past:

- *¿Ya lo sabía? Se lo **habría dicho** Rosario, seguro.*
- *Tenía mala cara, el pobre. ¿**Habría dormido** mal?*
- *Le **habrías dado** el número equivocado y no pudo llamar.*

2 Change the form of the verb to show that they are making suppositions about a situation before a moment in the past.

B1

The party on Sunday

- ¿Por qué no ha venido Jorge a la fiesta?
- ○ Pues no sé, **habrá tenido** algún problema...
  o no le **habrán avisado** a tiempo...
  o se **habrá puesto** enfermo...
  o **habrá tenido** que ir a otro sitio...
  o **habrá olvidado** que era hoy... ¿Quién sabe...?

A day later

- ¿Por qué no vendría Jorge a la fiesta del domingo?
- ○ Pues no sé, *habría tenido* algún problema...
  1. o no le .... a tiempo...
  2. o se .... enfermo...
  3. o .... que ir a otro sitio...
  4. o .... que era ayer... Quién sabe...

C Making hypothetical statements about the recent past: *Yo no habría dicho nada...*

■ When we use a Condicional compuesto to refer to the recent past, we are making statements or asking about a **hypothetical reality** that cannot be true, as we know that the truth is different:

➲ 42. Joining sentences

Declaramos (o preguntamos) hipotéticamente:

- *Yo, en tu lugar, **habría ido** al médico hace ya meses.* [But I am not you and didn't go.]
- *Te **habría ayudado** con mucho gusto, pero es que tenía mucha prisa.* [I could not help you.]
- *Eres muy alta. **Habrías sido** muy buena como jugadora de baloncesto.* [But you were not a basketball player.]
- *Si hubieras tenido tiempo, ¿**habrías hecho** más deporte?* [Because you have never taken much exercise.]

3 Fránkez and Tristicia have a platonic love. Last night they spent three hours together, just gazing into each other's eyes. What would Tristicia have done if Fránkez had behaved differently? Complete what would have happened, "translating" her thoughts into good Spanish.

B1

➲ Si Fránkez le hubiera propuesto casarse, *Tristicia no habría aceptado, porque es joven todavía.*

1. Si le hubiera recitado un poema, ...
2. Si se hubiera enfadado con ella, ...
3. Si le hubiera dicho que amaba a otra, ...
4. Si le hubiera dado un beso, ...
5. Si hubiera llorado, ...
6. Si le hubiera confesado que es un espia, ...
7. Si le hubiera hecho proposiciones deshonestas, ...
8. Si le hubiera prometido amor eterno, ...

Yo darle otro a él | Yo consolarlo a él | Yo también enfadarme con él | Yo escuchar con mucho gusto | Yo sentirme ofendida y rechazarlas | Yo no aceptar, porque ser joven todavía ✓ | Yo sorprenderme mucho, pero comprender | Yo jurar también quererlo siempre | Yo preguntarle a quién

32. Forms of the subjuntivo: *hable, haya hablado...*

A Regular forms of the Presente de subjuntivo: *hable, coma, viva...*

- We form the Presente de subjuntivo by changing the classifying vowels of the Presente de indicativo in the following way:

Presente de indicativo	*-ar*	*-er*	*Hablar*	*Comer*	*Vivir*
Yo	*-o*	*-o*	*hablo*	*como*	*vivo*
Tú	*-as*	*-es*	*hablas*	*comes*	*vives*
Él, ella, usted	*-a*	*-e*	*habla*	*come*	*vive*
Nosotros/-as	*-amos*	*-emos*	*hablamos*	*comemos*	*vivimos*
Vosotros/-as	*-áis*	*-éis*	*habláis*	*coméis*	*vivís*
Ellos, ellas, ustedes	*-an*	*-en*	*hablan*	*comen*	*viven*

Presente de subjuntivo	*-ar*	*-er/-ir*	*-ar → e*	*-er/-ir → a*	
Yo	*-e*	*-a*	*hable*	*coma*	*viva*
Tú	*-es*	*-as*	*hables*	*comas*	*vivas*
Él, ella, usted	*-e*	*-a*	*hable*	*coma*	*viva*
Nosotros/-as	*-emos*	*-amos*	*hablemos*	*comamos*	*vivamos*
Vosotros/-as	*-éis*	*-áis*	*habléis*	*comáis*	*viváis*
Ellos, ellas, ustedes	*-en*	*-an*	*hablen*	*coman*	*vivan*

- The **word stress** remains in the same place as in the Presente de indicativo: on the stem in the *yo, tú, él* and *ellos*, persons, and on the ending in the *nosotros* and *vosotros*, persons, as shown by the underlining in the examples above.

- If we need to use the subjunctive, we use the Presente to express both the **present** and the **future**, in the following way:

If in the **indicative** we say...	In the **subjunctive** we say...
***Está** en Berlín. / **Estará** en Berlín.*	*No creo que **esté** allí.*

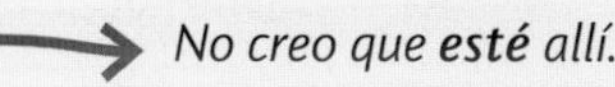

➲ 33. ¿Indicativo or subjuntivo?

1 Presente de indicativo or Presente de subjuntivo? Identify the verb form in each case and write the other form in the same person in the appropriate column.

A2–B1

		Indicativo	Subjuntivo			Indicativo	Subjuntivo
cantan	➲	✓	canten	camines	10.	....	....
hablemos	➲	hablamos	✓	corras	11.	....	....
bebes	1.	....	....	rompáis	12.	....	....
camina	2.	....	....	limpiamos	13.	....	....
perdona	3.	....	....	mires	14.	....	....
rompo	4.	....	....	perdone	15.	....	....
vivís	5.	....	....	partimos	16.	....	....
miráis	6.	....	....	beban	17.	....	....
limpies	7.	....	....	corro	18.	....	....
cocina	8.	....	....	mejoran	19.	....	....
cuide	9.	....	....	saludemos	20.	....	....

B Verbs with vowel changes:: *pedir, sentir, dormir...*

Verbs with vowel changes in the Presente de indicativo, also have them in the Presente de subjuntivo. Almost all the changes are the same, but there are some verbs that have additional changes.

➲ 21. Presente de indicativo

■ If, in the Presente de indicativo the vowel *-e-* at the end of the stem changes to an *-i-* in the *yo, tú, él* and *ellos*, in the Presente de subjuntivo this change affects all persons:

		Presente de indicativo	*Pedir* **Presente de subjuntivo**
Pedir			
Impedir			
Seguir			
Perseguir	Yo	*pido*	*pida*
Repetir	Tú	*pides*	*pidas*
Competir	Él, ella, usted	*pide*	*pida*
Reír	Nosotros/-as	*pedimos*	*pidamos*
Sonreír	Vosotros/-as	*pedís*	*pidáis*
Medir...	Ellos, ellas, ustedes	*piden*	*pidan*

¡También cambian!

■ Other verbs with *...e...ir* and *...o...ir*, that do not change this vowel in the nosotros and vosotros persons, do introduce this change in the Presente de subjuntivo:

	e → i			*o → u*	
	Mentir	*Sentir*	*Preferir*	*Dormir*	*Morir*
Nosotros/-as	*mintamos*	*sintamos*	*prefiramos*	*durmamos*	*muramos*
Vosotros/-as	*mintáis*	*sintáis*	*prefiráis*	*durmáis*	*muráis*

2 **Fránkez and Tristicia are quarelling with their neighbours Count and Countess Dráculez. Complete the missing verbs, in the right person.**

A2 – B1

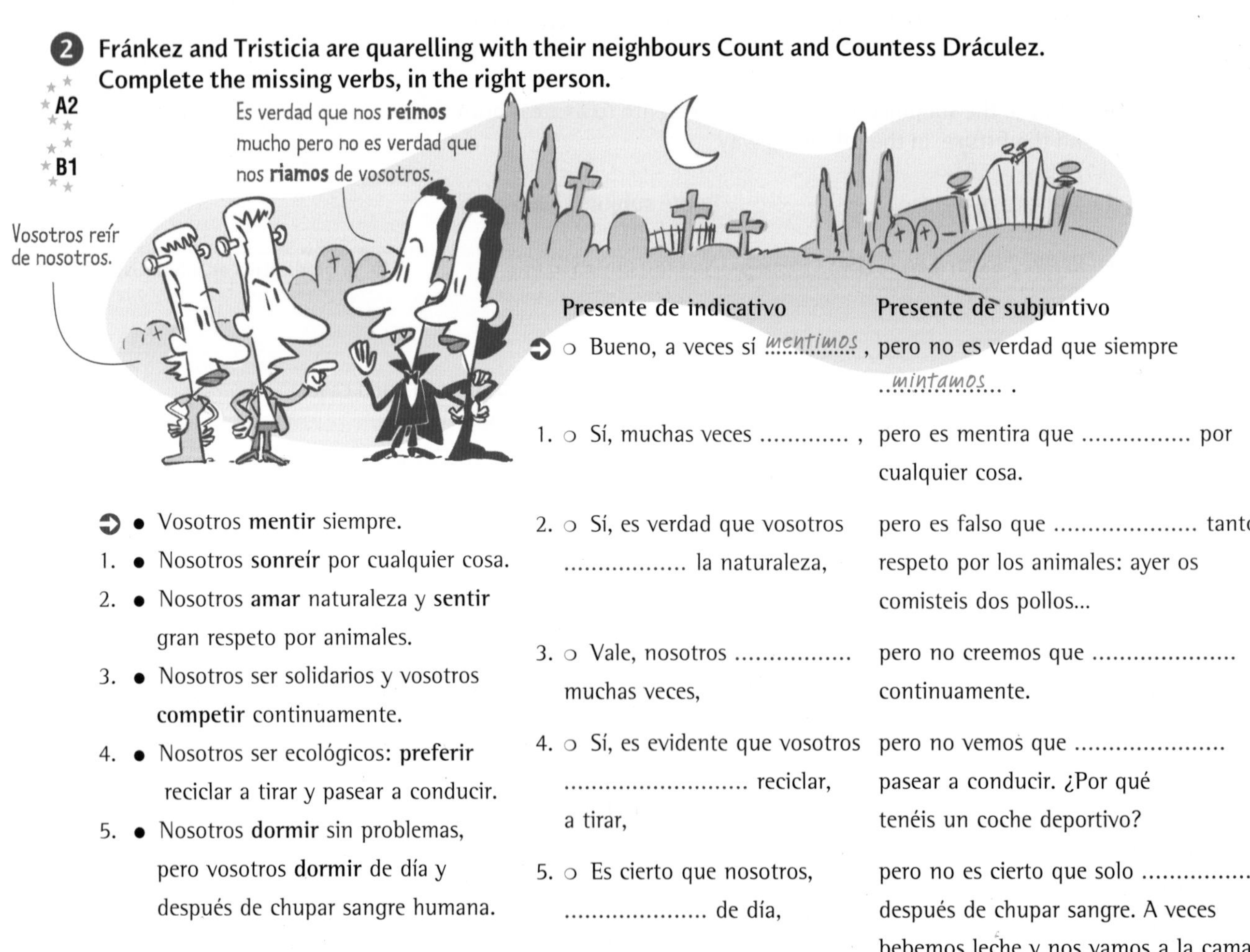

Es verdad que nos **reímos** mucho pero no es verdad que nos **riamos** de vosotros.
Vosotros reír de nosotros.

	Presente de indicativo	Presente de subjuntivo
➲ • Vosotros **mentir** siempre.	➲ ○ Bueno, a veces sí *mentimos*,	pero no es verdad que siempre *mintamos*.
1. • Nosotros **sonreír** por cualquier cosa.	1. ○ Sí, muchas veces .... ,	pero es mentira que .... por cualquier cosa.
2. • Nosotros **amar** naturaleza y **sentir** gran respeto por animales.	2. ○ Sí, es verdad que vosotros .... la naturaleza,	pero es falso que .... tanto respeto por los animales: ayer os comisteis dos pollos...
3. • Nosotros ser solidarios y vosotros **competir** continuamente.	3. ○ Vale, nosotros .... muchas veces,	pero no creemos que .... continuamente.
4. • Nosotros ser ecológicos: **preferir** reciclar a tirar y pasear a conducir.	4. ○ Sí, es evidente que vosotros .... reciclar, a tirar,	pero no vemos que .... pasear a conducir. ¿Por qué tenéis un coche deportivo?
5. • Nosotros **dormir** sin problemas, pero vosotros **dormir** de día y después de chupar sangre humana.	5. ○ Es cierto que nosotros, ... de día,	pero no es cierto que solo .... después de chupar sangre. A veces bebemos leche y nos vamos a la cama.

C Verbs with irregular roots: *salga, diga, ponga...*

- When a verb has an irregular stem in the first person singular in the Presente de indicativo, we use this irregular stem to form **the whole of the Presente de subjuntivo:**

➲ 21. Presente de indicativo

Hacer	Presente de indicativo	**Presente de subjuntivo**
Yo	***hag**o* →	***hag**a*
Tú	*haces*	***hag**as*
Él, ella, usted	*hace*	***hag**a*
Nosotros/-as	*hacemos*	***hag**amos*
Vosotros/-as	*hacéis*	***hag**áis*
Ellos, ellas, ustedes	*hacen*	***hag**an*

- This affects verbs such as:

Decir → ***dig-***	*Venir* → ***veng-***	*Conocer* → ***conozc-***
Traer → ***traig-***	*Caer* → ***caig-***	*Parecer* → ***parezc-***
Poner → ***pong-***	*Tener* → ***teng-***	*Agradecer* → ***agradezc-***
Salir → ***salg-***	*Oír* → ***oig-***	*Conducir* → ***conduzc-***

And their compound forms:

*Contra**decir*** → *contradig-*
Suponer → *supong-*
*Desa**parecer*** → *desaparezc-*
...

3 **Little Lucía and Ángela sometimes make mistakes with some of the irregular subjunctives. Find and correct their five mistakes, not counting the example.**

A2 B1

➲ ● Mira a papá, Ángela. ¿No ves cómo te pareces a él?
➲ ○ Es extraño que **digas** ......✓...... eso. Yo no veo que me ~~pareza~~ ..*parezca*.. a papá en nada.

1. ● ¿Quieres que **ponamos** .... el vídeo de dibujos animados?
   ○ Sí, está en el cajón. Espera que lo **traiga** .... y lo ponemos.
2. ● ¿Quieres que **salamos** .... a jugar al parque con papá?
   ○ Vale, pero no creo que papá **tena** .... tiempo. Está siempre jugando con el ordenador.
   ● Voy a decirle que **vena** .... con nosotras, a ver qué dice...
3. ● Papá conduce mucho mejor que mamá.
   ○ Yo no creo que **conduza** .... mejor. Si no sabe ni aparcar...
   ● ¡Calla! Es mejor que no te **oiga** .... decir eso...

D Very irregular verbs: *ser, estar, ver, ir, haber, saber.*

	Ser	***Estar***	***Ver***	***Ir***	***Haber***	***Saber***
Yo	*sea*	*esté*	*vea*	*vaya*	*haya...*	*sepa*
Tú	*seas*	*estés*	*veas*	*vayas*	*hayas...*	*sepas*
Él, ella, usted	*sea*	*esté*	*vea*	*vaya*	*haya...*	*sepa*
Nosotros/-as	*seamos*	*estemos*	*veamos*	*vayamos*	*hayamos...*	*sepamos*
Vosotros/-as	*seáis*	*estéis*	*veáis*	*vayáis*	*hayáis...*	*sepáis*
Ellos, ellas, ustedes	*sean*	*estén*	*vean*	*vayan*	*hayan...*	*sepan*

The verb ***estar*** is only irregular in its word stress, which always falls on the ending.

Haber is an auxiliary verb. The Pretérito perfecto de subjuntivo is formed with the Presente de subjuntivo of haber: ***haya** comido, **hayas** ido...*

Haya corresponds both to the personal form (*ha*) and the impersonal form (*hay*) of the Presente de indicativo.

4 **María has received a strange love letter. Complete her indignant reply with the Presente de subjuntivo in the correct person.**

A2
B1

Quiero **saber** si me amas,
quiero **verte** cada día.
Quiero **estar** en tu pijama,
quiero **ir** contigo, María.
Quiero **ser** el que te llama,
pues sin ti no **hay** luz del día.

Corazón de Melón

Querido Corazón de Melón:

Comprendo tus deseos, y haré lo posible para no satisfacerlos. Te diré que me pareces ridículo y quiero que ➔ *sepas* que no te amo. Me iré a otra ciudad para que no me (1) .... cada día. Quemaré toda mi ropa, si es necesario, para que no (2) .... nunca en mi pijama. Llamaré a la policía para que no (3) .... conmigo a ninguna parte. Te taparé la boca para que no (4) .... el que me llama. Y te regalaré una buena lámpara para que por fin (5) .... luz suficiente en tu vida y no vuelvas a escribirme nunca más.

María

E Forms of the Pretérito imperfecto de subjuntivo: *hablara(-se), comiera(-se), viviera(-se)...*

■ There is a simple and completely regular rule that makes it easy to form the Pretérito imperfecto de subjuntivo: Take the **third person plural** (*ellos*) of the regular or irregular **Indefinido** of the verb you want to conjugate, and change the final *-ron* for the following endings:

Hablar	Imperfecto de subjuntivo	*Ser*	Imperfecto de subjuntivo	*Salir*	Imperfecto de subjuntivo
hablaron	***hablara***	*fueron*	***fuera***	*salieron*	***saliera***
	hablaras		***fueras***		***salieras***
	hablara		***fuera***		***saliera***
	habláramos		***fuéramos***		***saliéramos***
	hablarais		***fuerais***		***salierais***
	hablaran		***fueran***		***salieran***

■ The **word stress** in the Imperfecto de subjuntivo always falls in the same place as the Indefinido, as shown by the underlining in the examples above.

■ If we need to use the subjunctive, we use the Imperfecto to talk about both the **past** and the **hypothetical present or future**, in the following way:

If in the **indicativo** we say...		In the **subjuntivo** we say...
***Estuvo/Estaba** en Berlín.*	***Estaría** en Berlín ayer.* [Supongo.]	
	***Estaría** en Berlín ahora.* [Pero ha perdido el avión.]	*Es posible que **estuviera** allí.*
	***Estaría** en Berlín mañana.* [Cogiendo el avión a tiempo.]	

➔ 33. ¿Indicativo or subjuntivo?

5 **Write the verbs in bold on the left in the third person plural of the Indefinido. Then, based on the forms you have just written, complete the answers on the right in the Imperfecto de subjuntivo.**

B1

	Indefinido (ellos)	Imperfecto de subjuntivo
➲ • ¿Pudiste ver si **estaban** ya preparados?	estuvie-ron	➲ ○ No, no parecía que estuvieran todavía preparados.
1. • Mi perro **vivió** 20 años.	....	1. ○ No es posible que .... tanto...
2. • ¿De verdad **probasteis** los gusanos fritos?	....	2. ○ Sí, pero solo dos o tres. Ellos querían que .... la comida típica de allí.
3. • Yo, en tu lugar, le **mentiría**.	....	3. ○ No. Sería muy injusto que le ....
4. • Antes **veníamos** mucho aquí.	....	4. ○ Sí, y a tu madre no le gustaba que nosotros ....
5. • ¿**Elegisteis** vosotros el color para pintar la casa?	....	5. ○ ¡Qué va! No nos dejaron que lo ....
6. • Y cuando se lo dije, se **rió** de mí.	....	6. ○ ¡No puedo creer que se .... de ti!
7. • ¿Tú crees que yo **podría** conseguir ese trabajo si hablara búlgaro?	....	7. ○ No, la verdad es que no creo que .... conseguirlo.
8. • ¿Recuerdas el viaje a Lisboa? ¡Qué mal **conducía** Ana!	....	8. ○ Sí, fue horrible. Nadie quería que .... ella, pero condujo...
9. • Me propuso ir a su casa, pero yo no **quería**.	....	9. ○ Pues me parece muy raro que tú no .... , la verdad.
10. • No sé qué pasó con Toby. Supongo que se **escaparía**.	....	10. ○ Sí, es muy posible que se .... No le dabas casi nada de comer...

■ Apart from the ***-ra***, form of the Imperfecto de subjuntivo, there is an alternative *-se* form that means exactly the same. We make this form by changing the *-ron* ending of the *ellos* person of the Indefinido for the following endings:

Hablar *hablaron*	Imperfecto de subjuntivo	*Ser* *fueron*	Imperfecto de subjuntivo	*Salir* *salieron*	Imperfecto de subjuntivo
	hablase		***fuese***		***saliese***
	hablases		***fueses***		***salieses***
	hablase		***fuese***		***saliese***
	hablásemos		***fuésemos***		***saliésemos***
	hablaseis		***fueseis***		***salieseis***
	hablasen		***fuesen***		***saliesen***

6 **Which is the odd one out?**

B1

➲	aceptara	estuviese	tenga	(salimos)	Es la única forma que no es subjuntivo
1.	hubiera	dijéramos	supiesen	tuvisteis	....
2.	vieron	fuese	oyéramos	agradecieseis	....
3.	trajeras	trajeses	conduzca	viniéramos	....
4.	cayese	caería	caíamos	caigo	....
5.	oyes	oís	oiremos	oyera	....

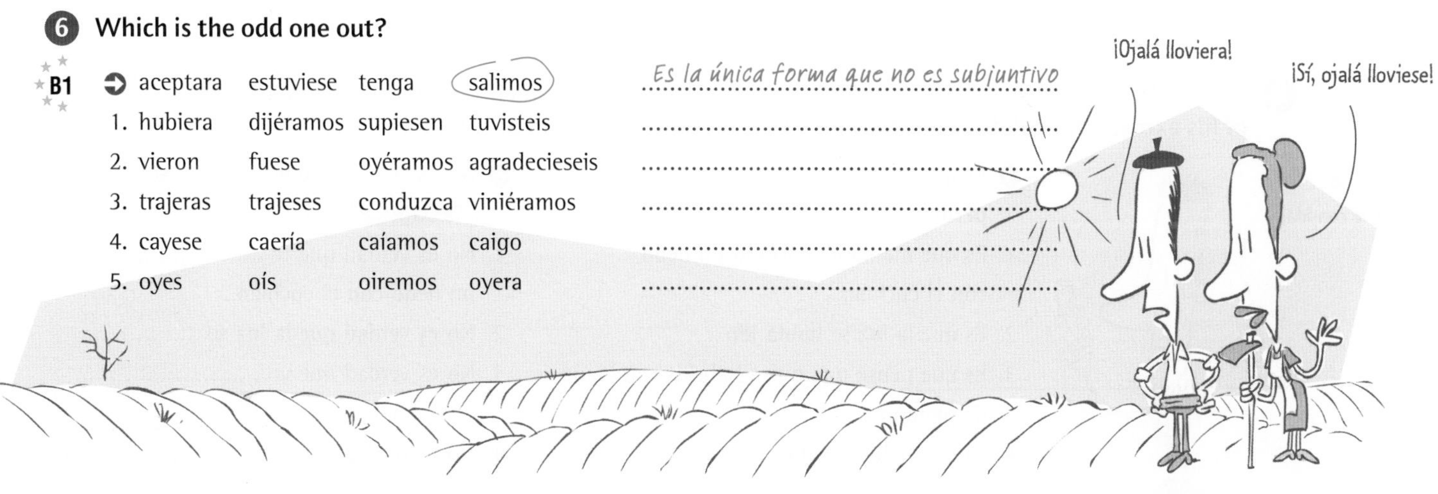
¡Ojalá lloviera!
¡Sí, ojalá lloviese!

F Forms of the Pretérito perfecto de subjuntivo: *haya hablado/comido/vivido...*

■ The Pretérito perfecto de subjuntivo is formed with:

The **Presente de subjuntivo** of the auxiliary verb ***haber***. → *haya, hayas, haya, hayamos, hayáis, hayan* + *hablado, comido, vivido* ← The **past participle** corresponding to the finished event.

➲ 20. Non-personal forms

■ If we need to use the subjunctive, we use the Perfecto to talk about both the **recent past** and the **past in the future**, in the following way:

➲ 33. ¿Indicativo or subjuntivo?

If in the **indicative** we say...	In the **subjuntive** we say...
***Ha estado** en Berlín.* / ***Habrá estado** en Berlín.*	*No creo que **haya estado** allí.*

7 **Change the verbs in bold in the following dialogues into the corresponding forms of the subjunctive.**

B1

➲ • Dicen que **han estado** un año viviendo en Oslo.
❍ No creo que *hayan estado* tanto tiempo allí.

1. • ¡Ya **hemos encontrado** la película de Jarri Sonfor!
❍ ¡Es imposible que la .... tan pronto!

2. • ¿**Ha llegado** ya el paquete de la tía Remedios?
❍ No recuerdo que .... ningún paquete...

3. • No te preocupes: a las dos lo **he terminado** todo.
❍ Dudo mucho que para esa hora lo ....

4. • No sé dónde están las llaves. Las **habrás perdido**.
❍ Es imposible que yo las ....

5. • **Habéis acertado** totalmente con el regalo. Gracias.
❍ ¡Pues qué bien que .... !

G Forms of the Pluscuamperfecto de subjuntivo: *hubiera(-se) hablado/comido/vivido...*

■ The Pretérito pluscuamperfecto de subjuntivo is formed with:

The **Imperfecto de subjuntivo** of the auxiliary verb***haber***. → *hubiera (-se), hubieras (-ses), hubiera (-se), hubiéramos (-semos), hubierais (-seis), hubieran (-sen)* + *hablado, comido, vivido* ← The **past participle** corresponding to the finished event.

➲ 20. Non-personal forms

■ Si necesitamos subjuntivo, usamos el Pluscuamperfecto **para hablar del pasado del pasado**, según la siguiente correspondencia:

➲ 33. ¿Indicativo or subjuntivo?

If in the **indicative** we say...	In the **subjuntive** we say...
***Había estado** en Berlín.* / ***Habría estado** en Berlín.*	*No creo que **hubiera estado** allí.*

8 **José Rodríguez was supposed to get lunch ready, but he didn't, and his wife has no time for any of his excuses. Complete her replies with the corresponding form of the subjunctive**

B1

¿Por qué no hiciste la comida?

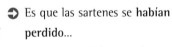

➲ Es que las sartenes se **habían perdido**...	➲ No es verdad que las sartenes se *hubieran perdido* ...
1. Es que me **había cortado** un dedo con el cuchillo...	1. No es verdad que te .... un dedo con el cuchillo...
2. Es que la luz se **había ido**...	2. No es verdad que la luz se ....
3. Es que pensé que quizá **habrías cambiado** de opinión...	3. No es verdad que yo .... de opinión...
4. Es que **habíamos decidido** comer fuera...	4. No es verdad que .... eso.

33. Indicativo or subjuntivo?

A Making statements (indicativo) or non-statements (subjuntivo)

- We use a verb in the **indicative** when **we want to state** the meaning of the verb in question: we want to express what someone knows (a statement) or thinks (a supposition) about a particular reality.
  We can state information directly (in a simple sentence) or after a MATRIX that introduces a statement (in a subordinate clause).

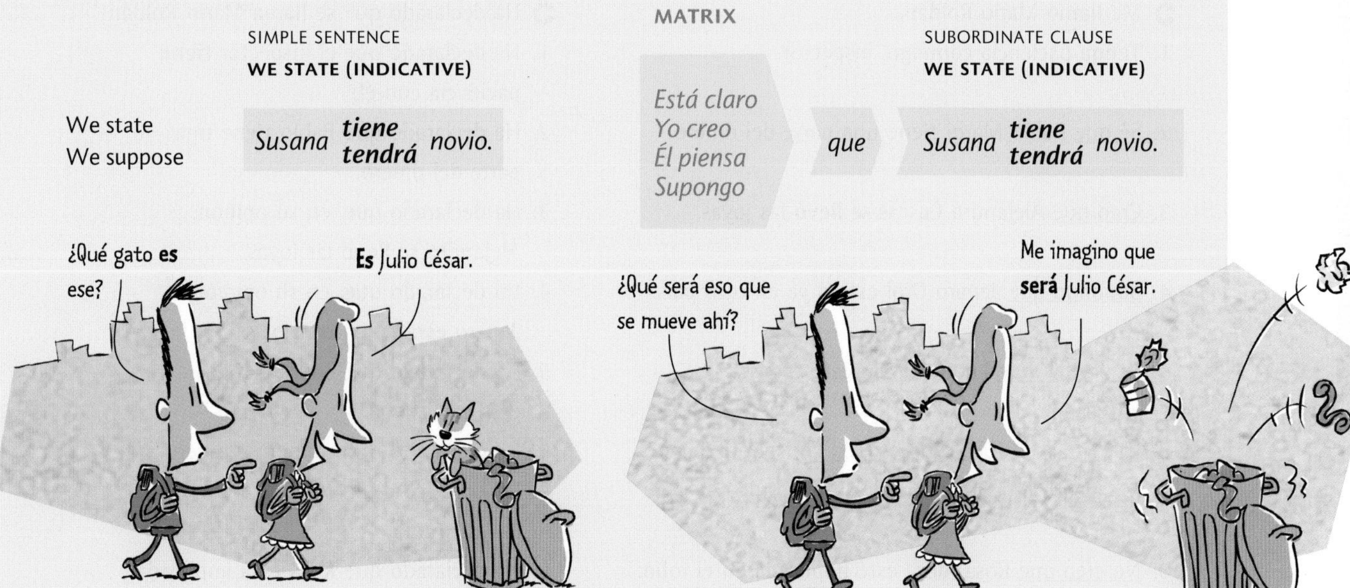

SIMPLE SENTENCE
WE STATE (INDICATIVE)
We state
We suppose
Susana **tiene** / **tendrá** novio.
MATRIX
Está claro
Yo creo
Él piensa
Supongo
que
SUBORDINATE CLAUSE
WE STATE (INDICATIVE)
Susana **tiene** / **tendrá** novio.
¿Qué gato **es** ese?
Es Julio César.
¿Qué será eso que se mueve ahí?
Me imagino que **será** Julio César.

- We use a verb in the **subjunctive** (or the infinitive) when **we do not want to state** the meaning of the verb in question, because we do not want to make either a statement or a supposition: we only want to express a **virtual reality**. A verb in the subjunctive is always dependent on a MATRIX that we use to express wishes, denial, possibility or value judgments:

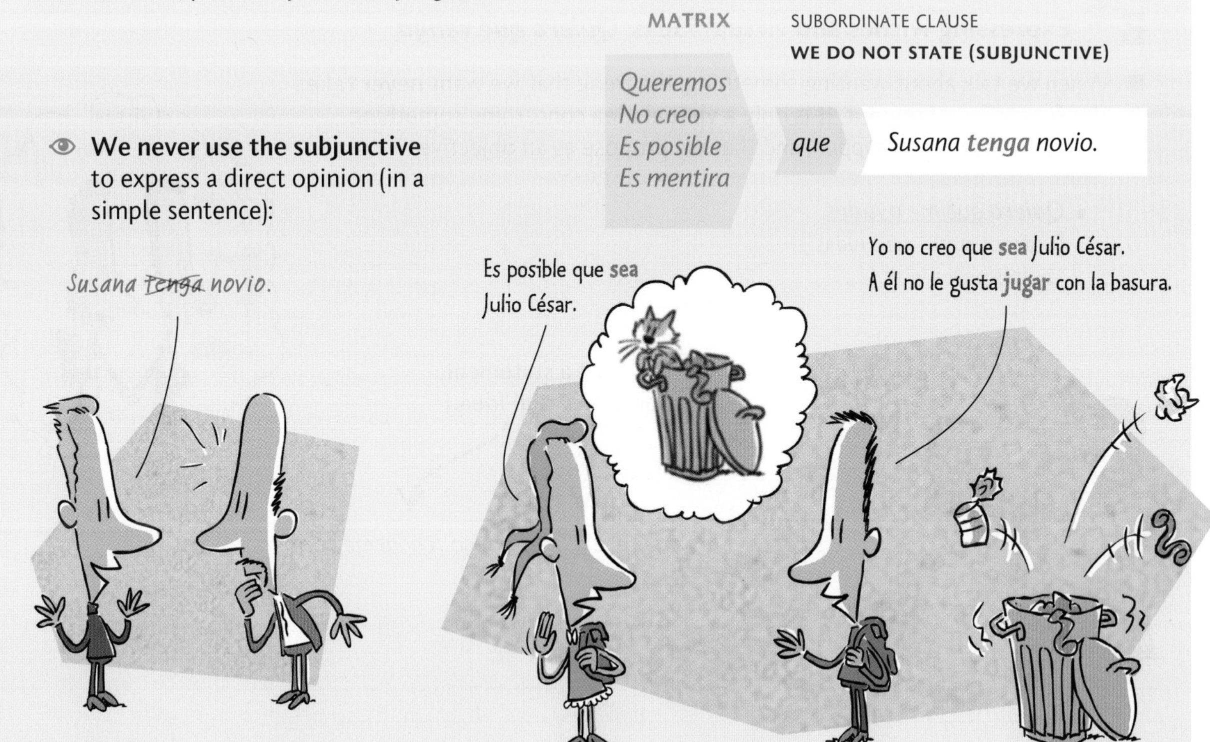

MATRIX
Queremos
No creo
Es posible
Es mentira
que
SUBORDINATE CLAUSE
WE DO NOT STATE (SUBJUNCTIVE)
*Susana **tenga** novio.*
We never use the subjunctive to express a direct opinion (in a simple sentence):
Susana ~~Tenga~~ novio.
Es posible que **sea** Julio César.
Yo no creo que **sea** Julio César.
A él no le gusta **jugar** con la basura.

1 **The famous inspector, Cherlog Jol, is questioning one of the people suspected of committing a theft. Are the notes the secretary took during his statement absolutely correct?**

A2

Lo que ha dicho el detenido:	Lo que ha escrito el secretario:	Sí/No
➲ Me **llamo** Mario Roldán..	➲ Ha declarado que se **llama** Mario Roldán	Sí
1. **Tenga** paciencia conmigo, inspector.	1. Ha declarado que el inspector **tiene** paciencia con él.	....
2. Sé que Pablo Margi **tiene** una parte del dinero.	2. Ha declarado que Pablo **tiene** una parte del dinero.	....
3. Creo que Alejandro Cascas se **llevó** las joyas.	3. Ha declarado que, en su opinón, Alejandro se **llevó** las joyas.	....
4. Supongo que Jenaro Orol **estará** ya en otro país.	4. Ha declarado que, en su opinión, Jenaro **está** ya en otro país.	....
5. Es posible que Lourdes Milo **esté** todavía en España.	5. Ha declarado que Lourdes todavía **está** en España.	....
6. La verdad es que yo necesitaba **conseguir** dinero.	6. Ha declarado que **consiguió** dinero.	....
7. Me alegro de que me **haga** esa pregunta.	7. Ha declarado que el inspector le **hace** esa pregunta.	....
8. No creo que Rosa Alora **esté** implicada en el robo.	8. Ha declarado que Rosa **está** implicada en el robo.	....
9. Quiero que **venga** mi abogado inmediatamente.	9. Ha declarado que su abogado **viene** inmediatamente.	....
10. Es muy triste **ir** a la cárcel.	10. Ha declarado que **va** a la cárcel.	....

B Expressing wishes and virtual ideas: *Quiero que venga*.

■ When we talk about wanting something, the thing that we want **never takes the form of a statement**. It is only a **virtual idea** concerning something that may or may not happen, and that we propose as an objective:

- ***Quiero** que me ayudes*.
  [I cannot state "me ayudas", as it is only a wish.]

[It is **not** a statement, **only a virtual idea.**]

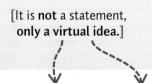

que te ~~casas~~ cases conmigo / casarme contigo.

■ This is why we always use the subjunctive (or the infinitive) with verbs that are subordinate to MATRICES and that express wishes or virtual ideas:

(No) Quiero...
(No) Desea...
(No) Esperan...
Él (no) prefiere...
(No) Me apetece...
(No) Tiene ganas de...
...

[What I am going to say **is not a statement**: it is only **something that is wished for or not wished for.**]

*que te **cases** conmigo.*

(No) Te pido...
(No) Te ha prohibido...
(No) Permite...
(No) Te aconsejo...
(No) Es importante...
(No) Es necesario...
...para...
...

[What I am going to say **is not a statement**: it is **something that should or should not happen.**]

2 **Put the matrices in the correct place in the table, according to their meaning.**

A2

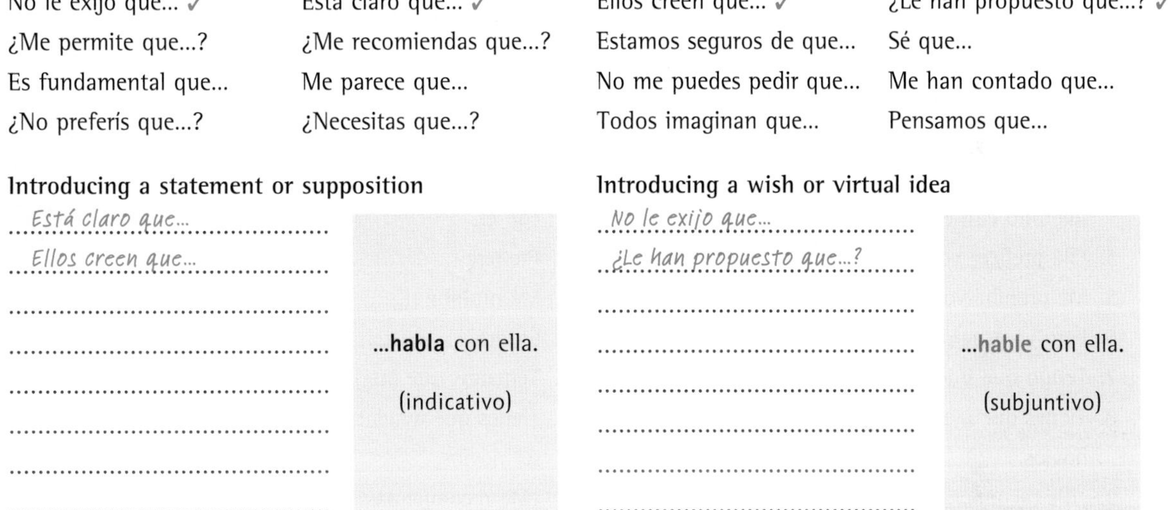

No le exijo que... ✓	Está claro que... ✓	Ellos creen que... ✓	¿Le han propuesto que...? ✓
¿Me permite que...?	¿Me recomiendas que...?	Estamos seguros de que...	Sé que...
Es fundamental que...	Me parece que...	No me puedes pedir que...	Me han contado que...
¿No preferís que...?	¿Necesitas que...?	Todos imaginan que...	Pensamos que...

Introducing a statement or supposition		Introducing a wish or virtual idea	
Está claro que...		*No le exijo que...*	
Ellos creen que...		*¿Le han propuesto que...?*	
....		....	
....	...**habla** con ella.	....	...**hable** con ella.
....	(indicativo)	....	(subjuntivo)
....		....	
....		....	
....		....	

■ When we express wishes or virtual ideas, we can put the subordinate verb into a personal form of the **subjunctive** (introduced by ***que***), or use a simple **infinitive**:

	We use the **infinitive**	We use the **subjuntive**
With MATRICES such as...	If the subject of the main and subordinate verbs is the same:	If the subject of the main and subordinate verbs are different:
Querer..., Desear..., Necesitar, Pedir..., Preferir..., Tener ganas de..., Intentar..., Conseguir..., Tratar de...,	*Quiero salir.* (yo) = (yo)	*Quiero **que** salgas / salgan...* (yo) ⟷ (tú) (ellos)
With MATRICES such as...	To generalise:	To emphasise the person of the verb:
Es importante/necesario/mejor... Hay que intentar/conseguir...	*¿Es necesario pasar por ahí?* (en general) = (**tú, yo, nosotros...**)	*¿Es necesario **que** pasemos por ahí?* (en general) ⟷ (**nosotros, en concreto**)

33. Indicativo or subjuntivo?

3 Identify the subject of the verbs in bold.

A2

➲ ¡No te vayas, Mariana, que Elena quiere que le **cortes** el pelo! ➲ ...Mariana...........
➲ Vamos a esperar. Es mejor **tomar**se las cosas con calma. ➲ ...En general........
1. Se ha puesto muy nerviosa. Vamos a intentar **tranquilizar**la. 1. ....
2. Trata de **tranquilizar**te, Pitita. Tu marido vendrá pronto... 2. ....
3. Para aprender español es necesario **estudiar** con una buena gramática. 3. ....
4. Creo que ella debe saberlo. Es mejor que se lo **digas** ya. 4. ....
5. Si conseguimos **aprobar** el examen, vamos a hacer una fiesta. 5. ....
6. Tengo unas ganas locas de que **vengáis** a visitarme. 6. ....
7. ¿Te apetece **descansar** un poco antes de seguir? 7. ....
8. No te rindas, mujer. ¿Por qué no intentas **hablar** con ella otra vez? 8. ....
9. No me gusta nada la idea de comer en Mcdonuts. Prefiero que **comamos** aquí. 9. ....

4 Pesadilla is Tristicia's best friend. She wants to write her a letter, but she isn't clear about how to form the verbs that are in bold: Should she use the infinitivo or should she use que + subjuntivo? Can you help her?

A2

➲ <u>Necesito</u> yo **escribir** mi tristeza.	➲ Necesito ...escribir mi tristeza.
➲ <u>Deseo</u> tú **saber** mis sentimientos.	➲ Deseo ...que sepas mis sentimientos....
1. Estoy enamorada de Zombi, y yo <u>tengo ganas de</u> yo **ver** a Toro Cansado.	1. Tengo ganas de .... a Zombi.
2. Pero él no me <u>permite</u> yo **hablar** por teléfono con él.	2. Pero él no me permite .... por teléfono con él.
3. Mi hermana no <u>quiere</u> yo **hablar** por teléfono con él.	3. No quiere .... por teléfono con él.
4. Ella <u>prefiere</u> yo **no pensar** más en él.	4. Prefiere .... más en él.
5. Me <u>prohíbe</u> yo **llamar** a su casa.	5. Me prohíbe .... a su casa.
6. Pero yo <u>espero</u> él **llamar** a mi casa.	6. Espero .... a mi casa.
7. Tengo que <u>intentar</u> él **pensar** en mí.	7. Tenemos que intentar .... en mí.
8. Tienes que ayudarme <u>para</u> él y yo **poder** ser novios.	8. Tienes que ayudarme para .... ser novios.
9. ¿Me <u>recomiendas</u> yo **confesar** mi amor?	9. ¿Me recomiendas .... mi amor?
10. ¿Crees que <u>es mejor</u> yo **esperar** un poco?	10. ¿O crees que es mejor .... un poco?
11. <u>Es</u> muy importante yo **saber** tu opinión.	11. Es muy importante .... tu opinión.

5 Tristicia has now received Pesadilla's letter, and these are her suggestions. Help her again, deciding in each case between infinitivo, indicativo or subjuntivo.

A2

Querida Pesadilla:

En mi opinión, está claro Zombi **no estar** enamorado de ti. Pero tenemos que hacer algo, porque yo quiero tú **ser** feliz. Creo que lo mejor es **actuar** con tranquilidad. En primer lugar, si él no quiere **hablar** por teléfono contigo, te recomiendo tú **no insistir** en llamarlo y tú **buscar** otra forma de comunicarte con él. En segundo lugar, tienes que intentar tu hermana **cambiar** de actitud y ella **no estar** siempre diciéndote qué tienes que hacer. Finalmente, no te aconsejo tú **confesar** tu amor todavía. Es mejor tú **esperar** unos meses, porque yo creo él **no estar** preparado todavía para comprender este amor. Pero puedes estar tranquila: tú sabes yo siempre intento tú **estar** bien y yo **ayudar** a ti en lo posible. Tu amiga,

Tristicia

Querida Pesadilla:

En mi opinión, está claro que Zombi ...no está... enamorado de ti. Pero tenemos que hacer algo, porque yo quiero que ...seas....... feliz. Creo que lo mejor es ...actuar..... con tranquilidad. En primer lugar, si él no quiere .... (1) por teléfono contigo, te recomiendo que .... (2) en llamarlo y que .... (3) otra forma de comunicar con él. En segundo lugar, tienes que intentar que tu hermana .... (4) de actitud y que .... (5) siempre diciéndote qué tienes que hacer. Finalmente, no te aconsejo que .... (6) tu amor todavía. Es mejor que .... (7) unos meses, porque creo que él .... (8) preparado todavía para comprender este amor. Pero puedes estar tranquila: tú sabes que yo siempre intento que .... (9) bien y .... (10) en lo posible.

Tu amiga,

Tristicia.

■ With the ***Que*** **+ Presente de subjuntivo** formula, we can express conventional good wishes or warnings in standard situations where we normally use fixed expressions:

Good wishes

- ¡*Que aproveche*!
  ['I hope you enjoy your meal': when someone is about to start eating.]
- ¡*Que te lo pases bien*!
  ['Have a good time', 'have fun': when someone is going to a party, for example.]

Warnings

- ¡*Que tengas cuidado*!
  ['Be careful': when someone is going to do something dangerous.]
- ¡*Que no corráis*!
  ['Don't speed': when someone is setting off on a car journey.]

6 B1 **Tristicia is always alert to what Fránkez does, and always wishes him well. "Translate" her expressions into good Spanish and then work out what circumstances they are spoken in.**

➲ ¡Tú **mejorar**te!	¡Que te ...mejores......!	...e....
1. ¡Tú **cumplir** muchos más!	¡Que .... muchos más!	....
2. ¡Tú **tener** suerte!	¡Que .... suerte!	....
3. ¡Tú **divertir**te!	¡Que te ....!	....
4. ¡Tú **descansar**!	¡Que ....!	....
5. ¡Tú **tener** buen viaje!	¡Que ....buen viaje!	....
6. ¡Tú **pasar** buen fin de semana!	¡Que .... buen fin de semana!	....

a) Fránkez se va a una fiesta.
b) Va a hacer un examen.
c) Ha dicho "buenas noches": se va a la cama.
d) Fránkez estará fuera sábado y domingo.
e) Está enfermo y Tristicia se despide de él. ✓
f) Tristicia despide a Fránkez en el aeropuerto.
g) Es el día del cumpleaños de Fránkez.

7 B1 **Little Camilita is going on a school trip with her friends and her mother gives her five pieces of advice about how she should behave. Chose which they are, and write them out with *Que* + Presente de subjuntivo, as in the example.**

- Tienes que comer muchos caramelos.
- Tienes que ser buena. ✓
- No debes pelearte con nadie.
- Debes comerte tu bocadillo entero.
- Tienes que decir muchas palabras feas.
- Tienes que ir siempre cerca de la maestra.
- No debes obedecer a tu maestra.
- No quiero que te ensucies la ropa.

➲ ...Que seas buena...

1. ....

2. ....

3. ....

4. ....

C Stating or querying information: *Creo que viene / No creo que venga*

- We use a subordinate verb in the **indicative** when **we want to state** the information that this verb expresses:

	subordinate verb
Todos saben *Está claro* *Yo creo* *Es verdad* ...	*que **tienes** novio.*

[This is **a statement**. It is the opinion of the subject.]

- We use a subordinate verb in the **subjunctive** when **we do not want to state** the information that this verb expresses:

	subordinate verb
Puede ser *Dudo* *No creo* *Es mentira* ...	*que **tengas** novio.* ~~tienes~~

[This is a not a **statement.** It is not the opinion of the subject, but only an idea.]

- This is why we use the indicative after MATRICES that introduce opinions (more or less firmly held), but use the subjunctive after MATRICES that express the subject's questioning or doubt about the subordinate information:

MATRICES that introduce information

(Stating)

Yo sé que... *Me han contado que...* *Está claro que...* *¿Es verdad que...?* *No hay duda de que...*	*es la Tierra.*

[We state that the information presented is the opinion of the subject.]

(Supposing)

Ellos creen que... *¿Piensas que...?* *Nos parece que...* *Supongo que...* *Me imagino que...*	*es/**será** la Tierra.*

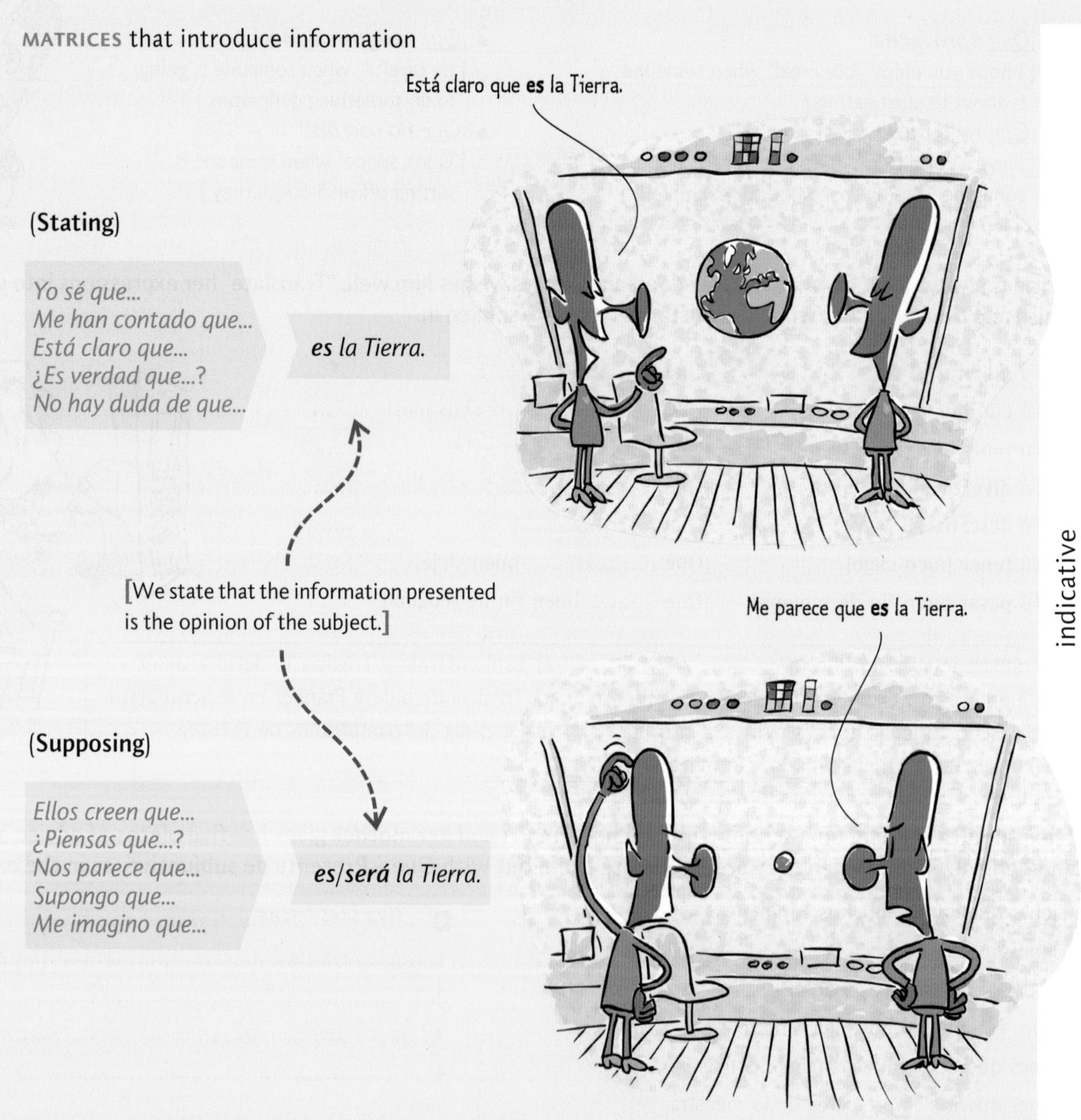
Está claro que **es** la Tierra.
Me parece que **es** la Tierra.

indicative

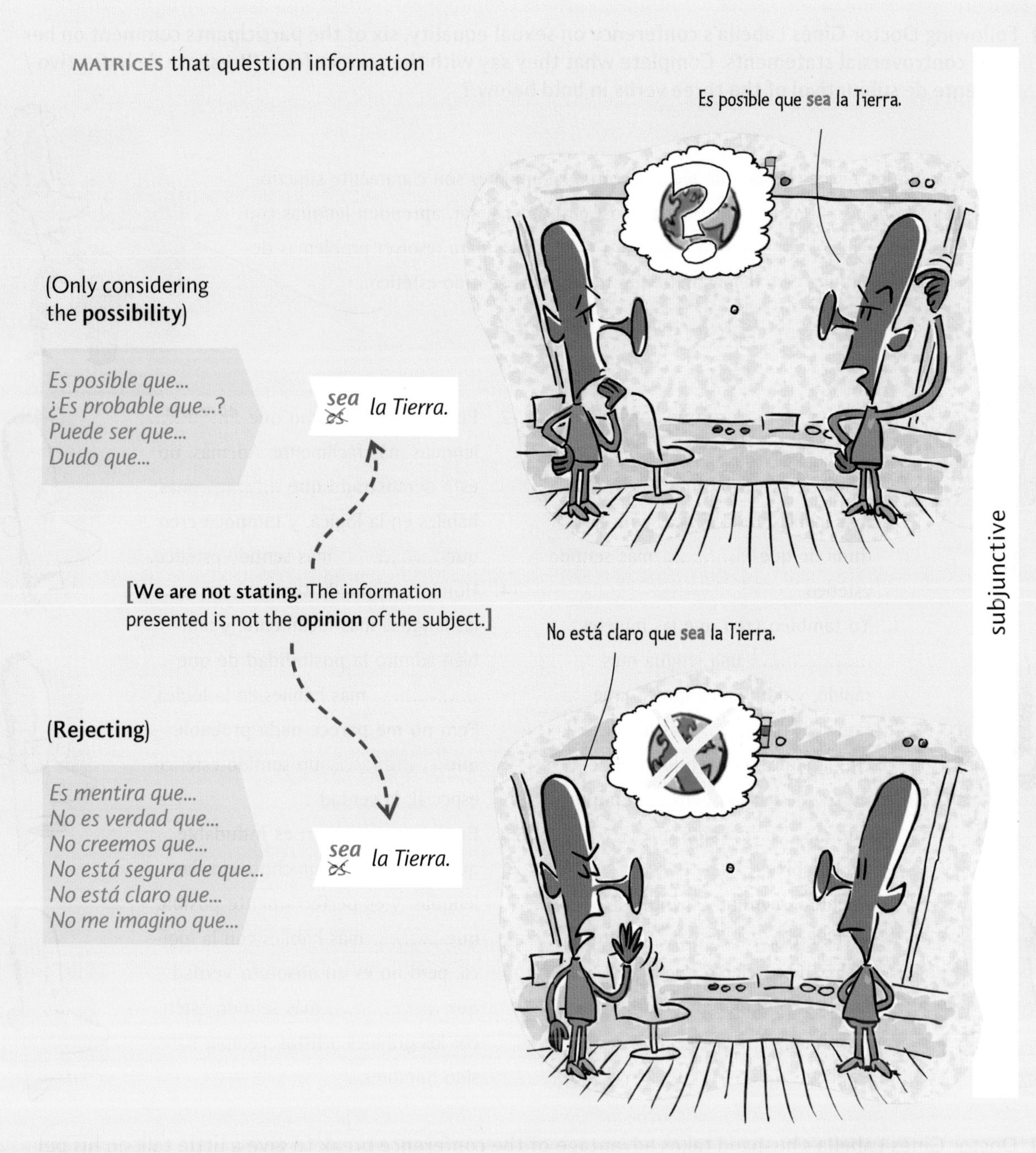

MATRICES that question information
(Only considering the **possibility**)
Es posible que...
¿Es probable que...?
Puede ser que...
Dudo que...
sea ~~*es*~~ *la Tierra.*
[**We are not stating.** The information presented is not the **opinion** of the subject.]
(**Rejecting**)
Es mentira que...
No es verdad que...
No creemos que...
No está segura de que...
No está claro que...
No me imagino que...
sea ~~*es*~~ *la Tierra.*
Es posible que **sea** la Tierra.
No está claro que **sea** la Tierra.
subjunctive

8 **Complete the table by ordering the matrices by category.**

B1

Es indudable que... ✓	No es verdad que... ✓	¿Puede ser que...? ✓	Pensamos que... ✓
Suponen que...	A ellas les parece que...	Es falso que...	Es posible que...
No es cierto que...	Me parece probable que...	Te aseguro que...	
Es evidente que...	Sospecho que...	Es bastante posible que...	

Introducimos una afirmación *Es indudable que...*	...**es** la Tierra. (indicative)	**Rechazamos una idea** *No es verdad que...*	...**sea** la Tierra. (subjunctive)
Introducimos una suposición *Pensamos que...*		**Consideramos una posibilidad** *¿Puede ser que...?*	

9 **Following Doctor Ginés Labella's conference on sexual equality, six of the participants comment on her most controversial statements. Complete what they say with the correct form (Presente de indicativo / Presente de subjuntivo) of the three verbs in bold below.?**

B1

... y, como iba diciendo, hay que reconocer que las mujeres son claramente superiores a los hombres, al menos en tres aspectos: en primer lugar, **aprenden** lenguas con mucha más facilidad; en segundo lugar, **son** más hábiles para resolver problemas de lógica; y, por último, está demostrado que **tienen** más sentido estético...

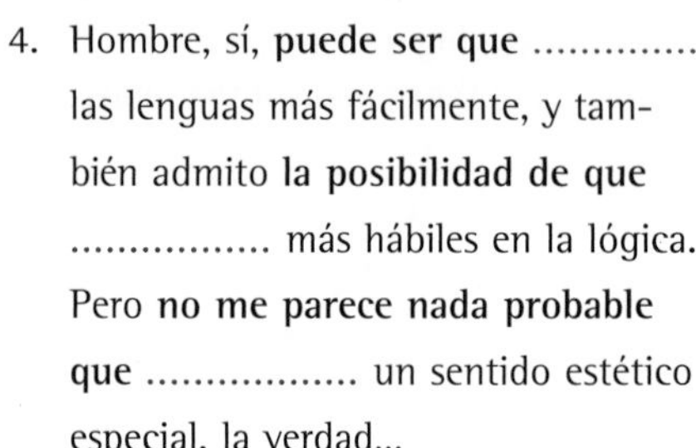

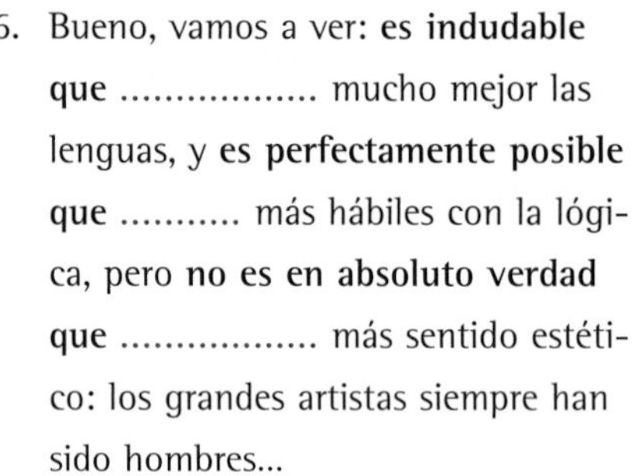

1. Para mí, **está claro que** las mujeres ..aprenden.. lenguas más fácilmente. También **es verdad que** .... más hábiles en la lógica, y **no hay duda de que** .... más sentido estético.
2. Pues yo **dudo mucho que** aprendan lenguas más fácilmente. Además, **no está demostrado que** .... más hábiles en la lógica, y **tampoco creo que** .... más sentido estético.
3. **Yo también creo que** las mujeres .... una lengua más rápido, y **me parece que** sí, que también .... más hábiles con la lógica. Del sentido estético no sé qué pensar, pero sí, **supongo que** .... más que los hombres.
4. Hombre, sí, **puede ser que** .... las lenguas más fácilmente, y también admito **la posibilidad de que** .... más hábiles en la lógica. Pero **no me parece nada probable que** .... un sentido estético especial, la verdad...
5. ¡Mentira, mentira y mentira! **No es verdad que** .... lenguas mejor, **no es cierto que** .... mejores con la lógica, y también **es falso que** .... más sentido estético.
6. Bueno, vamos a ver: **es indudable que** .... mucho mejor las lenguas, y **es perfectamente posible que** .... más hábiles con la lógica, pero **no es en absoluto verdad que** .... más sentido estético: los grandes artistas siempre han sido hombres...

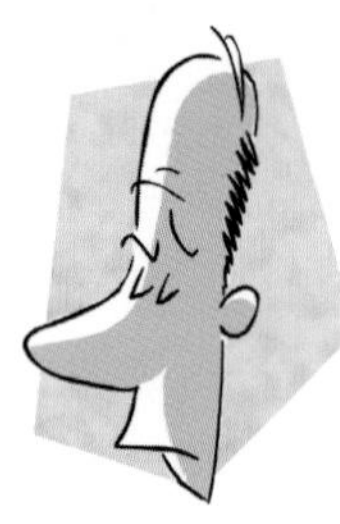

10 **Doctor Ginés Labella's husband takes advantage of the conference break to give a little talk on his pet subject: snails. However, not everything he says is true. Identify and write out below the three truths and the three errors in what he says.**

B1

Pues yo creo que los caracoles son unos mamíferos apasionantes. Llevan su casa en la espalda, tienen dos antenas preciosas que sacan y esconden a voluntad, y pueden ver la comida a varios kilómetros de distancia. Parecen tontos, pero, en realidad, tienen una inteligencia muy parecida a la humana. Por ejemplo, aunque son muy lentos, a veces se suben encima de la cabeza de las palomas para viajar más rápido. Y, además, estos animalitos son muy pacíficos. Y, bueno, les dejo ya de nuevo con la conferencia de mi esposa. Yo tengo que terminar de cocinar unos caracoles para la cena. Muchas gracias por su atención.

➲ Es verdad que los caracoles tienen dos antenas.
1. Todo el mundo sabe que ....
2. Está claro que ....
3. A mí también me parece que ....

➲ No es verdad que sean mamíferos.
4. Es mentira que ....
5. No creo que ....
6. Yo no pienso que ....

D Making statements or requests: *Dice que viene / Dice que venga*

■ We can use many verbs like ***decir*** to introduce statements or requests. When *decir* means **'to state'**, we use the indicative: when it means **'to request'**, we use the subjunctive:

	The subordinate information is a **statement**	The subordinate information is a **request**.
Decir	*Me han dicho que **vienes** a la fiesta, ¿es verdad?*	*Me han dicho que **vengas** a la fiesta. ¿Te apetece?*
Repetir	*Te repito que no **tengo** ganas de salir.*	*Te repito que te **vayas** tú solo.*
Insistir en	*Insisto en que este puente **es** muy peligroso.*	*Insisto en que **crucemos** el río por allí.*

11 What are the people below saying? You'll have to think hard to decide whether it's information (indicative) or if they're asking for something to be done (subjunctive)

B1

➲ "Las llaves **están** en el dormitorio."
Dice que las llaves ....están.... en el dormitorio.

➲ "**Compra** papel higiénico, por favor."
Dice que ..compre.. papel higiénico.

1. "**Baila** conmigo. **Bailo** muy bien."
Dice que .... con él, que .... muy bien.
2. "Yo **no quiero** ir contigo."
Dice que .... ir conmigo.
3. "¡Que **no quiero** ir contigo!"
Me ha repetido que .... ir conmigo.
4. "**Ten** más cuidado con ese jarrón."
Dice que .... más cuidado con el jarrón.
5. "**No digas** más tonterías."
Dice que .... más tonterías.
6. "**Deja** de decir tonterías."
Insiste en que .... de decir tonterías.
7. "**Pareces** una persona inteligente."
Dice que .... una persona inteligente.
8. "**Eres** muy egoísta, ¿no crees?"
Dice que .... muy egoísta.
9. "**Sé** un poco menos egoísta, ¿quieres?"
Dice que .... un poco menos egoísta.
10. "**Puedo** ayudarte si quieres"
Dice que .... ayudarme si quiero.
11. "**Vas** muy rápido. **Ve** más despacio."
Dice que .... muy rápido, que .... más despacio.
12. "**Come** un poco más. **Comes** muy poco."
Dice que .... un poco más, que .... muy poco.

E Expressing an opinion about information: *Es estupendo que venga.*

■ Remember: when we want **to state** the information that a subordinate verb expresses, we use the indicative. When we want **to query** it, we use the subjunctive:

We state the subordinate information	*Yo sé que Leo **habla** inglés.* *Supongo que **hablará** inglés.*	[We want to state that Leo **speaks** English.]
We query the subordinate information	*Es posible que **hable** inglés.* *No creo que **hable** inglés.*	[We do not want to state that Leo **speaks** English.]

- However, when the information **is generally accepted** as true or possible, and we only want to **make a comment or give a personal opinion on it**, we always use the **subjunctive** (or infinitive):

We only give our opinion on the subordinate information

A mí no me gusta
Me parece bien
Es lógico
No es normal
Me da igual

que **hable inglés**.

[We do not want to state that he "speaks English": we only want to say what we know or think about the possible or real fact that he "speaks English".]

No es nada interesante...

¿No os parece un poco extraño...?

¡Tan joven, qué pena...!

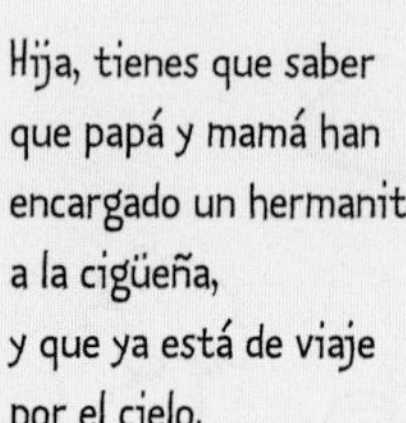

Me alegra mucho...

...que esté embarazada...

¡Dios mío, qué miedo...!

Hija, tienes que saber que papá y mamá han encargado un hermanito a la cigüeña, y que ya está de viaje por el cielo.
¡Qué bien que mamá esté embarazada!

Es una sorpresa...

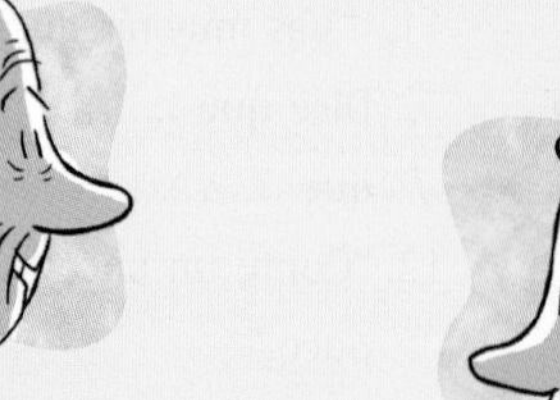
No es una casualidad...

Bueno, yo creo que es normal...

Stating → • *¿Sabes qué? Me han dicho que Paula **está** embarazada, y que **es** una niña.*
Questioning → • *¿En serio? No puedo creer que **esté** embarazada.*
Stating → • *Que sí, mujer, que sí. **Ha ido** al médico, y le ha confirmado que **está** embarazada.*

Only commenting
- *Pues me parece muy extraño...*
- *¿Qué te parece extraño: **que esté** embarazada o **que sea** una niña?*
- *No, lo que me parece extraño es **que haya ido** al médico. Ella odia **ir** al médico...*

12 Put the matrices in the correct place in the table below, depending on their meaning.

B1

Es evidente que... ✓	¿Te parece mal que...? ✓	Sospechamos que... ✓	Me parece lógico que... ✓
Me imagino que...	Es verdaderamente extraño que...	He oído que...	Odio que...
No me importa que...	Su marido piensa que...	Es difícil que...	Yo he visto que...
Es estupendo que...	¿Crees que es importante que...?	¿Ana te ha contado que...?	Me parece que...

Introducing an affirmation or supposition		Giving a personal opinion about an idea	
Es evidente que...	...**está** embarazada. (INDICATIVE)	*Me parece lógico que...*	...**esté** embarazada. (SUBJUNCTIVE)
Sospechamos que...		*¿Te parece mal que...?*	
....		....	
....		....	
....		....	
....		....	
....		....	
....		....	

13 2. What do you think? Use the matrices in the box (or any others that express your opinion) to say what you think about some of the news items below, as in the example. Use the correct person and tense of the subjunctive in each case.

B1

➲ Una anciana de 80 años **sobrevive** después de caer desde un sexto piso. ✓

1. Groenlandia **suspende** su festival de nieve por una ola de calor.
2. Dos ex ladrones **presentan** un programa de televisión sobre robos.
3. Más de la mitad de los ministros del gobierno español **son** mujeres.
4. Los japoneses ya **pueden** pagar en los supermercados con la huella dactilar.
5. Una conocida marca de helados **investiga** en la fabricación de un helado para perros.
6. Un juez **manda** a prisión a un hombre por hacer chistes sexistas.
7. Un perro **espera** diez días en la puerta de la comisaría hasta que liberan a su amo.
8. El gobierno **paga** 500 euros mensuales por cada hijo menor de tres años.

Me alegra mucho...
Me parece muy triste...
Es increíble...
Es normal...
Me parece muy cómico...
Es curioso...
Me parece muy justo...
Es una tontería...
Está muy bien...
Me parece muy mal...
Me parece ridículo...
Me parece exagerado...
A mí me da igual...
Yo pienso que es lógico...
Me parece preocupante...
...

Es increíble que una anciana sobreviva después de caer de un sexto piso (➲)

....

....

....

....

....

....

....

....

....

....

....

■ When we express value judgements about information, we can put the subordinate verb into a personal form of the **subjunctive** (introduced by que) or use the simple **infinitive**:

	We use the **infinitive**	We use the **subjunctive**
With MATRICES like these...	If the subject of the subordinate verb is the same person referenced in the MATRIX:	If the subject of the subordinate verb is different from the person referenced in the MATRIX:
Me gusta..., Nos encanta..., Me da igual..., Les alegra..., (No) me importa...	*<u>Le</u> encanta <u>**jugar**</u> al fútbol.* (a él) = (**él**)	*<u>Le</u> encanta **que <u>juguemos</u>** al fútbol.* (a él) ⟷ (**nosotros**)
With MATRICES like these...	To generalise:	To make the person clear:
Es estupendo / extraño / bueno... Está bien / mal... No me parece bien / mal / lógico...	*<u>Es</u> maravilloso <u>**estar**</u> enamorado.* (in general) = (**tú, yo, nosotros...**)	*<u>Es</u> maravilloso **que <u>estés</u>** enamorada.* (in general) ⟷ (**specifically you**)

14 **Identify the subjects of the verbs in bold.**

B1

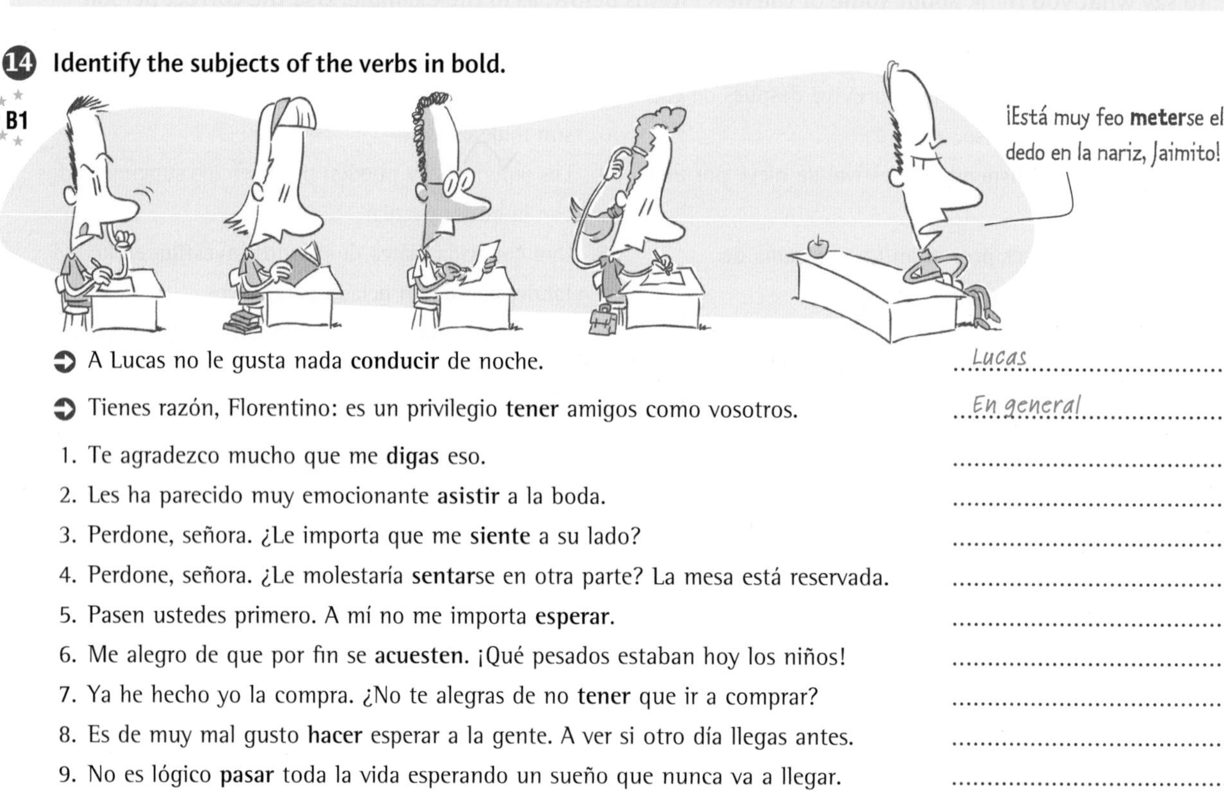

¡Está muy feo **meter**se el dedo en la nariz, Jaimito!

➲ A Lucas no le gusta nada **conducir** de noche. *Lucas*

➲ Tienes razón, Florentino: es un privilegio **tener** amigos como vosotros. *En general*

1. Te agradezco mucho que me **digas** eso. ....
2. Les ha parecido muy emocionante **asistir** a la boda. ....
3. Perdone, señora. ¿Le importa que me **siente** a su lado? ....
4. Perdone, señora. ¿Le molestaría **sentar**se en otra parte? La mesa está reservada. ....
5. Pasen ustedes primero. A mí no me importa **esperar**. ....
6. Me alegro de que por fin se **acuesten**. ¡Qué pesados estaban hoy los niños! ....
7. Ya he hecho yo la compra. ¿No te alegras de no **tener** que ir a comprar? ....
8. Es de muy mal gusto **hacer** esperar a la gente. A ver si otro día llegas antes. ....
9. No es lógico **pasar** toda la vida esperando un sueño que nunca va a llegar. ....

F Identifying or not identifying people, things or places: *La chica que viene / La chica que venga*

■ We can give information about the characteristics of people, things or places with an **adjective**, but we can also use a **phrase**:

➲ 42. Joining sentences

	With an adjective:	With a phrase:
a person:	• <u>una chica</u> **mala**...	...es <u>una chica</u> **que hace cosas malas.**
a thing:	• <u>una película</u> muy **divertida**...	...es <u>una película</u> **que da mucha risa.**
a place:	• <u>un sitio</u> **tranquilo**...	...es <u>un sitio</u> **donde te puedes relajar.**

■ When we use a phrase of this type, we express it in the indicative to show that the entity we are talking about (a person, thing or place) **has been identified**, and we use the subjunctive to show that it **has not been identified yet**:

- *He conocido a una chica que **vive** en Móstoles.* [Una chica en particular: Lorena.]
- *¿Conoces a alguna chica que **viva** en Móstoles?* [No importa qué chica en particular.]

- *Hoy vamos a hacer la comida que más te **gusta**.* [Una comida en particular: pescado.]
- *Hoy vamos a hacer la comida que más te **guste**.* [Cualquier comida que tú elijas.]

- *Hemos estado en una playa donde todo el mundo **iba** desnudo.* [Una playa en particular: Cantarriján.]
- *¿Tú has visto una playa donde **podamos** ir desnudos?* [No importa qué playa en particular.]

¡¡¡Guillaume, c'est moi. Grrrr!!!
Yo tengo un loro que **se llama** Guillermo y que **habla** francés.
¡¡¡Bonjour. Ça va? Grrrr !!!
¡Qué chulo! ¡Yo también quiero tener un loro que **hable** francés!

INDICATIVO	**SUBJUNTIVO**
Entities **already identified**	Entities **not identified yet**
• We are talking about a specific person thing or place with this characteristic.	• We are talking about any person, thing or place with this characteristic.

15 **Connect each of the things Jenny says with the most likely explanation.**

B1

➲ Hola. Estoy buscando una gramática que **tiene** dibujos en color. ..b....
- ~~a. Jenny busca cualquier gramática con dibujos en color.~~
- b. A Jenny le han hablado antes de esa gramática.

1. Bueno, una lengua que **sea** fácil de aprender, por supuesto. ....
   - a. Jenny habla del español.
   - b. Jenny quiere aprender otra lengua y todavía no ha decidido cuál.

2. ¿Nos llevamos el microondas que **tiene** más potencia o el que **sea** más barato? ....
   - a. Han visto varios microondas, pero no saben cuál será más barato.
   - b. Están buscando el microondas más potente.

3. Pon esta bandeja en la cocina, donde **estén** los platos. ....
   - a. Jenny ha llevado los platos a la cocina antes.
   - b. Otra persona ha llevado los platos a la cocina antes.

4. La opinión que Ana **tenga** sí me importa, pero lo que **dice** Jorge me da igual. ....
   - a. Jenny ha hablado con Jorge, pero no con Ana.
   - b. Jenny ha hablado con Ana, pero no con Jorge.

5. ¿Por qué no comemos en el sitio donde **comimos** la otra vez, en una mesa que **esté** un poco apartada? ....
   - a. Jenny se refiere a la segunda mesa a la izquierda.
   - b. Jenny se refiere al restaurante "Bona Petí".

16 **Decide which of the possible sentence continuations is not possible.**

B1

➲ ¿Tienes un cuchillo que... (a......)
- a. ~~...corta bien? Este es malísimo.~~
- b. ...**corte** bien? Este es malísimo.
- c. ...**corta** bien? ¿Y por qué no me lo has dicho antes?

1. Yo voy a casarme con un hombre que... (.......)
   - a. ...**sabe** cómo tratar a una mujer como yo. Si no lo encuentro, no me caso.
   - b. ...**sabe** cómo tratar a una mujer como yo. Tengo suerte, ¿no?
   - c. ...**sepa** cómo tratar a una mujer como yo. Eso lo tengo claro.
2. Yo quiero comprar un apartamento que... (.......)
   - a. ...**tiene** unas vistas al mar preciosas. Lo vimos el otro día en Motril, pero es muy caro.
   - b. ...**tenga** vistas al mar, pero no encuentro ninguno.
   - c. ...**tiene** vistas al mar. ¿Sabes tú de alguno no muy caro?
3. Mira, voy a poner la lámpara donde... (.......)
   - a. ...tú **has dicho**. Me parece lo mejor.
   - b. ...tú **digas**. Así que, por favor, decídete.
   - c. ...tú **dices**. ¿Dónde la pongo?
4. ¿Preparados? El estudiante que... (.......)
   - a. ...me **diga** antes la respuesta gana un chupa-chups.
   - b. ...me **dice** antes la respuesta es siempre Adam. ¿No hay otro que **quiera** un chupa-chups?
   - c. ...me **dice** antes la respuesta ganará un chupa chups.

■ We can also refer to the characteristics of other entities, like the way of doing something, with an adjective or a phrase:

➲ 42. Joining sentences

	With an adjective:	With a phrase:
UN MODO:	• Hazlo de la manera **correcta.**	• Hazlo (de la manera en que) *como* **tú sabes hacerlo.**

■ When we use a phrase of this type with the verb in the indicative, we are referring to **a known way** of doing something. However, if we use the subjunctive, we are talking about a way of doing something that **we cannot** or **do not want to identify**:

- Vale, haré la sopa *como tú **dices.*** [The specific way you say: with meat and vegetables.]
- Vale, haré la sopa *como tú **digas**.* [In whatever way you may say, it doesn't matter how.]

17 **Decide which of the two options is best, as in the example.**

B1

➲ • ¿Cómo quieres que haga el arroz? ¿Con pollo o con pescado?
○ Como tú ~~quieres~~ / **quieras**. A mí me da exactamente igual.

1. Perdona, pero así, de la manera en que lo **estás** / **estés** haciendo, no va a funcionar.
2. Como **dice** / **diga** un amigo mío, un problema deja de ser un problema si no tiene solución.
3. Lo mejor es hacerlo como **dice** / **diga** Elena. Pregúntale y lo terminamos ahora.
4. Yo no tengo la culpa de que el ordenador no funcione. Yo lo monté como **dice** / **diga** el libro de instrucciones. Si el libro está equivocado, no es problema mío.
5. • ¿Adónde vamos a ir de vacaciones este año, cariño?
   ○ Adonde tú **quieres** / **quieras**, amor mío. ¿Adónde te gustaría más ir?
6. • ¡Lo siento! ¡No puedo controlar el avión!
   ○ ¡Aterrice como **puede** / **pueda**, comandante, pero aterrice ya!
7. No, hijo, no. Tienes que coger la cuchara así, como te **dice** / **diga** mamá.
8. Agustina es una chica simpatiquísima. Habla con ella. Es la que **lleva** / **lleve** la minifalda roja.
9. Este verano quiero trabajar en un bar para ganar todo el dinero que **puedo** / **pueda** y poder viajar un poco.

G Relating two things in time

42. Joining sentences

- To relate two events in time, we use expressions like ***cuando..., hasta que..., en cuanto..., mientras...*** o ***siempre que...***
- We use the **indicative** in the phrase that introduces these expressions when referring to the **past** or the **habitual present**. We use the **subjunctive** when referring to a moment in the **future**:

Pasado:	*Cuando* ***salí*** *del trabajo, me fui a casa.*
Habitual:	*Cuando* ***salgo*** *del trabajo, voy directo a casa.*
Futuro:	*Cuando* ***salga*** *del trabajo, me iré a casa.*

We do not use the subjunctive in questions about the future introduced by the question word ***cuándo***:

¿Cuándo ***vuelve*** *Ricardo?*	*¿Cuándo ~~vuelva~~ Ricardo?*
¿Sabes cuándo ***terminaremos****?*	*¿Sabes cuándo ~~terminemos~~?*

18 **All the people below are responding to a question asked in a survey. Decide whether they are talking about the past (P), about something habitual (H) or about the future (F)?**

B1

¿Y usted?
¿Hace usted deporte?

- Yo, siempre que tengo tiempo. ...H...
- Bueno, cuando estaba en la escuela, sí. ...P...
- En cuanto me compre la bici, seguro. ...F...
1. No, solo hasta que me casé. ....
2. Sí, cuando me siento muy estresado. ....
3. Un poco, hasta que me canso. ....
4. Sí, mientras espero el autobús hago flexiones. ....
5. Mientras pueda, sí. ....
6. Claro que sí: en cuanto salgo del trabajo. ....
7. Cuando sea un poco mayor, quizá. ....

19 **First, decide whether the sentences are about the past (P), habits (H), or the future (F), then write in the correct forms of the verbs.**

B1

- ..F... Te llamaré cuando ....*pueda*.......... , mañana antes de las 10 si es posible.
1. ...... Cuando .... cocino yo, pero normalmente no tengo tiempo.
2. ...... Antes iba a la playa siempre que .... , pero ahora ya no voy nunca.
3. ...... Cuando .... una cerveza, tengo que ir al baño inmediatamente.
4. ...... Vi a Marta mientras .... unas cervezas con Lourdes y Javier.
5. ...... Voy a ir a verles en cuanto .... una decisión definitiva, no te preocupes.
6. ...... Clara y yo nos conocimos cuando .... la carrera: estudiamos juntos.
7. ...... Lo siento, pero tendrás que esperar hasta que .... ese examen.
8. ...... Me duele muchísimo la cabeza cuando .... aerobic.

Poder
Tomar
Hacer

H Corresponding time references between the indicativo and the subjuntivo.

- The forms of the subjunctive that we use to refer to different tenses, correspond to the forms of the indicative in the following way:

If in the **indicative** we say...	In the **subjunctive** we say...
Está* / *Estará *en Berlín.* →	*Es posible que* ***esté*** *allí.*
Ha estado* / *Habrá estado *en Berlín.* →	*Es posible que* ***haya estado*** *allí.*
Estaba* / *Estuvo* / *Estaría *en Berlín.* →	*Es posible que* ***estuviera*** *allí.*
Había estado* / *Habría estado *en Berlín.* →	*Es posible que* ***hubiera estado*** *allí.*

20 **Complete the responses by putting the verbs in bold into the appropriate form of the subjunctive.**

B1

If we state:	If we do not state:
• La niña **lloraba** cuando veía a Emilio.	➲ ○ A mí no me extraña que la niña ...llorara... .
• Yo, en tu lugar, creo que me **callaría**.	1. ○ Pues si yo fuera tú, no creo que me ....
• Alguien nos **encontrará**. No te preocupes.	2. ○ No, no creo que nadie nos .... Preocúpate.
• Aquí hay dos personas que **tienen** más de 30 años.	3. ○ ¿Hay alguien aquí que .... más de 30 años?
• Laila me **visitó** el verano pasado.	4. ○ Yo le pedí que me ....
• Solo tomamos un café. Ya **habíamos comido**.	5. ○ Sí, y les sorprendió mucho que ya ....
• No ha dicho nada porque no **ha querido** molestar.	6. ○ Es lógico que no .... molestar.
• Me imagino que **habrán previsto** esa posibilidad.	7. ○ Sí, puede ser que .... esa posibilidad.
• Ya sabes que me **voy** mañana.	8. ○ ¡Pero yo no quiero que te .... !
• No te contestó porque se **habría quedado** dormido.	9. ○ Sí, es probable que se .... dormido.
• Yo antes **pensaba** que el subjuntivo significaba duda.	10. ○ ¿En serio? ¡No me puedo creer que .... eso!

21 **Nemesio Contreras is still questioning everything that Dr Ginés Labella says. Complete the notes that he took during the conference with the form of the subjunctive that corresponds to the verbs in bold.**

B1

➲ "La mujer **ha sido** siempre poco valorada."
1. "La mujer **es**, en realidad, la base de la historia del hombre."
2. "La historia **ha ocultado** grandes verdades sobre la mujer."
3. "Algunos documentos históricos aseguran que Cristóbal Colón **era** una mujer."
4. "Diversas fuentes sugieren que la rueda la **inventó** una mujer."
5. "Nunca un hombre **podrá** quedarse embarazado."
6. "Mi marido siempre **ha estado** de acuerdo con mis ideas."
7. "Y esto es todo, lo siento. No sé quién me ha robado la última página de la conferencia. **Habrá sido** mi marido."

➲ No es del todo cierto que la mujer ...haya sido... siempre poco valorada.
1. Yo no pienso que la mujer .... la base de la historia.
2. No es cierto que la historia .... nada sobre la mujer.
3. ¡Es mentira que Colón .... una mujer!
4. La verdad, no puedo imaginarme que una mujer .... la rueda.
5. Dudo mucho que un hombre no .... quedarse embarazado.
6. Francamente, no me creo que su marido siempre .... de acuerdo con ella.
7. No es verdad que .... su marido, porque he sido yo.

34. Imperativo

A Uses

- We use the imperative to **make a direct request** for someone else to do something. A direct request can take many different forms:

Give instructions	● ***Seguid*** *todo recto unos 100 metros y, luego,* ***girad*** *a la derecha.*
Polite request	● ***Ayúdame****, por favor,* ***dime*** *qué te ha dicho.*
Order	● *¡****Sal*** *de ahí ahora mismo!*
Advise	● *Tienes mala cara.* ***Descansa*** *un poco y luego seguimos.*
Invite	● ***Venid*** *a mi casa mañana. Hago una fiesta.*
Give permission	● *¿Puedo pasar?* ○ ***Pasa, pasa.***

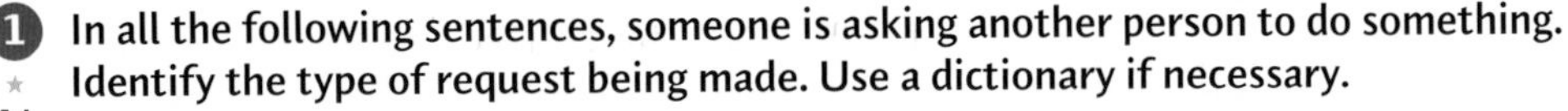

1 **In all the following sentences, someone is asking another person to do something. Identify the type of request being made. Use a dictionary if necessary.**

A1

➲ ¡Dejad de molestar a Samuel, que es muy pequeño! ..orden............

1. Hazlo tú, por favor. Yo no puedo. ....
2. ¡Bajad de ese árbol ahora mismo! ....
3. Ve a la ventana de “Herramientas”, **pulsa** “Opciones” y ahí está. ....
4. ● ¿Puedo probar tu postre?
   ○ Claro, **pruébalo**, está buenísimo. ....
5. Entrad y **poneos** cómodos. Estáis en vuestra casa. ....
6. ● ¿Y qué puedo hacer yo, si no estoy enamorada de él?
   ○ **Dile** que eres todavía muy joven para casarte. A lo mejor así te deja tranquila. ....

Ruego
Orden ✓
Invitación
Dar permiso
Orden
Instrucción
Consejo

B Imperativo with *tú*: *come...*

- The **regular form** of the imperative for the tú person is the same as the third person singular of the Presente de indicativo, in all conjugations:

Yo	*como*	
Tú	*comes*	
Él, ella, usted	***come***	¡*Come*!
Nosotros/-as	*comemos*	
Vosotros/-as	*coméis*	
Ellos, ellas, ustedes	*comen*	

● *Maribel no habla.* ***Habla*** *tú, por favor.*
● *Si él no come nada,* ***come*** *tú algo al menos.*
● *Todo el mundo vive su vida.* ***Vive*** *tú la tuya.*

- There are only eight **irregular** forms:

Ir →	***Ve***	*Poner* →	***Pon***
Salir →	***Sal***	*Decir* →	***Di***
Venir →	***Ven***	*Tener* →	***Ten***
Hacer →	***Haz***	*Ser* →	***Sé***

The corresponding compound verbs have the same irregularity:

Proponer →	*propón*	*Mantener* →	*mantén*
Sostener →	*sostén*	*Entretener* →	*entretén*
Suponer →	*supón*	*Deshacer* →	*deshaz* etc.

2 The robot AC-69 can do 69 different things. Ask him for a demonstration

A1

➲ AC-69 **habla** en ruso:
¡ ..Habla.......... en ruso, 69!

1. AC-69 **enciende** las luces de la casa a distancia:
   ¡ .... la luz ahora!
2. AC-69 **llora** como un niño:
   ¡ .... un poco, 69!
3. AC-69 **sube** y **baja** escaleras:
   ¡ .... y .... esas escaleras!
4. AC-69 **bebe** whisky con Coca-cola:
   ¡ .... un poco de whisky!
5. AC-69 **baila** sevillanas:
   ¡ .... unas sevillanas!
6. AC-69 es educado con la gente cuando quiere:
   ¡ .... **educado** conmigo, 69!
7. AC-69 **viene** volando hasta donde estás tú:
   ¡ .... aquí volando, robotito!
8. AC-69 **va** volando a todas partes:
   ¡ .... a la cocina volando, 69!
9. AC-69 **pone** los pies en la cabeza:
   ¡ .... el pie izquierdo en la cabeza!
10. AC-69 **dice** "chiripitifláutico" muy rápido:
    ¡ .... "chiripitifláutico" rápido!
11. AC-69 **sale** de cualquier sitio en 1,5 segundos:
    ¡ .... de la habitación!
12. AC-69 **hace** paella de marisco:
    ¡ .... una paella para mí!
13. AC-69 **propone** planes:
    ¡ .... algo para el fin de semana!

C Imperativo with *vosotros*: *comed*...

■ The vosotros form of the imperative is formed by changing the *-r* of the infinitive to a *-d*. There are no irregularities. In informal language, you can also use the infinitive:

INFINITIVE
Comer → ¡*Comed*! / ¡*Comer*!

Tomad. Esto es vuestro.

- *Si queréis **hacer** algo, **haced**/hacer la ensalada.*
- *Yo no voy a ir a la fiesta. **Id**/Ir vosotros.*
- *¡Hay que **salir** rápido! ¡**Salid**/Salir ya!*

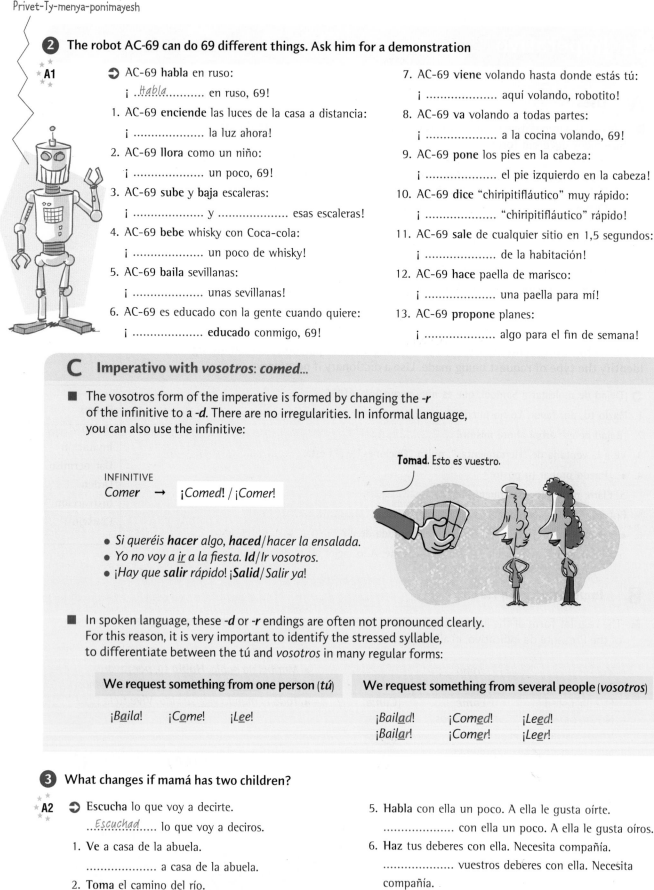

■ In spoken language, these *-d* or *-r* endings are often not pronounced clearly. For this reason, it is very important to identify the stressed syllable, to differentiate between the tú and *vosotros* in many regular forms:

We request something from one person (*tú*)			We request something from several people (*vosotros*)		
¡*Baila*!	¡*Come*!	¡*Lee*!	¡*Bailad*!	¡*Comed*!	¡*Leed*!
			¡*Bailar*!	¡*Comer*!	¡*Leer*!

3 What changes if mamá has two children?

A2

➲ **Escucha** lo que voy a decirte.
..Escuchad..... lo que voy a deciros.

1. **Ve** a casa de la abuela.
   .... a casa de la abuela.
2. **Toma** el camino del río.
   .... el camino del río.
3. **Sigue** ese camino sin entrar en el bosque.
   .... ese camino sin entrar en el bosque.
4. **Ten** cuidado de no ensuciarte la ropa.
   .... cuidado de no ensuciaros la ropa.
5. **Habla** con ella un poco. A ella le gusta oírte.
   .... con ella un poco. A ella le gusta oíros.
6. **Haz** tus deberes con ella. Necesita compañía.
   .... vuestros deberes con ella. Necesita compañía.
7. **Sé** bueno con ella. Es muy viejecita.
   .... buenos con ella. Es muy viejecita.
8. Y **ven** pronto: antes del anochecer.
   Y .... pronto: antes del anochecer.
9. **Vuelve** antes de las siete.
   .... antes de las siete.

D Imperativo with *usted* y *ustedes*: *coma*, *coman*...

■ To make a direct request in formal situations, we use **the third person singular or plural of the Presente de subjuntivo:**

- *Bueno, vamos a ver.* ***Dígame*** *dónde le duele.*
- *Pasajeros del vuelo HL-323,* ***diríjanse*** *a la puerta B-5.*
- ***Oiga****, ¿puede decirme la hora?*
- ***Perdone****, ¿para ir a la calle Pallá?*
- ***Miren*** *a su derecha y verán el palacio del sultán.*

➲ 32. Forms of the subjuntivo

usted

Tome, señora. Esto es suyo.

ustedes

Tomen, señoras. Esto es suyo.

4 **How does the form of these requests change if you are talking in a formal situation?**

A2

➲ Ve al médico. No tienes buena cara.
Vaya al médico. No tiene buena cara.

1. ¡Ahora, rápido, **sal**!
¡Ahora, rápido, ...Salga...!
2. ¿Puedes hacerme un favor? **Traduce** esto.
Martínez, ...Traduzca... esto, por favor.
3. ¿Qué os ha pasado? **Hablad** sin miedo.
¿Qué les ha pasado? ...hablen... sin miedo.
4. **Perdona**. No sabía que estabas aquí.
...Perdone... No sabía que estaba usted aquí.
5. **Ten**. Este dinero es tuyo.
...tenga... . Este dinero es suyo. Gracias.
6. **Oye**, Julio, ¿me puedo ir ya o me necesitas?
...Oiga... , señor Carreras, ¿me puedo ir un poco antes?
7. **Haced** el favor de callaros un poco, ¿vale?
...Hagan... el favor de callarse. Estamos en un hospital.
8. **Pon** aquí tu nombre y dirección, y te lo mando.
...Ponga... aquí su nombre y dirección, y se lo mando.
9. **Venid** mañana, que hoy estoy muy ocupado.
La doctora ha tenido que salir. ...vengan... mañana.

E Imperativo negativo: *no comas*, *no comáis*, *no coma*, *no coman*...

■ To make negative requests, we **always** use the **Presente de subjuntivo**, in all persons:

➲ 32. Forms of the subjuntivo

	POSITIVE IMPERATIVE	NEGATIVE IMPERATIVE
Tú	*Come*	*No comas*
Vosotros/-as	*Comed*	*No comáis*
Usted	***Coma***	*No coma*
Ustedes	***Coman***	*No coman*

👁 We can make negative requests with no or with any other expression with a negative meaning:

- ***No*** *beba,* ***ni*** *fume.* ***Tampoco*** *coma grasas.*
- ***Jamás*** *me mientas.*
- ***Nunca*** *vuelvas a hacer eso.*

5 **Esteban has a lot of problems. Give him some advice, as in the example.**

A2 B1

➲ ● Como demasiado.
○ Pues no *comas* tanto, hombre.

1. ● **Fumo** demasiado.
○ Pues no ...fumes... tanto.
2. ● **Salgo** todas las noches hasta muy tarde.
○ Pues no ...salgas... .
3. ● **Bebo** mucho, y después conduzco.
○ Hombre, si conduces, no ...bebas... .
4. ● **Conduzco** muy rápido.
○ Pues ten cuidado y no ...conduzcas... tan rápido.
5. ● Siempre **pienso** negativamente.
○ Pues de ahora en adelante no ...piensas... así.
6. ● **Tengo** miedo de hablar con la gente.
○ Pues no ...tengas... miedo. Nadie te va hacer nada.
7. ● **Creo** que nadie me quiere.
○ No ...creas... eso. Mucha gente te quiere.

6 What changes if the problems are now for both Esteban and his brother Sebastian?

A2 – B1

➲ ● **Comemos** demasiado.
❍ Pues no ...*comáis*..... tanto.

1. ● **Fumamos** demasiado.
❍ Pues no .... tanto.
2. ● **Salimos** todas las noches hasta muy tarde.
❍ Pues no ....
3. ● **Bebemos** mucho y después conducimos.
❍ Hombre, si conducís, no ....
4. ● **Conducimos** muy rápido.
❍ Pues tened cuidado y no .... tan rápido.
5. ● Siempre **pensamos** negativamente.
❍ Pues de ahora en adelante no .... así.
6. ● **Tenemos** miedo de hablar con la gente.
❍ Pues no .... miedo. Nadie os va a hacer nada.
7. ● **Creemos** que nadie nos quiere.
❍ No .... eso. Mucha gente os quiere.

F Imperativo with pronouns: *Dímelo / No me lo digas*

■ With the positive imperative, the pronouns come after the verb, and form a single word. With the negative imperative the pronouns come in their normal order, in front of the verb and separate.

➲ 16. Position and combination

➲ 44. Accentuation

Normal order	POSITIVE IMPERATIVE	NEGATIVE IMPERATIVE
● *Ella **me lo** cuenta todo.*	● *Cuéntamelo todo.*	● *No **me lo** cuentes todo.*
● *Pepa **nos** ayuda mucho.*	● *Ayúdanos, ¿quieres?*	● *No **nos** ayudes. No es necesario.*
● *Su tía **le** regala siempre juguetes.*	● *Regaladle ese juguete.*	● *No **le** regaléis ese juguete.*
● ***Se los** regala porque lo quiere.*	● *Regáleselos usted.*	● *No **se los** regale.*

7 Give José some advice.

B1

➲ Alejandro habla con cariño a Claudia. ...*Háblale*.... tú también así.

1. Alejandro le escribe poesías y se las lee. .... tú poesías y ....
2. Alejandro la llama por teléfono cada día. .... tú también.
3. Alejandro la quiere y se lo dice a todas horas. .... tú también.
4. Alejandro la acompaña cuando va de compras porque no le gusta ir sola. .... tú también.
5. A Alejandro no le molestan sus caprichos y se los perdona. .... tú también.
6. A ella no le gusta hacer la comida y Alejandro se la hace muchas veces. .... tú también.
7. Alejandro se ducha todos los días y se pone guapo cuando va a verla. .... y .... guapo tú también, hombre.

¿Por qué Claudia está enamorada de Alejandro y no de mí?

8 Complete the table with the missing verb forms, as in the example. Be careful with the position of the pronouns!

B1

Tú	Dímelo. No me lo digas.	Dáselas. No se las des.	.... No	.... No	Tráenoslo. No ....
Vosotros	Decídmelo. No me lo digáis.	*Dádselas*.......... No	Pensadlo. No	.... No os sentéis.	.... No ....
Usted	Dígamelo. No me lo diga.	Déselas. No	.... No lo piense.	.... No	.... No ....
Ustedes	Díganmelo. No me lo digan.	Dénselas. No	.... No lo piensen.	Siéntense. No	.... No ....

A *Ser: Julio César es un gato.*

- We use the verb ***ser*** to:

Define words or concepts

- *Un planeta **es** un astro sin luz que puede tener satélites.*
- *Un gato **es** un felino doméstico.*

Express the particular characteristics of an object

- *La Tierra **es** redonda.*
- *Julio César **es** blanco y marrón.*

Define or classify an object

- *La Tierra **es** un planeta.*
- *Julio César **es** un gato.*

Identify the object we are referring to

- *La Tierra **es** el tercer planeta del sistema solar.*
- *Julio César **es** el gato de Ainhoa.*

➔ 4. Adjective

Thus, we can use the verb ***ser*** to talk about:

Identity:
- *Esa **es** <u>María</u>.*

Origin:
- *Rodolfo **es** <u>cubano</u>.*

Make:
- *Mi móvil **es** <u>Mokia</u>.*

Character:
- *Manuel **es** <u>muy tímido</u>.*

Material:
- *¿Este anillo **será** <u>de oro</u>?*

Colour:
- *No, mi coche **era** <u>verde</u>.*

Characteristics:
- *¡Oh! **Es** <u>muy bonito</u>. Gracias.*
- *El examen **ha sido** <u>fácil</u>.*

Profession:
- ***Era** <u>médico</u>. Bueno, **era** <u>radiólogo</u>.*

Family relationships:
- ***Es** <u>mi sobrino</u>.*
- *Antonio **fue** <u>mi novio</u>.*

Classification:
- *Esto **es** <u>un abanico</u>.*
- *Los perros **son** <u>mamíferos</u>.*

Shape:
- *Mi dormitorio **es** <u>rectangular</u>.*

Date and time:
- *El lunes **es** <u>Navidad</u>.*
- *¿Ya **son** <u>las cinco</u>?*

👁 In Spanish we do not use the verb ***ser*** to talk about age. We use the verb ***tener***.
- ***Tengo** veinte años.* [~~*Soy veinte*~~ *años.*]

1 **1 At the Lost Property Office, Señora Olvido Pertinaz is describing all the things she has lost. Link up the words in the different columns.**

A1

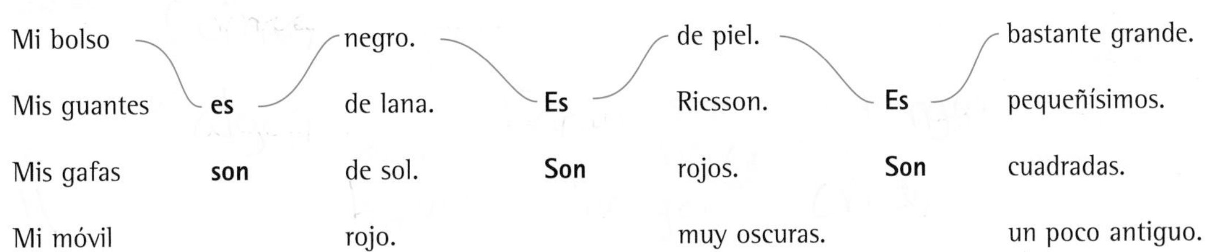

Mi bolso		negro.		de piel.		bastante grande.
Mis guantes	**es**	de lana.	**Es**	Ricsson.	**Es**	pequeñísimos.
Mis gafas	**son**	de sol.	**Son**	rojos.	**Son**	cuadradas.
Mi móvil		rojo.		muy oscuras.		un poco antiguo.

B Estar: Julio César está dormido.

■ We use the verb **estar** to talk about the **situation** of an object. "Situation" can be location in space (**where** the object is) or **state** (**how** the object is):

➲ 4. Adjective

Locate objects in space	State in which an object is

Está debajo de la mesa. — Está en el árbol. — Está lejos. — Está cerca.

Está tumbado. — Está sentado. — Está asustado. — Está dormido.

- *¿Dónde **está** el banco?*
- ○ ***Está** muy cerca de aquí.*
- ▲ ***Está** a unos cien metros.*

- *Madrid **está** en el centro de España.*

- *¿Dónde dejaste las llaves?*
- ○ ***Estaban** en la mesa del recibidor.*

- *¿Y Martín?*
- ○ ***Está** en la ducha.*

➲ 36. *Haber* and *estar*

- *¿Qué tal Paloma?*
- ○ *Bueno, **está** bien. La verdad es que **está** más animada, pero aún **está** un poco triste a veces.*

- *Oye, la puerta **está** abierta.*
- ○ *Sí, es que **está** rota.*

Estar bien/mal...	*Estar de buen humor/ de mal humor...*
Estar solo/acompañado...	*Estar harto/aburrido...*
Estar roto/arreglado...	*Estar vivo/muerto...*
Estar vacío/lleno...	*Estar enfermo/sano/ loco...*
Estar abierto/cerrado...	*Estar cansado/agotado...*
Estar de pie/sentado/ tumbado...	*Estar dormido/ despierto...*
Estar alegre/triste/ contento/animado...	

2 **Ernestina is very absent-minded and can never find anything. Her partner has left her a message written in a series of notes, telling her where the things she has lost are. Complete it.**

A1 A2

Nena:
¿Dónde tienes la cabeza?

El anillo ➲ ...está... encima de la mesilla de noche.

Las llaves (1) .... dentro del cajón de la mesa del estudio.

Los regalos para tus sobrinos (2) .... dentro del armario de tu habitación.

Tu bolso (3) .... en la percha de la entrada.

Y yo, yo (4) .... en Las Bahamas. (5) .... cansado de buscar todas tus cosas.

Volveré. Solo necesito un DESCANSO.

Ah, los billetes de tren para ir a casa de tu madre no (6) .... en casa,

(7) .... en la agencia de viajes.

¿Te acuerdas de en qué calle (8) .... la agencia?

Eso espero. Un beso,
TONY

3 Compete the correct answer with *ser* or *estar* and cross out the incorrect one.

A1 A2

➲ Dos más dos...
a. ..son... cuatro.
b. ~~..........~~ seis.

1. El Sol...
a. .... a 180.000 km. de la Tierra.
b. .... a un año luz de la Tierra.

2. La Luna...
a. .... un satélite.
b. .... un planeta.

3. La capital de Perú...
a. .... Montevideo.
b. .... Lima.

4. Los Pirineos...
a. .... unas montañas que separan España de Francia.
b. .... unas islas.

5. La bandera española...
a. .... roja.
b. .... roja y amarilla.

6. Sevilla...
a. .... en Galicia.
b. .... en Andalucía.

7. Las islas Baleares...
a. .... en el mar Cantábrico.
b. .... en el mar Mediterráneo.

8. Una persona agotada es una persona que...
a. .... cansada.
b. .... dormida.

9. El Atlántico...
a. .... un océano.
b. .... un mar.

10. La Tierra...
a. .... más lejos del Sol que Marte.
b. .... más cerca del Sol que Marte.

11. El régimen político español...
a. .... una monarquía.
b. .... una república.

4 Write short descriptions, like those in the example, of Pedro and Juan. Use the words in the box and either *ser* or *estar.*

B1

Contento
Un chico
Joven
Rubio
Sentado
Deportista
Moreno
Un hombre ✓
Mayor
Triste
Bajo
Tumbado ✓
Alto
Oficinista

Juan es un hombre.
....
....
....
....
....
....
....

Pedro está tumbado.
....
....
....
....
....
....
....

5 Pedro is showing his friend Rocío a photo. Circle the correct verbs.

B1

Mira, esta ➲ (es) / está mi familia. (1) **Éramos / Estábamos** en un restaurante. Ese día (2) **estaba / era** el cumpleaños de mi madre. (3) Este **soy / estoy** yo. (4) **Tenía / Era** 10 años. (5) Ese día **era / estaba** muy enfadado porque no me gustaban los zapatos que llevaba. El del bigote (6) **es / está** mi padre, y el chico que (7) **es / está** a su lado (8) **es / está** mi hermano mayor, Andrés. Esas que (9) **están / son** sentadas (10) **están / son** mis primas. (11) **Son / Están** gemelas. Ese del fondo (12) **es / está** mi tío Raúl. (13) **Estaba / Era** jugador de fútbol pero ahora (14) **está / es** retirado. La que (15) **es / está** detrás (16) **es / está** mi madre. El bebé que tiene en brazos (17) **es / está** Clara, mi hermana pequeña. (18) **Estaba / Era** dormida. ¿La ves?

36. *Haber* and *estar*

A Forms of *haber*: *hay, había, habrá...*

■ The verb ***haber*** has two forms, the personal and the impersonal.

The **personal form** is used to make compound tenses. For example:

PRETÉRITO PERFECTO

Presente of ***haber***

he
has
ha
hemos
habéis
han

→ PAST PARTICIPLE

- *Eugenia no **ha** venido a trabajar, ¿sabes?*
- *¿**Has** ido al concierto de los Repanocha?*

➲ 22. Pretérito perfecto

PRET. PLUSCUAMPERFECTO

Imperfecto of ***haber***

había
habías
había
habíamos
habíais
habían

→ PAST PARTICIPLE

- *En esa época yo ya **había** terminado la universidad.*
- *Cuando llegó la policía, los ladrones **habían** huido.*

➲ 27. Pret. pluscuamperfecto

FUTURO PERFECTO

Futuro of ***haber***

habré
habrás
habrá
habremos
habréis
habrán

→ PAST PARTICIPLE

- *Tómese estas pastillas. Dentro de una hora el dolor **habrá** desaparecido.*
- *Las lentejas ya se **habrán** enfriado un poco. Ya te las puedes comer.*

➲ 29. Futuro perfecto

The **impersonal form** is made with the **third person singular** of the verb ***haber*** in the tense in question, with the exception of the Presente de indicativo, which has a special form. For example:

PRESENTE	PRET. PERFECTO	INDEFINIDO	IMPERFECTO	FUTURO	F. PERFECTO
hay	*ha habido*	*hubo*	*había*	*habrá*	*habrá habido*

- *En España **hay** más de cuarenta millones de habitantes.*
- *Esta mañana **ha habido** un problema y no hemos podido llegar a tiempo.*
- *Al final **hubo** un problema y no pudimos llegar a tiempo.*
- ***Habrá habido** algún problema, porque no han llegado a tiempo.*
- *Dentro de unos años ya no **habrá** ordenadores grandes. Solo **habrá** de bolsillo.*
- *Hace unos años en este pueblecito no **había** coches. **Había** gallinas, cabras, vacas... pero no **había** coches.*

👁 The impersonal forms never change:

[*En mi escuela ~~habían~~ muchos estudiantes extranjeros.*]
había

[*Este verano ~~han habido~~ bastantes tormentas.*]
ha habido

1 **Choose the appropriate form of the present of the verb *haber* and link the two halves of the dialogues.**

A1

➲ • Perdone, ¿sabe si ..hay.. un banco por aquí cerca? — a. ○ Sí, aquí en la esquina hay uno. El Mangal.
1. • Lo siento, pero no .... gazpacho. Se .... terminado.
2. • Pepón no .... aprobado casi nada. Tiene que repetir curso.
3. • ¿En el Cabo de Gata .... playas tranquilas?
4. • ¿........ llamado los Hernández?
5. • ¿Y vosotros? ¿........ tenido unas buenas vacaciones?
6. • En este pueblo .... gente muy amable. Ya verás.
7. • Chicos, no .... berberechos. ¿Queréis patatas fritas?
8. • Esta mañana mi padre y yo .... ido a ver a la abuela al hospital.

a. ○ Sí, aquí en la esquina hay uno. El Mangal.
b. ○ Sí, y todos son muy agradables con los turistas.
c. ○ No, todavía no. Llamarán más tarde, imagino.
d. ○ Es que ha estudiado poquísimo.
e. ○ Buenas, pero cortas. Muy cortas.
f. ○ ¿Ya está mejor?
g. ○ Sí, y muy bonitas, además.
h. ○ No, que engordan muchísimo.
i. ○ ¿Y tienen alguna otra sopa fría?

2 **Guiri Forastérez does not know much Spanish. Correct the following notes about the city of Granalona, taken from his exercise book, where he makes several mistakes with the verb *haber*.**

A1

➲ El verano pasado en esta ciudad ~~habían~~ muchos turistas. ..había..........
➲ Antes había muchos niños por las calles y plazas. Ahora casi no hay niños. ....✓...........
1. Hace años no habían coches ni motos, pero hubieron muchos cambios y ahora hay muchos coches. ....
2. Antes había mucho silencio. No habían ruidos. ....
3. Pero antes no había ordenadores ni cibercafés. ....
4. Este año han habido unas fiestas maravillosas. ....
5. En las fiestas del año próximo habrán más petardos que este año. ....
6. Ha habido más gente en el mes de agosto que en todo el año. ....

B Uses of *haber* in the impersonal form: *¿Hay un hospital por aquí cerca?*

■ We use the impersonal forms of the verb ***haber*** to express **the fact that something exists.** We do this when we think or know that our interlocutor does not have this information:

He alquilado un piso amueblado con un salón precioso.
Ah, ¿y cómo es el salón?

Pues, mira, a la izquierda **hay** un sofá azul. Enfrente del sofá **hay** una mesa alta y junto a la mesa **hay** una ventana grande con unas cortinas verdes.
Ummm, parece bonito...

- *Perdone, ¿**hay** una farmacia por aquí?* [The person speaking does not know if there is a Chemist's.]
○ *Sí, **hay** una a unos cien metros.* [The person speaking tells their listener that there is a Chemist's, and knows that they do not have this information.]

- *En mi barrio **hay** varias galerías de arte contemporáneo.* [The person speaking assumes that their listener does not know that these galleries exist in their neighbourhood.]

- *¿Ves ese edificio? Pues antes ahí **había** unos árboles centenarios preciosos.* [The person speaking assumes that their listener does not know that there used to be trees in that area.]

3 With the help of the Ojubber telescope, Casimiro has found two new planets: Vepiturno and Marsatón. He now has to write a report on everything there is on the two planets, and has to cover the points listed below. Help him to write it.

A1

➲ Animales (vacas, caballos): *En Vepiturno hay vacas. En Marsatón no hay vacas, pero hay caballos.*

1. Vegetación (plantas, árboles): En V hay arboles, pero en M hay flores, no arboles.
2. Geografía (ríos, montañas, mares): En V hay un río, pero en M hay dos lagos.
3. Vivienda (casas, rascacielos): V tiene casas y M tiene edificios de trabajando.
4. Habitantes (muchos, pocos, niños, personas mayores): En V hay muchos niños, pero en M hay personas viejas.

C *Haber/Estar*: Hay varios hospitales, pero el Hospital General está en la esquina.

■ The verb ***haber*** can be combined with elements that enable us to talk about objects that cannot be identified by the listener:

- *¿En tu país **hay** olivos?*
- ○ *Sí, **hay** muchísimos. Producimos mucho aceite.*

- *En esta zona **habrá** diez o doce monumentos famosos.*

- *Uf, vamos a otro restaurante. Aquí no **hay** nadie. Seguro que no es bueno.*

- *¿**Hay** un mercado por aquí?*
- ○ *Sí, **hay** dos. El Central y el de Santa María.*

- *Creo que en esa avenida **había** algunas tiendas bastante baratas.*

- *¿**Hay** algo que tengas que decirme?*
- ○ *No, nada.*

- The verb ***estar*** can be used to locate elements that can be identified by the listener:

➲ 35. *Ser and estar*

¿Y el cuadro
que te regalé?

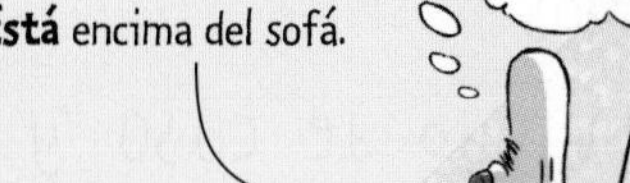
Está encima del sofá.

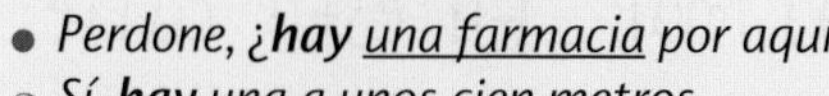

• *Perdone, ¿**hay** <u>una farmacia</u> por aquí?* ○ *Sí, **hay** una a unos cien metros.*	[In this exchange, the two people are talking about whether there is a *farmacia*: one is asking and the other answering.]
• *¿Y dónde **está**?*	[Now that the *farmacia* has been identified and they know it exists, it is a question of locating the *farmacia* that has been identified.]
• *Oiga, ¿sabe dónde **está** <u>El Corting Less</u>?*	[The person speaking assumes that the other knows of the existence of El Corting Less.]
• *¿<u>Madrid</u> **está** cerca de Salamanca o no?*	[The person is talking about the city of Madrid, something they assume is perfectly well identified]
• *¡Socorro!, ¿dónde **están** <u>mi cartera y mis llaves</u>?*	[The person is talking about something that is perfectly identified.]

👁 When we use ***haber*** in the impersonal form(*hay, había...*), the nouns can be used without a determiner or accompanied by indefinite determiners, cardinal numbers or quantifiers. When we use ***estar***, the nouns can be accompanied by definite articles, demonstratives and possessives:

- *¿<u>Hay</u> **algún** médico en la sala?*
- *¿<u>**Está**</u> **el** médico de guardia en la sala?* [*¿Hay ~~el médico de guardia en la sala~~?*]

- *<u>Hay</u> **tres** informes que no encuentro por ninguna parte.*
- *Aquí <u>están</u> **aquellos** informes que buscabas.* [*~~Aquí hay aquellos informes que buscabas~~.*]

4 **Casimiro is telling his friend Ada Mir what he has seen on Vepiturno. Complete the dialogue with the verb *estar* or with *hay*.**

A2

Casi: ➲ ..*Hay*.... bastantes vacas, pero las vacas tienen más de cuatro patas.

Ada: ¿En serio (1) .... vacas? ¿Y dónde (2) ....?

Casi: En el polo norte, al lado de unos árboles.

Ada: ¡Ah!, pero ¿ (3) .... árboles?

Casi: Sí, (4) .... todos en el Norte. En el Sur solo (5) .... nieve, mucha nieve.

Ada: ¿Y no (6) .... gente?

Casi: Bueno, (7) .... uno o dos pueblos. Parecen pueblos porque (8) .... unas casitas que (9) .... todas juntas...

Ada: ¿Y (10) .... coches?

Casi: No, no (11) .... ninguno. Pero (12) .... algo que parece un pájaro verde muy grande. ¿Puede ser un avión?

Ada: ¿Dónde (13) .... ? ¿En el campo?

Casi: No, no, (14) .... cerca del pueblo. Sí, seguramente es un avión o una nave espacial... ¿Sabes qué (15) .... al lado del poblado?

Ada: No, ¿qué?

Casi: Es terrible, Ada. (16) .... un anuncio de Cocacuela y un edificio de Yanoquea. Estamos perdidos.

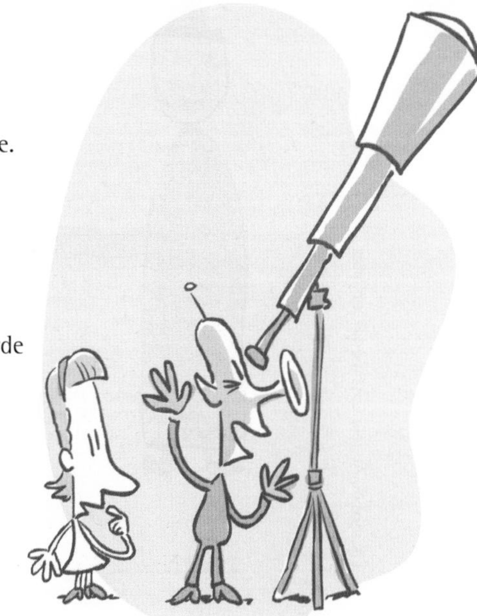

5 Anita is very worried because she doesn't know whether the Three Wise Men will be able to find her new home, to deliver her toys on the night of 5th January, so she writes them a letter. Help her choose the right verbs.

A2

Queridos Reyes Magos:

Este año hemos cambiado de casa y quiero explicaros dónde hay/está (la) nueva. En Barcelona hay/está una calle que se llama Vía Layetana. En esta calle no hay/está mi casa. Es una calle muy larga que va al mar. En esta calle hay/están muchos edificios bastante altos. A mitad de la calle, hay/está un trozo de las murallas romanas. Enfrente de las murallas romanas hay/está una callecita muy estrecha y en la esquina hay/está "La Colmena", que es una pastelería muy buena. Bueno, pues al lado de esa pastelería hay/está un portal muy grande, de madera. Esa es la puerta de mi casa. Cuando entras, hay/está una puerta de hierro muy grande. Es la puerta del ascensor. Tenéis que subir al quinto piso. Al salir hay/están dos puertas, una, a la derecha, y otra, a la izquierda. La de la derecha es la de mi casa. En mi casa hay/están cuatro dormitorios. Mucho cuidado, mi dormitorio hay/está al final del pasillo. En la puerta hay/está un cartel que pone "Anita". Yo soy Anita. Traedme muchos regalos, que he sido muy buena este año.

Un beso para los tres,

Anita

Dibujos de Ángela Castañeda González

37. Periphrastic verbs:: *Va a salir. Está saliendo...*

A *Ir a* + INFINITIVE: *voy a comer*, *iba a comer*...

■ With the **Presente of *Ir a*** + INFINITIVE we can talk about a future event as a logical result of things that we know in the present. This multi-word or periphrastic verb is used to predict or ask about a future that we consider to be **obvious**:

- *El tren tiene un problema mecánico. **Va a salir** con retraso.* [It is obvious.]
- *No comas tanto. **Vas a ponerte** enfermo.* [It is logical.]

voy *vas* *va* *vamos* *vais* *van*	a	INFINITIVE

Esta tarde **va a llover**.

¿Cuándo **va a nacer** mi hermanito, mamá?

1 What is going to happen? It is fairly clear, isn't it? Use the following verbs.

saltar
suspender
caerse ✓

Una niña pequeña está jugando encima de una mesa.

➲ Se va a caer

entrar
explotar
nevar

Juanito no ha estudiado nada para este examen.

1. ....

RESTAURANTE

Unos señores se dirigen a un restaurante.

2. ....

Hace mucho frío y el cielo está gris.

3. ....

Una bomba está activada.

4. ....

Un deportista corre hacia una valla.

5. ....

■ We can also use this periphrastic verb to talk about decisions or plans, or to ask about the intentions, decisions or plans of others:

- *Livio **va a ir** a la fiesta de Bea. Me lo ha dicho hoy.* [It is his intention or plan.]
- *El año que viene **voy a estudiar** más.* [It is his/her decision or plan.]
- *¿Qué **vas a hacer** este fin de semana?* [It is his/her decision or plan.]
- *Bueno, ¿**vas a ayudarme** o no?* [We are waiting for a decision.]

➲ 16. Position and combination

2 All your friends have plans. Ask them what they are with *Ir a* + INFINITIVE.

A1

➲ Rosa quiere **hacer** muchas cosas el próximo verano. ➲ ¿Qué vas a hacer el verano que viene?

1. Pedro y Ángel quieren **estudiar** algún idioma. — 1. ¿Qué idioma .... ?
2. Alberto quiere **comer** y está preparando algo en la cocina. — 2. ¿Qué .... ?
3. Xavi está en Francia y piensa **volver** pronto a España. — 3. ¿Cuándo .... ?
4. Patricio tiene la intención de **comprar**se un coche nuevo. — 4. ¿Qué coche te .... ?
5. Jaume y Carme piensan **ir** a algún país de América. — 5. ¿A qué país .... ?

■ With the **Pretérito imperfecto** of ***Ir a*** + INFINITIVE we can convey the same information, but referring to a situation in the past:

- *El tren tenía un problema mecánico.* ***Iba a salir*** *con retraso, pero lo repararon muy rápido y, al final, salió a la hora prevista.*
- *Era evidente que, si comía tanto,* ***iba a ponerse*** *enfermo. No me hizo caso y, claro, se puso enfermo.*

iba *ibas* *iba* *íbamos* *ibais* *iban*	a	INFINITIVE

Estaba claro que **iba a llover**. Por eso, decidimos no salir...
Esta tarde **va a llover**.

Yo siempre le preguntaba a mamá cuándo **ibas a nacer**...
¿Cuándo **va a nacer** mi hermanito, mamá?

3 **Remember the situations from exercise 1, and complete the sentences to say how they worked out, as in the example.**

A2

➲ Parecía que se *se iba a caer* , pero su madre la salvó.

1. No había estudiado nada, y todo el mundo me decía que .... Y tenían razón: al final suspendí.

2. Cuando ya .... en el restaurante, vimos que estaba cerrado, y volvimos a casa.

3. La mañana era muy fría y el cielo estaba muy gris. Todos pensábamos que .... , pero luego salió el sol.

4. Pues sí, yo salí corriendo porque estaba claro que la bomba ....

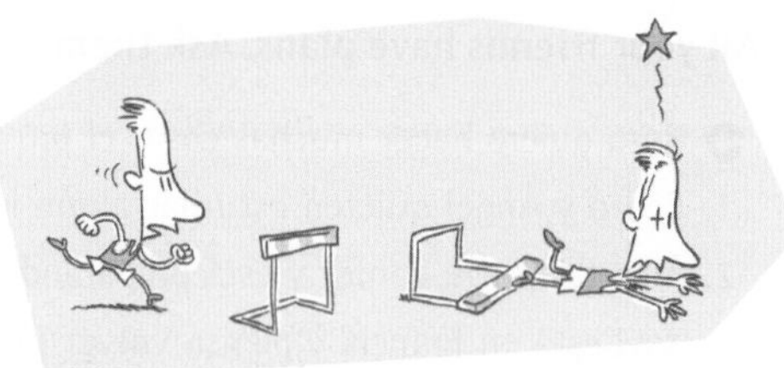

5. Yo iba el primero, pero, cuando .... la última valla, tropecé.

B *Tener que* / *Haber que* + INFINITIVE: *Tienes que comer* / *Hay que comer*

■ We use ***tener que*** / ***haber que*** + INFINITIVE to express necessity or obligation in two different ways:

Indicating who has the necessity or obligation	**Without indicating** who has the necessity or obligation
tengo / tienes / tiene / tenemos / tenéis / tienen → **que** → INFINITIVE	*hay* → **que** → INFINITIVE
• ***Tienes que comer*** *más frutas y verduras. Te lo ha dicho el médico.* [You need to.]	• ***Hay que comer*** *muchas frutas y verduras para tener buena salud.* [It is necessary in general.]

■ We can use this periphrastic verb in any tense:

➲ 16. Position and combination

• *Yo* ***tenía que hacer*** *la comida, pero al final la hizo Francisca, por suerte.* [I was supposed to.]

• ***Había que hacer*** *la comida y Francisca se ofreció inmediatamente para hacerla.* [Somebody had to.]

• *¿Habéis solucionado el problema con el ordenador o* ***habéis tenido que llevarlo*** *a arreglar?* [Did you (plural) have to?]

• *¿****Ha habido que llevar*** *el ordenador a arreglar o está ya todo solucionado?* [Did somebody have to?]

Hoy **tienes que** fregar tú. Yo me voy corriendo.
Pues yo tampoco tengo tiempo.

Bueno, pues ahora **hay que** fregar todo esto.
Ya lo hago yo. Tú descansa.

4 Are both options possible? If one of them is wrong, cross it out.

A2

➲ ~~Tienes que~~ / Hay que ✓ ir a comprar azúcar. ¿Vas tú o voy yo?

➲ Estuvo toda la tarde sintiéndose muy mal. Al final, **tuvimos que** ✓/ **hubo que** ✓ llevarla al médico.

1. Por favor, **tienes que** / **hay que** decirme qué te ha dicho. Me muero de curiosidad.
2. ● Había mucha nieve en la carretera. Casi tuve un accidente con el coche...
   ○ Claro, es que en invierno **tienes que** / **hay que** tener mucho cuidado.
3. ● ¿Cómo hago el gazpacho?
   ○ Para hacer bien el gazpacho, **tienes que** / **hay que** pelar los tomates.
4. El otro día vi a Rosa con un hombre que no era su marido y llamé a Jesús: **tenía que** / **había que** saberlo.
5. Mi vecino del segundo se ha encontrado la casa llena de agua y **ha tenido que** / **ha habido que** llamar al fontanero. Le ha costado carísimo.
6. Verónica vendrá conmigo, así que tú no **tienes que** / **no hay que** acompañarme.
7. Cuando estabais en la calle, ha empezado a salir humo de vuestra casa. **Habéis tenido que** / **Ha habido que** llamar a los bomberos. Habíais olvidado apagar el tostador.

C *Estar* + GERUND: *Está durmiendo* / *Duerme*

■ With the verbs by themselves, we can talk about **states** (a situation that stays the same for a time) or **actions** (events that produce a change of state):

States		Actions
• *Está de pie.* • *Está cansado.* • *Está solo.*	• *Sabe mucho.* • *Es listo.* • *Tiene sueño.*	• *Lleva los regalos del cumpleaños al coche.* [The presents have changed place]

■ With the periphrastic verb *Estar* + GERUND we can talk about the intermediate state of an action. We can observe an action as it develops; after it has started and before it has finished, as a situation that can stay the same for a time:

• *Está llevando los regalos del cumpleaños al coche.*

5 What are these people doing? Complete the sentences with the verbs in the box using *Estar* + gerundio. Link each sentence to its corresponding illustration.

A1

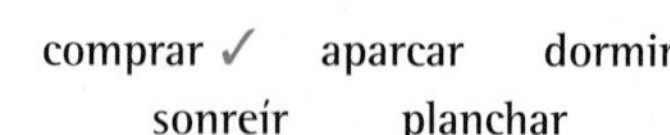

comprar ✓	aparcar	dormir	sonreír	planchar

➔ • ¿Y Javier?
○ Está comprando....... en el súper. Pronto volverá.

1. Llegamos en cinco minutos. ....
2. Dicen que Loreto es muy seria, pero en esta foto ....
3. No hagas ruido. El niño ....
4. • ¿Y mi camiseta?
   ○ La ....

a. ➔ ....

b. ....

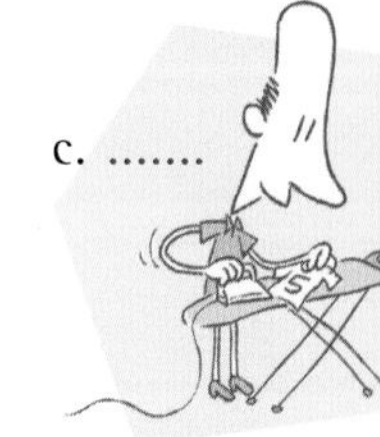

c. ....

d. ....

e. ....

■ Whenever we are referring to a very specific moment in the development of an action, we prefer to use *Estar* + GERUND rather than a non-periphrastic verb:

In general	Momentary situations	
• *Los gatos no* ***beben*** *cerveza.*	• *¡Corre, Jenaro, mira! ¡Tu gata se* ***está bebiendo*** *mi cerveza!*	**Right now**
• *Antes siempre me* ***escribías*** *poesías, y ahora, nada. ¿Qué ha pasado con tu amor?*	• *No te contesté al teléfono porque* ***estaba escribiendo*** *una poesía para Dionisia y no quería desconcentrarme.*	**In that moment in the past**

6 Link the two parts of the sentence with the appropriate periphrastic or non-periphrastic verb.

A2

➲ Estaba solo en casa cuando me llamaron de la tele. — b
1. Los planetas no **dan** / **están dando** luz propia.
2. El agua **hierve** / **está hirviendo** a 100 grados centígrados.
3. El agua **está hirviendo** / **hierve**.
4. **Estamos dando** / **Damos** vueltas al mismo sitio todo el rato.
5. No me puedo subir en los columpios que **dan** / **están dando** vueltas.
6. Cuando llamó la policía, me puse nerviosísimo.
7. Antes no **íbamos** / **estábamos yendo** a los bancos.

a. Ya puedes poner el té.
b. Marisa **trabajaba** / **estaba trabajando** en ese momento.
c. **Estaba guardando** / **Guardaba** el dinero del robo.
d. La **reciben** / **están recibiendo** de las estrellas.
e. ¿Por qué no paras y preguntas?
f. A esa temperatura se convierte en vapor.
g. Me **mareo** / **estoy mareando** con mucha facilidad.
h. **Guardábamos** / **Estábamos** guardando el dinero en casa.

■ We use ***Estar*** + gerundi to talk about **momentary situations** with action or activity verbs, but not with stative or qualitative verbs:

MOMENTARY SITUATIONS

	Estar + GERUND With action verbs)	NON-PERIPHRASTIC VERB (With stative verbs)
Talking about the present	• *El bebé* ***está llorando.*** • ***Están estudiando.*** • *Tu hermana* ***está leyendo.***	***Tiene*** *hambre y* ***parece*** *cansado.* *No* ***pueden*** *venir.* *Está* ***sentada*** *en la terraza.* [~~*Está sentando en la terraza.*~~]
Talking about the past	• *El bebé* ***estaba llorando.*** • ***Estaban estudiando.*** • *Tu hermana* ***estaba leyendo.***	***Tenía*** *hambre y* ***parecía*** *cansado.* *No* ***podían*** *venir.* ***Estaba*** *sentada en la terraza.*

Some verbs mean "action in progress" when they are used with ***Estar*** + GERUND and mean "state" when used non-periphrastically. In English we might even use a different verb:

Estoy viendo *la tele.* [My activity is watching the TV.]

Desde aquí no ***veo*** *la tele.* [I can't see it.] [~~*Desde aquí no estoy viéndola.*~~]

Está llevando *los sombreros al almacén.*

Lleva *un sombrero muy bonito.* [~~*Está llevando un sombrero.*~~]

7 Complete with *Estar* + GERUND for the action or activity verbs and with the non-periphrastic verb for the stative verbs.

B1

Talking about the present

[entrar ✓ / parecer]
1. Mira, mi novio es ese que *está entrando* ahora. ¿Te .... guapo?

[hacer (vosotros) / tener (él)]
2. .... mucho ruido. El niño .... sueño y así no se va a dormir.

[ver (nosotros) / ser]
3. Espera un poco Es que .... el final de una película. .... muy interesante.

Talking about the past

[ver (tú) ✓ / estar]
4. • ¿Y *veías* algo?
   ○ Casi nada, ese día .... todo muy oscuro.

[cortar / estar / llevar]
5. • Mira esta foto. ¡Qué gracia! Aquí Pedro .... la tarta. .... muy guapo vestido de novio.
   ○ Pero .... el pelo muy largo, ¿no?

[querer (tú) / hacer (yo) / saber (yo)]
6. • ¿Llamaste tú? ¿Qué ....?
   ○ Nada, una tontería. Es que .... un crucigrama y no .... una palabra.

D Estar + GERUND with completed events: *Estuvo comiendo / Comió...*

■ When we use tenses that express finished events (Indefinido, Pretérito perfecto, Pluscuamperfecto, etc), with a non-periphrastic verb, we are talking about actions that are completely finished:

• ***Ha llevado*** *los paquetes. Ya no tiene que hacer nada más.*	**Recent past**
• ***Llevó*** *los paquetes. Ya no tenía que hacer nada más.*	**Past**
• ***Había llevado*** *los paquetes. Ya no tenía que hacer nada más.*	**Anterior past**

➲ 23. Indefinido
➲ 22. Pretérito perfecto ➲ 27. Pluscuamperfecto

■ With the periphrastic verb ***Estar*** + GERUND we are talking about the development of an action over a period of finished time (*durante dos días, toda la mañana, hasta las 7, mucho tiempo, dos horas...*):

• ***Ha estado llevando*** *paquetes dos horas.*	**Recent past**
• ***Estuvo llevando*** *paquetes dos horas.*	**Past**
• ***Había estado llevando*** *paquetes dos horas.*	**Anterior past**

■ With ***Estar*** + GERUND we are not interested in whether the action has finished completely or not. We can use it to talk about actions that have finished completely that we see over the whole of their development:

• ***Estuvimos comiendo*** *en ese bar tan famoso.* • *Esta tarde **he estado comprando** la tele.*

Or we can talk about actions carried out over a certain period of time, but not finished completely:

• ***He estado fregando*** *el suelo de la casa toda la mañana, pero no he podido fregar el salón.*
• ***Estuvo escribiendo*** *una novela durante tres años y, al final, la dejó sin terminar.*

But:
• ***He fregado*** *el suelo de la casa. Tú puedes fregar los platos y poner la lavadora.*
• ***Escribió*** *una novela en tres años. Es mucho tiempo, pero ahora se ha hecho rico con las ventas.*

8 **If somebody says this:** — **Can we draw these conclusions?**

B1

If somebody says this:	Can we draw these conclusions?	
➲ Aquella tarde estuve visitando a mis padres.	➲ Visitó a sus padres.	(...Sí....)
1. Ha estado corrigiendo los exámenes.	Ha corregido todos los exámenes.	(..........)
2. Habíamos estado planchando la ropa.	No quedaba ropa sin planchar.	(..........)
3. Habían estado dándole la noticia a Isabel.	Cuando llegué, Isabel ya lo sabía.	(..........)
4. Estuvo leyendo el libro.	Acabó el libro.	(..........)

9 **Are we talking about the process of doing an activity or of the activity being completely finished? Circle the most appropriate option.**

B1

➲ **He estado pintando** / **He pintado** el cuadro esta mañana, pero no he podido terminarlo.
1. **Hicieron** / **Estuvieron haciendo** el camino de Santiago en cuatro días. Un tiempo récord.
2. Mi madre **estuvo naciendo** / **nació** antes que mi padre. Es mayor que él.
3. **He estado leyendo** / **He leído** el informe toda la tarde, pero no he podido acabarlo.
4. Estaba muy triste: ese día **había estado perdiendo** / **había perdido** un juicio muy importante.
5. **Estuve escribiendo** / **Escribí** la carta más de una hora. Pero no sabía cómo despedirme.
6. **Estuvimos chocando** / **Chocamos** sin darnos cuenta con una farola y le rompimos un faro al coche.

SECTION 5

Prepositions

38. Prepositions (1): *de, a, desde, hasta, en, entre, por...*

Prepositions are used to identify the location of some things in relation to other things: in space, time or in the abstract space of ideas and concepts.

A *De, a*

■ ***De*** indicates a starting point or origin:

- *Ese chico es **de** Segovia.*

- *¿**De** dónde venís?*
- ○ ***De** Rabat.*

■ ***A*** indicates a point of arrival or destination:

- *¿Hoy no vas **a** la escuela?*

- *¿A̲dónde te han enviado?*
- ○ ***A** la base de la Antártida.*

■ The preposition ***de*** introduces information that characterises, recognises, specifies or identifies another thing. With ***de*** we indicate:

Material, substance or contents of something

*Traje **de** algodón, novela **de** amor, estatua **de** mármol, bocadillo **de** jamón, camión **de** fruta, gota **de** aceite, hoja **de** papel, metro **de** tela, hablar **de** alguien o **de** algo, etc.*

Family relationship, possession

*El padre **de** Amina, el trabajo **de** Laura, la escuela **de** Ana, la libreta **de** Juan, etc.*

Type of object

*Casa **de** campo, cuchara **de** postre, billete **de** ida y vuelta, cuarto **de** baño, ropa **de** abrigo, libro **de** bolsillo, etc.*

Point of reference to locate another thing

- *El cementerio está enfrente **de** la Catedral.*
- *Esa chica trabaja cerca **de** mi oficina.*
- *A la derecha **de** la gasolinera está mi casa.*
- *Te dejo las llaves encima **de** la mesa, ¿vale?*
- *Llegamos a las diez **de** la mañana.*
- *Seguro que cuestan más **de** veinte euros.*

👁 ***De*** and ***a*** are the only two prepositions that always form a single word with the article ***el***:

de + el = **del**	a + el = **al**
*Vengo **del** trabajo.*	*Voy **al** trabajo.*

➲ 5. Articles

👁 We say: *Vive **en** Palo Alto.* [*Vive ~~a~~ Palo Alto.*]

■ The preposition ***a*** indicates a point of reference towards which one is going, is positioned or is associated with. With ***a*** we indicate:

Positioning towards a part or a side of something

***A** la derecha, **a** la izquierda, **a** la entrada, **al** frente, **al** principio, **al** final, **al** fondo, **a** las diez de la mañana, **a** la una en punto, **al** norte, **al** sol, **al** viento, **a** la espalda, etc.*

👁
- *Francia está **al** norte de España.* [Nearer to the North Pole than Spain.]
- *Zaragoza está **al** norte de España.* [We will find Zaragoza in Spain, positioning ourselves in the northern part]
- *Zaragoza está **en** el Norte de España.* [Within the northern part of Spain]

Point of reference

*Junto **a** la escuela, frente **a** la playa, etc.*

Direct object of a person and an indirect object

- *¿Has llamado **al** médico?*
- *Dale eso **a** mi madre.*
- ***A** mí no me gusta.*

➲ 12. Pronouns

The manner in which some things are done or made to work

***A** gritos, **a** pie, **a** caballo, **a** mano, **a** máquina, **a** la fuerza, etc.*

1 A2 **Jabúlez is a company that specialises in the import and export of Serrano ham. To find out how it works, complete the text with *a*, *de* or *en*. (Be careful: *a* + *el* = *al*; *de* + *el* = *del*).**

Jabúlez es una empresa familiar dedicada a la elaboración ...*de*... jamones. Su sede central es un edificio (1) .... tres plantas situado (2) .... el sur de España, (3) .... un pueblecito (4).......... Extremadura. Los jamones se secan (5) .... el viento dentro (6) .... grandes locales cuidadosamente ventilados. Mientras se secan, los jamones son observados, día a día, durante más de dos años y, al final, se empaquetan (7) .... mano. Más (8) .... cien camiones salen cada día (9) .... la empresa para ir (10) .... todas las ciudades (11) .... España y, desde hace algún tiempo, también (12) .... varios países europeos.

Un hombre entre jamones

Jacinto Jabúlez es el hijo (13) .... el fundador y lleva más (14) .... doce años (15) .... el frente (16) .... la empresa familiar. Su trabajo es el (17) .... supervisar toda la actividad (18) .... la empresa y, además, invitar (19) .... diferentes firmas extranjeras (20) .... visitar sus instalaciones. (21) .... Jacinto le apasiona su trabajo. Vive (22) .... un magnífico chalé, (23) .... una urbanización que está muy cerca (24) .... su empresa. Todos los días llega (25) .... la empresa (26).................. pie (27) .... las seis en punto (28) .... la mañana.

Sus jamones son tan famosos que la prensa internacional ha hablado muchas veces (29) .... él e, incluso, en Estados Unidos y Japón se ha publicado su famoso libro (30) .... cocina: *No hay vida sin jamón.*

2 A2 **Count Lorénsez has been found dead in Arabia. The police have questioned eight people, but the main suspects are the four who don't speak good Spanish. Identify them, write the numbers and correct the mistakes.**

1. Esta pistola es de un amigo mío que es policía. (.........)
2. Tengo un billete a avión con ida y vuelta. (.........)
3. Vivo en una zona muy apartada de aquí, en Dunas Bajas. (.........)
4. Yo ya he llamado a un amigo mío que es abogado. (.........)
5. ¿Por qué estamos aquí? Me han traído de la fuerza. (.........)
6. ¿Han venido en Arábiga solo a interrogarnos? (.........)
7. Exijo una hoja de papel para poder escribir una declaración. (.........)
8. Perdone, inspector, ¿hay un teléfono cerca a aquí? Tengo que hablar con mi mujer. (.........)

B *Desde, hasta*

- ***Desde*** indicates the starting point of a journey or the **initial limit** of a spatial or temporal space within which something is located or happens:

- *La Gran Via va **desde** la Plaza de Colón...*
- *Corrió descalzo **desde** la salida...*
- *No he tomado nada **desde** anoche...*
- *Ha curado **desde** elefantes...*
- ***Desde** estos asientos se ve mucho mejor.*
- ***Desde** ese punto de vista, sí lo entiendo.*

- ***Hasta*** indicates the end of a journey, or the final limit of a spatial or temporal space within which something is located or happens:

*...**hasta** la Plaza Mayor.*
*...**hasta** la meta.*
*...y no puedo tomar nada **hasta** esta tarde.*
*...**hasta** personas.*
- ***Hasta** mañana.* [No nos veremos hasta mañana.]
- ***Hasta** ahí estamos de acuerdo.*

Hasta can also be used with the meaning ***even***:
- *Lo ha felicitado **hasta** [even] el Rey.*

- We can indicate the start and end of a journey, a space or a period of time with ***de... a*** or ***desde... hasta***:

  - *Fueron **de/desde** Madrid **a/hasta** Bombay en avión.*
  - *Hay 60 kilómetros **de/desde** una ciudad **a/hasta** la otra.*
  - *Tenemos vacaciones **de/desde** julio **a/hasta** septiembre.*

  To mark the spatial or temporal limit of something, ***desde*** *and* ***hasta*** can be used by themselves, whereas ***de*** and ***a*** cannot:

  - *Tuvimos un viaje muy malo, estuvo lloviendo **desde** Madrid.* [To an unspecified destination.] [*Estuvo lloviendo ~~de~~ Madrid.*]
  - *Tenemos vacaciones **hasta** el tres de septiembre.* [From an unspecified date.] [*Tenemos vacaciones ~~a~~ tres de septiembre.*]

3 **Link the sentences on the left to the most appropriate explanation.**

A2

➲	a. Un viaje **desde** Sevilla.	a. Dirección: Sevilla.
	b. Un viaje **a** Sevilla.	b. Dirección: otra ciudad.
1.	a. Un taxi ocupado **del** aeropuerto.	a. El cliente ha llegado en avión.
	b. Un taxi ocupado **al** aeropuerto.	b. El cliente va a coger un avión.
2.	a. Subir **a** la planta segunda.	a. El objetivo es llegar a esa planta.
	b. Subir **de** la planta segunda.	b. El objetivo es llegar a otra planta.
3.	a. **Hasta** su abuelo cantó.	a. En homenaje a su abuelo.
	b. Cantó **a** su abuelo.	b. Incluso su abuelo.
4.	a. Un novio **desde** los 30 años.	a. Cuando tenía 30 años.
	b. Un novio **a** los 30 años.	b. De los 30 años en adelante.
5.	a. Un piso **desde** 350.000 euros.	a. Que vale esa cantidad o más.
	b. Un piso **de** 350.000 euros.	b. Que vale esa cantidad.
6.	a. Espérame **hasta** las seis.	a. Las seis es la hora de la cita.
	b. Espérame **a** las seis.	b. Las seis es el límite de la espera.
7.	a. Una carta **de** Granada.	a. Quiere enviar una carta.
	b. Una carta **a** Granada.	b. Ha recibido una carta.
8.	a. Un tren **hasta** Santiago de Compostela.	a. Su destino final es Santiago de Compostela.
	b. Un tren **de** Santiago de Compostela.	b. Su origen es Santiago de Compostela.

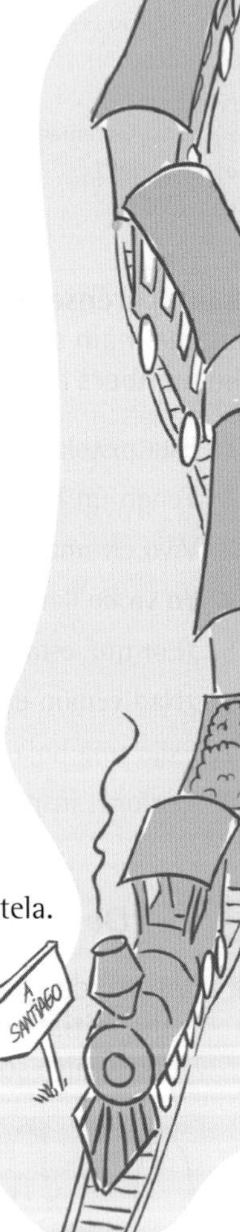

4 **Find the most appropriate ending for these sentences.**

A2

➲	El pobrecito Pepe ha estado estudiando...	a. de agosto.
		b. desde agosto.
1.	Al final, a su mujer la ha aceptado...	a. desde la suegra.
		b. hasta la suegra.
2.	Mi abuela murió...	a. hasta los noventa y tres años.
		b. a los noventa y tres años.
3.	Mi abuelo vivió...	a. a los noventa y tres años.
		b. hasta los noventa y tres años.
4.	El hijo de Carmina es un pesado. Estuvo llorando...	a. desde Cádiz.
		b. de Cádiz.
5.	Para reservar el hotel tienen tiempo...	a. hasta la segunda quincena de mayo.
		b. a la segunda quincena de mayo.
6.	El crucero va de Barcelona...	a. en Egipto.
		b. a Egipto.

C *En, entre*

- The preposition ***en*** indicates that something is inside a space defined or limited by another thing (a place, an object, a surface, a unit, a period of time, a process, an idea, etc.):

*Irene está **en** el trabajo, **en** su mesa, pero ¿qué hay **en** su mente?*

*Las flores están **en** el florero.*
*El florero, **en** la mesa.*
*La mesa, **en** el centro de la habitación.*
*El sillón, **en** el rincón.*
*El cuadro, **en** la pared.*
*La lámpara, **en** el techo.*
*Los muebles, **en** la habitación.*
*La habitación, **en** la mente de Irene.*

Thus we can use the preposition ***en*** to situate something in either a physical or an abstract space:
En casa, en Málaga, en coche, en el cajón, en el pasillo, en la cola, en vacaciones, en el trabajo, en la conversación, en ese sentido, etc.

- With the preposition ***en*** we can indicate:

The means of transport

En autobús, en coche, en metro, en tren, en barco, en avión, en taxi, en burro, en camello, etc.

But: *a caballo, a pie...* [~~en~~ caballo, ~~en~~ pie]

We do not use ***en*** when talking about a physical destination. We use ***a***:
- ***En** Italia he ido **a** muchos sitios.* [He ido a muchos sitios dentro de Italia.] [He ido muchas veces ~~en~~ (a) Italia.]

The way in which we do certain things

En general, en particular, en serio, en broma, en público, en privado, en resumen, en secreto, en conjunto, etc.

Being within a period of time

En septiembre, en 2009, en Navidad, en verano, en ese momento, etc.

The time it takes us to finish doing something

En tres horas, en cinco minutos:
- *Escribió el informe **en** tres horas.* [It took him/her three hours.]
- *Llegaremos **en** cinco minutos.* [In five minutes time no later.]

- ***Entre*** indicates the limits of the space within which something is located or happens:
  - *Málaga está **entre** Granada y Cádiz.*
  - ***Entre** abril y mayo aquí llueve mucho.*
  - *La B está **entre** la A y la C.*

- ***Entre*** can indicate either two or more limits:
  - *Hay una heladería **entre** el quiosco y el bar.*
  - *Esto tiene que terminarlo **entre** hoy y mañana.*
  - *Tengo que decidirme **entre** dos o tres ofertas.*
  - *Las llaves están **entre** esos papeles.*

- We can also use ***entre*** to express the fact that various subjects are working together to do something:
  - *Lo hacemos **entre** Iñaqui, tú y yo, ¿no?*
  - ***Entre** todos podéis arreglar ese problema.*

5 **Nacho and Carolina are very active and keep themselves busy. Complete the text with the prepositions *en* or *a*.**

A2

1. Carolina nunca va ..en... autobús ni .... metro. Siempre va .... pie a todas partes.
2. Sin embargo, Nacho va mucho .... moto, pero los fines de semana, por las mañanas, monta .... caballo.
3. Pero Carolina prefiere pasar todo el fin de semana paseando .... bicicleta.
4. .... verano van .... barco y nadan muchísimo.
5. .... invierno esquían. Van .... los Pirineos .... coche.
6. Y .... Semana Santa hacen senderismo. Recorren unos 150 kilómetros .... pie.
7. Solo se están quietos .... Navidad para estar con toda su familia.

Va a Barcelona con avión.

Va a Barcelona en avión.

6 **Everyone in the Ortiz family is very untidy. Complete with the prepositions *en* or *entre* and link.**

B1

➲ Mis botas estaban ..en... el armario de la entrada y ya no están. ¿Alguien sabe dónde están?
1. ¿Y mi vestido de fiesta de Capriche? Ya no está .... mi armario.
2. ¿Alguien ha visto unos guantes negros que me compré el otro día y que dejé .... mi mesilla de noche?
3. Dios mío, ¿y mi blusa nueva? No está .... ningún cajón de esta casa.
4. ¿Qué es esto que está aquí, ... mis dos bolsos Blandik?
5. No encuentro mi crema superhidratante. Ayer la dejé .... el estante del armario del baño.
6. ¿Y mi anillo de prometida? No lo veo .... el joyero.

➲ Sí, las cogió Cuca ayer por la noche y las puso ..en.. la terraza porque estaban mojadas.

a. Yo los vi ayer .... la entrada.
b. Está .... la lavadora. Estaba muy sucia y decidí lavarla.
c. Sí que está allí. Búscalo bien. Está .... el de Cuchi y el de Ermani.
d. Seguro que está .... tu mesa del estudio, ... todos tus papeles. Y como es pequeño...
e. La tiene mamá. Ayer se puso un poco y la dejó .... la nevera.
f. A ver... Ah, es un peluche de Pitita. Déjalo .... su dormitorio.

7 **Identify the three correct sentences and find out where the police discovered the body of Lorénsez.**

B1

1. A un bosque que está bastante cerca de su residencia en Arábiga.
2. Entre seis palmeras del oasis más cercano a su residencia.
3. Al interior de una de las tiendas.
4. Al centro de unas dunas.
5. Entre una palmera muy alta y frondosa.
6. En un agujero junto a una charca de agua.
7. Envuelto a una alfombra.
8. Enterrado en la arena del desierto.

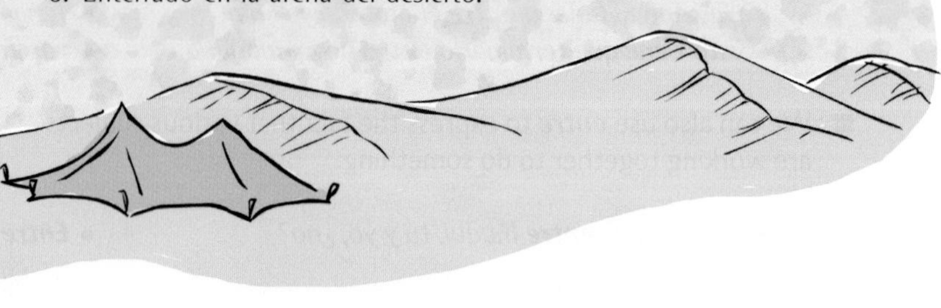

D *Para, por*

- *Para* indicates the end objective that something is being directed towards:
- *Por* indicates the space that is travelled through to get from one place to another:

*Vamos **para** Alicante **por** la carretera de la costa.*

- With ***para*** we can indicate:

Purpose or reason

- *Vamos a Madrid **para** ver a Les Luthiers.*
- *Las toallas sirven **para** secarse.*

Recipient or destined audience

- *No es una película **para** niños.*
- *¿**Para** quién es este pastel?*

Towards a destination

- *Vamos **para** casa.*

Time period

- *La publicación es **para** otoño.*

You do not need to use prepositions to express how long a situation lasts for. You can use the time expression by itself:
- *Estuve **dos meses** en Alemania.*
- *Voy a estar en Praga **dos semanas**.*

- Whit ***por*** we can indicate:

Imprecise location

In space
- *Me he dado una vuelta **por** el Retiro.* [Exploring el Retiro or the area near el Retiro.]
- *La panadería está **por** aquí.* [Somewhere in or near this place.]]

In time

***Por** la mañana/tarde/noche, **por** mayo, **por** vacaciones, **por** Semana Santa, etc.*
- *Vendremos por Navidad.* [The days of Christmas itself or around that time.]

Cause

- *Nos fuimos de la playa **por** el viento.*
- *¿Y **por** qué has invitado a Lidia?*
- *Muchas gracias **por** el regalo.*

Distribution

- *He repartido dos globos **por** niño.*

Means

- *Hemos hablado **por** teléfono.*
- *Le ha enviado las fotos **por** e-mail.*
- *Me he enterado **por** mi hermano.*

Exchange

- *Te cambio a tu novio **por** el mío.*
- *Lo compramos solo **por** 20 euros.*

8 **Complete with *por* or *para*.**

B1

➲ Voy a Matalascañas ..*para*.. ver a mi novia.

1. Nos perdimos .... un bosque y tardamos cuatro horas en encontrar el camino.
2. Bueno, aquí están las galletas. Nos tocan cuatro .... persona.
3. Encontrar este piso fue una suerte. Lo compramos .... la mitad de lo que vale ahora.
4. Rafael dice que ha dejado la carrera .... su novia, pero yo creo que lo ha hecho .... él, solo .... él.
5. ¿ .... quién son estos regalos?
6. Queremos hablar con la directora .... ver qué nos dice.
7. Oye, no iremos a la playa .... aquella carretera que tiene tantas curvas, ¿verdad?
8. Vale, perfecto, ¿por qué no me lo envías .... fax?
9. ¿Puedes firmar tú .... mí? Es que me duele muchísimo la mano y no puedo escribir.
10. El libro va a tardar un poquito, pero llegará a tiempo .... ese día.
11. ¿Quedamos mañana .... la mañana?
12. Señoras, señores: les estoy muy agradecida .... este homenaje. Gracias, de verdad.

9 Connect the fragment on the left with the most likely interpretation on the right.

B1

➲ a. Vamos en taxi **para** el aeropuerto de Barajas...	a. Dando vueltas en Barajas.
b. Vamos en taxi **por** el aeropuerto de Barajas...	b. Con dirección al aeropuerto.
1. a. Hemos visto unas flores **por** la ventana...	a. Han visto las flores al otro lado de la ventana.
b. Hemos visto unas flores **para** la ventana...	b. Han visto las flores en la tienda.
2. a. Buscamos un documento **para** Internet...	a. Lo vamos a poner en Internet.
b. Buscamos un documento **por** Internet...	b. Lo buscamos en Internet.
3. a. Han sacado una alfombra **para** la puerta...	a. La alfombra decorará la entrada.
b. Han sacado una alfombra **por** la puerta...	b. La alfombra ha pasado a través de la puerta.
4. a. Compuso una canción **para** Elisa...	a. Elisa ha sido la causa de esta canción.
b. Compuso una canción **por** Elisa...	b. Dedicada a Elisa. Elisa recibirá este regalo.

10 The police have arrested the four suspects in the murder of Count Lorénsez, but two of them are innocent. The murderer and his accomplice don't know how to use *por* and *para*. Find and correct the mistakes to find out who they are..

B1

1. Mire, inspector, yo vine a Arábiga para ➲..✓... trabajar en una empresa. Vine para (1)...... pasar tres meses pero, por (2)...... problemas de papeles, tuve que quedarme un mes más. Vivo en un hotelito que está por (3)...... la salida del oasis de Chilab. Ayer tenía que volver a mi país pero, por (4)...... culpa de este asesinato, me he tenido que quedar aquí. Espero estar libre para (5)...... poder volver cuanto antes.

3. No sé por (15)...... qué estoy aquí. Yo no he hecho nada, absolutamente nada. Estaba paseando tranquilamente por (16)...... el palmeral y, de repente, me entero por (17)...... unos amigos de que el conde Lorénsez ha muerto. Asesinado, el pobre. Voy para (18)...... casa y allí me encuentro a la policía y me traen aquí para (19)...... interrogarme. ¿Pero por (20)...... qué a mí? Yo creo que la policía no sabe nada... Y si la policía detiene a inocentes, ¿para (21)...... qué sirve? Y ahora, por (22)...... este horrible asunto, voy a tener que dormir en la cárcel.

2. Yo me vine aquí por (6)...... mi hermano, que ya trabajaba aquí. Cuando llegué, me propuso cambiar su negocio para (7)...... el mío. Me quedé a vivir en su casa. Se la compré para (8)...... 400.000 euros. Estoy muy a gusto. Mi trabajo es como un juego por (9)...... mí. Es muy fácil. Por (10)...... la mañana, envío paquetes para (11)...... correo y para (12)...... la tarde los recojo. Me enteré de la muerte del conde Lorénsez para (13)......mi hermano, que me llamó por (14)...... el móvil. Yo no conocía de nada al conde. Solo le había entregado un paquete.

4. Ayer por (23)...... la tarde yo estaba por (24)...... el bazar, comprando una alfombra por (25)...... mi mujer. Una alfombra muy bonita, realmente, que, al final, compré para (26)...... 280 dólares. Cuando salía de la tienda para (27)...... llevar la alfombra al coche, la policía me detuvo como sospechoso de un crimen. ¿Pero cuándo fue ese crimen? Hasta ayer para (28)...... la mañana yo estuve en la habitación de mi hotel para (29)...... la gripe. Salí para (30) ...... comprar la alfombra y dicen que yo soy el culpable. Esto es una locura. Es una broma, ¿no?

11 B1 **Thanks to your help with the prepositions exercises, the police know who the culprit was. Cross out the incorrect options.**

➲ La policía ya sabe quién es el asesino **por/~~para~~** tu ayuda.

1. Todo lo ha descubierto **por/para** los problemas con las preposiciones.
2. Los inocentes ya pueden volver **por/para** sus casas.
3. Pero los culpables tienen que ir a la cárcel **por/para** ser juzgados.
4. El juicio está previsto **por/para** dentro de un mes.
5. La policía está muy agradecida **por/para** tu trabajo y te van a nombrar policía de honor del reino de Chilab.

E *Con, sin*

■ ***Con*** indicates association. We use it to say that one thing goes with another, or is a component or instrument of another. It can also indicate the way we do something:

- *Está **con** el novio.*

■ ***Sin*** is the negation of ***con***:

- *Está **sin** el novio.*

CON

SIN

A los dos les gusta:

- *El gazpacho **con** ajo...* ...*y el café **sin** azúcar.*
- *Dormir **con** pijama...* ...*y **sin** calcetines.*
- *Comer **con** palillos...* ...*y cenar **sin** mantel.*
- *Viajar **con** amigos...* ...*y pasear **sin** prisa.*
- *Las ciudades **con** mar...* ...*pero las playas **sin** gente.*

*No pueden vivir el uno **sin** el otro.*

👁 We can also use the gerund (*cantando, comiendo, viviendo, etc.*) to talk about the way of doing something. In this case, the negation is formed by ***sin*** + INFINITIVE:

- *Sí, vale, ha corrido diez kilómetros pero **descansando** y **bebiendo** agua.*
- *¡Ha corrido diez kilómetros **sin** descansar y **sin** beber nada!*

[~~sin~~ bebiendo, ~~sin~~ descansando]

➲ 20. Non-personal forms

12 **We all have very strong ideas about certain things. Complete with *con* or *sin* and underline your preferences.**

B1

➲ El café, ¿..con... azúcar o ..sin..... azúcar?

1. La cerveza, ¿ .... espuma o .... espuma?
2. Las mujeres, ¿......... falda o .... pantalones?
3. Los hombres, ¿......... corbata o .... corbata? ¿......... bigote, ... bigote o .... barba?
4. Los paseos por la ciudad, ¿comprando o .... comprar?
5. Un piso para vivir, ¿......... mucha luz o .... mucha luz?
6. Los macarrones, ¿......... o .... pan?
7. La ensalada, ¿......... vinagre o .... vinagre?
8. Las películas, ¿......... subtítulos o traducidas?
9. El café, ¿......... cafeína o normal?
10. Conducir tu propio coche, ¿en silencio o .... música?
11. La pasta italiana, ¿......... queso o .... tomate?
12. Las fotos, ¿sonriendo o .... sonreír?
13. Ir al cine, ¿......... amigos o solo?

F *Contra, hacia*

■ ***Contra*** is used to indicate that one element is opposed to another, that it offers a certain amount of resistance:

CONTRA

- *Chocamos **contra** el escaparate.*
- *Votarán **contra** nuestra propuesta.*
- *¿**Contra** quién juega su equipo?*
- *Corre **contra** el viento.*

■ ***Hacia*** indicates the spatial or temporal point towards which something is orientated:

HACIA

- *El meteorito se dirige **hacia** aquí.*
- *¿**Hacia** dónde apunta una brújula?*
- *Han ido **hacia** allí pero no han llegado.*
- *Mira **hacia** la derecha y dime qué ves.*
- *Empezamos a comer **hacia** las tres.* [A las tres aproximadamente.]

13 **Joseba is an ecologist and is writing a protest song. Insert *contra* or *hacia* according to the meaning.**

B1

➲ ..Contra.. el consumo,
..hacia... la libertad,
juntos iremos
con este cantar.

1. Juntos iremos
con este cantar,
.... los colorantes,
.... lo natural.

2. .... la contaminación,
.... la purificación,
todos lograremos
mejor vegetación.

3. ¿........... dónde vamos?,
te preguntarás.
.... el arco iris,
.... la verdad.

4. .... un verde futuro,
.... una mejor vida,
.... un aire puro,
.... una utopía.

5. .... las marcas,
.... lo auténtico,
todos viviremos
un mejor momento.

39. Prepositions (II): *encima (de), debajo (de)*...

A *Encima (de), debajo (de), delante (de), detrás (de)*...

- To indicate the position of one object in relation to another we use the following prepositional phrases: ***encima* (*de*)**, ***debajo* (*de*)**, ***detrás* (*de*)**, ***delante* (*de*)**, ***enfrente* (*de*)**, ***al lado* (*de*)**, ***cerca* (*de*)**, ***lejos* (*de*)**, ***a la derecha* (*de*)**, ***a la izquierda* (*de*)**, ***alrededor* (*de*)**:

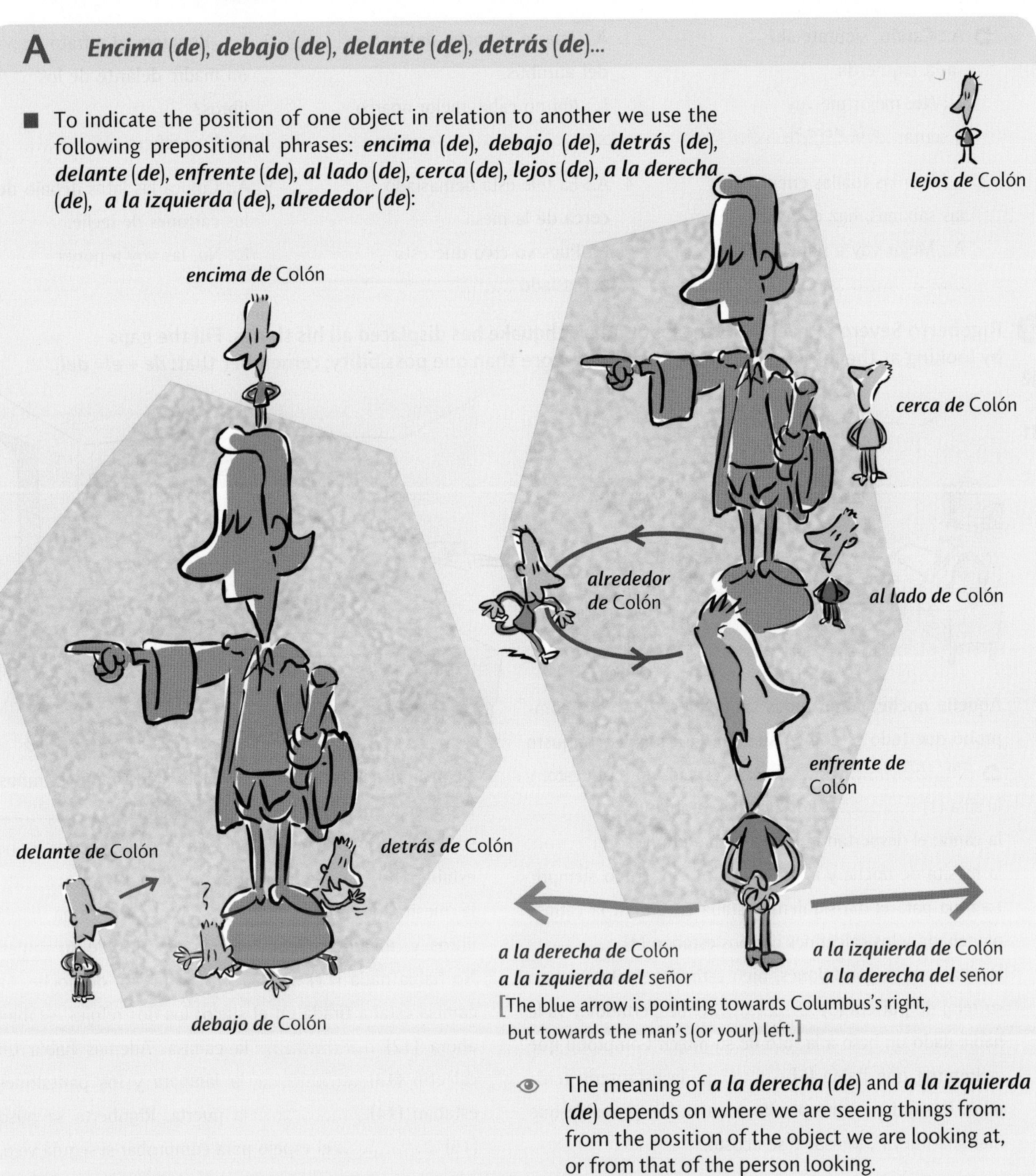

[The blue arrow is pointing towards Columbus's right, but towards the man's (or your) left.]

The meaning of ***a la derecha* (*de*)** and ***a la izquierda* (*de*)** depends on where we are seeing things from: from the position of the object we are looking at, or from that of the person looking.

- When we use these expressions, **we can mention the point of reference** (in which case we use the preposition ***de***) **or not**, if it is already clear from the context:

• *Creo que te has dejado las gafas **encima de** la mesa del despacho.*	[We have to mention the point of reference.]
○ *¿En <u>la mesa</u>? No las veo...* • *Sí, **encima**.*	[We do not mention the point of reference, as it is already clear: *la mesa del despacho*.]
• *Ahí está <u>el coche</u>, pero ¿qué es eso que hay **debajo**?*	[We do not need to mention *el coche* a second time.]
• *<u>Los ladrones</u> salieron corriendo y el joyero **detrás**.*	[Behind *los ladrones*.]

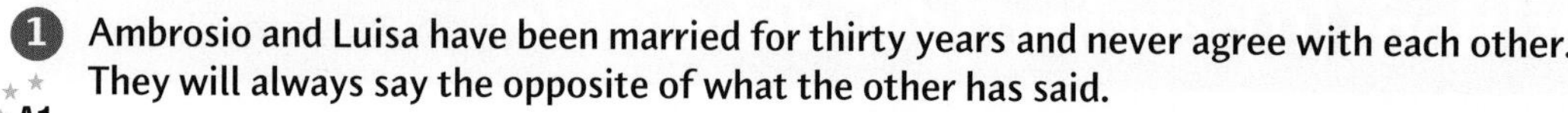

1 Ambrosio and Luisa have been married for thirty years and never agree with each other. They will always say the opposite of what the other has said.

A1

➲ A.: Cariño, siéntate ahí **a la izquierda.**
L.: No, mejor me voy a sentar ..*a la derecha*.. .

1. A.: Aparca el coche **detrás del** autobús.
L.: Ahí no cabe, mejor aparco ....

2. L.: ¿Ponemos el retrato de mi madre **delante de** los libros?
A.: Yo prefiero ....

3. L.: Pon las toallas **encima de** las sábanas, haz el favor.
A.: Mejor voy a ponerlas ....

4. A.: La tele está demasiado **cerca de** la mesa.
L.: Pues yo creo que está demasiado ....

5. A.: Coloca las latas **debajo de** los cartones de leche.
L.: No, las voy a poner ....

2 Rigoberto Severo is a very tidy man, but an earthquake has displaced all his things. Fill the gaps by looking at the pictures (sometimes there is more than one possibility; remember that: *de* + *el*= *del*).

A2
B1

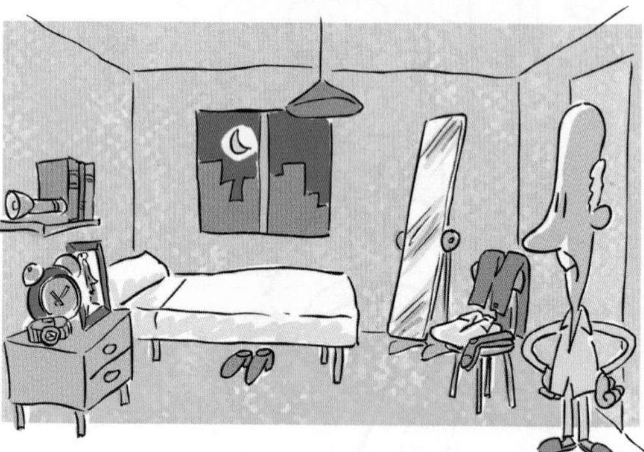

Aquella noche, como todas las noches, Rigoberto comprobó que todo estaba en su sitio. La cama estaba justo ➲ ..*enfrente del / delante del*.. ~~el~~ espejo, por supuesto, y la silla (1) .... Los zapatos estaban (2) .... la cama; el despertador estaba preparado: (3) .... la mesita de noche y a las seis en punto, como siempre. La ropa para el día siguiente estaba en orden: la camisa planchada y los calcetines limpios estaban (4) .... la silla, con los pantalones, bien estirados. Había puesto su reloj de pulsera (5) .... el despertador y ya le había dado un beso a la foto de su mujer. Comprobó que la linterna que había (6) .... la estantería tenía pilas. Por último, miró por la ventana. "Es probable que mañana llueva", pensó. Y se acostó.

De pronto, sintió un fuerte temblor y unos ruidos extraños. Le parecía que la habitación daba vueltas (7) .... su cabeza. Cuando se levantó, vio que los zapatos ya no estaban (8) .... la cama sino (9) .... la mesita de noche. (10) .... la cama había libros y, milagrosamente intacta, la foto de su mujer. No había nada (11) .... la mesita de noche. La camisa estaba tirada en el suelo; los dos relojes estaban ahora (12) .... la camisa. Además había un calcetín (13) .... la lámpara y los pantalones estaban (14) .... la puerta. Rigoberto se puso (15) .... el espejo para comprobar si seguia vivo.

B ¿*Delante* (*de*) *o detrás* (*de*) *o enfrente* (*de*)?

■ We use ***delante*** (***de***) to situate something in the area in front of an object. We use ***detrás*** (***de***) to locate something in the area behind an object:

- *El coche azul está **delante del** amarillo. El de color amarillo está **detrás del** azul y **delante del** verde. El verde está **detrás de** todos. El coche azul está **delante** y el verde **detrás**.*

■ We also use ***delante*** (***de***) or ***detrás*** (***de***) to locate objects situated before (***delante de***) or after (***detrás de***) other objects in our line of vision:

- *Los coches están **delante del** autobús. El autobús está **detrás de** los coches.*

■ We use ***enfrente*** (***de***) when the objects we are situating are "face to face":

- *El coche rojo está **enfrente del** camión azul, el coche naranja está **enfrente del** coche de color lila y el camión está **enfrente del** coche rojo.*

👁 We use the preposition ***de*** only when we have to mention the point of reference:

- *El coche lila no está **al lado del** naranja, está **enfrente**.*

3 **Write in the missing words in this exercise in logical thinking. Be careful with *al* and *del*.**

A1

➲ Si Iván está enfrente de María, María *está enfrente de Iván* .

1. Pero si Iván está delante de María, María está ....
2. Si el Banco Capital está enfrente del Banco Fortis, el Banco Fortis está ....
3. Si la vecina rubia vive enfrente de mi casa, yo vivo ....
4. Si tenéis un coche rojo delante del vuestro, vosotros estáis ....
5. Si una moto está a la derecha de un árbol, el árbol está ....
6. Si en el cine estás sentado detrás de una persona muy alta, tienes una persona muy alta .... ti.
7. Si miras la cara de la estatua de Colón, estás ....
8. No puedo ver bien la tele porque Marisa se ha puesto .... mí.
9. Si en el teatro María está a mi derecha y Felipe detrás de mí, yo estoy .... de María y .... Felipe.
10. Si las gafas están encima de los libros, los libros están .... las gafas.

C *Al principio* (*de*), *al final* (*de*), *dentro* (*de*), *después* (*de*)...

■ Other prepositional phrases used for positioning are ***al principio*** (***de***), ***al final*** (***de***), ***en el centro*** (***de***), ***en medio*** (***de***), ***al otro lado*** (***de***), ***al fondo*** (***de***), ***dentro*** (***de***), ***fuera*** (***de***), ***antes*** (***de***), ***después*** (***de***):

*Un hotel **al final de** la calle.*

*Unos árboles **al fondo del** parque.*

*Una estatua **en el centro de**/**en medio de** la plaza.*

*Un parque **al otro lado de** la plaza.*

*Un museo **antes de** la plaza.* [If we are going towards the square, we will see the museum first and then the square.]

*Un pato **dentro del** estanque y otro **fuera**.*

*Una escuela **después del** paso de peatones.* [If we are going towards the square, we will reach the zebra crossing first and then the school.]

*Un paso de peatones **al principio de** la calle.*

- We only use the preposition ***de*** with these prepositional phrases when we mention the point of reference:
  - *Hay una zapatería **dentro de** ese centro comercial.*
    [The shopping centre is the point of reference and has to be mentioned.]
  - *Siga recto. Allí verá una plaza. Pues justo **antes**, está Correos.*
    [Before the square. We do not need to mention it again.]
  - *¿Ve esa calle? Pues el Banco Estragox está **al final**.*
    [At the end of the street.]

4 B1 **The renowned archaeologists Jones and Indiana know that there is treasure hidden in the centre of a well-known Spanish city. To find it they have to follow the instructions below, but the instructions are not clear. Look at the map and complete them with the expressions from the box. (Be careful with *de* + *el*= *del*).**

al final (de)
al final (de)
al fondo (de)
al otro lado (de)
al principio (de) ✓
antes (de)
dentro (de)
dentro (de)
dentro (de)
dentro (de)
después (de)
después (de)
en el centro (de)
en medio (de)
fuera (de)

A ver... Tenéis que ir ➲ *al principio* .... de la Gran Vía, al número 1. Seguid por esa calle hasta la tercera a la derecha. Coged esa calle y allí, (1) .... , hay una plaza. Entrad en ella y, (2) .... , en una esquina, veréis una estatua. Cruzad la plaza hacia la estatua, pero (3) .... llegar a la estatua, tomad la calle que hay a la derecha y enseguida veréis una plaza pequeña con una fuente (4) .... Inmediatamente (5) .... la fuente, a la izquierda, hay una calle. Coged esa calle y, (6) .... , hay un parque. Entrad. (7) .... encontraréis árboles y bancos para sentarse. (8) .... hay un lago y un pequeño templo. Pues bien, el tesoro está (9) .... el templo. Llegaréis a él (10) .... atravesar un largo pasillo. Pero eso no es todo: el tesoro está (11) .... un cofre. Para abrir el cofre, necesitáis una llave que está escondida (12) .... el templo. Salid de allí cuanto antes y entrad en el laberinto. (13) .... el laberinto hay una estatua. La llave está (14) .... el ojo izquierdo de la estatua. Ah, y una cosa fundamental: quiero la mitad del valor del tesoro...

SECTION 6

Sentences

40. Questions and exclamations

A Preguntas sí/no: *¿Vienes con nosotros?*

- In Spanish, questions that can be answered by yes/no do not have a special structure. They can be distinguished from affirmations by the rising intonation at the end:

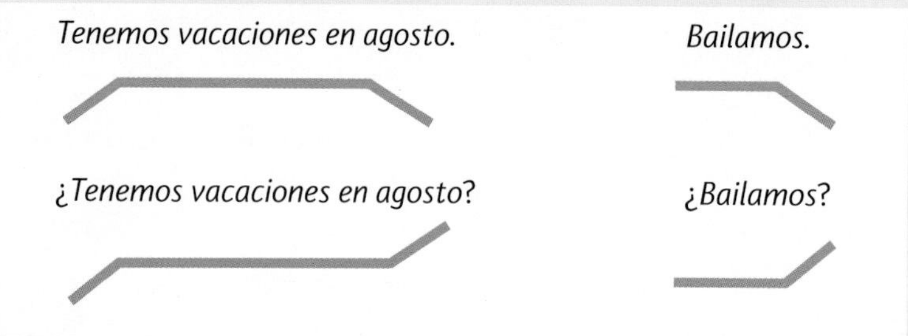

Tenemos vacaciones en agosto.
Bailamos.
¿Tenemos vacaciones en agosto?
¿Bailamos?

When writing questions we put a question mark at both the beginning and the end((¿...?).

- We can ask questions to confirm one possibility out of various:

  - *¿Vienes o te quedas?*
  - *La verdad es que no sé qué hacer.*

  - *¿Seguimos andando o descansamos un poco?*
  - *Yo prefiero descansar. Estoy agotado.*

- With questions with the question tag *¿**no**?* and *¿**verdad**?* at the end, we are asking for confirmation of something that we said before:

  - *Tienes amigos en Alemania, ¿**no**?*
  - *Sí, en Baden Baden, porque voy mucho en verano.*

  - *Cervantes nació en Alcalá de Henares, ¿**verdad**?*
  - *Creo que sí.*

Tú no eres de aquí, ¿verdad?

1 **Put the question marks into the following transcription of a man being questioned by the police.**

A1

P: Policía; J: Javier Rosales

P: Usted se llama Javier Rosales, ¿verdad?
J: Sí, efectivamente.
P: Trabaja en la universidad de verano de Laponia, no.
J: Sí, así es.
P: Es evidente que usted conocía a la difunta Mercedes Clarín. Eran amigos o algo más.
J: Éramos simplemente amigos.
P: Sabía que Mercedes Clarín salía con otro hombre.
J: No tenía ni idea. Tampoco me importa.
P: Estuvo en casa de Mercedes el viernes 28 de enero alrededor de las 22.30.
J: Tengo que contestar a eso. Es mi vida privada.
P: Es mejor colaborar. Créame.
J: De acuerdo, estaba en el bingo. Canté línea. Aquí tiene el cartón. Puedo irme ya, verdad.

B Place, time and manner: *¿Dónde...? ¿Cuándo...? ¿Cómo...?*

■ We use ***dónde***, ***cuándo*** and ***cómo*** to ask about PLACE, TIME AND MANNER:

el LUGAR	→	*dónde*	• *¿**Dónde** vive Julián ahora?*
el TIEMPO	→	*cuándo*	• *¿**Cuándo** nos presentará Rita a su novio?*
el MODO	→	*cómo*	• *¿**Cómo** vamos a Madrid? ¿En tren o en coche?*

👁 These question words come at the start of the question. The other elements of the sentence come after the verb, except the object pronouns.

¿Cómo te llamas?
¿Dónde vives?
¿Cuándo quedamos?

■ We can use ***qué tal***, instead of *cómo*, cwhen we are asking for a general opinion about something or someone:

• *¿**Qué tal** se vive en Barcelona?* [What is life like in Barcelona?]
○ *Muy bien, aunque es una ciudad un poco cara.*

• *¿**Qué tal** está tu madre?* [How is your mother?]
○ *Bien, está muy bien ahora.*

■ Los interrogativos pueden usarse solos si está claro de qué hablamos:

• *Hemos hablado con Rafael.*
○ ***¿Cuándo?*** [When did you speak?]

• Ya he arreglado el grifo.
○ ***¿Cómo?*** [How did you fix it?]
• *He llamado al fontanero.*

• *¿Nos vemos el sábado por la tarde?*
○ *Vale. **¿Dónde?***
[Where shall we meet on Friday afternoon?]

• *Hola, **¿qué tal?*** [How are you?]
○ *Muy bien, ¿y tú?*

👁 ***Qué tal*** puede usarse sin verbo cuando está claro de qué hablamos:

• *¿**Qué tal** la película?*
[What was the film like?]
[~~¿Cómo la película?~~]

• *¿**Qué tal** anoche?*
[What was last night like?]]
[~~¿Cómo anoche?~~]

2 **Complete the following questions from a test about Spain with *dónde*, *cuándo*, *cómo* and then connect the questions with the answers.**

A1

➲ ¿...*Cómo*...... se llama el río que pasa por Valladolid? — c.
1. ¿................ fue la Guerra Civil española?
2. ¿................ está El Teide?
3. ¿................ se llama el baile típico de Aragón?
4. ¿................ es el día de la Constitución?
5. ¿................ nació Picasso?

a. En Málaga.
b. La jota.
c. Pisuerga.
d. Entre 1936 y 1939.
e. En Tenerife. En las Canarias.
f. El 6 de diciembre.

3 **Complete with *qué tal* or *cómo*. Sometimes both forms are possible.**

A1

➲ ¿..*Cómo*..................... te has hecho esa herida? ¡Qué barbaridad!
1. ¿............................ te encuentras? ¿Mejor?
2. ¿............................ funciona el microondas? No sé a qué botón hay que darle para abrir la puerta.
3. ¿............................ tus padres? Hace mucho que no los veo.
4. ¿............................ han podido entrar? Yo creía que no tenían llave.
5. ¿............................ te ha salido el examen? ¿Era difícil?
6. ¿............................ el viaje? ¿Habéis esperado mucho rato en el aeropuerto?
7. ¿............................ la clase de aerobic? ¿Se suda mucho?

C Quantity: *¿Cuánto...?*

■ To ask about **quantity** we use:

Cuánto (invariable) + VERB

- *¿**Cuánto** cuestan estos abrigos?*
- *¿**Cuánto** dura el viaje en coche hasta Cuenca?*

Cuánto/-a (singular) + UNCOUNTABLE NOUN

- *¿**Cuánto** dinero sacamos del banco?*
- *¿**Cuánta** gasolina le ha echado Pablo al coche?*

Cuántos/-as (plural) + COUNTABLE NOUN

- *¿**Cuántos** años tienes?*
- *¿**Cuántas** entradas te ha regalado Andrés?*

Oiga, ¿cuánto cuesta el autobús?
Cinco euros.
Pues lo compro. Que se bajen todos.
51

👁 ***Cuánto/-a/-os/-as*** and the word that they refer to (verb or noun) come at the start of the sentence. The other elements of the sentence come after the verb, except for object pronouns.

■ ***Cuánto/-a*** and ***cuántos/-as*** can be used without an object when it is clear what we are talking about:

- *Hay que ir al banco: no tenemos dinero en casa.*
- ○ *Vale, ¿y **cuánto** sacamos?*

- *He comprado pasteles esta tarde y ya no quedan.*
- ○ *¡Ah! ¿Sí? ¿**Cuántos** nos hemos comido?*

4 **Complete these further questions from the test about Spain with *cuánto/-a/-os/-as* and link them to the answers.**

A1 A2

➲ ¿..*Cuántos*... habitantes tiene Madrid?
1. ¿................ dura el viaje en avión de Madrid a Barcelona?
2. ¿................ lenguas se hablan en España?
3. ¿................ gente habla español en el mundo?
4. ¿................ tiempo duró la dictadura de Franco?
5. ¿................ mide El Teide, la montaña más alta de España?
6. ¿................ gente vive en Barcelona?
7. ¿................ personas hablan catalán?

a. 36 años.
b. Cuatro.
c. Más de un millón y medio.
d. 3. 718 m.
e. Unos cuatro millones.
f. 50 minutos.
g. Seis millones, aproximadamente.
h. Unos quinientos millones.

5 **Complete the following questions with *cuánto/-a/-os/-as.***

A1

➲ ● ¿..*Cuántos*... pisos tiene tu casa?
○ Tres: el sótano, la planta principal y un ático.

1. ● ¿................ se tarda hasta Zaragoza?
○ No sé... Unas dos o tres horas en coche.
2. ● ¿................ sal le pongo a la ensalada?
○ Poca, poca, que Ramón casi no toma sal.
3. ● ¿Tiene plátanos?
○ Sí, ¿................ le pongo?
4. ● ¿................ abono le echo a las plantas?
○ Bastante, que están muy tristes.
5. ● ¿............ horas necesitas para acabar el trabajo?
○ En tres horas he terminado.
6. ● ¿............ te falta para terminar eso?
○ Media hora o así.
7. ● ¿Tenéis folios?
○ Sí, ¿............ necesitas?

D Reason: *¿Por qué...?*

■ To ask about the cause of something, we use ***por qué***:

- *¿**Por qué** no ha venido Alberto?*
- ○ *No lo sé, pero creo que ha tenido un problema con el coche.*

👁 Whereas the 'because' word, which explains the cause, is written as a single word with no accent (*porque*), the 'why' word, which asks the question about the cause, is written as two words, and with an accent (*por qué*):

- *¿**Por qué** hay tantos coches parados?*
- ○ ***Porque** ha habido un accidente.*

➲ 42. Unir frases

👁 Asking why an activity is not being done (*¿Por qué no...?*) can also serve as a proposal to someone that this activity be done:

- *¿**Por qué** no vamos a cenar esta noche a una pizzería?*
- ○ *¿Y **por qué** no cenamos en casa y salimos después?*

Papá, ¿**por qué** la luna es blanca?
¿Y **por qué** las estrellas no se caen?
¿Y **por qué** no tengo un hermanito?

6 Complete with *por qué*, *porque* or *por qué no*.

A1 A2

➲ ● ¿..*Por qué*..... has cerrado la ventana? Hace mucho calor.
○ ..*Porque*..... hay muchísimo ruido y así no se puede trabajar.

1. ● ¿................ me ayudas y hacemos la cama?
○ ¿Y .... la dejamos sin hacer y nos echamos una siesta?
2. ● ¿................ te comes el yogur?
○ .... soy alérgica a los lácteos. Si me lo como, me tienes que llevar al hospital.
3. ● ¿................ me miras así? ¿Tengo algo en la cara?
○ No, mujer. Te miro .... me gusta mirarte.
4. ● ¿................ te has peleado otra vez con tu hermana? ¿Me lo puedes explicar?
○ Pues .... ella siempre me quita las cosas y no me deja jugar.
5. ● ¿................ habrá venido a la cena? ¿Estará mala?
○ Seguro, ... ella no se pierde nunca una cena con nosotros.
6. ● Estoy completamente agotada. No puedo más.
○ ¿................ descansas un rato? Túmbate en el sofá.

7 Complete with *¿dónde?*, *¿cómo?*, *¿cuánto?*, *¿cuándo?*, *¿por qué?* o *¿por qué no?* Sometimes two solutions are possible.

A2

➲ ● No va a venir la tía Lola a cenar.
○ ..*¿Por qué?*..........
● No sé, creo que está muy cansada.

1. ● El concierto de esta noche es a las ocho.
○ ....
● En el Teatro Calderón, como siempre.
2. ● Nos vamos a Madrid esta noche.
○ Ah, ¿sí? ....
● En autobús, en tren era imposible.
3. ● ¿Sabes que María y Luis se casan?
○ ....
● Este domingo.
4. ● ¿.......................... vas a tardar?
○ En diez o quince minutos estoy ahí.
5. ● ¿Me puedes dejar algo de dinero?
○ Sí, claro, ...
● 20 euros es suficiente.
6. ● ¿Sabes? Este año no voy de vacaciones.
○ ....
● Tengo que terminar un trabajo la primera semana de septiembre.
7. ● Yo, a la fiesta de Toni, no pienso ir.
○ ¿ ....? ¿Ya no sois amigos?
● Estamos pasando una mala época.
8. ● ¿Sabes que Carlos se ha roto un brazo y una pierna?
○ ¿De verdad? ¿ ....?
● Pues escalando el Monte Perdido.

E Things: *¿Qué compramos? ¿Qué disco compramos? ¿Cuál compramos?*

- We use ***qué*** when we ask for things:

Creo que quiere una cámara de fotos.

- We use ***qué*** + NOUN when we want to mention **the type of thing** we are asking about:

¿**Qué** cámara le compramos?
Una digital. Es un poco más cara, pero es mejor.

- We use ***cuál/-es*** when we are asking for one (or various) things from a **group** that has already been identified, either because it has been mentioned before or because the context makes it clear:

Vale, le compramos una cámara digital. ¿**Cuál** es la mejor?
La Kinon. Es estupenda.

👁 We can use ***qué*** with a noun (*¿Qué vestido...?, ¿Qué película...?*), but we cannot do this with ***cuál*** junto a un sustantivo:

~~¿Cuál vestido~~...? ~~¿Cuál película~~...?

👁 ***Cuál*** es singular y ***cuáles***, plural:

- *Te regalo uno de estos cuadros. ¿**Cuál** te gusta?*
- *Te regalo dos de estos cuadros. ¿**Cuáles** te gustan?*

8 Complete with *qué*, *cuál* or *cuáles*.

A2 – B1

1. ● ¿..Qué.... te apetece cenar?
   ○ No sé. ¿.................. hay en la nevera?
   ● Nada.
   ○ Vale. ¿A .... restaurante vamos?
   ● A uno cerca, estoy muy cansada.
   ○ Ya, pero ¿a ....?
2. ● ¿Me prestas unos pantalones?
   ○ Depende, ¿.................. quieres?
   ● Los vaqueros.
3. ● ¿Me dejas un momento ese disco?
   ○ ¿.................. disco?
   ● El que está ahí encima.
   ○ Hay tres. ¿.................. quieres?
4. ● ¿Sabes que he aprobado el examen?
   ○ ¿.................. examen?
   ● El de conducir.
5. ● Ese radiador no funciona.
   ○ ¿.................. radiador? ¿El de debajo de la ventana?
6. ● Y a tu padre, ¿.................. le compramos?
   ○ Un vino de reserva está bien.
   ● Sí, vale, pero ¿..................? Hay muchísimos.
   ○ ¿.................. te gusta más a ti?
7. ● Pásame los libros.
   ○ ¿..................? ¿Éstos?
   ● Sí, sí, esos.

F People: *¿Quién? ¿Qué niño? ¿Cuál?*

■ We use ***quién/quiénes*** when we ask after people:

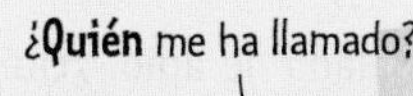

¿Quién me ha llamado?

Tu tía Encarna y una chica.

■ We use ***qué*** + NOUN when we want to mention **the type of person** we are asking about:

¿Qué chica?
No sé. Ha dicho que era amiga tuya.

■ We use ***quién/-es*** or ***cuál/-es*** es whe we are asking for one (or various) people from **a group that has already been identified**, either because it has been mentioned before or because the context makes it clear:

¿Una amiga mía? ¿**Quién**?

No recuerdo su nombre. Me parece que era una compañera de clase.

Vale, alguna compañera de clase. Pero ¿**cuál**?

👁 We can use ***qué*** with a noun (*¿Qué médico...?, ¿Qué chica...?*) but we cannot do this with ***cuál***:

~~¿Cuál médico~~...? ~~¿Cuál chica~~...?

👁 ***Quién*** and ***cuál*** are singular; ***quiénes*** and ***cuáles***, are plural:

- *¿**Quién** tiene la llave?*
- *¿**Quiénes** tienen la llave?*
- *Necesito un masajista. ¿**Cuál** es el mejor?*
- *Necesito dos masajistas. ¿**Cuáles** son los mejores?*

9 **Complete with *quién, quiénes, qué, cuál* or *cuáles*. Sometimes there are two possibilities.**

A2 B1

➲ ● Ha venido Ana.
○ ¿Ana? ¿...Qué.... Ana?
● ¡Ah! No sé, tú sabrás.

1. ● ¿............ ciclista español ganó ocho veces el Tour?
○ Ninguno.
2. ● De tus tres hijos, ¿............ es el más estudioso?
○ El pequeño. Es el que más se parece a mí.
3. ● ¿Qué? ¡Pero, Juan, por Dios, eso era un secreto...! ¿A .... se lo has dicho?
4. ● Espejito, espejito: ¿............ es la más bella del reino?
○ Blancanieves, mi señora.
5. ● ¿............ son Melchor, Gaspar y Baltasar?
○ Los Reyes Magos.
6. ● A ver, niños. ¿............ ha escrito eso en la pizarra?
○ Ha sido Álvaro, señorita. Yo lo he visto.
7. ● De todos tus amigos, ¿............ viven más o menos cerca?
○ ¿Por qué?
● Para ponernos de acuerdo para ir al trabajo.
8. ● Oiga, por favor, ¿............ atiende en esta ventanilla?
○ El señor de las gafas, pero ahora está ocupado. Espere en la cola.
● Perdone, pero hay dos señores con gafas. ¿A .... se refiere?
9. ● ¿............ es el hombre más rico del mundo?
○ Vil Gueits, creo.

10 **Complete the sentences with words from the box and match them to their continuation.**

A2 B1

qué ✓
quién
qué
quiénes
qué
cuál
cuáles
qué

➲ ¿...Qué........ es eso? — d
1. ¿................ os vais de viaje?
2. ¿................ comes?
3. ¿................ es?
4. ¿................ música pongo?
5. No acabo de decidirme. ¿................ de los dos me recomienda usted?
6. Al final, de las diez películas, ¿................ van al festival de Venecia?
7. ¿................ equipo ha ganado la Liga?

a. Todos: Edu, Ana, Lucía y Merche.
b. Soy yo, Nuria. Abre la puerta.
c. Ensalada de apio. ¿Quieres?
d. No sé. Parece un regalo para alguien.
e. El Betis.
f. Bluf, Anaconda II y Noches ardientes.
g. El rape está más fresco que el atún.
h. Algo tranquilo, si no te importa.

11 **Write the questions that a journalist asks Francisco Zapatero, following his extraordinary discovery.**

A2 B1

➲ ● ¿...Cuándo.... la encontró usted?
○ Ayer por la noche, después de cenar.

1. ● ¿Y .... la encontró?
○ Pues en un armario. Yo me acabo de mudar a esta casa y nunca había entrado en esa habitación.
2. ● Bueno, ¿y .... es exactamente?
○ Una momia, una momia en perfecto estado.
3. ● Increíble. ¿................ es? ¿Lo sabe usted?
○ Sí, sí, por supuesto. Es la tatarabuela de mi prima Casilda.
4. ● Ajá. ¿Y .... años calcula que tiene?
○ Tendrá unos doscientos años, más o menos.
5. ● ¿................ estaba vestida? ¿Llevaba alguna ropa?
○ No, no. Estaba envuelta en vendas: igual que las egipcias, igual.
6. ● ¿................ piensa usted que la guardaron en el armario?
○ No tengo ni idea. Quizá porque fue una mujer muy querida por la familia. Era muy buena.
7. ● ¿Y usted .... se encuentra?
○ Un poco sorprendido, la verdad.
8. ● ¿Y .... va a hacer con la momia?
○ Pues creo que voy a llevarla al Museo Arqueológico de la ciudad. Es una joya.

G ¿Cuál es la capital de Perú? / ¿Qué es Tegucigalpa?

■ To ask for something or someone to be identified, we can use *¿Cuál/-es* + *ser* + CONCRETE NOUN?:

👁 If we are referring to people, we can also use *¿Quién/-es...?*

¿Cuál es la capital de Perú?
¿Buenos Aires, Quito, La Paz, Lima...?
Lima.

Things	People
● *¿Cuáles son sus peores defectos?* [Among your defects, identify the worst.]	● *¿Cuál es el profesor?* [Among this group, identify the teacher.]
● *¿Cuál es el horóscopo de Maite?* [Among the signs of the zodiac, identify Maite's.]	● *¿Quién es tu hermana?* [Among these people, identify your sister.]
● *¿Cuál es la oferta más barata?* [Among today's special offers, identify the cheapest.]	● *¿Quiénes eran tus cantantes preferidos?* [Among all singers, identify your favourites.]

■ To ask for a definition or classification of something or someone, we use *¿Qué* + *ser* + NOUN?:

● *¿Qué es Lima?*
○ *Una ciudad. La capital de Perú.*

● *¿Qué es un neurólogo?*
○ *Un médico especialista en el sistema nervioso.*

12 If you complete this test, you will find out several things about the universe; some are true and others are not.

B1

➲ (I) ¿Qué es una galaxia? — a. Un inmenso conjunto de estrellas, gas y polvo.
(II) ¿Cuál es la galaxia más cercana a la Vía Láctea? — b. Andrómeda.

1. (I) ¿Quién es Marte?
   (II) ¿Qué es Marte?
2. (I) ¿Quién fue Laika?
   (II) ¿Qué era Laika?
3. (I) ¿Qué son los satélites?
   (II) ¿Cuáles son los satélites más grandes de Júpiter?
4. (I) ¿Qué es un robot?
   (II) ¿Quiénes son los robots que acompañan a Luke Skywalker en sus aventuras?
5. (I) ¿Quiénes fueron Amstrong, Aldrin y Collins?
   (II) ¿Qué eran Amstrong, Aldrin y Collins?
6. (I) ¿Cuál es el planeta más grande del sistema solar?
   (II) ¿Quién es Júpiter?
7. (I) ¿Qué era Darth Vader?
   (II) ¿Quién era Darth Vader?

c. Uno de los planetas del sistema solar.
d. El dios de la guerra.
e. El primer animal que se lanzó al espacio en 1957 en un satélite artificial ruso.
f. Una perrita.
g. Ío, Europa y Calisto.
h. Astros sin luz propia que giran alrededor de un planeta.
i. C-3PO y R2-D2.
j. Una máquina que hace cosas automáticamente.
k. Astronautas.
l. Los primeros seres humanos que viajaron a la luna.
m. Júpiter.
n. El rey del Universo, el soberano de todos los dioses.
o. El padre de Luke Skywalker.
p. Un caballero Jedi convertido al lado oscuro de la Fuerza.

13 **Would you get on well with this person? Complete the questionnaire and then answer it.**

B1

➲ ¿..Cuál.. es tu comida preferida? El pescado crudo.
1. ¿............ prefieres? ¿El frío o el calor? El frío.
2. ¿............ es tu pintor preferido? Miquel Barceló.
3. ¿............ te gusta más? ¿El día o la noche? El día.
4. ¿............ es tu color preferido? El negro.
5. ¿En .... ciudad te gustaría vivir? En Londres.
6. ¿......... prefieres? ¿Dormir desnudo o en pijama? Desnudo.
7. ¿......... son tus manías? El orden y la puntualidad.
8. ¿......... tipo de música prefieres? El jazz.

H ¿De dónde...? ¿Hasta cuándo...? ¿Por cuánto...? ¿Para qué ...?

■ ***Cuándo, dónde, cuánto/-a/-os/-as, qué, quién, cuál*** are used following a preposition if the element we are asking for is introduced by a preposition:

- *Trabajo en Desfalcosa desde XCVZ.*
- *¿**Desde cuándo**?*

- *¿**De dónde** es tu mujer?*
- *De Ávila, pero sus padres son de Burgos.*

- *¿**A cuántos** kilómetros está Málaga de aquí?*
- *A doscientos cincuenta, más o menos.*

- *¿**Con quién** has quedado esta tarde?*
- *No puedo decírtelo. Es un secreto.*

- *Creo que los ladrones se fueron por KHJHKK.*
- *¿**Por dónde**?*

- *¿**Con cuántos** chicos has salido?*
- *Uf, con muchos, pero en serio solo con dos.*

- *¿**Para qué** has sacado la caja de herramientas?*
- *Para arreglar la puerta.*

- *Estamos en un hotel.*
- *¿**En cuál**?*

Para preguntar ¿a qué lugar? podemos usar la forma ***adónde*** (preposición ***a*** + ***dónde***) o simplemente ***dónde***:

- *¿**Adónde** vais?* [¿Dónde vais?]
- *Al cine. La película empieza dentro de cinco minutos.*

14 **Natalia has just had four teeth taken out and is not able to speak properly. Complete the questions on the right to ask about the bits that cannot be understood.**

B1

➲ He visto a KKKK en la sauna.	¿..A quién.. has visto?
1. Me acuerdo mucho de mis WWW. Viven tan lejos...	¿.............. te acuerdas?
2. El coche ha chocado contra un KKJKJH y está destrozado.	¿.............. ha chocado?
3. Después de ver muchos pisos, al final me he decidido por el –L–L.	¿.............. te has decidido?
4. Las películas de dibujos animados son de mis HTYFRJJJ.	¿.............. son las películas de dibujos?
5. Abrieron la puerta con una KJHKYYG.	¿.............. la abrieron?
6. Pienso en KKJJH y en su forma de hablar constantemente.	¿.............. piensas?
7. Al final se casó con IIKKKJHHJ.	¿.............. se casó?

15 **There is some information missing from the following breaking news items. Write the questions you need to ask to obtain it**

B1

EFE. A las 19:30 de hoy, un avión de la compañía Zigzagair que se dirigía hacia (➲) ***** con (1) ***** pasajeros a bordo, ha desaparecido en pleno vuelo.

REUTERS. El tenor español Agapito Vozarrón permanecerá en nuestra ciudad hasta (2) *****. Ese mismo día se trasladará a (3) *****, donde tiene programado un recital.

AGENCIAS. El Banco de Argentina ha comprado la empresa InterGas por (4) ***** millones de dólares. InterGas pertenece al empresario Carlos Etéreo desde (5) *****.

➲ ¿Hacia dónde se dirigía el avión?

1. ...

2. ...

3. ...

4. ...

5. ...

Indirect questions: *No sé si te conozco. No sé cómo te llamas.*

¿Quién ha ganado el premio?

■ Sentences with ***qué*, *quién/-es*, *cuál/-es*, *dónde*, *cuándo*, *cuánto/-a/-os/-as*, *cómo*, *por qué***, can be used **within other sentences** when we are referring indirectly to a question or its contents:

- *Iñaqui no sabe **quién** ha ganado el premio.*
- *Los niños preguntan **dónde** estás.*
- *No he oído **cuándo** les va a enviar Alberto el paquete.*
- *¿Tú has comprendido **cómo** funciona la lavadora?*
- *Los padres quieren averiguar **cuánto** tiempo estarán los niños en la escuela.*

👁 The question words come at the start of the indirect question, and the other parts of the sentence, except object pronouns, come after the verb.

¿La lavadora funciona bien?

■ To form indirect questions without using an interrogative, we can use ***si***:

- *Cristina quiere saber **si** la lavadora funciona bien.*
- *No sé **si** Alberto va a enviar los paquetes.*
- *Los padres no han averiguado **si** los niños tendrán clase mañana.*
- *Mari Paz ha preguntado **si** tus amigos van a ir a la fiesta.*

👁 With indirect questions introduced by si the word order does not change.

16 **Julie and Enrique have a blind date. Complete their thoughts, as in the example.**

B1

No sé...

➲ cómo tiene las manos.
1. en .... trabaja.
2. .... dinero gana.
3. .... vive.
4. .... tiene hermanos.
5. .... será su familia.
6. .... es su actriz favorita.
7. .... películas le gustan.
8. .... es su comida preferida.
9. .... lleva camiseta interior o no.
10. .... vive con sus padres.

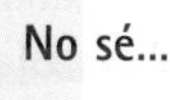

No sé...

11. .... años tiene.
12. .... tiene los ojos.
13. .... besa.
14. .... tiene coche.
15. .... perfume usa.
16. .... es su deporte preferido.
17. .... vive en mi barrio.
18. .... le ha dado mi teléfono.
19. .... son sus medidas.
20. .... ha tenido muchos novios.

cómo ✓	cómo	si	si	cuál	si
cuánto	dónde	cuál	qué	qué

si	cómo	si	cuáles	cuántos
si	qué	cómo	cuál	quién

J Exclamations: *¡Ha nevado esta noche! ¡Qué raro!*

■ Any sentence can be an exclamation. A distinguishing feature is that the intonation rises sharply at the beginning and falls sharply at the end:

- *¡Ha llegado Carlos!*
- *¡No vengas!*
- *¡Luis tiene novia!*

Ha llegado Carlos.   *No vengas.*

¡Ha llegado Carlos!   ***¡No vengas!***

- *¡Está lloviendo!*
- *¡Sal de aquí!*
- *¡No!*

In writing, Spanish puts exclamation marks both at the beginning and at the end (¡....!).

■ For exclamations concerning intensity, quantity or manner, we use ***qué***, ***cuánto***, and ***cómo***:

la INTENSITY →	*Qué*
la QUANTITY →	*Cuánto/-a, -os, -as*
el MANNER →	*Cómo*

- *¡**Qué** feo!*
- *¡**Cuánta** agua lleva el río!*
- *¡**Cómo** canta Carla!*

■ ***Qué*** can refer to an **adjective**, **adverb** or **noun**:

- *¡Qué simpática es la novia de Carlos!* [She is great fun.]
- *¡Qué rápido pasa el tiempo!* [It passes very quickly.]
- *¡Qué ojos tiene Ana!* [Her eyes are very beautiful.]

¡Cómo baila **Rodolfo**!

¡Qué delgada está **Catalina**!

■ In this type of construction, the exclamation word (***qué***, ***cuánto***, ***cómo***) goes **at the beginning**:

- *¡Qué inteligente es tu hija!*
- *¡Cómo grita el entrenador!*

And the **subject** of the sentence, when it needs to be mentioned, **at the end**.

■ When we know what we are talking about, the subject does not need to be mentioned:

- *¡Qué bonito!* [your jersey is]
- *¡Cómo duerme!* [the baby]
- *¡Cuánto sabe!* [the person giving the conference / the person speaking]

17 **Link the exclamation with the topic to find out what Claudia is talking about.**

B1

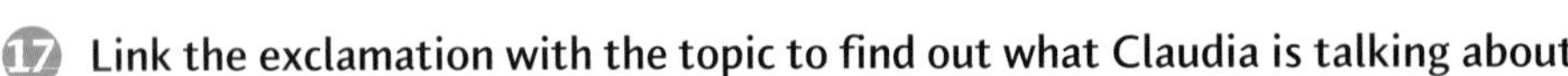

➲ ¡Qué vieja! — a. Una casa
1. ¡Qué bonitos!
2. ¡Cómo cocina!
3. ¡Qué rico!
4. ¡Cuántos libros!
5. ¡Cuánta gente!
6. ¡Cuánto lo quiero!
7. ¡Cómo ladra!
8. ¡Qué rápido!
9. ¡Qué vestido!
10. ¡Qué saladas!
11. ¡Qué jardín!

a. Una casa
b. Un bocadillo de calamares
c. El chef de un restaurante
d. Unos zapatos nuevos
e. Su novio
f. Un concierto de rock
g. El perro del vecino
h. La biblioteca de un amigo
i. La casa de la vecina
j. Una modelo
k. Un coche de carreras
l. Las patatas fritas

- We use ***cuánto*** to remark on the **quantity** of a given **verb**:

  - *¡**Cuánto** fuma Luisa!* [Luisa smokes a lot.]
  - *¡**Cuánto** come tu hijo!* [Your son eats a lot.]

- We use ***cuánto/ -a*** (with uncountable nouns) and ***cuántos/-as*** (with countable nouns) to remark on the **quantity** of a given **noun**:

  - *¡**Cuánta** gente hay en la cola!* [There are a lot of people in the queue.]
  - *¡**Cuántos** libros tienes en casa!* [You have lots of books at home.]
  - *¡**Cuántas** novias ha tenido Plácido!* [Plácido has had lots of girlfriends.]

The noun agrees with ***cuánto/-a/-os/-as*** in gender and number.

- To express the opposite idea, we use ***qué poco*** (with verbs), ***qué poco/-a*** (with uncountable nouns) and ***qué pocos/-as*** (with countable nouns):

  - *¡**Qué poco** fuma Luisa!*
  - *¡**Qué poca** agua lleva el río!*
  - *¡**Qué pocos** libros tienes en casa!*

¡Cómo besa! ¡Y qué guapo es!...
¡Y **cuánto** dinero tiene!

18 **Read the text below about Romualdo Vargas, and then write his neighbours' exclamations using *cuánto/-a/-os/-as* or *qué poco/-a/-os/-as*. Note the words in bold.**

B1

Romualdo (➲) **se ha casado siete veces** y tiene (1) **14 hijos.** (2) Antes **pesaba 132 Kg.** y **fumaba** muchísimo: más de dos paquetes al día, pero ahora está a régimen y **come** muy poco (solo ensaladas y zumos) y (3) **fuma** también muy poco: un cigarrillo por semana. A Romualdo (4) **le gusta** mucho la música y también el cine: tiene una discoteca enorme con más de mil (5) **discos**, y lo (6) **sabe** todo sobre actores, directores y películas. Pero ahora casi nunca (7) **va al cine**: solo una vez al mes.

➲ *¡Cuántas veces se ha casado!*
1. ....
2. ....
3. ....
4. ....
5. ....
6. ....
7. ....

- We use ***cómo*** to focus on the way in which an action has been carried out:

  - *¡**Cómo** come tu hijo!* [I am surprised at how your son eats: very well or very badly.]
  - *¡**Cómo** vive mi tío Alberto!* [I am surprised at how my uncle Alberto lives: very well, very badly or in an unusual way.]

19 **Doña Angustias, Romualdo's mother, is going to stay with her son for a few days, and is surprised by the changes since her previous visit. Write sentences with *cómo*.**

B1

➲ Romualdo ha adelgazado de forma sorprendente. *¡Cómo ha adelgazado Romualdo!*
1. Clara, su hija, ha crecido mucho. ....
2. Rufo, el perro, ladra sin parar. ....
3. La cocina está muy desordenada y sucia. ....
4. El jardín también está sucio y sin cuidar. ....
5. Los precios en el supermercado han subido mucho. Todo cuesta el doble. ....

41. Comparisons

A ¿Más o menos?

■ To compare two things that are different in some respect, we use:

VERBO	*más* / *menos*	*que*

más / *menos*	ADJECTIVE / ADVERB / NOUN	*que*

- *En la ciudad la gente se estresa **más que** en el campo.*
- *En la ciudad los niños juegan **menos que** en el campo.*

- *La ciudad es **más** ruidosa **que** el campo.*
- *En el campo la gente se acuesta **más** temprano **que** en la ciudad.*
- *En el campo hay **menos** contaminación **que** en la ciudad.*

■ To be more precise with the comparison, we use quantifiers such as ***un poco, bastante*** or ***mucho/muchísimo*** before ***más/menos***:

- *Sevilla es **bastante** más grande que Granada.*
- *Jaime ha comido **un poco** menos que Ángel.*
- *Ir en avión es **mucho** más rápido que en barco.*

➲ 11. Quantifiers

■ When it is clear what we are talking about, we do not state the second element in the comparison:

- *Tu jefe gana **más que** tú.*
- ○ *Sí, aunque yo trabajo **más**.* [que él]

- *El radiador nuevo es **más** grande pero calienta **menos**.* [que el viejo]

■ When the second element in the comparison is a pronoun without a preposition, we always use subject form:

➲ 13. Subject pronouns

- *Tu hermano habla más que **tú**.* [~~*Tu hermano habla más que ti.*~~]
- *Tu hermano habla más de mí que de **ti**.*

➲ 14. Pronouns with prepositions

1 **Here are some basic facts about the inhabitants of two planets in the Pelambres galaxy. Compare them, as in the example.**

A1

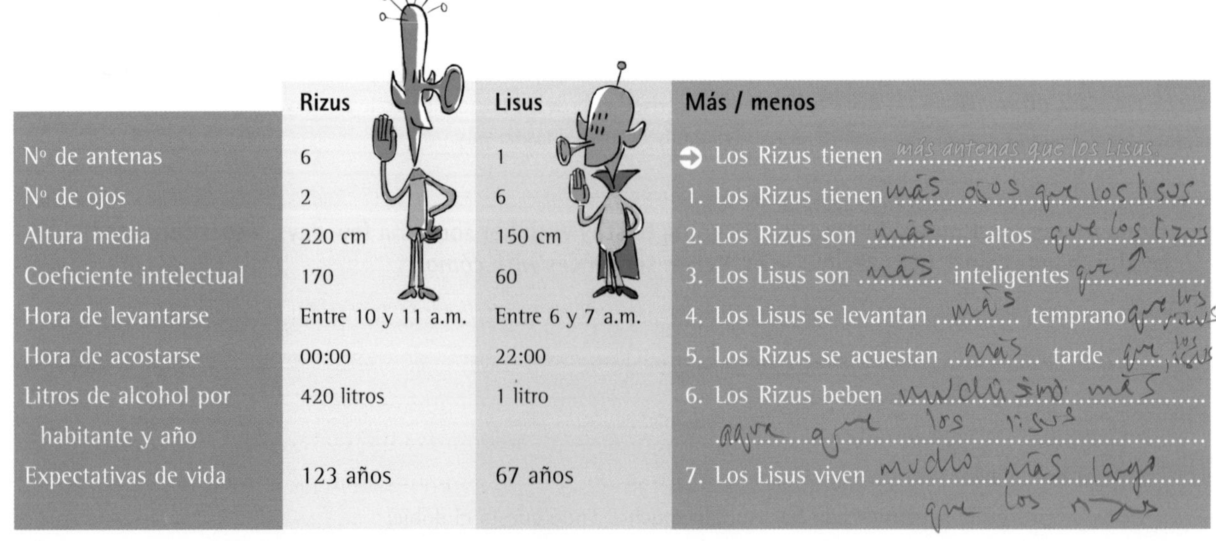

	Rizus	Lisus	Más / menos
Nº de antenas	6	1	➲ Los Rizus tienen *más antenas que los Lisus*
Nº de ojos	2	6	1. Los Rizus tienen ....
Altura media	220 cm	150 cm	2. Los Rizus son .... altos ....
Coeficiente intelectual	170	60	3. Los Lisus son .... inteligentes ....
Hora de levantarse	Entre 10 y 11 a.m.	Entre 6 y 7 a.m.	4. Los Lisus se levantan .... temprano ....
Hora de acostarse	00:00	22:00	5. Los Rizus se acuestan .... tarde ....
Litros de alcohol por habitante y año	420 litros	1 litro	6. Los Rizus beben ....
Expectativas de vida	123 años	67 años	7. Los Lisus viven ....

Write what you think the old lady and the young woman mi...

A1

En mis tiempos la gente *se lavaba menos* que ahora.

Ahora hay *más libertad que* antes.

1. La vida ser tranquila
   ....
2. Los trenes ir despacio
   ....
3. La gente casarse joven
   ....
4. La fruta tener sabor
   ....
5. Haber igualdad entre hombres y mujeres
   ....
6. La gente divorciarse
   ....
7. La gente vivir años
   ....
8. La gente viajar
   ....

B *Igual, tan / tanto, el mismo...*

■ To say that two things are the same in Spanish, we use:

With **ADJECTIVES** and **ADVERBS**

igual de	ADJECTIVE ADVERB	*que*
tan		*como*

- *Paco es **igual de** <u>atractivo</u> **que** José.*
- *Paco no baila **igual de** <u>bien</u> **que** José.*

- *Paco es **tan** <u>atractivo</u> **como** José.*
- *Paco no baila **tan** <u>bien</u> **como** José.*

Y también:
- *Paco y José son **igual de** <u>atractivos</u>.*
- *Paco y José no bailan **igual de** <u>bien</u>.*

With **VERBS**

...	*igual que* *tanto como*	...

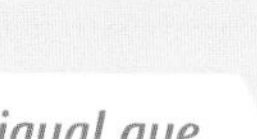

Igual que
(IN THE SAME WAY OR AMOUNT)

- *Mi hija <u>duerme</u> **igual que** mi marido.*
  [In exactly the same way (face upwards) or the same number of hours.]
- *Mi hija no <u>ronca</u> **igual que** mi marido.*

Tanto como
(SAME AMOUNT)

- *Mi hija <u>duerme</u> **tanto como** mi marido.*
  [The same number of hours.]
- *Mi hija no <u>ronca</u> **tanto como** mi marido.*

And also: • *Mi hija y mi marido <u>duermen</u> **igual**.*

👁 When we refer to the object of a verb, we also use ***lo mismo*** (***que***) to indicate "the same amount" or "the same thing/s":

- *Mis dos hijos estudian* ***lo mismo****: arquitectura y piano.*
- *He dormido* ***lo mismo*** *que tú, doce horas.*
- *Pidieron* ***lo mismo*** *que vosotros: una subida de sueldo.*

■ When it is clear what we are talking about, we don't state the second half of the comparison:

- *El hotel Plasta es* ***igual de*** *caro* ***que*** *el Jilton e* ***igual de*** *cómodo.* [as the Jilton.]

👁 But with ***tanto*** we only eliminate the second part **when the sentence is in the negative:**

- *Paco bebe* ***tanto como*** *José pero* <u>*no*</u> *fuma* ***tanto****.* [como José.]
  [*Paco bebe tanto como José y fuma tanto.*] *como él.*

3 **Lola Menta and Carmen Druga are two famous actresses who are very alike. Using the adjectives and adverbs in the box to make sentences with *igual de*... and *tan*... *como* to describe the ways in which they are similar and the ways in which they are not.**

A1

alta	delgada	joven ✓	rica	rápido	tarde	cerca

	Lola	Carmen
Edad	35	45
Altura	173 cm	173 cm
Peso	60 Kg	55 Kg
Hora de desayunar	12:00	12:00
Velocidad conduciendo	170 Km/h	170 Km/h
Distancia de casa al trabajo	5 Km	30 Km
Dinero	2 millones de euros/año	10 millones de euros/año

➲ *Carmen no es tan joven como Lola. / Carmen no es igual de joven que Lola.*

1. ....
2. ....
3. ....
4. ....
5. ....
6. ....

4 **Compare what Lola Menta and Carmen Druga do, *igual que*, *tanto como* and *lo mismo* (*que*). Note that you can only use *tanto como* when comparing quantities.**

A2

➲ Lola se ha operado la nariz, los labios y las orejas. Carmen solo se ha operado la nariz.
➲ *Carmen no se ha operado lo mismo que Lola.*
Carmen no se ha operado tanto como Lola.

1. Lola fuma tres paquetes de Güiston al día. Carmen también.
1. ....

2. Lola habla con falso acento argentino. Carmen también.
2. ....

3. Lola se bebe una botella de ron Palique al día. Carmen también.
3. ....

4. Lola se pinta los ojos, los labios, las uñas de las manos y de los pies.
   Carmen también.
5. Lola duerme con antifaz y en colchón de agua.
   Carmen también.
6. Lola desayuna dos docenas de ostras, salchichas y huevos.
   Carmen desayuna café solo.

4. ....
   ....
   ....
5. ....
   ....
6. ....
   ....
   ....

With **NOUNS**:

IDENTITY AND AMOUNT	*el mismo* *la misma* *los mismos* *las mismas*	NOUN	*que*
ONLY AMOUNT	*tanto* *tanta* *tantos* *tantas*		*como*

IDENTICAL / SAME AMOUNT
COUNTABLES AND UNCOUNTABLES

- *Pedro lleva* ***el mismo*** *móvil* ***que*** *Juan.*
- *Pedro usa* ***la misma*** *talla* ***que*** *Juan.*
- *Pedro tiene* ***los mismos*** *gustos* ***que*** *Juan.*
- *Pedro tiene* ***las mismas*** *amigas* ***que*** *Juan.*
  [The same friends or the same number of friends.]
- *Pedro bebe* ***el mismo*** *vino* ***que*** *Juan.*
  [The same make of wine or the same quantity.]
- *Pedro no lleva* ***el mismo*** *jersey* ***que*** *Juan.*

SAME AMOUNT

UNCOUNTABLE (In singular)

- *Tomo* ***tanto*** *café* ***como*** *mi marido.*
- *Esa casa tiene* ***tanta*** *luz* ***como*** *la vuestra.*
- *Ya no tengo* ***tanto*** *pelo* ***como*** *antes.*

COUNTABLE (In plural)

- *Tengo* ***tantos*** *problemas* ***como*** *tú.*
- *Este hotel tiene* ***tantas*** *habitaciones* ***como*** *el de la playa.*
- *Tú no tienes* ***tantos*** *problemas* ***como*** *yo, ¿no?*

And also:

- *Pedro y Juan tienen* ***el mismo*** *móvil.*
- *Pedro y Juan tienen* ***la misma*** *talla.*
- *Pedro y Juan tienen* ***los mismos*** *gustos.*
- *Pedro y Juan tienen* ***las mismas*** *amigas.*

■ When it is clear what we are talking about, we don't state the second half of the comparison. But with **tanto**/-**a**/-**os**/-**as** we only eliminate the second part when the sentence is in the negative:

- *Mi ordenador tiene* ***tanta*** *memoria* ***como*** *el tuyo pero* *no* *lleva* ***tantos*** *programas.* [como el tuyo.]
  [*Mi ordenador tiene tanta memoria como el tuyo y lleva tantos programas.*] *como el tuyo.*

5 Here is some further information about Lola Menta and Carmen Druga. Complete the sentences as in the example.

A2

	Lola	Carmen
Maridos	4	4
Pastillas para dormir	3 (Morfidal)	6 (Morfidal)
Agua mineral	Vichí	Vichí
Yates	3	3
Peluquera personal	Paquí Tijeras	Rocío Mechas
Entrenador personal	Jesús Cachas	Jesús Cachas
Amigas íntimas	Cari, Bea y Ana	Luci, Rosa y Pepi
Tazas de café al día	5 tazas (Colombiano)	5 tazas (Brasileño)

➲ Lola ha tenido ..*tantos*......... maridos como Carmen.

1. Carmen bebe .... agua que Lola.
2. Carmen tiene .... entrenador personal que Lola.
3. Carmen toma .... café .... Lola, pero no toma ....
4. Lola toma las mismas .... que Carmen pero no toma ....
5. Lola y Carmen tienen .... yates.
6. Lola tiene tantas .... como Carmen pero no ....
7. Carmen no tiene .... peluquera .... Lola.

6 Pablo and Paula have only just met, but have already found out that they are made for each other.

A2

➲ Van a los ..*mismos*......... restaurantes: vegetarianos.

1. Se duchan .... : con agua fría.
2. Los dos son .... tímidos: no hablan con nadie.
3. Los dos tienen .... trabajo: son fontaneros.
4. Los dos cocinan .... bien: hacen maravillas.
5. Oyen .... tipo de música: jazz y zarzuela.
6. Les gustan .... películas: japonesas y turcas.
7. Los dos son .... altos: miden 1,72.
8. Tienen .... terapeuta, pero lo van a dejar.
9. Les gusta .... vino: Sotontano.
10. Los dos se acuestan .... tarde: a las 2 de la mañana.
11. Los dos tienen .... manía: morderse las uñas.

C Relative superlative: *El hombre más rápido del mundo*.

■ Cuando queremos destacar a una persona o una cosa frente a todas las demás de un conjunto, usamos:

el/la/los/las	(NOUN)	***más/menos***	ADJECTIVE	*de* + CONJUNTO *que* + FRASE

- *El edificio azul es **el** rascacielos **más** alto **de** la ciudad.*
- *Es **el** (rascacielos) **más** alto **que** he visto en mi vida.*

■ When it is clear from the context, it is not necessary to mention the unit being referred to:

- *Me has dicho quién es la más simpática de tus amigas, pero no quién es **la más rica**.* [The wealthiest of your friends.]

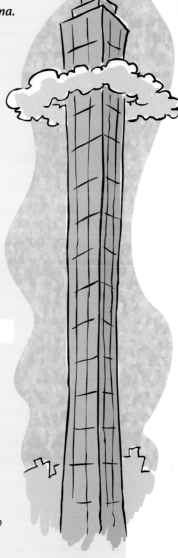

7 **Connect the elements in the three columns to form sentences.**

A2

➲ Mi novio es	a. la menor	a. de la clase.
1. El Quijote es	b. el tren más rápido	b. que conozco.
2. Antoñito es	c. el libro más emocionante	c. de toda nuestra vida.
3. El AVE es	d. el hombre más guapo	d. de las cinco hermanas.
4. Los tres primeros años son	e. el niño más torpe	e. que he leído.
5. Sofía es	f. los más importantes	f. de España.
6. Los Polos son	g. el cuadro más famoso	g. de los últimos cinco años.
7. Este verano ha sido	h. la habitación más tranquila	h. del planeta.
8. Su dormitorio es	i. el peor día	i. de la semana.
9. El Guernica es	j. el más seco	j. de la casa.
10. El lunes es	k. las zonas más frías	k. de Picasso.

D Absolute superlative: *Una mujer cariñosísima.*

- To express that something demonstrates a very high degree in some respect, but without relating it to other objects of the same type, we use:

ADJECTIVE / ADVERB → ***-ísimo/-a/-os/-as***

- *Este rascacielos es alt**ísimo**.*
- *El sitio está bien pero la cafetería es car**ísima**.*
- *Lola siempre llega tard**ísimo**.*

- When ***-ísimo*** is added to an adjective, it agrees in gender and number with the noun to which it refers:
  - *Tus hijos están altísimo**s**.*
  - *¡Qué barbaridad! Es una tienda carísim**a**.*

With adjectives that already express a considerable degree of intensity (such as ***precioso, horrible, magnífico, estupendo, espantoso,*** or ***maravilloso***) you do not need to use ***-ísimo***.

- The ***-ísimo*** ending is added to the singular form of adjectives and some adverbs:

If the adjective or adverb ends in a vowel, you change the vowel to ***-ísimo***:

alto/-a → *alt**ísimo**/-a*   *interesante* → *interesant**ísimo**/-a*
temprano → *tempran**ísimo***   *tarde* → *tard**ísimo***

If the adjective or adverb ends in a consonant, you add ***-ísimo***:

útil → *util**ísimo**/-a*   *fácil* → *facil**ísimo**/-a*   *difícil* → *dificil**ísimo**/-a*

If the adjective ends in ***-ble***:

amable → *amab**ilísimo**/-a*   ***sensible*** → *sensib**ilísimo**/-a*

With **adverbs** that end in ***-mente*** (formed from **the feminine singular of the adjective**) you add ***-ísima-*** to the adjective form:

lentamente → *lent**ísima**mente*   *rápidamente* → *rapid**ísima**mente*

ADJECTIVES
joven → *joven**císimo***
nuevo → *nov**ísimo**/**nuevísimo***
poco → *po**quísimo***
fuerte → *fort**ísimo**/**fuertísimo***
antiguo → *anti**quísimo***
fresco → *fres**quísimo***

ADVERBS
cerca → *cer**quísima***
lejos → *lej**ísimos***

➲ 44. Accentuation

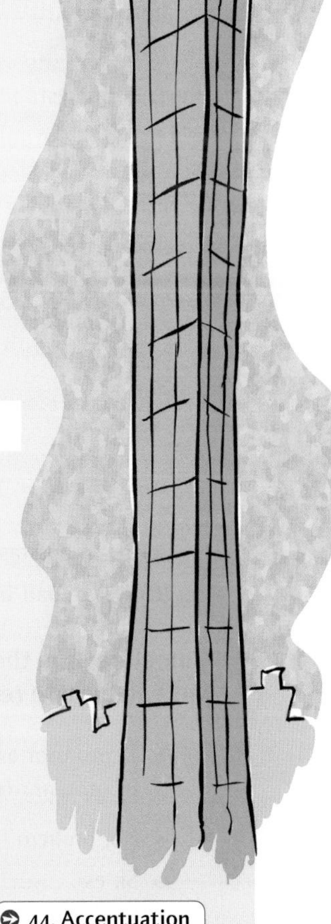

8 **Add the ending -*ísimo* /-*a* /-*os* /-*as* to these adjective, making sure you respect the agreements.**

B1

pocas	poquísimas	feliz	....	salado	....
simpáticos	....	joven	....	interesantes	....
antipático	....	amables	....	fácil	....
secas	....	agradable	....	divertido	....

9 **Write the adjectives that correspond to these forms.**

B1

fortísimos	fuertes	fragilísimo	....	tontísimos	....
jovencísimas	....	grandísima	....	felicísimas	....
amabilísimo	....	blanquísimo	....	agradabilísimo	....

10 **Add the ending -*ísimo* to these adverbs.**

B1

cerca	cerquísima	mucho	....	recientemente	....
lejos	....	poco	....	claramente	....
tarde	....	lentamente	....	fácilmente	....
pronto	....	tranquilamente	....	temprano	....

11 **Ana and Puri are talking about their friend Felix's birthday party and love to exaggerate. Put the words in brackets into the -*ísimo*/-*a*/-*os*/-*as* form, though you will have to be careful, as some of the words do not work in this way. Also, watch out for the agreements.**

B1

Ana: Tú estabas (**mona**), ➲ ...monísima...... y el vestido que llevabas era precioso. Pero Mimín, la novia de Félix, estaba fatal, con ese pelo (1. **corto**) .... y (2. **rubio**) .... Y ese vestido (3. **largo**) .... y esos tacones (4. **altos**) .... Nada, fatal, (5. **horrible**) .... Y el bolso, ¿viste el bolso? Era (6. **feo**) .... , (7. **espantoso**) ....
Puri: El que está (8. **feo**) .... es Félix... Con esa barba (9. **largo**) .... , y (10. **despeinado**) .... Llevaba unos vaqueros (11. **gastado**) .... y una camisa (12. **normal**) .... Seguro que la camisa era (13. **barato**) ....
Ana: Sí, es verdad. Pero el que está (14. **magnífico**) .... es Alejandro. (15. **Guapo**) .... y (16. **elegante**) .... Llevaba un traje (17. **precioso**) .... Y es (18. **educado**) .... Y, además, es (19. **simpático**) ....
Puri: Yo no lo vi en toda la noche. Estaba (20. **lejos**) .... ¡Qué suerte, hija! Tú estabas (21. **cerca**) .... de él...

Contesta a estas preguntas: ¿Quiénes iban mal vestidos? ....
¿Quiénes iban bien vestidos? ....

12 **Complete as in the example. In two cases you cannot form the superlative, but will have to repeat the adjective.**

B1

➲ • El profesor es muy agradable, ¿verdad?
  ○ Sí, es agradabilísimo........ .

1. • No, prefiero no comprar este vino... Es muy caro.
   ○ Sí, es ....
2. • Basta, no quiero ver más a José. Es muy creído.
   ○ Sí, es .... Me cae fatal.
3. • ¿Qué pensáis? A mí me parece muy feo.
   ○ Es .... , la verdad.
4. • Es un cuadro precioso. ¿Te gusta?
   ○ Sí, es ....
5. • Es una situación horrible.
   ○ Sí, es .... ¿Nos vamos?

E Mejor, peor, mayor, menor.

- The adjectives ***bueno***, ***malo***, ***grande***, ***pequeño*** and the adverbs ***bien***, ***mal*** have special forms to express a greater degree:

Mejor = (más + bueno) / (más + bien)

- *El aceite de oliva es **mejor** que la mantequilla.*
- *Mi madre cocina **mejor** que tú.*
- *Es el **mejor** libro que he leído.*

Peor = (más + malo) / (más + mal)

- *La película es **peor** que el libro.*
- *Mi marido conduce **peor** que tú.*
- *¿Quién es el **peor** de la clase?*

Mayor = más grande (de más edad)

- *Mi hermana es un poco **mayor que** yo.*
- *Es el **mayor** pero no es el más listo.*

Menor = más pequeño (de menos edad)

- *Tu novio es bastante **menor** que tú, ¿no?*
- *Solo conozco al **menor** de los hermanos.*

When ***mejor***, ***peor***, ***mayor*** and ***menor*** are adjectives, they only agree in number:

- *Las bromas de José son mejores que las de Alex.*

13 Complete with *mejor*, *peor*, *mayor* and *menor*. Be careful with the agreements.

B1

➲ ¡Veinte años más! Tu marido es bastante ..*mayor*..... que tú.

1. No me ha gustado nada la película. El libro es mucho ....
2. El hotel era muchísimo .... que el del año pasado. Había cucarachas y ratones. Lo hemos pasado fatal.
3. Doctor, me siento mucho .... Estas pastillas son fabulosas.
4. ¡Claro que Jesús es .... que yo! Él tiene 28 y yo 37.
5. En mi país los autobuses son .... : son más puntuales y más cómodos.
6. Aquellos cursos fueron bastante .... que los de otros años. No aprendimos nada. Un desastre.
7. Está claro que estas gambas son .... Aunque son más baratas, están bastante más frescas.

14 Fernando spends all his time comparing himself with Jorge, his best friend at school. Read this page from his diary and cross out the second half of the comparison whenever possible.

B1

Querido diario:

Hoy voy a hablar de mi amigo Jorge. ➲ Su padre no le puede pegar al mío porque mi padre es más fuerte (que el suyo). (1) A mí me hacen más regalos en Navidad que a él porque mi padre gana mucho más dinero que el suyo. (2) Cuando hacemos carreras yo corro tanto como él, pero cuando jugamos al fútbol yo no meto tantos goles como él. (3) Yo me tengo que ir a la cama a las nueve y no entiendo por qué Jorge se acuesta más tarde que yo. No es justo. (4) Como vamos a la misma clase, nos mandan los mismos deberes, pero yo no tardo tanto como él en hacerlos. Yo soy mucho más rápido que él. (5) Él vive tan cerca del colegio como yo, pero siempre va en coche. Yo voy andando o en autobús. (6) A Jorge y a mí nos gusta la misma niña, Susana, pero ella me mira a mí más que a él. (7) Yo soy mejor que él con los videojuegos, pero él es mejor que yo con las canicas. (8) Los dos hemos pasado la gripe a la vez. Un día me llamó y me dijo que tenía tanta fiebre como yo y que le dolía la garganta tanto como a mí, pero que él no lloraba tanto como yo, que era más valiente que yo. (9) Jorge es mi mejor amigo y yo soy su mejor amigo. La verdad es que no sé si a Susana la quiero más que a él, pero cuando estamos de vacaciones me acuerdo más de Jorge que de ella.

42. Joining sentences: *y, o, pero, sino, porque, cuando, si, que...*

A *Y, o, ni*

¿Cómo se llama tu gato?
Julio César
¿Y cuántos años tiene?
Uno **y** medio

- With y we join one element to another:
  - *Han venido Luis **y** María a vernos.*
  - *Vamos a cenar **y** a ver una película.*
  - *Fuimos a la fiesta **y** lo pasamos muy bien.*
- When there are more than two elements, the **y** only needs to be put before the last one:
  - *Tenemos que comprar patatas, tomates, lechuga **y** ajos.*
  - *Me levanto, me ducho, desayuno **y** voy a trabajar.*

  But you can also say:

  - *Hay que comprar patatas **y** tomates **y** ajos.*

  👁 We use ***e*** (instead of ***y***), especially when writing, if the next word starts with ***i***- or ***hi***-:

  - *En el barrio viven paquistaníes **e** indios.*
  - *Tienen que ir a la reunión padres **e** **hi**jos.*

Pero entonces, ¿tú me quieres a mí **o** a Álvaro?

- With ***o*** we indicate and **choice** between one or more elements:
  - *¿Sacas tú la basura **o** la saco yo?*
  - *De regalo, quiere unos guantes **o** un collar.*

  - *Podemos ir al cine esta noche. ¿**O** vamos al teatro?*
  - *¡**O** a la discoteca. Tengo ganas de bailar.*

  O can be put before all the elements referred to, except in questions:

  - *Iré el jueves **o** el viernes, aún no lo sé .*

  And also:
  - *Iré **o** el jueves **o** el viernes, aún no lo sé .*

  Pero: *¿~~O~~ te apetece un té o prefieres un café?*

  👁 We use ***u*** (instead of ***o***), sespecially when writing, if the next word starts ***o***- or ***ho***-:

  - *Los López tienen siete **u** **o**cho hijos.*
  - *¿Vertical **u** **ho**rizontal?*

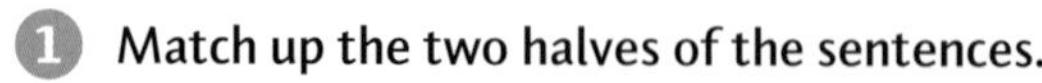

1 **Match up the two halves of the sentences.**

A1

- ➲ Están aquí Clara y — b. sus amigas del colegio.
- 1. Vamos a ir a cenar y
- 2. Tenemos clase esta tarde y
- 3. Vino tu madre e
- 4. Julián habla muy bien francés e
- 5. Esta mañana salgo de casa y

- a. después al cine.
- b. sus amigas del colegio.
- c. inglés. Es traductor.
- d. mañana por la tarde.
- e. me encuentro con Ana.
- f. hizo la cena para todos.

- 6. ¿Quieres un café o — k. prefieres una cerveza?
- 7. El viaje dura dos o
- 8. ¿Vamos al campo o
- 9. Lola quiere visitar Bélgica u
- 10. Y Paco quiere visitar Italia o
- 11. Vamos a estar siete u
- 12. Setenta u

- g. a la playa?
- h. Holanda. No me acuerdo.
- i. Alemania, me parece.
- j. ocho horas en el avión.
- k. prefieres una cerveza?
- l. tres horas en barco.
- m. ochenta personas son demasiadas.

■ With ***ni*** we add one negative element to another:

- <u>No</u> ha venido Juan.
- **Ni** María. ¡Qué raro!
- <u>No</u> quiero té **ni** café.
- Luis <u>no</u> sabe inglés **ni** quiere aprender.

We can put ***ni*** before all the elements referred to. Thus we can indicate from the very beginning that all these elements will be negative:

- ***Ni*** *ha venido* ***ni*** *ha llamado.*
- ***Ni*** *tengo novio* ***ni*** *estoy casada* ***ni*** *quiero casarme.*

2 Carmen and her mother are buying presents for the family. How many things will they buy for each person?

A1

➲ Para Ana, un perfume, o un bolso y una camiseta. ....1/2....
1. Para Mercedes, ni juguetes ni dulces: un cuento. ....
2. Para Antonio, un libro, un póster o un disco. ....
3. Para Julia, un marco de fotos o un cuadro. ....
4. Para Elisa, ni un piano, ni una guitarra ni nada. ....
5. Para Carla, una camisa y un chaleco o unos pantalones y un cinturón. ....
6. Para Juan, una toalla y un jabón. ....
7. Para Jordi, una planta y un disco, o unos zapatos. ....
8. Para Menchu, ni libros ni discos. Un collar o una pulsera. ....

3 Some friends are suggesting ideas for the weekend. Complete with *y*, *ni* or *o*.

A1

Carla: El sábado ➲ ....o.... el domingo por la mañana podemos ir al zoo (1) .... después a pasear por el campo.
Goyo: No hay tiempo para las dos cosas: (2) .... vamos al zoo (3) .... vamos al campo.
Merche: A mí no me apetece (4) .... una cosa (5) .... la otra. ¿Por qué no vamos a pasar el día a casa de Tomás?
Carla: ¿A casa de Tomás (6) .... a casa de Luis? La casa de Luis es más grande y tiene jardín.
Goyo: Pero (7) .... Luis (8) .... Tomás saben nada de nuestros planes. En vez de eso, podemos ir todo el fin de semana a la playa a tomar el sol (9) .... a descansar.
Merche: Sí, mejor. A la playa por la mañana (10) .... a bailar por la noche, ¿de acuerdo?

4 Look at the picture and complete the descriptions with *y* or *ni*. Which of the two is Cristina's husband?

A1

El tipo de hombre ideal de Cristina...

➲ No lleva ..ni.. barba ..ni.. bigote.
1. Tiene el pelo corto ...... liso.
2. Lleva chaqueta ...... corbata.
3. No es ...... muy alto ...... muy delgado.
4. No tiene los ojos azules ...... el pelo rubio.

El marido de Cristina...

5. Lleva barba ...... bigote.
6. No tiene el pelo ...... corto ...... liso.
7. No lleva ...... chaqueta ...... corbata.
8. No es ...... muy bajo ...... muy gordo.
9. Tiene los ojos azules ...... el pelo rubio.

B *Pero, sino*

- ***Pero*** introduces an idea which **contrasts with** or **limits** a previous idea:
  - *Tengo una piscina en casa, **pero** no sé nadar.*
  - *Quiero mucho a Lorenzo, **pero** no me voy a casar con él.*
  - *Tu hermano no ha llegado, **pero** sí tu cuñada.*
  - *La casa de Luisa es fantástica **pero** un poco cara.*

5 Put *y*, *o*, or *pero* into the sentences below, as most appropriate.

A1

➲ Julián quiere ganar mucho dinero

....y.... ha hecho entrevistas con tres empresas.

....o.... casarse con una chica millonaria.

.pero. no quiere trabajar.

1. Los López tienen una casa en la playa

   .... siempre van a la montaña.

   .... en la montaña. No me acuerdo.

   .... otra en la montaña.

2. Rogelio está enamorado de Marta

   .... de Alicia. No estoy seguro.

   .... de Clara al mismo tiempo.

   .... no quiere irse a vivir con ella.

3. El nuevo empleado trabaja muy bien

   .... trabaja muy mal, depende del día.

   .... mucho. Es el mejor de todos.

   .... poco: sale siempre el primero.

4. Mañana vamos al cine

   .... no antes de las 7 porque tengo que trabajar.

   .... , mejor, a dar una vuelta si no llueve.

   .... a cenar después.

5. Rosa todos los días va al gimnasio

   .... hace ejercicio en casa, una de dos.

   .... todavía no está tan fuerte como Alex.

   .... , además, come solo frutas y verduras.

- We can use ***pero*** to **add an idea** that **contrasts** with another, previous negative idea:

*Jane no habla español, **pero** lo comprende.*

- *Tú no has pedido jamón, ¿verdad?*
- *No, no he pedido jamón, **pero** me lo han traído.*

- *No tengo azúcar, **pero** tengo miel.*
- *No has hecho bien el examen, **pero** has aprobado.*

- We use ***sino*** to correct. **We negate** an element of an idea and **substitute** it for another:

*Jane no habla español **sino** inglés.*

- *Usted ha pedido jamón, ¿verdad?*
- *No, yo no he pedido jamón **sino** salmón.*

- *Esas galletas no llevan azúcar **sino** miel.*
- *En el examen no has sacado un 6, como yo creía, **sino** un 8.*

👁 [*Mopa no pasea con su dueño* ~~*pero*~~ *sino* *con su dueña.*]

👁 When ***sino*** introduces a conjugated verb, it becomes ***sino que***:

- *El ladrón no huyó por la ventana,* ***sino que*** *estuvo escondido en la casa hasta que llegó la policía.*
- *Y esta tarde no vas al parque,* ***sino que*** *te vas a quedar en casa y sin televisión.*

6 A2 **The actress Guadalupe Chamorro is losing her memory. Help her sons correct the information she's giving to a journalist using *sino* or *sino que*.**

➲ Nací en Reus en 1933.
(Nació en Barcelona en 1933.)
No nació en Reus sino en Barcelona.

1. En 1950 me casé. Mi marido se llamaba Paco Frutales. (Su marido se llamaba Antonio Frutales.)
....
2. En 1985 mi marido me abandonó por otra.
(En 1985 su marido murió de un infarto.)
....
3. Mi primera película fue un gran éxito.
(En realidad fue un fracaso.)
....
4. En el 52 fui la protagonista de "Historia de G".
(Tuvo un papel secundario en la película.)
....
5. Tengo siete hijos.
(Tiene solo tres hijos.)
....
6. Mi hijo mayor, Julián, es director de cine.
(Julián trabaja en el circo.)
....
7. Gané un Óscar por la película "José y yo".
(Ganó el premio "Ciudad de Teruel".)
....

7 A2 **Guadalupe Chamorro is also rather pessimistic and forgets to tell the journalist the positive things about her life. Help her sons once more as they complete the information she gives.**

➲ No tengo ninguna hija.
(Tiene cinco nietas preciosas.)
No tiene ninguna hija, pero tiene cinco nietas preciosas.

1. Ya no tengo casa en Hollywood.
(Tiene casas en París y en Roma.)
....
2. Gregory Peck nunca me quiso.
(Tuvo romances con varios actores de Hollywood.)
....
3. Nunca he tenido una buena crítica.
(Ha ganado mucho dinero en el cine.)
....

8 A2 **The journalist who has interviewed Guadalupe is foreign and doesn't know how to use sino. Correct the five mistakes he has made.**

➲ No tiene siete hijos ~~pero~~ (.*sino*.) tres.
No es joven, pero (..✓...) todavía es atractiva.

1. No se casó en 1940 pero (........) en 1950.
2. No tiene avión privado pero (........) la productora le regaló un barco de recreo.
3. Su primera película no fue "Historia de G" pero (........) "Las aventuras del conde Drágila".
4. No es una buena actriz, pero (........) ha ganado mucho dinero.
5. Su hijo no trabaja en el cine pero (........) en el circo.
6. No le gustan los periodistas, pero (........) a veces habla con ellos.
7. Ahora no vive en Barcelona pero (........) en Reus.
8. No vive sola pero (........) con su hermana pequeña.

C *Porque, como, es que*

- With ***porque*** we explain the cause for something:

Tengo que irme a casa porque mi hija está enferma.
Ah, ¿qué le pasa?

[Jaime explains why he has to go home: his daughter is ill.]

The cause introduced by ***porque*** will normally come last.

- *No puedo ir a la fiesta de Jimena **porque** me voy a Madrid.*

- With ***como*** we introduce a fact that must be taken into account in order to understand another fact that follows:

Como está lloviendo, mejor nos quedamos en casa, ¿no?
Sí, mejor nos quedamos.

[If the boy takes the rain into account, he will understand the girl's suggestion.]

The cause introduced by ***como*** will normally be put first.

- ***Como** trabaja tanto, Raquel no tiene tiempo para su familia.*

Unlike the 'why' word, which asks the question about the cause, and is written as two words, with an accent (***por qué***), the 'because' word, which explains the cause, is written as a single word with no accent (***porque***):

- *¿**Por qué** no vas a trabajar?*
- ***Porque** tengo 39 de fiebre.*

40. Questions and exclamations

¿Por qué llegas tan tarde?
Es que no ha sonado el despertador.

- ***Es que*** is used to introduce a cause as the justification for something:
  - *No he hecho los deberes. **Es que** no he tenido tiempo en toda la semana.* [The person justifies him or herself.]
  - *Me gustaría ir al cine contigo esta noche, pero no puedo. **Es que** mañana tengo que madrugar.* [The person apologises.]

9 **Complete these sentences with the most appropriate explanation. Be careful with the order of the elements.**

A2

como no hay nada interesante en el cine ✓
porque me he quedado sin batería en el móvil
como ya teníamos las entradas para el concierto
porque se han ido al parque con su madre
como Catalina sabe latín
porque esta se nos ha quedado pequeña ✓
como el banco estaba cerrado
porque necesitábamos ocho

- *Como no hay nada interesante en el cine,* mejor alquilamos una película. ....
- .... ~~d~~D dentro de un mes nos mudamos de casa *porque esta se nos ha quedado pequeña.*

1. .... le he pedido que me ayude con la traducción ....
2. .... los niños no están en casa ....
3. .... he tenido que pedirle dinero a mi hermano ....
4. .... no te he llamado por teléfono ....
5. .... no tuvimos que hacer cola ....
6. .... hemos puesto un ejemplo más ....

10 **Complete the dialogues with the most appropriate response.**

A2

Pues porque María no me invitó. Sí, porque, si no, se va a enfriar el pescado. Es que mi madre es de Milán. No, porque no hay mucho que hacer en la oficina. Es que no tenemos a nadie con quien dejar al niño. Es que no tengo cepillo. Porque ya estamos en junio y los días son más largos. Es que no había huevos.

➲ • ¿Por qué no viniste a la fiesta anoche?
  ○ *Pues porque María no me invitó.*

1. • ¿No has preparado la tortilla?
  ○ ....
2. • ¿Podemos empezar a comer ya nosotros?
  ○ ....
3. • ¿Vas a trabajar este fin de semana?
  ○ ....
4. • ¿Por qué no te has lavado los dientes?
  ○ ....
5. • ¿Vais a venir esta noche a casa?
  ○ ....
6. • Oye, ¡qué bien hablas italiano!
  ○ ....
7. • ¿Por qué amanece tan pronto?
  ○ ....

D *Que, donde, como, cuando*

■ We can use phrases to **give information** about objects, people or places that we name with **nouns**. We use the relative ***que*** (for objects and people) or ***donde*** (for places) to join the phrases to the nouns:

• *Ese perro se llama Bruch.*

• *Ese perro **que** tiene Ana en brazos se llama Bruch.*

[The dog is called Bruch. Ana is holding the dog in her arms.]

• *La novela es fantástica.*

• *La novela **que** me regalaste es fantástica.*

[The novel is fantastic. You gave me the novel.]

• *El hotel está en la playa.*

➲ 33. Indicativo or subjuntivo?

• *El hotel **donde** trabaja Carlos está en la playa.*

[The hotel is by the beach. Carlos works in the hotel.]

11 B1 **Some words have got rubbed out in the letter that Ángela wrote to the Three Wise Men. Help them reconstruct the sentences, using the expressions from the box.**

Queridos Reyes Magos:

Este año quiero el libro de los animales ...*que tiene mi amiga*... .. Sandra; la muñeca de Juguetosa (1) .... sola y (2) .... muchas canciones de Los Changuitos; la película de dibujos animados (3) .... con mis padres (es de una princesa india (4) .... con un marinero (5) .... muy lejano); el disco del cantante (6) .... de Neurovisión este año; y un traje de enfermera. Para mi hermana Lucía, (7) .... , os pido la bicicleta (8) .... para ir al colegio.

- que tiene mi amiga ✓
- que vive en un país
- que puede andar
- que tiene nueve años
- que se enamora y se casa
- que ha ganado el festival
- que vi ayer en el cine
- que quiere comprarse
- que canta

12 B1 **Gianni is learning Spanish and is writing some curious facts about his family, but is having problems forming sentences with *que*. Can you help him?**

➲ Mi tío Humberto tiene una casa preciosa. La casa de mi tío está en la costa.
...*Mi tío Humberto tiene una casa preciosa que está en la costa.*...

1. Un primo mío está casado con una japonesa. La japonesa se llama Machiko.
....
....
2. Mi madre es traductora en una empresa. La empresa está a 10 Km. de nuestra casa.
....
....
3. Paola, mi hermana, escribe novelas. Las novelas de mi hermana tienen mucho éxito.
....
....
4. Ferdinando, mi hermano, tiene una cámara y se dedica a la fotografía. La cámara era de mi abuelo.
....
....
5. Y yo tengo un trabajo pero también tengo tiempo para estudiar español. Mi trabajo no me gusta nada.
....
....

13 B1 **When Gianni writes about his friends, he has problems forming sentences with *donde*.**

➲ Gian Carlo trabaja en un casino. En ese casino yo tengo prohibida la entrada.
...*Gian Carlo trabaja en un casino donde yo tengo prohibida la entrada.*...

1. Bianca es azafata en una compañía aérea y también es bailarina. En la compañía aérea gana mucho dinero.
....
....
2. Silvia trabajaba antes en una editorial, pero ahora se dedica a escribir guías de viaje. Yo trabajé también en esa editorial.
....
....
3. Lucca vive todo el año en un hotel de Milán. En el hotel no pueden entrar ni niños ni perros.
....
....
4. Piero vive en un pueblecito de la India. En ese pueblo todavía no hay luz ni teléfono.
....
....
5. Francesca es profesora en una escuela, pero quiere dejar la enseñanza. En la escuela solo hay veinte estudiantes.
....
....

- When the subject or object of a verb is a **subordinate** phrase with a conjugated verb, it is introduced by ***que***

  - *Tu hermana me ha dicho **que** viene el fin de semana.*
  - *He visto **que** te has comprado un coche nuevo.*
  - *La jefa quiere **que** trabajemos el sábado.*
  - *Me gusta **que** me rasquen la espalda.*
  - *Es importante **que** llevemos ropa de abrigo.*

Que is not used when the subordinate phrase is an **infinitive**:

  - *La jefa quiere **trabajar** el sábado.*
  - *Me gusta **jugar** con mi amigo Sebastián.*
  - *Es importante **llevar** ropa de abrigo.*

20. Non-personal forms

33. Indicativo or subjuntivo?

14 **In which sentences do we need to put *que*? Mark with ↓ the place where it should go.**

B1

- No soporto llevar zapatos de tacón. Me duelen mucho los pies. (..✓...)
- No soporto↓leas el periódico en el desayuno. (.que..)

1. Quieren cenemos esta noche en un restaurante argentino. (........)
2. Quieren cenar en un restaurante argentino. (........)
3. ¿Es necesario llevar traje de etiqueta? (........)
4. ¿Es necesario lleve corbata? (........)
5. Le gusta le den masajes en los pies. (........)
6. Le gusta dar masajes en los pies. (........)
7. Últimamente no consigo dormir. Estoy muy nerviosa. (........)
8. Últimamente no consigo duerma. Está muy nerviosa. (........)

- We can use **como, donde** and **cuando** to refer to the manner, place or time at which an action happened:

Manner:

Como
  - *Prohibieron fumar en los bares **como** habían hecho en otros países.*
  - *Voy a hacer la tortilla **como** me has dicho, sin cebolla y con ajo.*
  - *Termina este trabajo **como** puedas, pero termínalo pronto.*

Place:

Donde
  - *Al abuelo lo enterramos **donde** nos había dicho.*
  - *Mis gafas no están **donde** las he dejado. ¿Tú las has visto?*
  - *Aparca **donde** encuentres un sitio, pero no en doble fila.*

Time:

Cuando
  - *Nos encontramos con Daniel **cuando** íbamos al instituto.*
  - *Me pongo muy nerviosa **cuando** hay tormenta.*
  - *Iremos a visitaros **cuando** tengamos unos días libres.*

33. Indicativo or subjuntivo?

15 *¿Donde, como* or *cuando*?

B1

➲ He colgado el cuadro — donde / como / cuando — me has dicho, con dos clavos finos. / me has dicho, al lado del espejo. / no había nadie en casa.

1. Marga hizo una cena — donde / como / cuando — solo ella sabe hacerla: fantástica. / se fueron sus padres de viaje. / vive ahora, en casa de sus padres.
2. Hoy he comido — donde / como / cuando — he terminado de hacer cosas en el banco. / siempre, con prisa. / come Carlos, un restaurante estupendo.
3. En el concierto de ayer, Ravinof tocó el piano — donde / como / cuando — suele tocar los sábados, en el Auditorio General. / nadie se lo esperaba: ¡en la pausa! / suele tocar: fatal.
4. Me compré un traje — donde / como / cuando — el de tu madre, con cinturón, pero blanco y negro. / empezaron las rebajas. / se lo compró tu madre, en Zaza.

16 Carlota and Arnau are teenagers and always avoid answering their parents directly. Link the questions with the answers and write in *donde, como* or *cuando* as appropriate.

B1

➲ ¿Dónde vais de excursión?
1. ¿Cuándo pensáis volver?
2. ¿Dónde vais a dormir?
3. ¿Cómo vais a ir? ¿En coche?
4. ¿Cuándo tienes los exámenes del instituto?
5. ¿Cómo piensas aprobar si no estudias nada este fin de semana?

➲ ¿Cuándo vamos a conocer a tu novio?
6. ¿Y cómo se llama?
7. ¿Dónde vive el tal David?
8. ¿Cómo os conocisteis?
9. ¿Cuándo empezó a trabajar?

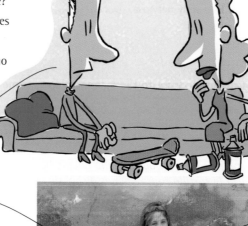

(➲) ...Donde... vamos siempre, al campo.
a. ( ) .... podamos, no sé, en autobús a lo mejor.
b. ( ) .... encontremos sitio, en una pensión o en un camping.
c. ( ) .... siempre. Ya estudiaré la semana que viene.
d. ( ) .... nos cansemos del campo, dentro de unos días.
e. ( ) .... acabe el curso, a finales de junio.

(➲) ...Cuando... él pueda. Es que tiene mucho trabajo ahora.
f. ( ) .... vivía la tía Lou, por allí cerca.
h. ( ) No sé, ... dejó el Instituto, supongo.
i. ( ) .... te he dicho mil veces, mamá: David.
j. ( ) Pues .... he conocido a todos mis novios: chateando, en la cola de un concierto, no me acuerdo.

E *Cuando, hasta que, en cuanto, mientras, siempre que, antes de (que), después de (que)*

- ***Cuando*** is used to indicate that two events are connected in time. The two events may be simultaneous or one before the other:

Cuando	**Simultaneous events**	**One event before and the other after**

- *Jenaro canta ópera **cuando** se ducha.*
  [He sings and has a shower at the same time.]
- ***Cuando** llueve y hay sol, sale el arco iris.*
- *Siempre escuchaba música **cuando** estudiaba.*

➲ 33. ¿Indicativo o subjuntivo?

- ***Cuando** terminó la película, nos acostamos.*
- *Esther se levanta de mal humor **cuando** duerme poco.*
- ***Cuando** nos acostamos, la película ya había terminado.*
  [Firstly, the film will finish. After this we will go to bed.]

17 B1 **Read the following sentences about Belén's habits, and then put the actions on the right into the correct order. Be careful, as some of the actions happen simultaneously.**

A. Se levanta cuando suena el despertador.
B. Cuando sale de casa, apaga la tele.
C. Cuando se ha duchado, se viste.
D. Desayuna cuando está vestida.
E. Se ducha cuando se levanta.
F. Cuando termina el desayuno, sale de casa.
G. Ve la tele cuando desayuna.

➲ Primero ..*suena el despertador*.. ;
después ..*se levanta*.. ;
1. después .... ;
2. luego .... ;
3. a continuación .... y .... ;
4. después .... ;
5. y, por último, ...

18 B1 **Match questions and answers, chose your own answer from the options and then check the results.**

➲ Cuando no puedo dormir, (→ II)

A. Cuando hace mucho calor,

B. Cuando mi novio/-a me deja,

C. Cuando estoy en un atasco,

I
a. salgo a buscar otro/-a inmediatamente.
b. me retiro a un monasterio a meditar.
c. me tomo una pastilla.

II
a. cuento ovejas.
b. me levanto y como.
c. me tomo una pastilla.

III
a. miro a las personas de los coches cercanos.
b. me rasco la cabeza y me toco la nariz.
c. me tomo una pastilla.

IV
a. meto la ropa interior en el frigorífico.
b. me doy un baño en cubitos de hielo.
c. me tomo una pastilla.

Mayoría de a: Eres una persona más o menos normal, no te preocupes.
Mayoría de b: Eres genial, sigue así.
Mayoría de c: Tienes un problema.

- To connect two events in time, we can also use ***en cuanto, siempre que, hasta que*** or ***mientras***:

➲ 33. Indicativo or subjuntivo?

En cuanto **One event happens immediately before another.**

- ***En cuanto*** *supo que su abuela estaba enferma, cogió un avión y se fue.*
- *Salimos corriendo de clase* ***en cuanto*** *suena el timbre.*
- *Dímelo* ***en cuanto*** *lo sepas, por favor, tengo mucha curiosidad.*

- ***En cuanto*** *suena el despertador, me levanto.*

Desde que / Hasta que **One event marks the end in time of the other.**

- *Estuvo esperando* ***hasta que*** *lo llamé.*
- *Por las mañanas,* ***hasta que*** *me tomo un café, no puedo hacer nada.*
- *Por favor,* ***hasta que*** *yo te lo diga, no cuentes nada de nuestra relación.*
- *No he comido nada* ***desde que*** *desayuné.*
- *No he mirado a otra mujer* ***desde que*** *estoy contigo.*
- *No comeré nada* ***desde que*** *salga* ***hasta que*** *vuelva.*

- *No me levanto* ***desde que*** *me acuesto* ***hasta que*** *suena el despertador.*

Siempre que **Every time one event happens, the other also happens.**

- *Antes íbamos al cine* ***siempre que*** *ponían algo interesante.*
- ***Siempre que*** *quedamos con mis padres, te pones enfermo.*
- ***Siempre que*** *vengas a Barcelona, ya sabes que puedes quedarte en casa.*

- ***Siempre que*** *paseo, escucho la radio.*

Mientras **Two events happen at the same time.**

- ***Mientras*** *ella veía la tele nosotros jugábamos a las cartas.*
- *¿Tú hablas con el móvil* ***mientras*** *conduces?*
- *No podrás comer verdura* ***mientras*** *tengas problemas de estómago.*

- ***Mientras*** *conduzco, canto.*

19 B1 **Little Luis tells us about some of the things that happen to him, but he doesn't know how to speak properly yet. Help him by choosing the most appropriate option in each case.**

➲ Juego con mis amigos en el parque **en cuanto/desde que/hasta que** mi madre me lleva a casa.

1. Pero no puedo ir al parque **mientras/siempre que/hasta que** quiero. Solo una vez al día.
2. Me lavo las manos y la cara con jabón **en cuanto/mientras/hasta que** llego a casa, porque me ensucio mucho.
3. A veces lloro y lloro **desde que/siempre que/hasta que** me compran un caramelo. ¡Es que me encantan los caramelos!
4. Mi madre me da la merienda **desde que/mientras/hasta que** vemos juntos la tele.
5. **Mientras/Siempre que/Hasta que** pego a otros niños, mi padre después se enfada y me castiga.
6. Por las mañanas, me quedo en casa de mis abuelos unas horas **en cuanto/mientras/hasta que** mis padres están trabajando.
7. Voy a la guardería **desde que/mientras/hasta que** cumplí dos años. Pero no me gusta nada. Yo prefiero jugar en el parque.

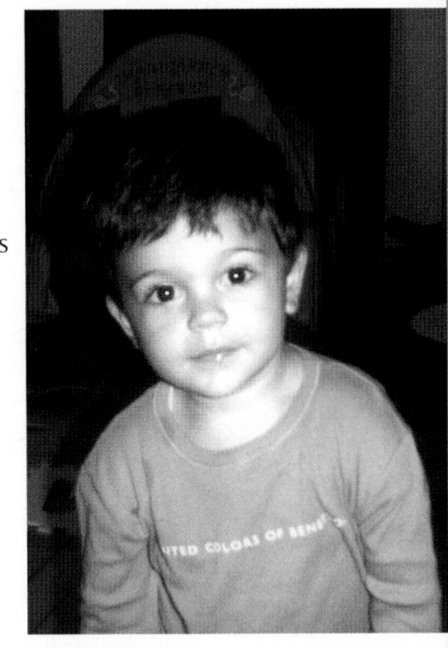

Antes de (que) / Después de (que) — **One event comes before or after another.**

- *¿Por qué no limpiamos un poco **antes de que** lleguen los invitados?*
- *Tuvimos que limpiar un poco **antes de que** llegaran los invitados.*
- ***Antes de** apagar las velas, pide un deseo.*
- ***Después de que** se fueran los invitados, la casa estaba más sucia que **antes de** limpiar.*

- *Cenaré **después de** ducharme y saldré **antes de que** sean las diez.*

With ***Antes de (que)*** and ***después de (que)*** we use either the subjunctive or the infinitive.

20 B1 **Paco Melena and Juan Pelón are talking about their experiences with baldness. Complete with *en cuanto, siempre que, desde que, hasta que, antes de (que)* or *después de (que)* as appropriate.**

Paco Melena

➲ ....*En cuanto*........ perdí el primer pelo, con 22 años, me puse en manos de un dermatólogo.

1. De hecho, ... yo naciera, mi padre ya estaba completamente calvo. Es cosa de familia.
2. Estuve haciendo el tratamiento veinticinco años: .... cumplí los 22 hasta los 47.
3. .... iba al peluquero, le pedía que me cortara mucho, para fortalecer el cabello.
4. Y .... no pasó el peligro, no probé ni una gota de alcohol.
5. .... terminar el tratamiento, no se me ha vuelto a caer ni un pelo. Ha sido un milagro.

Juan Pelón

6. No fui a un médico .... un niño me llamó calvo por la calle.
7. .... me quedé completamente calvo, me hice un peluquín, pero estaba muy feo, así que me compré una gorra.
8. .... perder el pelo, yo nunca llevaba gorra; pero ahora, si no me la pongo, me resfrío o se me quema la calva.
9. .... gastarme todo mi dinero en operaciones y trasplantes que no sirvieron de nada, decidí aceptarme como soy.
10. Además, ... mi novia me dijo que le gustan mucho más los hombres calvos, soy feliz.

F Express conditions with *si*: *Si tienes tiempo, llámame.*

- We use ***si*** to introduce a condition:

Si te casas conmigo, todo
esto será tuyo, Vicky.

- *Podemos ir juntos al cine esta tarde, si os apetece.*
- *Si te compras un coche nuevo, ¿me dejarás conducirlo a mí?*
- *¿Vendréis a vernos en Semana Santa si encontráis un billete barato?*
- *Si llamara mi mujer, dígale que he salido.*

- When we think that the condition could really happen (in the present or future), we use the **presente de indicativo** in the ***si*** clause:

- *Si me subes el sueldo, vamos a dar una fiesta para celebrarlo.*
- *Llámame por teléfono si ves algún problema.*
- *Si tenéis vacaciones en julio, ¿vendréis con nosotros de viaje?*

We cannot use either the Futuro or the Presente de subjuntivo in the clause introduced by a conditional ***si***:

El domingo, si ~~lloverá~~ llueve, nos quedaremos en casa.

Si ~~quiera~~ quiere venir con nosotros, la invitaremos.

➲ 33. Indicativo or subjuntivo?

21 B1 **Ramón Eurales is an elderly millionaire. He has made a will and has laid down certain conditions that his heirs will have to meet if they want to inherit. Complete the sentences with the verbs from the boxes.**

➲ Mi hijo mayor, Juan, ...*será*....... director de la empresa si ...*termina*.... la carrera de Derecho. Mi hija Marta (1) .... con la casa de Santander si (2) .... de Ibiza y (3) .... con su novio. Mi mujer (4) .... 200.000 euros cada año pero solo si no (5) .... a casar y no (6) .... más hijos. Mi sobrino Luis (7) .... la editorial Eurol si (8) .... de la cárcel y (9) .... la bebida. Mi hermano Pedro (10) .... vivir en la casa de la isla el resto de su vida si (11) .... a su amante y (12) .... con su mujer.

Ser Terminar
Casarse Volver Quedarse
Tener Volverse Recibir
Dirigir Dejar Salir
Volver Poder Abandonar

- When we think that the condition is impossible or improbable, we use the **imperfecto de subjuntivo** in the *si* clause:

  - *Si volviera a nacer, me gustaría ser como tú.*
    [But I cannot be born again.]
  - *Llámame por teléfono si vieras algún problema.*
    [But it is unlikely that there will be a problem.]
  - *Si tuviera el dinero que me pides, te lo dejaría, pero no lo tengo.*

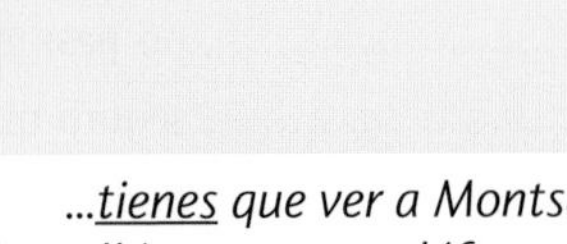

Si algún día te divorciaras
de tu mujer, a lo mejor
podría casarme contigo.

- In the **clause that does not begin with *si***, the form of the verb we use depends on what we want to say: a request, a statement, a supposition or a question etc:

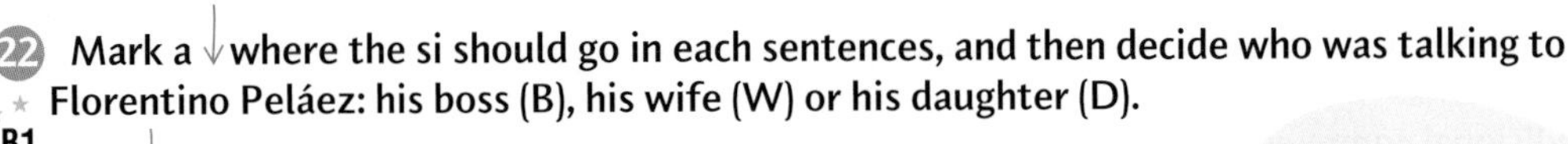

- *Si vas a Barcelona el mes que viene,...*
  [I think it very likely that you will go.]
- *Si fueras a Barcelona el mes que viene,...*
  [I think it very unlikely that you will go.]

...tienes que ver a Montse.
...llámame por teléfono.
...no olvides traerme algo de vino.
...conocerás a Álex y a Lourdes.
...yo te podría acompañar.
...¿visitarías la Sagrada Familia?

22 Mark a ↓ where the si should go in each sentences, and then decide who was talking to Florentino Peláez: his boss (B), his wife (W) or his daughter (D).

B1

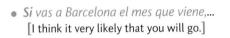

➲ ↓no me **das** dinero, no **puedo** hacer la compra ..M...
1. **tendrá** que venir el sábado hoy no **pudiera** trabajar ....
2. te **vas** de viaje, **tráeme** una muñeca ....
3. **acabara** el informe antes de las dos, le **invito** a comer ....
4. ¿me **vas** a llevar de viaje contigo **saco** buenas notas? ....
5. **terminaras** pronto, **pasa** por el banco a sacar dinero ....
6. no me **podré** dormir no me **lees** un cuento ....
7. **dejamos** a la niña con mi madre, **podríamos** salir esta noche ....
8. **llámeme tuviera** algún problema el sábado en la oficina ....

23 Félix is always more optimistic than Tristán. Decide which of the two said the sentences below, and match them to the most appropriate ending.

B1

➲ ..Félix.. Si mañana dejo de fumar,
..Tristán.. Si mañana pudiera dejar de fumar,
1. .... Si estudiara un poco más cada día,
   .... Si estudio un poco más cada día,
2. .... Si Marta vuelve conmigo,
   .... Si Laura volviera conmigo,
3. .... Si gana este partido el Motril Fútbol Club,
   .... Si ganara este partido el Sexi Fútbol Club,
4. .... Si comiera menos bocadillos de calamares,
   .... Si como menos bocadillos de calamares,
5. .... Si adelgazo cinco kilos.
   .... Si adelgazara cinco kilos.

a. mi estómago se lo agradecería, seguro.
b. a lo mejor aprendo inglés en unos meses.
c. seguramente dejaría de toser y me sentiría mejor.
d. nos vamos todos a la playa a celebrarlo.
e. me gustaría ir con ella de vacaciones a Maldivas.
f. no tendría que comprarme ropa nueva para el verano.

24 B1 **Tristán has just inherited a fortune from his aunt Gloria and is making plans for the future. However, he feels that some things are possible, whereas others are not. Help him to form the *si* clauses correctly and then put them where they belong.**

Piensa que es posible:	Piensa que es muy difícil:
➲ Conseguir el amor de Laura	➲ Tener cinco hijos
Comprarles una casa a sus padres	Poder comprar todas las casas de su pueblo
Mudarse a Madrid	Vivir en Nueva York
Dejar de trabajar un año	Dejar de trabajar para siempre
Hacer muchos viajes a París	Perder el miedo a los aviones

➲ *Si consigo el amor de Laura*, a lo mejor algún día nos casamos.
➲ *Si tuviéramos cinco hijos*, seríamos realmente felices juntos los siete.
1. ...., no pasa nada, ya trabajaré en el futuro.
2. ...., seguro que Laura se viene conmigo.
3. ...., podré aprender francés y hacer muchas compras.
4. ...., vivirán con más comodidad que ahora.
5. ...., en pocos años volvería a ser pobre.
6. ...., haría una urbanización de lujo.
7. ...., podría ir a Cuba, a Tailandia, a China...
8. ...., tendría un apartamento en la 5ª Avenida.

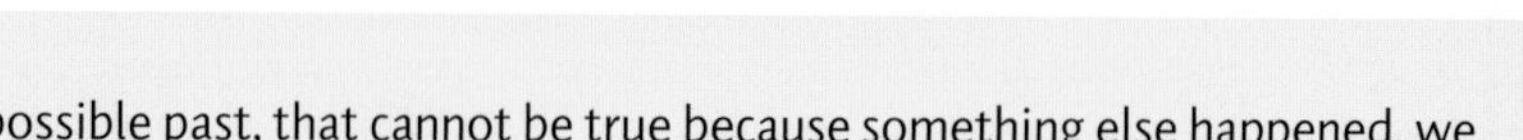

■ When the ***si*** clause concerns an impossible past, that cannot be true because something else happened, we use the **pluscuamperfecto de subjuntivo** in the ***si*** clause.

We use the **condicional compuesto** in the other part of the sentence to express a past hypothetical reality, and the **condicional simple** to express a hypothetical present or future:

- ***Si** hubiera encendido el cigarrillo, habría estallado el gas. Afortunadamente no encontró el mechero.*
- ***Si** hubiera estudiado más, aprobaría el examen de mañana. Seguro que suspendo.*

➲ 30. Condicional
➲ 31. Condicional compuesto
➲ 32. Forms of the subjuntivo

25 B1 **Complete the story with sentences from the box in the correct tenses. Add *si* when necessary.**

> Mi padre iba en un taxi. Hacía calor y abrió la ventanilla del taxi. Entró una abeja y le picó. Mi padre era alérgico a las picaduras de abeja y se puso muy enfermo. El taxista lo llevó al hospital. Mi padre se enamoró de la doctora que lo curó. Se casó con ella. Yo nací a los nueve meses. Por eso ahora estoy aquí y puedo contaros esta historia.

Era una tarde de verano, mi padre había cogido un taxi porque llegaba tarde al trabajo. ➲ *Si no hubiera hecho mucho calor*, (1) .... la ventanilla del taxi. Si no hubiera abierto la ventanilla del taxi, (2) .... una abeja. (3) .... a las picaduras de abeja, no (4) .... muy enfermo. (5) .... muy enfermo, (6) el taxista .... al hospital. (7) .... al hospital, (8) .... de la doctora que lo curó. (9) .... de la doctora que lo curó, (10) .... con ella. Si (11) .... , yo (12) .... Si yo (13) .... nueve meses después, ahora (14) .... aquí y (15) .... esta historia.

SECTION 7

Spelling

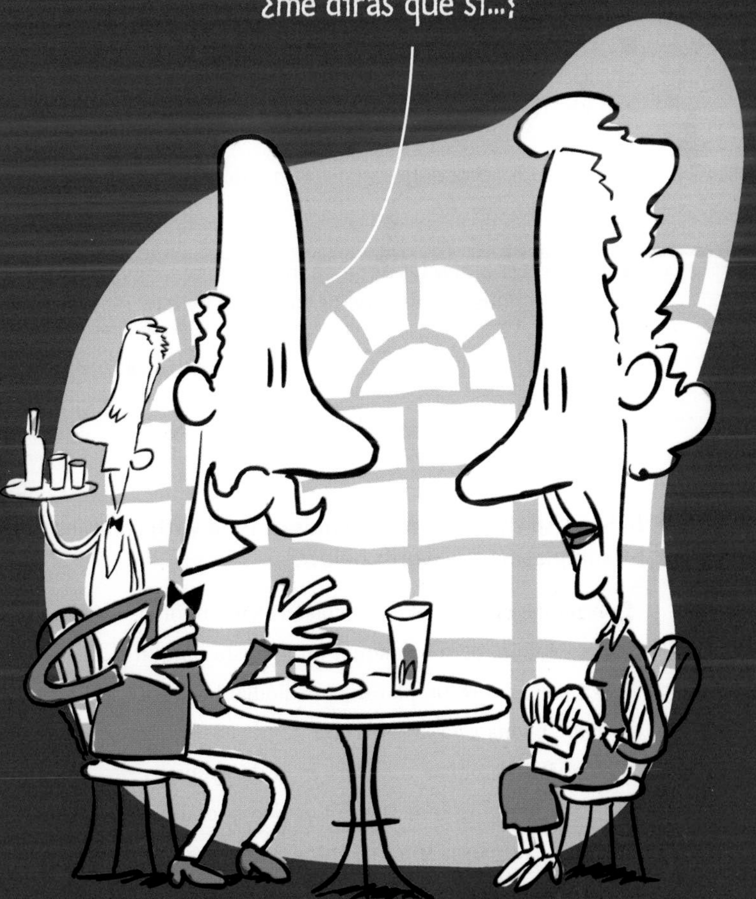
Si te invito a un té,
¿me dirás que sí...?

43. Letters and sounds

The Spanish alphabet is made up of the following letters:

A a	**B b**	**C c**	**Ch ch**	**D d**	**E e**	**F f**	**G g**
a	*be*	*ce*	*che*	*de*	*e*	*efe*	*ge*
H h	**I i**	**J j**	**K k**	**L l**	**Ll ll**	**M m**	**N n**
hache	*i*	*jota*	*ka*	*ele*	*elle*	*eme*	*ene*
Ñ ñ	**O o**	**P p**	**Q q**	**R r**	**RR rr**	**S s**	**T t**
eñe	*o*	*pe*	*cu*	*ere*	*erre*	*ese*	*te*
U u	**V v**	**W w**	**X x**	**Y y**	**Z z**		
u	*uve*	*uve doble*	*equis*	*i griega, ye*	*zeta*		

The letters are feminine: • *Aquí tienes que poner **una** be, no **una** uve.*

In Spanish, there is generally a close correspondence between the way something is written and the way it is said.

The letter ***h*** is silent..

A Groups of letters that represent a single sound

- The following combinations of letters represent a single sound:

ch [tʃ]

champú chocolate Chicago hecho

ll [ʎ]

ella llave lleno

rr [R]

perro correr

- The letter ***q*** **always** appears in combination with the ***u*** (the *u* is not pronounced). This combination is **always** followed by ***e*** or ***i***:

qu [k]

queso quiero aquí que

[*~~q~~uatro*] [*~~q~~uota*]
c *c*

1 **In Spanish there are many kinds of food with combinations of letters. Find out what they are by completing the words below.**

A1

ch
➲ A mí me encanta el ....ocolate. Pero engorda.

1. Es extraño, pero a Joaquín no le gusta ningún ......eso. Ni los frescos ni los curados.
2. La pae......a es un plato de mediodía. Los españoles nunca la pedimos para cenar.
3. ¡Qué buena está la torti......a de patatas!
4. En Madrid toman ......urros en el desayuno.
5. Estoy harto de comer po......o. ¿No podríamos comer una buena ......uleta un día de estos?
6. Las ......irimoyas son una fruta de invierno, ¿verdad?
7. Prueba las alca......ofas con ......orizo de ese restarurante. Están buenísimas.

B Letters that can represent different sounds

LETTERS					SOUNDS
g	a, o, u	*gato*, *gota*, *gustar*	*apagar*, *gorra*, *agua*	*amiga*, *mago*, *antiguo*	[g]
gu	e, i	*guerra*, *guitarra*	*juguete*, *conseguir*	👁 There are some words (very few) where the ***u*** is pronounced. In these cases, the ***u*** is written with a dieresis or umlaut above it: *vergüenza*, *pingüino*.	[g]
g	e, i	*gerundio*, *gitano*	*ángel*, *frágil*		[χ]
c	a, o, u	*casa*, *comer*, *cuñado*	*escapar*, *poco*, *oscuro*		[k]
c	e, i	*cenar*, *cocina*	*hacer*, *encima*	👁 In these cases, most Spanish speakers pronounce the [θ] sound as an [s]: *cenar* [sena´r]; *cocina* [cosi´na]...	[θ]

LETTERS		SOUNDS
rr	Always comes between vowels and is **rolled**:: *carro* *perro* *erre* *hierro*	[R]
r	Is **rolled** when it is the first letter of a word: *ropa* *reír* *río* *Roma* — and when it comes after ***l***, ***n*** or ***sub***-: *Enrique* *alrededor* *subrayar* 👁 [alrrededor] [Enrrique]	[R]
r	Is a **softer,** slightly rolled sound in all other cases: *caro* *crece* *señor* *mejorar* *gracias* *flor* *empezar* *abrazo* *pero* *ahora* *salir* *poder* *transporte* *aprendo*	[r]
y	As the first letter of a word or between vowels: *yo* *ayer* *yate* *haya* *yegua* *leyendo*	[ʎ]
y	As the last letter of a word or by itself: *hoy* *hay* *rey* *Paraguay* *detrás y delante*	[i]

2 **Guillermo Alfredo is a very studious parrot and wants to arrange these words according to their sounds. Help him.**

A1

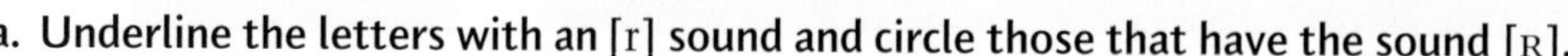

a. Underline the letters with an [r] sound and circle those that have the sound [R].

claro	carro	risa	escribir	Roma	rosa	alrededor
rincón	roto	ratón	Sara	familiar	recibir	calor
sierra	raro	aparcar	caro	revolución	subrayar	toro

b. Underline the letters with an [k] sound and circle those that have the sound [θ] or [s].

cosa	cielo	cola	velocidad	conoces	práctico	felices
casco	acusar	costa	cerrar	cuscús	crema	casa
encerrar	canción	círculo	conciencia	oscuro	claro	

c. Underline the letters with an [g] sound and circle those that have the sound [χ].

guerra	gitano	antiguo	lengua	gesto	gente	ceguera
guapo	gris	dirigir	agenda	tragedia	generoso	gas
gato	guitarra	gorro	ágil	gracioso	cirugía	

d. Underline the letters with an [ʎ] sound and circle those that have the sound [i].

yo	ayer	haya	hay	y	ya	rey
reyes	jersey	playa	ley	leyes	hoy	trayendo

C Different letters that can represent the same sound

LETTERS				SOUNDS
c	a / o / u	*cama* *poca* *correr* *loco* *cubierto* *oscuro*		[k]
qu	e / i	*querer* *quedar* *quise* *equipo*		[k]
k	vocal	*Alaska* *keroseno* (o *queroseno*) *kilo* (o *quilo*) *whisky* (o *güisqui*) *kurdo* (o *curdo*)	Very few words are written with *k*, Many of these can also be written with *c* or *qu*.	[k]
c	e / i	*cerrar* *pertenece* *canción* *encima*	In these cases, most Spanish speakers pronounce the [θ] sound as an [s]: *cerrar* [serár]; *plaza* [plása] ...	[θ]
z	a / o / u	*zapato* *plaza* *zoo* *zorro* *zumo* *zurdo*	Very few words are written with *ze*/*zi*: *zeta, zigzag...*	[θ]
b		*broma* *Barcelona* *obtener* *cambio*		[b]
v		*vaso* *volver* *enviar*		[b]

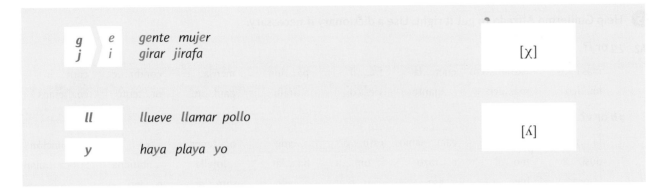

g / *j*	*e* / *i*	*gente mujer* / *girar jirafa*	[χ]
ll		*llueve llamar pollo*	[ʎ]
y		*haya playa yo*	

3 Complete the words that correspond to the following definitions. All of them have at least a *c* or a *z*.

A2

➲ Una verdura que nos hace llorar. — C e b o L L A

1. Género musical español parecido a la ópera. — .... a r .... u e ....
2. Lugar donde podemos ver animales de sitios muy diferentes. — .... o l ó g i ....
3. Parte del cuerpo donde tenemos el cerebro. — .... a .... e .... a
4. Antiguo emperador de Rusia. — .... a ....
5. Forma geométrica redonda. — .... í .... u l ....
6. Persona que no puede ver. — .... i e g ....
7. Número igual a nada. — .... r o
8. Ciudad más importante de un país. — .... p .... t l
9. Espectáculo con payasos y fieras. — .... i r ....

4 Put the SMSes below into normal Spanish.

A2

① ¿Ke tal estás? ¿Kómo va todo? ¿Te vienes a la disco esta tarde?

② Te kiero un montón. ¿Kedamos en kasa?

③ ¿Ké me dices? ¿Kieres venir o no?

④ Kalla, kalla, ke ayer konocí a un tipo guapísimo ;-)

⑤ Kuando vengas al kole, trae medio kilo de churros, ke tengo hambre. Hoy hemos komido fatal.

⑥ Viaje muy inkómodo. Demasiados kilómetros.

5 **Help Guillermo Alfredo to get it right. Use a dictionary if necessary.**

A2 **¿*g* or *j*?**

masa....e	extran....ero	ener....ía	frá....il	pá....ina	mensa....e	condu....e	corri....ió
ló....ico	má....ico	....igante	vie....o	....irafa	gara....e	ur....ente	co....emos

¿*b* or *v*?

fa....uloso	....ino	cam....iamos	estu....o	....erde	o....tener	....er	ha....itación
posi....le	mó....il	a....razo	....om....a	ha....lar	....otella	....itamina	....oca....ulario
....oca	hier....a	....aso	....i....o	....uelo	sam....a	o....jeti....o	

¿*ll* or *y*?

....ueve	....o	....a	....evaron	a....er	....amar	pla....a	....eno
estre....a	....egarán	....orar	....egua	....oga	le....endo	be....a	bo....o

D The *ñ*

- The *ñ* is the most characteristic Spanish letter. In English, the special accent on this letter is sometimes referred to with the Spanish word "tilde", though in Spanish this word refers to written accents of all types:

ñ [ɲ] *español niño enseñar bañera*

6 **Many of the words below should be written with an ñ, not an n. Find and correct them.**

A2

➲ En español tenemos muchas eñes, una letra típica de esta lengua.

1. Los suenos que no nos gustan se llaman pesadilllas.
2. Cuando echamos de menos algo, lo anoramos.
3. En otono, en el campo, cortamos mucha lena para poder encender la chimenea.
4. Cuando algo nos duele, decimos que nos hace mucho dano.
5. Tenemos nenes y nenas, pero también ninos y ninas.
6. Nos banamos en el mar y en baneras.
7. Ensenamos nuestra lengua a los que quieren aprenderla.
8. Y celebramos el ano nuevo comiendo doce uvas.

7 **Letter soup: find the words that correspond to the definitions (they may be written horizontally or vertically).**

A2

➲ Pronombre de primera persona singular.

1. Animal que tiene el cuello muy largo.
2. Animal que ladra.
3. Sirve para borrar.
4. Número entre el 3 y el 5.
5. Mucha gente lo toma por las mañana, sobre todo si es de naranja.
6. A los ratones les encanta comerlo.
7. Femenino de 'él'.
8. Gran corriente de agua que va al mar.
9. Lo usamos para lavarnos el pelo.
10. Lo contrario de 'barato'.
11. Última comida del día.
12. El día anterior a hoy.

Q	M	J	I	R	A	F	A	S	S
U	T	G	I	V	C	E	Y	O	C
E	H	X	Z	Z	H	C	E	N	A
S	B	O	C	U	A	T	R	O	R
O	F	C	Q	M	M	R	W	G	O
D	–	R	Í	O	P	E	I	O	M
E	L	L	A	X	Ú	V	K	M	V
P	E	R	R	O	P	F	C	A	C

44. Accentuation

A Word stress

- Words are made up of syllables, which are groups of sounds that are said together, in a single breath:

ven	*ho-ja*	*plan-ta*	*co-ci-na*	*e-jem-plo*	*or-de-na-dor*	*im-pre-sio-nan-te*
[1 syllable]	[2 syllables]	[2 syllables]	[3 syllables]	[3 syllables]	[4 syllables]	[5 syllables]

- Spanish there are words made up of:

ONE SYLLABLE	TWO SYLLABLES	THREE OR MORE SYLLABLES
y, de, mi, pan, ten, col, sin, sal, ver, flor, luz...	*li-bro, me-sa, lá-piz, go-ma, co-che, dis-co...*	*sen-ci-llo, tran-qui-lo, bo-te-lla, te-le-vi-sor, im-pre-sio-nan-te, in-te-re-san-tí-si-mo...*

- All words have a **stressed** syllable. One of the syllables is pronounced **louder** than the others. This is the **stressed syllable**:

... ■ ■ ■ ■	... ■ ■ ■ ■	... ■ ■ ■ ■	... ■ ■ ■ ■ ■
yo	*e-**llos***	*sá-ba-do*	*quí-ta-se-lo*
*so-**fá***	*do-**min**-go*	*po-**lí**-ti-cos*	*re-ga-**lán**-do-se-las*
*se-ma-**nal***	*con-tro-**la**-da*	*fri-go-**rí**-fi-co*	
*re-pro-duc-**tor***	*ma-ra-vi-**lla**-dos*		
*des-tor-ni-lla-**dor***			

Most words in Spanish have the following stress pattern: ··· ■ ■ ■ ■

- There is only one written accent (or tilde): (´). which is always written over the vowel of the stressed syllable: ***á, é, í, ó, ú*** (*ca-fé, mó-vil, mé-di-co...*), taking into account the rhythm and the word ending:

... ■ ■ ■ ■		... ■ ■ ■ ■		... ■ ■ ■ ■ / ... ■ ■ ■ ■ ■	
If ending in a CONSONANT (except *-n* or *-s*): WITHOUT ACCENT	If ending in a VOWEL,, *-n* or *-s*: WITH ACCENT	If ending in a VOWEL,, *-n* or *-s*: WITHOUT TILDE	If ending in a CONSONANT (except *-n* y *-s*): WITH ACCENT	ALWAYS WITH ACCENT	
can-tad	*so-fá*	*ma-pa*	*có-mic*	*mú-si-ca*	
re-loj	*es-quí*	*ma-pas*	*cés-ped*	*plá-ta-no*	
con-trol	*hin-dú*	*ha-bla*	*ár-bol*	*rá-pi-do*	
ha-blar	*jar-dín*	*ha-blas*	*fá-cil*	*sí-la-ba*	
sa-lir	*sa-lón*	*sa-len*	*ál-bum*	*mé-di-co*	
sa-lid	*sa-lí*	*sa-les*	*Ló-pez*	*plás-ti-co*	
ac-triz	*qui-zás*	*di-ce*	*cán-cer*	*cás-ca-ra*	
an-da-luz	*ja-rrón*	*ha-blan*	*dó-lar*	*fan-tás-ti-co*	
es-cri-tor	*de-trás*	*en-tra-da*	*lá-piz*	*gra-má-ti-ca*	
a-mis-tad	*fran-cés*	*can-ta-bas*	*a-zú-car*	*ki-ló-me-tros*	*pá-sa-me-lo*
pa-si-vi-dad	*can-ta-rás*	*fran-ce-sa*	*di-fí-cil*	*te-lé-fo-no*	*pí-de-se-las*
ro-tu-la-dor	*ca-ta-lán*	*es-cri-to-ra*	*por-tá-til*	*an-ti-pá-ti-cos*	*co-mén-ta-se-lo*
des-tor-ni-lla-dor	*co-mu-ni-ca-rán*	*de-mo-cra-cia*	*re-fe-rén-dum*	*de-mo-crá-ti-cos*	*to-mán-do-se-las*

- Monosyllabic words are generally not written with an accent:

con, en, por...
pan, ser, sal, sol...
di, haz, pon, ten...

1 **Jaime is teaching his parrot, Guillermo Alberto, how to write, but he's having problems with the written accents. Help him by putting in the written accents where necessary.**

A1

gustan, árbol, pajaro, llevamelo, menu, calor, cadaver, mejor, coñac, abril, kilometro, examen, caracter, ademas, angel, hotel, imbecil, ojala, agenda, haz, daselos, palabra, dormir, dormid, sin, camisa, llamalo, fin, velocidad, saltatela, subir, suben, descontrol, descontrolados, tomala, callad, callado, rayo, doctor, tranquilidad, goma, sal, botella, bebetelos, primo, escribir, alegre, inteligente, papel, papeles, salud, conductor, conductora.

2 **The Herodes Academy has set an accents exam, but Rodrigo doesn't know the rules very well and hasn't written a single one. Write in the ten missing accents (not counting the example).**

A1

➲ La moneda española es el euro y la de Estados Unidos es el dólar.
1. Los Reyes Magos me van a traer un camion de madera y lo van a dejar en la cocina.
2. En el jardin de mis primos hay un arbol muy grande y siempre nos subimos.
3. Este verano voy a ir a Granada en tren y voy a pasar por un tunel.
4. Yo quiero tener un movil pero mis padres no me dejan.
5. Ayer tuve una discusion con mi hermano mayor porque no me llevaba de excursion.
6. Prefiero sentarme en el sofa y ver la television que hacer deberes.
7. Esto de poner acentos es muy dificil.

■ When we add pronouns to an infinitive, a gerund or a positive imperative, the word stress stays on the same syllable. However, as the position of this stressed syllable within the word has changed, sometimes you have to write in an accent:

➲ 16. Position and combination

➲ 34. Imperativo

Pon + la → ponla *Pasar + lo → pasarlo*	But:	*Pon + se + la → pónsela* *Pasar + me lo → pasármelo* *Entreguen + se las → entréguenselas* *Explicando + se lo → explicándoselo*

■ In the case of adverbs made up of an ADJECTIVE + ***-mente***, if the base adjective is written with an accent, then the adverb will also be written with an accent:

claramente [cla-ra + men-te] *igualmente* [i-gual + men-te]	*fácilmente* [fá-cil + men-te] *cómodamente* [có-mo-da + men-te]

3 **Write the following combinations of verbs and pronouns as single words, writing in the accent if necessary.**

A2

➲ comprando + se + la ...*comprándosela*...
1. escribid + nos + la ....
2. secar + lo ....
3. canta + la ....
4. pon + se + lo ....
5. mira + me + lo ....
6. haz + los ....
7. devolver + me + la ....
8. preparad + lo ....
9. resolviendo + lo ....
10. solucionar + la ....
11. pintando + nos + las ....
12. levantar + las ....
13. di + lo ....
14. haz + se + los ....
15. di + se + lo ....

4 Substitute the underlined part of the sentence for one of the adverbs in the box, writing in the accent if necessary.

A2

unicamente	seguramente	normalmente	estupidamente ✓	tontamente	ultimamente

➲ Se comportó como un imbécil. Empezó a dar gritos y a romper cosas y me marché.
.... estúpidamente ....

1. Todas las noches me tomo un vaso de leche antes de acostarme.
....

2. Ha engordado mucho en estos tres meses. Está mejor.
....

3. Casi con toda probabilidad tendrán que cambiar de casa. Van a tener trillizos.
....

4. Van a trabajar solo con nosotras.
....

5. De una forma absurda, por culpa de un solo cigarro, volvió a fumar.
....

B Diphthongs

■ When a word has two vowels in a row, they can form two syllables or just one. Two syllables are formed when the vowels ***a, e*** or ***o*** are combined:

a-é-re-o *o-cé-a-no* *a-ho-ra* *ma-es-tro* *po-e-ta* *le-o* *te-a-tro*

■ A single syllable is formed when an ***a, e,*** and ***o*** are combined with an ***i,*** or a ***u,*** or when an ***i*** is combined with a ***u.*** When vowels come together in this way in a single syllable they are called **diphthongs**:

-ai-, -au-:	*ai-re, au-la*	-ie-, -ue-:	*pien-so, rue-da*	-ia-, -ua-:	*pia-no, a-gua*
-io-, -uo-:	*sa-bio, cuo-ta*	-ei-, -eu-:	*pei-ne, eu-ro*		
-iu-, -ui-:	*ciu-dad, rui-do*	-oi-:	*oi-go*		

■ When the stressed syllable of a word contains a diphthong, the accent falls on the vowels a, e, o, or on the second vowel of the combinations ***-iu-*** or ***-ui-***:

sa-béis	*rue-da*	*cui-dan*	*cons-trui-do*
au-la	*bue-no*	*diur-no*	*viu-do*
biom-bo	*pia-no*		

■ There are some words where the stressed syllable does not fall on an ***a, e*** or ***o,*** but on an ***i*** or a ***u.*** In these cases, the combination of vowels form two syllables and an accent is written over the i or the ***u*** to show this:

Ma-rí-a *dí-a* *rí-o* *grú-a* *a-hí* *le-í-do* *o-í-do*

5 Guillermo Alberto is having problems with his diphthongs. Help him to write the accents where they are needed.

A2

puerta viaje suavidad erais paella línea sauna diez pais
leon cuidala caida Ruiz raiz sabeis contais seis nueve
veintiseis infierno feo reuniamos devolvais soy buho Raul
cliente fiel confiabamos siguiendolos cruel diente sueño huir
ibais jerseis vais prohibo reisteis siguientes teorico feisimo
cien igual siesta duo via huevo guion ingenuo sabia sabia
sintiendo pie riesgo luego fuimos sepais hay

C Distinguishing between words by the accent: *te* / *té*

- Algunas palabras son fonéticamente iguales, pero no significan lo mismo. Por esa razón, cuando las escribimos, hay que distinguirlas con una tilde:

MONOSYLLABIC WORDS

WITHOUT ACCENT	**WITH** ACCENT
de [preposition]	*dé* [Presente de subjuntivo of the verb *dar*]
el [article]	*él* [pronoun]
mi [possessive]	*mí* [pronoun]
que [conjunction, relative]	*qué* [interrogative or exclamation]
se [pronoun]	*sé* [Presente de indicativo of the verb *saber*]
te [pronoun]	*té* [noun: a drink]
si [conjunction: *Si quieres, voy.*]	*sí* [affirmative adverb: *Sí, ven.*]
	sí [reflexive pronoun: *Se defendió a sí mismo.*]

OTHER WORDS

WITHOUT ACCENT	**WITH** ACCENT
como [comparative, conjunction]	*cómo* [interrogative]
cuando [conjunction]	*cuándo* [interrogative]
quien, quienes [relatives: *Es él quien viene.*]	*quién, quiénes* [interrogatives: *¿Quién viene?*]

➔ 6. Demonstratives

6 A2 **Luisito is writing his first love letter, but is having difficulties with some of the accents. Help him by writing them in.**

Querida Susana:

El otro día en casa de tu madre cuando ella tomaba el te y tu buscabas el CD, te miré a los ojos y, buf, fue genial. Para mi eres la chica más estupenda que he visto en mi vida. No se, eres fantástica....

¿Vienes este domingo a patinar conmigo? Tengo unos patines nuevos. Aquellos que te gustaban tanto se rompieron. Si quieres venir, me mandas un sms. Pon solo una palabra: si. Y entonces yo estaré muy contento porque no pasaré la horrible tarde del domingo solo.

Luis

7 A2 **Susana is also having problems with the accents. This is what she has written in her diary.**

Querido diario:

Hace muchos días que no te escribo. El domingo pasado salí con Luis y, bueno, fue un poco rollo. El no habló casi nada y como yo hablo tanto, no se qué pensar... ¿Se aburrió? ¿Se divirtió? No se.... Me escuchó, eso si, pero no se si me escuchó con ganas (yo a veces no escucho mucho si algo no me interesa mucho).

Ah, Luis tiene unos patines nuevos... Me gustan mucho más estos que los otros que tenía antes... Estos son mucho más chulos... pero yo a aquellos les tenía cariño...

Y el final, fue horrible... Sobre todo cuando el me dijo: "Susana, tu a mi me gustas mucho. Y yo, ¿yo te gusto a ti?" Y yo le dije: "¿Tu a mi?"

Y entonces me puse muy nerviosa, cogí mis patines y me fui.... Si le gusto, volverá.... ¿verdad que si?

Conjugated verbs

Conjugated verbs

A Regular verbs

HABLAR All regular verbs ending in ***-ar*** conjugate in the same way as ***hablar***.

INDICATIVE			SUBJUNCTIVE	
Presente	**Pretérito pluscuamp.**	**Futuro perfecto**	**Presente**	**Pretérito pluscuamp.**
Hablo	Había hablado	Habré hablado	Hable	Hubiera (-se) hablado
Hablas	Habías hablado	Habrás hablado	Hables	Hubieras (-ses) hablado
Habla	Había hablado	Habrá hablado	Hable	Hubiera (...) hablado
Hablamos	Habíamos hablado	Habremos hablado	Hablemos	Hubiéramos hablado
Habláis	Habíais hablado	Habréis hablado	Habléis	Hubierais hablado
Hablan	Habían hablado	Habrán hablado	Hablen	Hubieran hablado
Pretérito perfecto	**Pretérito indefinido**	**Condicional**	**Pretérito perfecto**	GERUND
He hablado	Hablé	Hablaría	Haya hablado	Hablando
Has hablado	Hablaste	Hablarías	Hayas hablado	
Ha hablado	Habló	Hablaría	Haya hablado	PAST PARTICIPLE
Hemos hablado	Hablamos	Hablaríamos	Hayamos hablado	Hablado
Habéis hablado	Hablasteis	Hablaríais	Hayáis hablado	
Han hablado	Hablaron	Hablarían	Hayan hablado	
				IMPERATIVE
Pretérito imperfecto	**Futuro**	**Cond. compuesto**	**Pretérito imperfecto**	**Positivo/Negativo**
Hablaba	Hablaré	Habría hablado	Hablara (-se)	
Hablabas	Hablarás	Habrías hablado	Hablaras (-ses)	Habla /No hables
Hablaba	Hablará	Habría hablado	Hablara (...)	Hable/ No hable
Hablábamos	Hablaremos	Habríamos hablado	Habláramos	
Hablabais	Hablaréis	Habríais hablado	Hablarais	Hablad /No habléis
Hablaban	Hablarán	Habrían hablado	Hablaran	Hablen /No hablen

COMER All regular verbs ending in ***-er*** conjugate in the same way as ***comer***.

INDICATIVE			SUBJUNCTIVE	
Presente	**Pretérito pluscuamp.**	**Futuro perfecto**	**Presente**	**Pretérito pluscuamp.**
Como	Había comido	Habré comido	Coma	Hubiera (-se) comido
Comes	Habías comido	Habrás comido	Comas	Hubieras (-ses) comido
Come	Había comido	Habrá comido	Coma	Hubiera (...) comido
Comemos	Habíamos comido	Habremos comido	Comamos	Hubiéramos comido
Coméis	Habíais comido	Habréis comido	Comáis	Hubierais comido
Comen	Habían comido	Habrán comido	Coman	Hubieran comido
Pretérito perfecto	**Pretérito indefinido**	**Condicional**	**Pretérito perfecto**	GERUND
He comido	Comí	Comería	Haya comido	Comiendo
Has comido	Comiste	Comerías	Hayas comido	
Ha comido	Comió	Comería	Haya comido	PAST PARTICIPLE
Hemos comido	Comimos	Comeríamos	Hayamos comido	Comido
Habéis comido	Comisteis	Comeríais	Hayáis comido	
Han comido	Comieron	Comerían	Hayan comido	
				IMPERATIVE
Pretérito imperfecto	**Futuro**	**Cond. compuesto**	**Pretérito imperfecto**	**Positivo/Negativo**
Comía	Comeré	Habría comido	Comiera (-se)	
Comías	Comerás	Habrías comido	Comieras (-ses)	Come / No comas
Comía	Comerá	Habría comido	Comiera (...)	Comed / No comáis
Comíamos	Comeremos	Habríamos comido	Comiéramos	
Comíais	Comeréis	Habríais comido	Comierais	Coma / No coma
Comían	Comerán	Habrían comido	Comieran	Coman / No coman

VIVIR All regular verbs ending in *-ir* conjugate in the same way as ***vivir***.

INDICATIVE			SUBJUNCTIVE	
Presente	**Pretérito pluscuamp.**	**Futuro perfecto**	**Presente**	**Pretérito pluscuamp.**
Vivo	Había vivido	Habré vivido	Viva	Hubiera (-se) vivido
Vives	Habías vivido	Habrás vivido	Vivas	Hubieras (-ses) vivido
Vive	Había vivido	Habrá vivido	Viva	Hubiera (...) vivido
Vivimos	Habíamos vivido	Habremos vivido	Vivamos	Hubiéramos vivido
Vivís	Habíais vivido	Habréis vivido	Viváis	Hubierais vivido
Viven	Habían vivido	Habrán vivido	Vivan	Hubieran vivido
Pretérito perfecto	**Pretérito indefinido**	**Condicional**	**Pretérito perfecto**	GERUND
He vivido	Viví	Viviría	Haya vivido	Viviendo
Has vivido	Viviste	Vivirías	Hayas vivido	
Ha vivido	Vivió	Viviría	Haya vivido	PAST PARTICIPLE
Hemos vivido	Vivimos	Viviríamos	Hayamos vivido	Vivido
Habéis vivido	Vivisteis	Viviríais	Hayáis vivido	
Han vivido	Vivieron	Vivirían	Hayan vivido	
				IMPERATIVE
Pretérito imperfecto	**Futuro**	**Cond. compuesto**	**Pretérito imperfecto**	**Positivo/Negativo**
Vivía	Viviré	Habría vivido	Viviera (-se)	
Vivías	Vivirás	Habrías vivido	Vivieras (-ses)	Vive / No vivas
Vivía	Vivirá	Habría vivido	Viviera (...)	Vivid / No viváis
Vivíamos	Viviremos	Habríamos vivido	Viviéramos	
Vivíais	Viviréis	Habríais vivido	Vivierais	Viva / No viva
Vivían	Vivirán	Habrían vivido	Vivieran	Vivan / No vivan

B Verbs with two or more irregularities

ANDAR

INDICATIVE			SUBJUNCTIVE	
Presente	**Pretérito pluscuamp.**	**Futuro perfecto**	**Presente**	**Pretérito pluscuamp.**
Ando	Había andado	Habré andado	Ande	Hubiera (-se) andado
Andas	Habías andado	Habrás andado	Andes	Hubieras (-ses) andado
Anda	Había andado	Habrá andado	Ande	Hubiera (...) andado
Andamos	Habíamos andado	Habremos andado	Andemos	Hubiéramos andado
Andáis	Habíais andado	Habréis andado	Andéis	Hubierais andado
Andan	Habían andado	Habrán andado	Anden	Hubieran andado
Pretérito perfecto	**Pretérito indefinido**	**Condicional**	**Pretérito perfecto**	GERUND
He andado	**Anduve**	Andaría	Haya andado	Andando
Has andado	**Anduviste**	Andarías	Hayas andado	
Ha andado	**Anduvo**	Andaría	Haya andado	PAST PARTICIPLE
Hemos andado	**Anduvimos**	Andaríamos	Hayamos andado	Andado
Habéis andado	**Anduvisteis**	Andaríais	Hayáis andado	
Han andado	**Anduvieron**	Andarían	Hayan andado	
				IMPERATIVE
Pretérito imperfecto	**Futuro**	**Cond. compuesto**	**Pretérito imperfecto**	**Positivo/Negativo**
Andaba	Andaré	Habría andado	**Anduviera** (-se)	
Andabas	Andarás	Habrías andado	**Anduvieras** (-ses)	Anda / No andes
Andaba	Andará	Habría andado	**Anduviera** (...)	Andad / No andéis
Andábamos	Andaremos	Habríamos andado	**Anduviéramos**	
Andabais	Andaréis	Habríais andado	**Anduvierais**	Ande / No ande
Andaban	Andarán	Habrían andado	**Anduvieran**	Anden / No anden

CABER

INDICATIVE			SUBJUNCTIVE	
Presente	**Pretérito pluscuamp.**	**Futuro perfecto**	**Presente**	**Pretérito pluscuamp.**
Quepo	Había cabido	Habré cabido	Quepa	Hubiera (-se) cabido
Cabes	Habías cabido	Habrás cabido	Quepas	Hubieras (-ses) cabido
Cabe	Había cabido	Habrá cabido	Quepa	Hubiera (...) cabido
Cabemos	Habíamos cabido	Habremos cabido	Quepamos	Hubiéramos cabido
Cabéis	Habíais cabido	Habréis cabido	Quepáis	Hubierais cabido
Caben	Habían cabido	Habrán cabido	Quepan	Hubieran cabido
Pretérito perfecto	**Pretérito indefinido**	**Condicional**	**Pretérito perfecto**	GERUND
He cabido	Cupe	Cabría	Haya cabido	Cabiendo
Has cabido	Cupiste	Cabrías	Hayas cabido	
Ha cabido	Cupo	Cabría	Haya cabido	PAST PARTICIPLE
Hemos cabido	Cupimos	Cabríamos	Hayamos cabido	Cabido
Habéis cabido	Cupisteis	Cabríais	Hayáis cabido	
Han cabido	Cupieron	Cabrían	Hayan cabido	
				IMPERATIVE
Pretérito imperfecto	**Futuro**	**Cond. compuesto**	**Pretérito imperfecto**	**Positivo/Negativo**
Cabía	Cabré	Habría cabido	Cupiera (-se)	
Cabías	Cabrás	Habrías cabido	Cupieras (-ses)	(No se usan.)
Cabía	Cabrá	Habría cabido	Cupiera (...)	
Cabíamos	Cabremos	Habríamos cabido	Cupiéramos	
Cabíais	Cabréis	Habríais cabido	Cupierais	
Cabían	Cabrán	Habrían cabido	Cupieran	

CAER

INDICATIVE			SUBJUNCTIVE	
Presente	**Pretérito pluscuamp.**	**Futuro perfecto**	**Presente**	**Pretérito pluscuamp.**
Caigo	Había caído	Habré caído	Caiga	Hubiera (-se) caído
Caes	Habías caído	Habrás caído	Caigas	Hubieras (-ses) caído
Cae	Había caído	Habrá caído	Caiga	Hubiera (...) caído
Caemos	Habíamos caído	Habremos caído	Caigamos	Hubiéramos caído
Caéis	Habíais caído	Habréis caído	Caigáis	Hubierais caído
Caen	Habían caído	Habrán caído	Caigan	Hubieran caído
Pretérito perfecto	**Pretérito indefinido**	**Condicional**	**Pretérito perfecto**	GERUND
He caído	Caí	Caería	Haya caído	Cayendo
Has caído	Caíste	Caerías	Hayas caído	
Ha caído	Cayó	Caería	Haya caído	PAST PARTICIPLE
Hemos caído	Caímos	Caeríamos	Hayamos caído	Caído
Habéis caído	Caísteis	Caeríais	Hayáis caído	
Han caído	Cayeron	Caerían	Hayan caído	
				IMPERATIVE
Pretérito imperfecto	**Futuro**	**Cond. compuesto**	**Pretérito imperfecto**	**Positivo/Negativo**
Caía	Caeré	Habría caído	Cayera (-se)	
Caías	Caerás	Habrías caído	Cayeras (-ses)	Cae / No caigas
Caía	Caerá	Habría caído	Cayera (...)	Caed / No caigáis
Caíamos	Caeremos	Habríamos caído	Cayéramos	
Caíais	Caeréis	Habríais caído	Cayerais	Caiga / No caiga
Caían	Caerán	Habrían caído	Cayeran	Caigan / No caigan

■ Other verbs that conjugate like *caer*: ***decaer*** and ***recaer***.

CONDUCIR

INDICATIVE

Presente	Pretérito pluscuamp.	Futuro perfecto
Conduzco	Había conducido	Habré conducido
Conduces	Habías conducido	Habrás conducido
Conduce	Había conducido	Habrá conducido
Conducimos	Habíamos conducido	Habremos conducido
Conducís	Habíais conducido	Habréis conducido
Conducen	Habían conducido	Habrán conducido

Pretérito perfecto	Pretérito indefinido	Condicional
He conducido	**Conduje**	Conduciría
Has conducido	**Condujiste**	Conducirías
Ha conducido	**Condujo**	Conduciría
Hemos conducido	**Condujimos**	Conduciríamos
Habéis conducido	**Condujisteis**	Conduciríais
Han conducido	**Condujeron**	Conducirían

Pretérito imperfecto	Futuro	Cond. compuesto
Conducía	Conduciré	Habría conducido
Conducías	Conducirás	Habrías conducido
Conducía	Conducirá	Habría conducido
Conducíamos	Conduciremos	Habríamos conducido
Conducíais	Conduciréis	Habríais conducido
Conducían	Conducirán	Habrían conducido

SUBJUNCTIVE

Presente	Pretérito pluscuamp.
Conduzca	Hubiera (-se) conducido
Conduzcas	Hubieras (-ses) conducido
Conduzca	Hubiera (...) conducido
Conduzcamos	Hubiéramos conducido
Conduzcáis	Hubierais conducido
Conduzcan	Hubieran conducido

Pretérito perfecto	Pretérito imperfecto
Haya conducido	**Condujera** (-se)
Hayas conducido	**Condujeras** (-ses)
Haya conducido	**Condujera** (...)
Hayamos conducido	**Condujéramos**
Hayáis conducido	**Condujerais**
Hayan conducido	**Condujeran**

GERUND

Conduciendo

PAST PARTICIPLE

Conducido

IMPERATIVE

Positivo/Negativo

Conduce / No conduzcas
Conducid / No conduzcáis

Conduzca / No conduzca
Conduzcan / No conduzcan

■ Other verbs that conjugate like *conducir*: ***introducir, producir, reducir, traducir...***

CONFIAR

INDICATIVE

Presente	Pretérito pluscuamp.	Futuro perfecto
Confío	Había confiado	Habré confiado
Confías	Habías confiado	Habrás confiado
Confía	Había confiado	Habrá confiado
Confiamos	Habíamos confiado	Habremos confiado
Confiáis	Habíais confiado	Habréis confiado
Confían	Habían confiado	Habrán confiado

Pretérito perfecto	Pretérito indefinido	Condicional
He confiado	Confié	Confiaría
Has confiado	Confiaste	Confiarías
Ha confiado	Confió	Confiaría
Hemos confiado	Confiamos	Confiaríamos
Habéis confiado	Confiasteis	Confiaríais
Han confiado	Confiaron	Confiarían

Pretérito imperfecto	Futuro	Cond. compuesto
Confiaba	Confiaré	Habría confiado
Confiabas	Confiarás	Habrías confiado
Confiaba	Confiará	Habría confiado
Confiábamos	Confiaremos	Habríamos confiado
Confiabais	Confiaréis	Habríais confiado
Confiaban	Confiarán	Habrían confiado

SUBJUNCTIVE

Presente	Pretérito pluscuamp.
Confíe	Hubiera (-se) confiado
Confíes	Hubieras (-ses) confiado
Confíe	Hubiera (...) confiado
Confiemos	Hubiéramos confiado
Confiéis	Hubierais confiado
Confíen	Hubieran confiado

Pretérito perfecto	Pretérito imperfecto
Haya confiado	Confiara (-se)
Hayas confiado	Confiaras (-ses)
Haya confiado	Confiara (...)
Hayamos confiado	Confiáramos
Hayáis confiado	Confiarais
Hayan confiado	Confiaran

GERUND

Confiando

PAST PARTICIPLE

Confiado

IMPERATIVE

Positivo/Negativo

Confía / No **confíes**
Confiad / No confiéis

Confíe / No **confíe**
Confíen / No **confíen**

■ Other verbs that conjugate like *confiar*: ***desconfiar, enfriar, enviar, esquiar, guiar, variar...***

CONOCER

INDICATIVE			SUBJUNCTIVE	
Presente	**Pretérito pluscuamp.**	**Futuro perfecto**	**Presente**	**Pretérito pluscuamp.**
Conozco	Había conocido	Habré conocido	**Conozca**	Hubiera (-se) conocido
Conoces	Habías conocido	Habrás conocido	**Conozcas**	Hubieras (-ses) conocido
Conoce	Había conocido	Habrá conocido	**Conozca**	Hubiera (...) conocido
Conocemos	Habíamos conocido	Habremos conocido	**Conozcamos**	Hubiéramos conocido
Conocéis	Habíais conocido	Habréis conocido	**Conozcáis**	Hubierais conocido
Conocen	Habían conocido	Habrán conocido	**Conozcan**	Hubieran conocido
Pretérito perfecto	**Pretérito indefinido**	**Condicional**	**Pretérito perfecto**	GERUND
He conocido	Conocí	Conocería	Haya conocido	Conociendo
Has conocido	Conociste	Conocerías	Hayas conocido	
Ha conocido	Conoció	Conocería	Haya conocido	PAST PARTICIPLE
Hemos conocido	Conocimos	Conoceríamos	Hayamos conocido	Conocido
Habéis conocido	Conocisteis	Conoceríais	Hayáis conocido	
Han conocido	Conocieron	Conocerían	Hayan conocido	
				IMPERATIVE
Pretérito imperfecto	**Futuro**	**Cond. compuesto**	**Pretérito imperfecto**	**Positivo/Negativo**
Conocía	Conoceré	Habría conocido	Conociera (-se)	
Conocías	Conocerás	Habrías conocido	Conocieras (-ses)	Conoce / **No conozcas**
Conocía	Conocerá	Habría conocido	Conociera (...)	Conoced / **No conozcáis**
Conocíamos	Conoceremos	Habríamos conocido	Conociéramos	
Conocíais	Conoceréis	Habríais conocido	Conocierais	**Conozca / No conozca**
Conocían	Conocerán	Habrían conocido	Conocieran	**Conozcan / No conozcan**

■ Other verbs that conjugate like *conocer*: ***desconocer, reconocer, aparecer, desaparecer, agradecer, apetecer, crecer, establecer...***

CONSTRUIR

INDICATIVE			SUBJUNCTIVE	
Presente	**Pretérito pluscuamp.**	**Futuro perfecto**	**Presente**	**Pretérito pluscuamp.**
Construyo	Había construido	Habré construido	**Construya**	Hubiera (-se) construido
Construyes	Habías construido	Habrás construido	**Construyas**	Hubieras (-ses) construido
Construye	Había construido	Habrá construido	**Construya**	Hubiera (...) construido
Construimos	Habíamos construido	Habremos construido	**Construyamos**	Hubiéramos construido
Construís	Habíais construido	Habréis construido	**Construyáis**	Hubierais construido
Construyen	Habían construido	Habrán construido	**Construyan**	Hubieran construido
Pretérito perfecto	**Pretérito indefinido**	**Condicional**	**Pretérito perfecto**	GERUND
He construido	Construí	Construiría	Haya construido	Construyendo
Has construido	Construiste	Construirías	Hayas construido	
Ha construido	**Construyó**	Construiría	Haya construido	PAST PARTICIPLE
Hemos construido	Construimos	Construiríamos	Hayamos construido	Construido
Habéis construido	Construisteis	Construiríais	Hayáis construido	
Han construido	**Construyeron**	Construirían	Hayan construido	
				IMPERATIVE
Pretérito imperfecto	**Futuro**	**Cond. compuesto**	**Pretérito imperfecto**	**Positivo/Negativo**
Construía	Construiré	Habría construido	**Construyera** (-se)	
Construías	Construirás	Habrías construido	**Construyeras** (-ses)	**Construye / No construyas**
Construía	Construirá	Habría construido	**Construyera** (...)	Construid / **No construyáis**
Construíamos	Construiremos	Habríamos construido	**Construyéramos**	
Construíais	Construiréis	Habríais construido	**Construyerais**	**Construya / No construya**
Construían	Construirán	Habrían construido	**Construyeran**	**Construyan / No construyan**

■ Other verbs that conjugate like *construir*: ***atribuir, concluir, constituir, contribuir, destruir, disminuir, distribuir, excluir, huir, incluir, influir, instruir, reconstruir, sustituir...***

CREER

INDICATIVE

Presente	Pretérito pluscuamp.	Futuro perfecto
Creo	Había creído	Habré creído
Crees	Habías creído	Habrás creído
Cree	Había creído	Habrá creído
Creemos	Habíamos creído	Habremos creído
Creéis	Habíais creído	Habréis creído
Creen	Habían creído	Habrán creído

Pretérito perfecto	Pretérito indefinido	Condicional
He creído	Creí	Creería
Has creído	Creíste	Creerías
Ha creído	Creyó	Creería
Hemos creído	Creímos	Creeríamos
Habéis creído	Creísteis	Creeríais
Han creído	Creyeron	Creerían

Pretérito imperfecto	Futuro	Cond. compuesto
Creía	Creeré	Habría creído
Creías	Creerás	Habrías creído
Creía	Creerá	Habría creído
Creíamos	Creeremos	Habríamos creído
Creíais	Creeréis	Habríais creído
Creían	Creerán	Habrían creído

SUBJUNCTIVE

Presente	Pretérito pluscuamp.
Crea	Hubiera (-se) creído
Creas	Hubieras (-ses) creído
Crea	Hubiera (...) creído
Creamos	Hubiéramos creído
Creáis	Hubierais creído
Crean	Hubieran creído

Pretérito perfecto	Pretérito imperfecto
Haya creído	Creyera (-se)
Hayas creído	Creyeras (-ses)
Haya creído	Creyera (...)
Hayamos creído	Creyéramos
Hayáis creído	Creyerais
Hayan creído	Creyeran

GERUND

Creyendo

PAST PARTICIPLE

Creído

IMPERATIVE

Positivo/Negativo

Cree / No creas
Creed / No creáis
Crea / No crea
Crean / No crean

■ Other verbs that conjugate like *creer*: ***leer, poseer.***

DAR

INDICATIVE

Presente	Pretérito pluscuamp.	Futuro perfecto
Doy	Había dado	Habré dado
Das	Habías dado	Habrás dado
Da	Había dado	Habrá dado
Damos	Habíamos dado	Habremos dado
Dais	Habíais dado	Habréis dado
Dan	Habían dado	Habrán dado

Pretérito perfecto	Pretérito indefinido	Condicional
He dado	Di	Daría
Has dado	Diste	Darías
Ha dado	Dio	Daría
Hemos dado	Dimos	Daríamos
Habéis dado	Disteis	Daríais
Han dado	Dieron	Darían

Pretérito imperfecto	Futuro	Cond. compuesto
Daba	Daré	Habría dado
Dabas	Darás	Habrías dado
Daba	Dará	Habría dado
Dábamos	Daremos	Habríamos dado
Dabais	Daréis	Habríais dado
Daban	Darán	Habrían dado

SUBJUNCTIVE

Presente	Pretérito pluscuamp.
Dé	Hubiera (-se) dado
Des	Hubieras (-ses) dado
Dé	Hubiera (...) dado
Demos	Hubiéramos dado
Deis	Hubierais dado
Den	Hubieran dado

Pretérito perfecto	Pretérito imperfecto
Haya dado	Diera (-se)
Hayas dado	Dieras (-ses)
Haya dado	Diera (...)
Hayamos dado	Diéramos
Hayáis dado	Dierais
Hayan dado	Dieran

GERUND

Dando

PAST PARTICIPLE

Dado

IMPERATIVE

Positivo/Negativo

Da / No des
Dad / No deis
Dé / No dé
Den / No den

DECIR

INDICATIVE			SUBJUNCTIVE	
Presente	Pretérito pluscuamp.	Futuro perfecto	Presente	Pretérito pluscuamp.
Digo	Había dicho	Habré dicho	Diga	Hubiera (-se) dicho
Dices	Habías dicho	Habrás dicho	Digas	Hubieras (-ses) dicho
Dice	Había dicho	Habrá dicho	Diga	Hubiera (...) dicho
Decimos	Habíamos dicho	Habremos dicho	Digamos	Hubiéramos dicho
Decís	Habíais dicho	Habréis dicho	Digáis	Hubierais dicho
Dicen	Habían dicho	Habrán dicho	Digan	Hubieran dicho
Pretérito perfecto	Pretérito indefinido	Condicional	Pretérito perfecto	GERUND
He dicho	Dije	Diría	Haya dicho	Diciendo
Has dicho	Dijiste	Dirías	Hayas dicho	
Ha dicho	Dijo	Diría	Haya dicho	PAST PARTICIPLE
Hemos dicho	Dijimos	Diríamos	Hayamos dicho	Dicho
Habéis dicho	Dijisteis	Diríais	Hayáis dicho	
Han dicho	Dijeron	Dirían	Hayan dicho	
				IMPERATIVE
Pretérito imperfecto	Futuro	Cond. compuesto	Pretérito imperfecto	Positivo/Negativo
Decía	Diré	Habría dicho	Dijera (-se)	
Decías	Dirás	Habrías dicho	Dijeras (-ses)	Di / No digas
Decía	Dirá	Habría dicho	Dijera (...)	Decid / No digáis
Decíamos	Diremos	Habríamos dicho	Dijéramos	
Decíais	Diréis	Habríais dicho	Dijerais	Diga / No diga
Decían	Dirán	Habrían dicho	Dijeran	Digan / No digan

■ Other verbs that conjugate like *decir*: ***contradecir, predecir...***

DORMIR

INDICATIVE			SUBJUNCTIVE	
Presente	Pretérito pluscuamp.	Futuro perfecto	Presente	Pretérito pluscuamp.
Duermo	Había dormido	Habré dormido	Duerma	Hubiera (-se) dormido
Duermes	Habías dormido	Habrás dormido	Duermas	Hubieras (-ses) dormido
Duerme	Había dormido	Habrá dormido	Duerma	Hubiera (...) dormido
Dormimos	Habíamos dormido	Habremos dormido	Durmamos	Hubiéramos dormido
Dormís	Habíais dormido	Habréis dormido	Durmáis	Hubierais dormido
Duermen	Habían dormido	Habrán dormido	Duerman	Hubieran dormido
Pretérito perfecto	Pretérito indefinido	Condicional	Pretérito perfecto	GERUND
He dormido	Dormí	Dormiría	Haya dormido	Durmiendo
Has dormido	Dormiste	Dormirías	Hayas dormido	
Ha dormido	Durmió	Dormiría	Haya dormido	PAST PARTICIPLE
Hemos dormido	Dormimos	Dormiríamos	Hayamos dormido	Dormido
Habéis dormido	Dormisteis	Dormiríais	Hayáis dormido	
Han dormido	Durmieron	Dormirían	Hayan dormido	
				IMPERATIVE
Pretérito imperfecto	Futuro	Cond. compuesto	Pretérito imperfecto	Positivo/Negativo
Dormía	Dormiré	Habría dormido	Durmiera (-se)	
Dormías	Dormirás	Habrías dormido	Durmieras (-ses)	Duerme / No duermas
Dormía	Dormirá	Habría dormido	Durmiera (...)	Dormid / No durmáis
Dormíamos	Dormiremos	Habríamos dormido	Durmiéramos	
Dormíais	Dormiréis	Habríais dormido	Durmierais	Duerma / No duerma
Dormían	Dormirán	Habrían dormido	Durmieran	Duerman / No duerman

ENTENDER

INDICATIVE			SUBJUNCTIVE	
Presente	**Pretérito pluscuamp.**	**Futuro perfecto**	**Presente**	**Pretérito pluscuamp.**
Entiendo	Había entendido	Habré entendido	**Entienda**	Hubiera (-se) entendido
Entiendes	Habías entendido	Habrás entendido	**Entiendas**	Hubieras (-ses) entendido
Entiende	Había entendido	Habrá entendido	**Entienda**	Hubiera(...) entendido
Entendemos	Habíamos entendido	Habremos entendido	Entendamos	Hubiéramos entendido
Entendéis	Habíais entendido	Habréis entendido	Entendáis	Hubierais entendido
Entienden	Habían entendido	Habrán entendido	**Entiendan**	Hubieran entendido
Pretérito perfecto	**Pretérito indefinido**	**Condicional**	**Pretérito perfecto**	GERUND
He entendido	Entendí	Entendería	Haya entendido	Entendiendo
Has entendido	Entendiste	Entenderías	Hayas entendido	
Ha entendido	Entendió	Entendería	Haya entendido	PAST PARTICIPLE
Hemos entendido	Entendimos	Entenderíamos	Hayamos entendido	Entendido
Habéis entendido	Entendisteis	Entenderíais	Hayáis entendido	
Han entendido	Entendieron	Entenderían	Hayan entendido	
				IMPERATIVE
Pretérito imperfecto	**Futuro**	**Cond. compuesto**	**Pretérito imperfecto**	**Positivo/Negativo**
Entendía	Entenderé	Habría entendido	Entendiera (-se)	
Entendías	Entenderás	Habrías entendido	Entendieras (-ses)	**Entiende** / No **entiendas**
Entendía	Entenderá	Habría entendido	Entendiera (...)	Entended / No entendáis
Entendíamos	Entenderemos	Habríamos entendido	Entendiéramos	
Entendíais	Entenderéis	Habríais entendido	Entendierais	**Entienda** / No **entienda**
Entendían	Entenderán	Habrían entendido	Entendieran	**Entiendan** / No **entiendan**

■ Other verbs that conjugate like *entender*: ***atender, defender, encender, extender, perder, tender, verter...***

ESTAR

INDICATIVE			SUBJUNCTIVE	
Presente	**Pretérito pluscuamp.**	**Futuro perfecto**	**Presente**	**Pretérito pluscuamp.**
Estoy	Había estado	Habré estado	**Esté**	Hubiera (-se) estado
Estás	Habías estado	Habrás estado	**Estés**	Hubieras (-ses) estado
Está	Había estado	Habrá estado	**Esté**	Hubiera (...) estado
Estamos	Habíamos estado	Habremos estado	Estemos	Hubiéramos estado
Estáis	Habíais estado	Habréis estado	Estéis	Hubierais estado
Están	Habían estado	Habrán estado	**Estén**	Hubieran estado
Pretérito perfecto	**Pretérito indefinido**	**Condicional**	**Pretérito perfecto**	GERUND
He estado	**Estuve**	Estaría	Haya estado	Estando
Has estado	**Estuviste**	Estarías	Hayas estado	
Ha estado	**Estuvo**	Estaría	Haya estado	PAST PARTICIPLE
Hemos estado	**Estuvimos**	Estaríamos	Hayamos estado	Estado
Habéis estado	**Estuvisteis**	Estaríais	Hayáis estado	
Han estado	**Estuvieron**	Estarían	Hayan estado	
				IMPERATIVE
Pretérito imperfecto	**Futuro**	**Cond. compuesto**	**Pretérito imperfecto**	**Positivo/Negativo**
Estaba	Estaré	Habría estado	**Estuviera** (-se)	
Estabas	Estarás	Habrías estado	**Estuvieras** (-ses)	**Está** / No **estés**
Estaba	Estará	Habría estado	**Estuviera** (...)	Estad / No estéis
Estábamos	Estaremos	Habríamos estado	**Estuviéramos**	
Estabais	Estaréis	Habríais estado	**Estuvierais**	**Esté** / No **esté**
Estaban	Estarán	Habrían estado	**Estuvieran**	**Estén** / No **estén**

FREÍR

INDICATIVE			SUBJUNCTIVE	
Presente	**Pretérito pluscuamp.**	**Futuro perfecto**	**Presente**	**Pretérito pluscuamp.**
Frío	Había frito	Habré frito	Fría	Hubiera (-se) frito
Fríes	Habías frito	Habrás frito	Frías	Hubieras (-ses) frito
Fríe	Había frito	Habrá frito	Fría	Hubiera (...) frito
Freímos	Habíamos frito	Habremos frito	Friamos	Hubiéramos frito
Freís	Habíais frito	Habréis frito	Friáis	Hubierais frito
Fríen	Habían frito	Habrán frito	Frían	Hubieran frito
Pretérito perfecto	**Pretérito indefinido**	**Condicional**	**Pretérito perfecto**	GERUND
He frito	Freí	Freiría	Haya frito	Friendo
Has frito	Freíste	Freirías	Hayas frito	
Ha frito	Frió	Freiría	Haya frito	PAST PARTICIPLE
Hemos frito	Freímos	Freiríamos	Hayamos frito	Frito
Habéis frito	Freísteis	Freiríais	Hayáis frito	
Han frito	Frieron	Freirían	Hayan frito	
				IMPERATIVE
Pretérito imperfecto	**Futuro**	**Cond. compuesto**	**Pretérito imperfecto**	**Positivo/Negativo**
Freía	Freiré	Habría frito	Friera (-se)	
Freías	Freirás	Habrías frito	Frieras (-ses)	Fríe / No frías
Freía	Freirá	Habría frito	Friera (...)	Freíd / No friáis
Freíamos	Freiremos	Habríamos frito	Friéramos	
Freíais	Freiréis	Habríais frito	Frierais	Fría / No fría
Freían	Freirán	Habrían frito	Frieran	Frían / No frían

■ ***Freír*** tiene un past participle regular ***freído***, poco usado.

HABER

INDICATIVE			SUBJUNCTIVE	
Presente	**Pretérito pluscuamp.**	**Futuro perfecto**	**Presente**	**Pretérito pluscuamp.**
He	Había habido	Habré habido	Haya	Hubiera (-se) habido
Has	Habías habido	Habrás habido	Hayas	Hubieras (-ses) habido
Ha (Hay)	Había habido	Habrá habido	Haya	Hubiera (...) habido
Hemos	Habíamos habido	Habremos habido	Hayamos	Hubiéramos habido
Habéis	Habíais habido	Habréis habido	Hayáis	Hubierais habido
Han	Habían habido	Habrán habido	Hayan	Hubieran habido
Pretérito perfecto	**Pretérito indefinido**	**Condicional**	**Pretérito perfecto**	GERUND
He habido	Hube	Habría	Haya habido	Habiendo
Has habido	Hubiste	Habrías	Hayas habido	
Ha habido	Hubo	Habría	Haya habido	PAST PARTICIPLE
Hemos habido	Hubimos	Habríamos	Hayamos habido	Habido
Habéis habido	Hubisteis	Habríais	Hayáis habido	
Han habido	Hubieron	Habrían	Hayan habido	
				IMPERATIVE
Pretérito imperfecto	**Futuro**	**Cond. compuesto**	**Pretérito imperfecto**	**Positivo/Negativo**
Había	Habré	Habría habido	Hubiera (-se)	
Habías	Habrás	Habrías habido	Hubieras (-ses)	(No se usan.)
Había	Habrá	Habría habido	Hubiera (...)	
Habíamos	Habremos	Habríamos habido	Hubiéramos	
Habíais	Habréis	Habríais habido	Hubierais	
Habían	Habrán	Habrían habido	Hubieran	

HACER

INDICATIVE			SUBJUNCTIVE	
Presente	**Pretérito pluscuamp.**	**Futuro perfecto**	**Presente**	**Pretérito pluscuamp.**
Hago	Había hecho	Habré hecho	Haga	Hubiera (-se) hecho
Haces	Habías hecho	Habrás hecho	Hagas	Hubieras (-ses) hecho
Hace	Había hecho	Habrá hecho	Haga	Hubiera (...) hecho
Hacemos	Habíamos hecho	Habremos hecho	Hagamos	Hubiéramos hecho
Hacéis	Habíais hecho	Habréis hecho	Hagáis	Hubierais hecho
Hacen	Habían hecho	Habrán hecho	Hagan	Hubieran hecho
Pretérito perfecto	**Pretérito indefinido**	**Condicional**	**Pretérito perfecto**	GERUND
He hecho	Hice	Haría	Haya hecho	Haciendo
Has hecho	Hiciste	Harías	Hayas hecho	
Ha hecho	Hizo	Haría	Haya hecho	PAST PARTICIPLE
Hemos hecho	Hicimos	Haríamos	Hayamos hecho	Hecho
Habéis hecho	Hicisteis	Haríais	Hayáis hecho	
Han hecho	Hicieron	Harían	Hayan hecho	
				IMPERATIVE
Pretérito imperfecto	**Futuro**	**Cond. compuesto**	**Pretérito imperfecto**	**Positivo/Negativo**
Hacía	Haré	Habría hecho	Hiciera (-se)	
Hacías	Harás	Habrías hecho	Hicieras (-ses)	Haz / No hagas
Hacía	Hará	Habría hecho	Hiciera (...)	Haced / No hagáis
Hacíamos	Haremos	Habríamos hecho	Hiciéramos	
Hacíais	Haréis	Habríais hecho	Hicierais	Haga / No haga
Hacían	Harán	Habrían hecho	Hicieran	Hagan / No hagan

■ Other verbs that conjugate like *hacer*: ***deshacer, rehacer, satisfacer.***

IR

INDICATIVE			SUBJUNCTIVE	
Presente	**Pretérito pluscuamp.**	**Futuro perfecto**	**Presente**	**Pretérito pluscuamp.**
Voy	Había ido	Habré ido	Vaya	Hubiera (-se) ido
Vas	Habías ido	Habrás ido	Vayas	Hubieras (-ses) ido
Va	Había ido	Habrá ido	Vaya	Hubiera (...) ido
Vamos	Habíamos ido	Habremos ido	Vayamos	Hubiéramos ido
Vais	Habíais ido	Habréis ido	Vayáis	Hubierais ido
Van	Habían ido	Habrán ido	Vayan	Hubieran ido
Pretérito perfecto	**Pretérito indefinido**	**Condicional**	**Pretérito perfecto**	GERUND
He ido	Fui	Iría	Haya ido	Yendo
Has ido	Fuiste	Irías	Hayas ido	
Ha ido	Fue	Iría	Haya ido	PAST PARTICIPLE
Hemos ido	Fuimos	Iríamos	Hayamos ido	Ido
Habéis ido	Fuisteis	Iríais	Hayáis ido	
Han ido	Fueron	Irían	Hayan ido	
				IMPERATIVE
Pretérito imperfecto	**Futuro**	**Cond. compuesto**	**Pretérito imperfecto**	**Positivo/Negativo**
Iba	Iré	Habría ido	Fuera (-se)	
Ibas	Irás	Habrías ido	Fueras (-ses)	Ve / No vayas
Iba	Irá	Habría ido	Fuera (...)	Id / No vayáis
Íbamos	Iremos	Habríamos ido	Fuéramos	
Ibais	Iréis	Habríais ido	Fuerais	Vaya / No vaya
Iban	Irán	Habrían ido	Fueran	Vayan / No vayan

JUGAR

INDICATIVE			SUBJUNCTIVE	
Presente	**Pretérito pluscuamp.**	**Futuro perfecto**	**Presente**	**Pretérito pluscuamp.**
Juego	Había jugado	Habré jugado	Juegue	Hubiera (-se) jugado
Juegas	Habías jugado	Habrás jugado	Juegues	Hubieras (-ses) jugado
Juega	Había jugado	Habrá jugado	Juegue	Hubiera (...) jugado
Jugamos	Habíamos jugado	Habremos jugado	Juguemos	Hubiéramos jugado
Jugáis	Habíais jugado	Habréis jugado	Juguéis	Hubierais jugado
Juegan	Habían jugado	Habrán jugado	Jueguen	Hubieran jugado
Pretérito perfecto	**Pretérito indefinido**	**Condicional**	**Pretérito perfecto**	GERUND
He jugado	Jugué	Jugaría	Haya jugado	Jugando
Has jugado	Jugaste	Jugarías	Hayas jugado	
Ha jugado	Jugó	Jugaría	Haya jugado	PAST PARTICIPLE
Hemos jugado	Jugamos	Jugaríamos	Hayamos jugado	Jugado
Habéis jugado	Jugasteis	Jugaríais	Hayáis jugado	
Han jugado	Jugaron	Jugarían	Hayan jugado	
				IMPERATIVE
Pretérito imperfecto	**Futuro**	**Cond. compuesto**	**Pretérito imperfecto**	**Positivo/Negativo**
Jugaba	Jugaré	Habría jugado	Jugara (-se)	
Jugabas	Jugarás	Habrías jugado	Jugaras (-ses)	Juega / No juegues
Jugaba	Jugará	Habría jugado	Jugara (...)	Jugad / No juguéis
Jugábamos	Jugaremos	Habríamos jugado	Jugáramos	
Jugabais	Jugaréis	Habríais jugado	Jugarais	Juegue / No juegue
Jugaban	Jugarán	Habrían jugado	Jugaran	Jueguen / No jueguen

■ The sound [g] is written ***g*** before the sounds [o] and [a] , and ***gu*** before the sound [e]

MORIR

INDICATIVE			SUBJUNCTIVE	
Presente	**Pretérito pluscuamp.**	**Futuro perfecto**	**Presente**	**Pretérito pluscuamp.**
Muero	Había muerto	Habré muerto	Muera	Hubiera (-se) muerto
Mueres	Habías muerto	Habrás muerto	Mueras	Hubieras (-ses) muerto
Muere	Había muerto	Habrá muerto	Muera	Hubiera (...) muerto
Morimos	Habíamos muerto	Habremos muerto	Muramos	Hubiéramos muerto
Morís	Habíais muerto	Habréis muerto	Muráis	Hubierais muerto
Mueren	Habían muerto	Habrán muerto	Mueran	Hubieran muerto
Pretérito perfecto	**Pretérito indefinido**	**Condicional**	**Pretérito perfecto**	GERUND
He muerto	Morí	Moriría	Haya muerto	Muriendo
Has muerto	Moriste	Morirías	Hayas muerto	
Ha muerto	Murió	Moriría	Haya muerto	PAST PARTICIPLE
Hemos muerto	Morimos	Moriríamos	Hayamos muerto	Muerto
Habéis muerto	Moristeis	Moriríais	Hayáis muerto	
Han muerto	Murieron	Morirían	Hayan muerto	
				IMPERATIVE
Pretérito imperfecto	**Futuro**	**Cond. compuesto**	**Pretérito imperfecto**	**Positivo/Negativo**
Moría	Moriré	Habría muerto	Muriera (-se)	
Morías	Morirás	Habrías muerto	Murieras (-ses)	Muere / No mueras
Moría	Morirá	Habría muerto	Muriera (...)	Morid / No muráis
Moríamos	Moriremos	Habríamos muerto	Muriéramos	
Moríais	Moriréis	Habríais muerto	Murierais	Muera / No muera
Morían	Morirán	Habrían muerto	Murieran	Mueran / No mueran

MOVER

INDICATIVE			SUBJUNCTIVE	
Presente	**Pretérito pluscuamp.**	**Futuro perfecto**	**Presente**	**Pretérito pluscuamp.**
Muevo	Había movido	Habré movido	Mueva	Hubiera (-se) movido
Mueves	Habías movido	Habrás movido	Muevas	Hubieras (-ses) movido
Mueve	Había movido	Habrá movido	Mueva	Hubiera(...) movido
Movemos	Habíamos movido	Habremos movido	Movamos	Hubiéramos movido
Movéis	Habíais movido	Habréis movido	Mováis	Hubierais movido
Mueven	Habían movido	Habrán movido	Muevan	Hubieran movido

Pretérito perfecto	**Pretérito indefinido**	**Condicional**	**Pretérito perfecto**	GERUND
He movido	Moví	Movería	Haya movido	Moviendo
Has movido	Moviste	Moverías	Hayas movido	
Ha movido	Movió	Movería	Haya movido	PAST PARTICIPLE
Hemos movido	Movimos	Moveríamos	Hayamos movido	Movido
Habéis movido	Movisteis	Moveríais	Hayáis movido	
Han movido	Movieron	Moverían	Hayan movido	

				IMPERATIVE
Pretérito imperfecto	**Futuro**	**Cond. compuesto**	**Pretérito imperfecto**	**Positivo/Negativo**
Movía	Moveré	Habría movido	Moviera (-se)	
Movías	Moverás	Habrías movido	Movieras (-ses)	Mueve / No muevas
Movía	Moverá	Habría movido	Moviera (...)	Moved / No mováis
Movíamos	Moveremos	Habríamos movido	Moviéramos	
Movíais	Moveréis	Habríais movido	Movierais	Mueva / No mueva
Movían	Moverán	Habrían movido	Movieran	Muevan / No muevan

■ Other verbs that conjugate like *mover*: ***cocer*, *conmover(se)*, *doler*, *llover*, *oler*** (with this verb, the forms with ***h***- are written with -***ue***-: ***huelo***)...

OÍR

INDICATIVE			SUBJUNCTIVE	
Presente	**Pretérito pluscuamp.**	**Futuro perfecto**	**Presente**	**Pretérito pluscuamp.**
Oigo	Había oído	Habré oído	Oiga	Hubiera (-se) oído
Oyes	Habías oído	Habrás oído	Oigas	Hubieras (-ses) oído
Oye	Había oído	Habrá oído	Oiga	Hubiera (...) oído
Oímos	Habíamos oído	Habremos oído	Oigamos	Hubiéramos oído
Oís	Habíais oído	Habréis oído	Oigáis	Hubierais oído
Oyen	Habían oído	Habrán oído	Oigan	Hubieran oído

Pretérito perfecto	**Pretérito indefinido**	**Condicional**	**Pretérito perfecto**	GERUND
He oído	Oí	Oiría	Haya oído	Oyendo
Has oído	Oíste	Oirías	Hayas oído	
Ha oído	Oyó	Oiría	Haya oído	PAST PARTICIPLE
Hemos oído	Oímos	Oiríamos	Hayamos oído	Oído
Habéis oído	Oísteis	Oiríais	Hayáis oído	
Han oído	Oyeron	Oirían	Hayan oído	

				IMPERATIVE
Pretérito imperfecto	**Futuro**	**Cond. compuesto**	**Pretérito imperfecto**	**Positivo/Negativo**
Oía	Oiré	Habría oído	Oyera (-se)	
Oías	Oirás	Habrías oído	Oyeras (-ses)	Oye / No oigas
Oía	Oirá	Habría oído	Oyera (...)	Oíd / No oigáis
Oíamos	Oiremos	Habríamos oído	Oyéramos	
Oíais	Oiréis	Habríais oído	Oyerais	Oiga / No oiga
Oían	Oirán	Habrían oído	Oyeran	Oigan / No oigan

■ Other verbs that conjugate like *oír*: ***desoír***.

PEDIR

INDICATIVE			SUBJUNCTIVE	
Presente	**Pretérito pluscuamp.**	**Futuro perfecto**	**Presente**	**Pretérito pluscuamp.**
Pido	Había pedido	Habré pedido	Pida	Hubiera (-se) pedido
Pides	Habías pedido	Habrás pedido	Pidas	Hubieras (-ses) pedido
Pide	Había pedido	Habrá pedido	Pida	Hubiera (...) pedido
Pedimos	Habíamos pedido	Habremos pedido	Pidamos	Hubiéramos pedido
Pedís	Habíais pedido	Habréis pedido	Pidáis	Hubierais pedido
Piden	Habían pedido	Habrán pedido	Pidan	Hubieran pedido
Pretérito perfecto	**Pretérito indefinido**	**Condicional**	**Pretérito perfecto**	GERUND
He pedido	Pedí	Pediría	Haya pedido	Pidiendo
Has pedido	Pediste	Pedirías	Hayas pedido	
Ha pedido	Pidió	Pediría	Haya pedido	PAST PARTICIPLE
Hemos pedido	Pedimos	Pediríamos	Hayamos pedido	Pedido
Habéis pedido	Pedisteis	Pediríais	Hayáis pedido	
Han pedido	Pidieron	Pedirían	Hayan pedido	
				IMPERATIVE
Pretérito imperfecto	**Futuro**	**Cond. compuesto**	**Pretérito imperfecto**	**Positivo/Negativo**
Pedía	Pediré	Habría pedido	Pidiera (-se)	
Pedías	Pedirás	Habrías pedido	Pidieras (-ses)	Pide / No pidas
Pedía	Pedirá	Habría pedido	Pidiera (...)	Pedid / No pidáis
Pedíamos	Pediremos	Habríamos pedido	Pidiéramos	
Pedíais	Pediréis	Habríais pedido	Pidierais	Pida / No pida
Pedían	Pedirán	Habrían pedido	Pidieran	Pidan / No pidan

■ Other verbs that conjugate like *pedir*: ***corregir, elegir, reír, repetir, seguir, servir...***

PENSAR

INDICATIVE			SUBJUNCTIVE	
Presente	**Pretérito pluscuamp.**	**Futuro perfecto**	**Presente**	**Pretérito pluscuamp.**
Pienso	Había pensado	Habré pensado	Piense	Hubiera (-se) pensado
Piensas	Habías pensado	Habrás pensado	Pienses	Hubieras (-ses) pensado
Piensa	Había pensado	Habrá pensado	Piense	Hubiera (...) pensado
Pensamos	Habíamos pensado	Habremos pensado	Pensemos	Hubiéramos pensado
Pensáis	Habíais pensado	Habréis pensado	Penséis	Hubierais pensado
Piensan	Habían pensado	Habrán pensado	Piensen	Hubieran pensado
Pretérito perfecto	**Pretérito indefinido**	**Condicional**	**Pretérito perfecto**	GERUND
He pensado	Pensé	Pensaría	Haya pensado	Pensando
Has pensado	Pensaste	Pensarías	Hayas pensado	
Ha pensado	Pensó	Pensaría	Haya pensado	PAST PARTICIPLE
Hemos pensado	Pensamos	Pensaríamos	Hayamos pensado	Pensado
Habéis pensado	Pensasteis	Pensaríais	Hayáis pensado	
Han pensado	Pensaron	Pensarían	Hayan pensado	
				IMPERATIVE
Pretérito imperfecto	**Futuro**	**Cond. compuesto**	**Pretérito imperfecto**	**Positivo/Negativo**
Pensaba	Pensaré	Habría pensado	Pensara (-se)	
Pensabas	Pensarás	Habrías pensado	Pensaras (-ses)	Piensa / No pienses
Pensaba	Pensará	Habría pensado	Pensara (...)	Pensad / No penséis
Pensábamos	Pensaremos	Habríamos pensado	Pensáramos	
Pensabais	Pensaréis	Habríais pensado	Pensarais	Piense / No piense
Pensaban	Pensarán	Habrían pensado	Pensaran	Piensen / No piensen

■ Other verbs that conjugate like *pensar*: ***cerrar, comenzar, despertar(se), empezar, sentar(se)...***

PODER

INDICATIVE			SUBJUNCTIVE	
Presente	**Pretérito pluscuamp.**	**Futuro perfecto**	**Presente**	**Pretérito pluscuamp.**
Puedo	Había podido	Habré podido	Pueda	Hubiera (-se) podido
Puedes	Habías podido	Habrás podido	Puedas	Hubieras (-ses) podido
Puede	Había podido	Habrá podido	Pueda	Hubiera (...) podido
Podemos	Habíamos podido	Habremos podido	Podamos	Hubiéramos podido
Podéis	Habíais podido	Habréis podido	Podáis	Hubierais podido
Pueden	Habían podido	Habrán podido	Puedan	Hubieran podido
Pretérito perfecto	**Pretérito indefinido**	**Condicional**	**Pretérito perfecto**	**GERUND**
He podido	Pude	Podría	Haya podido	Pudiendo
Has podido	Pudiste	Podrías	Hayas podido	
Ha podido	Pudo	Podría	Haya podido	**PAST PARTICIPLE**
Hemos podido	Pudimos	Podríamos	Hayamos podido	Podido
Habéis podido	Pudisteis	Podríais	Hayáis podido	
Han podido	Pudieron	Podrían	Hayan podido	
				IMPERATIVE
Pretérito imperfecto	**Futuro**	**Cond. compuesto**	**Pretérito imperfecto**	**Positivo/Negativo**
Podía	Podré	Habría podido	Pudiera (-se)	
Podías	Podrás	Habrías podido	Pudieras (-ses)	(No se usan.)
Podía	Podrá	Habría podido	Pudiera (...)	
Podíamos	Podremos	Habríamos podido	Pudiéramos	
Podíais	Podréis	Habríais podido	Pudierais	
Podían	Podrán	Habrían podido	Pudieran	

PONER

INDICATIVE			SUBJUNCTIVE	
Presente	**Pretérito pluscuamp.**	**Futuro perfecto**	**Presente**	**Pretérito pluscuamp.**
Pongo	Había puesto	Habré puesto	Ponga	Hubiera (-se) puesto
Pones	Habías puesto	Habrás puesto	Pongas	Hubieras (-ses) puesto
Pone	Había puesto	Habrá puesto	Ponga	Hubiera (...) puesto
Ponemos	Habíamos puesto	Habremos puesto	Pongamos	Hubiéramos puesto
Ponéis	Habíais puesto	Habréis puesto	Pongáis	Hubierais puesto
Ponen	Habían puesto	Habrán puesto	Pongan	Hubieran puesto
Pretérito perfecto	**Pretérito indefinido**	**Condicional**	**Pretérito perfecto**	**GERUND**
He puesto	Puse	Pondría	Haya puesto	Poniendo
Has puesto	Pusiste	Pondrías	Hayas puesto	
Ha puesto	Puso	Pondría	Haya puesto	**PAST PARTICIPLE**
Hemos puesto	Pusimos	Pondríamos	Hayamos puesto	Puesto
Habéis puesto	Pusisteis	Pondríais	Hayáis puesto	
Han puesto	Pusieron	Pondrían	Hayan puesto	
				IMPERATIVE
Pretérito imperfecto	**Futuro**	**Cond. compuesto**	**Pretérito imperfecto**	**Positivo/Negativo**
Ponía	Pondré	Habría puesto	Pusiera (-se)	
Ponías	Pondrás	Habrías puesto	Pusieras (-ses)	Pon / No pongas
Ponía	Pondrá	Habría puesto	Pusiera (...)	Poned / No pongáis
Poníamos	Pondremos	Habríamos puesto	Pusiéramos	
Poníais	Pondréis	Habríais puesto	Pusierais	Ponga / No ponga
Ponían	Pondrán	Habrían puesto	Pusieran	Pongan / No pongan

■ Other verbs that conjugate like *poner*: ***componer, presuponer, proponer, suponer...***

PROHIBIR

INDICATIVE			SUBJUNCTIVE	
Presente	**Pretérito pluscuamp.**	**Futuro perfecto**	**Presente**	**Pretérito pluscuamp.**
Prohíbo	Había prohibido	Habré prohibido	**Prohíba**	Hubiera (-se) prohibido
Prohíbes	Habías prohibido	Habrás prohibido	**Prohíbas**	Hubieras (-ses) prohibido
Prohíbe	Había prohibido	Habrá prohibido	**Prohíba**	Hubiera (...) prohibido
Prohibimos	Habíamos prohibido	Habremos prohibido	Prohibamos	Hubiéramos prohibido
Prohibís	Habíais prohibido	Habréis prohibido	Prohibáis	Hubierais prohibido
Prohíben	Habían prohibido	Habrán prohibido	**Prohíban**	Hubieran prohibido
Pretérito perfecto	**Pretérito indefinido**	**Condicional**	**Pretérito perfecto**	GERUND
He prohibido	Prohibí	Prohibiría	Haya prohibido	Prohibiendo
Has prohibido	Prohibiste	Prohibirías	Hayas prohibido	
Ha prohibido	Prohibió	Prohibiría	Haya prohibido	PAST PARTICIPLE
Hemos prohibido	Prohibimos	Prohibiríamos	Hayamos prohibido	Prohibido
Habéis prohibido	Prohibisteis	Prohibiríais	Hayáis prohibido	
Han prohibido	Prohibieron	Prohibirían	Hayan prohibido	
				IMPERATIVE
Pretérito imperfecto	**Futuro**	**Cond. compuesto**	**Pretérito imperfecto**	**Positivo/Negativo**
Prohibía	Prohibiré	Habría prohibido	Prohibiera (-se)	
Prohibías	Prohibirás	Habrías prohibido	Prohibieras (-ses)	**Prohíbe** / No **prohíbas**
Prohibía	Prohibirá	Habría prohibido	Prohibiera (...)	Prohibid / No prohibáis
Prohibíamos	Prohibiremos	Habríamos prohibido	Prohibiéramos	
Prohibíais	Prohibiréis	Habríais prohibido	Prohibierais	**Prohíba** / No **prohíba**
Prohibían	Prohibirán	Habrían prohibido	Prohibieran	**Prohíban** / No **prohíban**

■ Other verbs that conjugate like ***prohibir***: ***reunir***.

QUERER

INDICATIVE			SUBJUNCTIVE	
Presente	**Pretérito pluscuamp.**	**Futuro perfecto**	**Presente**	**Pretérito pluscuamp.**
Quiero	Había querido	Habré querido	**Quiera**	Hubiera (-se) querido
Quieres	Habías querido	Habrás querido	**Quieras**	Hubieras (-ses) querido
Quiere	Había querido	Habrá querido	**Quiera**	Hubiera (...) querido
Queremos	Habíamos querido	Habremos querido	Queramos	Hubiéramos querido
Queréis	Habíais querido	Habréis querido	Queráis	Hubierais querido
Quieren	Habían querido	Habrán querido	**Quieran**	Hubieran querido
Pretérito perfecto	**Pretérito indefinido**	**Condicional**	**Pretérito perfecto**	GERUND
He querido	**Quise**	**Querría**	Haya querido	Queriendo
Has querido	**Quisiste**	**Querrías**	Hayas querido	
Ha querido	**Quiso**	**Querría**	Haya querido	PAST PARTICIPLE
Hemos querido	**Quisimos**	**Querríamos**	Hayamos querido	Querido
Habéis querido	**Quisisteis**	**Querríais**	Hayáis querido	
Han querido	**Quisieron**	**Querrían**	Hayan querido	
				IMPERATIVE
Pretérito imperfecto	**Futuro**	**Cond. compuesto**	**Pretérito imperfecto**	**Positivo/Negativo**
Quería	**Querré**	Habría querido	**Quisiera** (-se)	
Querías	**Querrás**	Habrías querido	**Quisieras** (-ses)	**Quiere** / No **quieras**
Quería	**Querrá**	Habría querido	**Quisiera** (...)	Quered / No queráis
Queríamos	**Querremos**	Habríamos querido	**Quisiéramos**	
Queríais	**Querréis**	Habríais querido	**Quisierais**	**Quiera** / No **quiera**
Querían	**Querrán**	Habrían querido	**Quisieran**	**Quieran** / No **quieran**

SABER

INDICATIVE			SUBJUNCTIVE	
Presente	**Pretérito pluscuamp.**	**Futuro perfecto**	**Presente**	**Pretérito pluscuamp.**
Sé	Había sabido	Habré sabido	Sepa	Hubiera (-se) sabido
Sabes	Habías sabido	Habrás sabido	Sepas	Hubieras (-ses) sabido
Sabe	Había sabido	Habrá sabido	Sepa	Hubiera (...) sabido
Sabemos	Habíamos sabido	Habremos sabido	Sepamos	Hubiéramos sabido
Sabéis	Habíais sabido	Habréis sabido	Sepáis	Hubierais sabido
Saben	Habían sabido	Habrán sabido	Sepan	Hubieran sabido
Pretérito perfecto	**Pretérito indefinido**	**Condicional**	**Pretérito perfecto**	GERUND
He sabido	Supe	Sabría	Haya sabido	Sabiendo
Has sabido	Supiste	Sabrías	Hayas sabido	
Ha sabido	Supo	Sabría	Haya sabido	PAST PARTICIPLE
Hemos sabido	Supimos	Sabríamos	Hayamos sabido	Sabido
Habéis sabido	Supisteis	Sabríais	Hayáis sabido	
Han sabido	Supieron	Sabrían	Hayan sabido	
				IMPERATIVE
Pretérito imperfecto	**Futuro**	**Cond. compuesto**	**Pretérito imperfecto**	**Positivo/Negativo**
Sabía	Sabré	Habría sabido	Supiera (-se)	
Sabías	Sabrás	Habrías sabido	Supieras (-ses)	Sabe / No sepas
Sabía	Sabrá	Habría sabido	Supiera (...)	Sabed / No sepáis
Sabíamos	Sabremos	Habríamos sabido	Supiéramos	
Sabíais	Sabréis	Habríais sabido	Supierais	Sepa / No sepa
Sabían	Sabrán	Habrían sabido	Supieran	Sepan / No sepan

SALIR

INDICATIVE			SUBJUNCTIVE	
Presente	**Pretérito pluscuamp.**	**Futuro perfecto**	**Presente**	**Pretérito pluscuamp.**
Salgo	Había salido	Habré salido	Salga	Hubiera (-se) salido
Sales	Habías salido	Habrás salido	Salgas	Hubieras (-ses) salido
Sale	Había salido	Habrá salido	Salga	Hubiera (...) salido
Salimos	Habíamos salido	Habremos salido	Salgamos	Hubiéramos salido
Salís	Habíais salido	Habréis salido	Salgáis	Hubierais salido
Salen	Habían salido	Habrán salido	Salgan	Hubieran salido
Pretérito perfecto	**Pretérito indefinido**	**Condicional**	**Pretérito perfecto**	GERUND
He salido	Salí	Saldría	Haya salido	Saliendo
Has salido	Saliste	Saldrías	Hayas salido	
Ha salido	Salió	Saldría	Haya salido	PAST PARTICIPLE
Hemos salido	Salimos	Saldríamos	Hayamos salido	Salido
Habéis salido	Salisteis	Saldríais	Hayáis salido	
Han salido	Salieron	Saldrían	Hayan salido	
				IMPERATIVE
Pretérito imperfecto	**Futuro**	**Cond. compuesto**	**Pretérito imperfecto**	**Positivo/Negativo**
Salía	Saldré	Habría salido	Saliera (-se)	
Salías	Saldrás	Habrías salido	Salieras (-ses)	Sal / No salgas
Salía	Saldrá	Habría salido	Saliera (...)	Salid / No salgáis
Salíamos	Saldremos	Habríamos salido	Saliéramos	
Salíais	Saldréis	Habríais salido	Salierais	Salga / No salga
Salían	Saldrán	Habrían salido	Salieran	Salgan / No salgan

■ Other verbs that conjugate like *salir*: ***sobresalir, equivaler, valer*** (with the endings of *-er* verbs).

SENTIR

INDICATIVE			SUBJUNCTIVE	
Presente	**Pretérito pluscuamp.**	**Futuro perfecto**	**Presente**	**Pretérito pluscuamp.**
Siento	Había sentido	Habré sentido	Sienta	Hubiera (-se) sentido
Sientes	Habías sentido	Habrás sentido	Sientas	Hubieras (-ses) sentido
Siente	Había sentido	Habrá sentido	Sienta	Hubiera (...) sentido
Sentimos	Habíamos sentido	Habremos sentido	Sintamos	Hubiéramos sentido
Sentís	Habíais sentido	Habréis sentido	Sintáis	Hubierais sentido
Sienten	Habían sentido	Habrán sentido	Sientan	Hubieran sentido
Pretérito perfecto	**Pretérito indefinido**	**Condicional**	**Pretérito perfecto**	GERUND
He sentido	Sentí	Sentiría	Haya sentido	Sintiendo
Has sentido	Sentiste	Sentirías	Hayas sentido	
Ha sentido	Sintió	Sentiría	Haya sentido	PAST PARTICIPLE
Hemos sentido	Sentimos	Sentiríamos	Hayamos sentido	Sentido
Habéis sentido	Sentisteis	Sentiríais	Hayáis sentido	
Han sentido	Sintieron	Sentirían	Hayan sentido	
				IMPERATIVE
Pretérito imperfecto	**Futuro**	**Cond. compuesto**	**Pretérito imperfecto**	**Positivo/Negativo**
Sentía	Sentiré	Habría sentido	Sintiera (-se)	
Sentías	Sentirás	Habrías sentido	Sintieras (-ses)	Siente / No sientas
Sentía	Sentirá	Habría sentido	Sintiera (...)	Sentid / No sintáis
Sentíamos	Sentiremos	Habríamos sentido	Sintiéramos	
Sentíais	Sentiréis	Habríais sentido	Sintierais	Sienta / No sienta
Sentían	Sentirán	Habrían sentido	Sintieran	Sientan / No sientan

■ Other verbs that conjugate like *sentir*: ***divertir(se), mentir, preferir, presentir, sugerir...***

SER

INDICATIVE			SUBJUNCTIVE	
Presente	**Pretérito pluscuamp.**	**Futuro perfecto**	**Presente**	**Pretérito pluscuamp.**
Soy	Había sido	Habré sido	Sea	Hubiera (-se) sido
Eres	Habías sido	Habrás sido	Seas	Hubieras (-ses) sido
Es	Había sido	Habrá sido	Sea	Hubiera (...) sido
Somos	Habíamos sido	Habremos sido	Seamos	Hubiéramos sido
Sois	Habíais sido	Habréis sido	Seáis	Hubierais sido
Son	Habían sido	Habrán sido	Sean	Hubieran sido
Pretérito perfecto	**Pretérito indefinido**	**Condicional**	**Pretérito perfecto**	GERUND
He sido	Fui	Sería	Haya sido	Siendo
Has sido	Fuiste	Serías	Hayas sido	
Ha sido	Fue	Sería	Haya sido	PAST PARTICIPLE
Hemos sido	Fuimos	Seríamos	Hayamos sido	Sido
Habéis sido	Fuisteis	Seríais	Hayáis sido	
Han sido	Fueron	Serían	Hayan sido	
				IMPERATIVE
Pretérito imperfecto	**Futuro**	**Cond. compuesto**	**Pretérito imperfecto**	**Positivo/Negativo**
Era	Seré	Habría sido	Fuera (-se)	
Eras	Serás	Habrías sido	Fueras (-ses)	Sé / No seas
Era	Será	Habría sido	Fuera (...)	Sed / No seáis
Éramos	Seremos	Habríamos sido	Fuéramos	
Erais	Seréis	Habríais sido	Fuerais	Sea / No sea
Eran	Serán	Habrían sido	Fueran	Sean / No sean

TENER

INDICATIVE			SUBJUNCTIVE	
Presente	**Pretérito pluscuamp.**	**Futuro perfecto**	**Presente**	**Pretérito pluscuamp.**
Tengo	Había tenido	Habré tenido	Tenga	Hubiera (-se) tenido
Tienes	Habías tenido	Habrás tenido	Tengas	Hubieras (-ses) tenido
Tiene	Había tenido	Habrá tenido	Tenga	Hubiera (...) tenido
Tenemos	Habíamos tenido	Habremos tenido	Tengamos	Hubiéramos tenido
Tenéis	Habíais tenido	Habréis tenido	Tengáis	Hubierais tenido
Tienen	Habían tenido	Habrán tenido	Tengan	Hubieran tenido
Pretérito perfecto	**Pretérito indefinido**	**Condicional**	**Pretérito perfecto**	GERUND
He tenido	Tuve	Tendría	Haya tenido	Teniendo
Has tenido	Tuviste	Tendrías	Hayas tenido	
Ha tenido	Tuvo	Tendría	Haya tenido	PAST PARTICIPLE
Hemos tenido	Tuvimos	Tendríamos	Hayamos tenido	Tenido
Habéis tenido	Tuvisteis	Tendríais	Hayáis tenido	
Han tenido	Tuvieron	Tendrían	Hayan tenido	IMPERATIVE
Pretérito imperfecto	**Futuro**	**Cond. compuesto**	**Pretérito imperfecto**	**Positivo/Negativo**
Tenía	Tendré	Habría tenido	Tuviera (-se)	
Tenías	Tendrás	Habrías tenido	Tuvieras (-ses)	Ten / No tengas
Tenía	Tendrá	Habría tenido	Tuviera (...)	Tened / No tengáis
Teníamos	Tendremos	Habríamos tenido	Tuviéramos	
Teníais	Tendréis	Habríais tenido	Tuvierais	Tenga / No tenga
Tenían	Tendrán	Habrían tenido	Tuvieran	Tengan / No tengan

■ Other verbs that conjugate like *tener*: ***contener, mantener, obtener...***

TRAER

INDICATIVE			SUBJUNCTIVE	
Presente	**Pretérito pluscuamp.**	**Futuro perfecto**	**Presente**	**Pretérito pluscuamp.**
Traigo	Había traído	Habré traído	Traiga	Hubiera (-se) traído
Traes	Habías traído	Habrás traído	Traigas	Hubieras (-ses) traído
Trae	Había traído	Habrá traído	Traiga	Hubiera (...) traído
Traemos	Habíamos traído	Habremos traído	Traigamos	Hubiéramos traído
Traéis	Habíais traído	Habréis traído	Traigáis	Hubierais traído
Traen	Habían traído	Habrán traído	Traigan	Hubieran traído
Pretérito perfecto	**Pretérito indefinido**	**Condicional**	**Pretérito perfecto**	GERUND
He traído	Traje	Traería	Haya traído	Trayendo
Has traído	Trajiste	Traerías	Hayas traído	
Ha traído	Trajo	Traería	Haya traído	PAST PARTICIPLE
Hemos traído	Trajimos	Traeríamos	Hayamos traído	Traído
Habéis traído	Trajisteis	Traeríais	Hayáis traído	
Han traído	Trajeron	Traerían	Hayan traído	IMPERATIVE
Pretérito imperfecto	**Futuro**	**Cond. compuesto**	**Pretérito imperfecto**	**Positivo/Negativo**
Traía	Traeré	Habría traído	Trajera (-se)	
Traías	Traerás	Habrías traído	Trajeras (-ses)	Trae / No traigas
Traía	Traerá	Habría traído	Trajera (...)	Traed / No traigáis
Traíamos	Traeremos	Habríamos traído	Trajéramos	
Traíais	Traeréis	Habríais traído	Trajerais	Traiga / No traiga
Traían	Traerán	Habrían traído	Trajeran	Traigan / No traigan

■ Other verbs that conjugate like *traer*: ***abstraer, atraer, distraer, extraer...***

VENIR

INDICATIVE			SUBJUNCTIVE	
Presente	**Pretérito pluscuamp.**	**Futuro perfecto**	**Presente**	**Pretérito pluscuamp.**
Vengo	Había venido	Habré venido	Venga	Hubiera (-se) venido
Vienes	Habías venido	Habrás venido	Vengas	Hubieras (-ses) venido
Viene	Había venido	Habrá venido	Venga	Hubiera (...) venido
Venimos	Habíamos venido	Habremos venido	Vengamos	Hubiéramos venido
Venís	Habíais venido	Habréis venido	Vengáis	Hubierais venido
Vienen	Habían venido	Habrán venido	Vengan	Hubieran venido

Pretérito perfecto	**Pretérito indefinido**	**Condicional**	**Pretérito perfecto**	GERUND
He venido	Vine	Vendría	Haya venido	Viniendo
Has venido	Viniste	Vendrías	Hayas venido	
Ha venido	Vino	Vendría	Haya venido	PAST PARTICIPLE
Hemos venido	Vinimos	Vendríamos	Hayamos venido	Venido
Habéis venido	Vinisteis	Vendríais	Hayáis venido	
Han venido	Vinieron	Vendrían	Hayan venido	

Pretérito imperfecto	**Futuro**	**Cond. compuesto**	**Pretérito imperfecto**	IMPERATIVE **Positivo/Negativo**
Venía	Vendré	Habría venido	Viniera (-se)	
Venías	Vendrás	Habrías venido	Vinieras (-ses)	Ven / No vengas
Venía	Vendrá	Habría venido	Viniera (...)	Venid / No vengáis
Veníamos	Vendremos	Habríamos venido	Viniéramos	
Veníais	Vendréis	Habríais venido	Vinierais	Venga / No venga
Venían	Vendrán	Habrían venido	Vinieran	Vengan / No vengan

■ Other verbs that conjugate like *venir*: ***convenir, provenir...***

VER

INDICATIVE			SUBJUNCTIVE	
Presente	**Pretérito pluscuamp.**	**Futuro perfecto**	**Presente**	**Pretérito pluscuamp.**
Veo	Había visto	Habré visto	Vea	Hubiera (-se) visto
Ves	Habías visto	Habrás visto	Veas	Hubieras (-ses) visto
Ve	Había visto	Habrá visto	Vea	Hubiera (...) visto
Vemos	Habíamos visto	Habremos visto	Veamos	Hubiéramos visto
Veis	Habíais visto	Habréis visto	Veáis	Hubierais visto
Ven	Habían visto	Habrán visto	Vean	Hubieran visto

Pretérito perfecto	**Pretérito indefinido**	**Condicional**	**Pretérito perfecto**	GERUND
He visto	Vi	Vería	Haya visto	Viendo
Has visto	Viste	Verías	Hayas visto	
Ha visto	Vio	Vería	Haya visto	PAST PARTICIPLE
Hemos visto	Vimos	Veríamos	Hayamos visto	Visto
Habéis visto	Visteis	Veríais	Hayáis visto	
Han visto	Vieron	Verían	Hayan visto	

Pretérito imperfecto	**Futuro**	**Cond. compuesto**	**Pretérito imperfecto**	IMPERATIVE **Positivo/Negativo**
Veía	Veré	Habría visto	Viera (-se)	
Veías	Verás	Habrías visto	Vieras (-ses)	Ve / No veas
Veía	Verá	Habría visto	Viera (...)	Ved / No veáis
Veíamos	Veremos	Habríamos visto	Viéramos	
Veíais	Veréis	Habríais visto	Vierais	Vea / No vea
Veían	Verán	Habrían visto	Vieran	Vean / No vean

■ Other verbs that conjugate like *ver*: ***prever.***

VOLAR

INDICATIVE

Presente	Pretérito pluscuamp.	Futuro perfecto
Vuelo	Había volado	Habré volado
Vuelas	Habías volado	Habrás volado
Vuela	Había volado	Habrá volado
Volamos	Habíamos volado	Habremos volado
Voláis	Habíais volado	Habréis volado
Vuelan	Habían volado	Habrán volado
Pretérito perfecto	**Pretérito indefinido**	**Condicional**
He volado	Volé	Volaría
Has volado	Volaste	Volarías
Ha volado	Voló	Volaría
Hemos volado	Volamos	Volaríamos
Habéis volado	Volasteis	Volaríais
Han volado	Volaron	Volarían
Pretérito imperfecto	**Futuro**	**Cond. compuesto**
Volaba	Volaré	Habría volado
Volabas	Volarás	Habrías volado
Volaba	Volará	Habría volado
Volábamos	Volaremos	Habríamos volado
Volabais	Volaréis	Habríais volado
Volaban	Volarán	Habrían volado

SUBJUNCTIVE

Presente	Pretérito pluscuamp.
Vuele	Hubiera (se) volado
Vueles	Hubieras (-ses) volado
Vuele	Hubiera (...) volado
Volemos	Hubiéramos volado
Voléis	Hubierais volado
Vuelen	Hubieran volado
Pretérito perfecto	**GERUND**
Haya volado	Volando
Hayas volado	
Haya volado	**PAST PARTICIPLE**
Hayamos volado	Volado
Hayáis volado	
Hayan volado	
	IMPERATIVE
Pretérito imperfecto	**Positivo/Negativo**
Volara (-se)	
Volaras (-ses)	Vuela / No vueles
Volara (...)	Volad / No voléis
Voláramos	
Volarais	Vuele / No vuele
Volaran	Vuelen / No vuelen

■ Other verbs that conjugate like *volar*: ***acostar(se), costar, probar, recordar, soñar...***

VOLVER

INDICATIVE

Presente	Pretérito pluscuamp.	Futuro perfecto
Vuelvo	Había vuelto	Habré vuelto
Vuelves	Habías vuelto	Habrás vuelto
Vuelve	Había vuelto	Habrá vuelto
Volvemos	Habíamos vuelto	Habremos vuelto
Volvéis	Habíais vuelto	Habréis vuelto
Vuelven	Habían vuelto	Habrán vuelto
Pretérito perfecto	**Pretérito indefinido**	**Condicional**
He vuelto	Volví	Volvería
Has vuelto	Volviste	Volverías
Ha vuelto	Volvió	Volvería
Hemos vuelto	Volvimos	Volveríamos
Habéis vuelto	Volvisteis	Volveríais
Han vuelto	Volvieron	Volverían
Pretérito imperfecto	**Futuro**	**Cond. compuesto**
Volvía	Volveré	Habría vuelto
Volvías	Volverás	Habrías vuelto
Volvía	Volverá	Habría vuelto
Volvíamos	Volveremos	Habríamos vuelto
Volvíais	Volveréis	Habríais vuelto
Volvían	Volverán	Habrían vuelto

SUBJUNCTIVE

Presente	Pretérito pluscuamp.
Vuelva	Hubiera (-se) vuelto
Vuelvas	Hubieras (-ses) vuelto
Vuelva	Hubiera (...) vuelto
Volvamos	Hubiéramos vuelto
Volváis	Hubierais vuelto
Vuelvan	Hubieran vuelto
Pretérito perfecto	**GERUND**
Haya vuelto	Volviendo
Hayas vuelto	
Haya vuelto	**PAST PARTICIPLE**
Hayamos vuelto	Vuelto
Hayáis vuelto	
Hayan vuelto	
	IMPERATIVE
Pretérito imperfecto	**Positivo/Negativo**
Volviera (-se)	
Volvieras (-ses)	Vuelve / No vuelvas
Volviera (...)	Volved / No volváis
Volviéramos	
Volvierais	Vuelva / No vuelva
Volvieran	Vuelvan / No vuelvan

■ Other verbs that conjugate like *volver*: ***devolver, envolver, resolver...***

C Verbs with one irregularity

ABRIR

- Conjugates like *vivir*.
  Irregular past participle: abierto.
  Other verbs that conjugate like *abrir*: *entreabrir, reabrir.*

CUBRIR

- Conjugates like *vivir*.
  Irregular past participle: cubierto.
  Other verbs that conjugate like cubrir: *descubrir, encubrir, recubrir.*

ESCRIBIR

- Conjugates like vivir.
  Irregular past participle: escrito.
  Other verbs that conjugate like *escribir*: *describir, inscribir, reescribir, suscribir...*

IMPRIMIR

- Conjugates like *vivir*.
  Two past participle forms, one regular and the other irregular: **imprimido, impreso**.

ROMPER

- Conjugates like *comer*.
  Irregular past participle: roto.

D List of irregular verbs

- The verbs in bold on the left conjugate like the model verbs that follow in italics to their right.
  The information in square brackets [ ] refers to how certain forms of the verb are written.
  The information in ordinary brackets ( ) refers to conjugational irregularities.
  Verbs marked with an asterisk * are only used in certain forms.

Abrir: 282
Abstraer: *traer*, 279
Acertar: *pensar*, 274
Acordar: *volar*, 281
Acostar: *volar*, 281
Adquirir: *sentir*, 278
Advertir: *sentir*, 278
Almorzar: *volar*, 281
[pr. subj.: almuerce...;
pret. indef.: almorcé;
imp.: almuerce...]
Andar: 263
Ansiar: *confiar*, 265
Anteponer: *poner*, 275
Aparecer: *conocer*, 266
Apetecer: *conocer*, 266
Apretar: *pensar*, 274
Aprobar: *volar*, 281
Arrepentirse: *sentir*, 278
Ascender: *entender*, 269
Atender: *entender*, 269
Atraer: *traer*, 279
Atravesar: *pensar*, 274
Atribuir: *construir*, 266
Avergonzar: *volar*, 281

Bendecir: *decir*, 268
(part.: bendecido;
fut.: bendeciré...;
cond.: bendeciría...)

Caber: 264
Caer: 264
Calentar: *pensar*, 274
Carecer: *conocer*, 266
Cerrar: *pensar*, 274
Cocer: *mover*, 273
[pr. ind.: cuezo, cueces...;
pr. subj.: cueza...;
imp.: cuece, cueza...]
Colgar: *volar*, 281
[pr. subj.: cuelgue...;
pret. indef..: colgué;
imp.: cuelgue...]
Comenzar: *pensar*, 274
[pr. subj.: comience...;
pret. indef..: comencé;
imp.: comience...]
Compadecer: *conocer*, 266
Competir: *pedir*, 274
Complacer: *conocer*, 266
Componer: *poner*, 275
Comprobar: *volar*, 281
Concebir: *pedir*, 274
Concluir: *construir*, 266
Conducir: 265
Confesar: *pensar*, 274
Confiar: 265
Conmover: *mover*, 273
Conocer: 266
Conseguir: *pedir*, 274
[pr. ind.: consigo, consigues...; pr. subj.: consiga...;
imp.: consigue, consiga...]
Consentir: *sentir*, 278
Consolar: *volar*, 281
Constituir: *construir*, 266
Construir: 266
Contar: *volar*, 281
Contener: *tener*, 279
Contradecir: *decir*, 268
Contraer: *traer*, 279
Contraponer: *poner*, 275
Contribuir: *construir*, 266
Convenir: *venir*, 280
Convertir: *sentir*, 278
Corregir: *pedir*, 274
[pr. ind.: corrijo, corriges...;
pr. subj.: corrija...;
imp.: corrige, corrija...]
Costar: *volar*, 281
Crecer: *conocer*, 266
Creer: 267
Criar: *confiar*, 265
Cubrir: 282

Dar: 267
Decaer: *caer*, 264
Decir: 268
Deducir: *conducir*, 265
Defender: *entender*, 269
Demostrar: *volar*, 281
Desafiar: *confiar*, 265
Desaparecer: *conocer*, 266
Desaprobar: *volar*, 281
Desatender: *entender*, 269
Descender: *entender*, 269
Descolgar: *volar*, 281
[pr. subj.: descuelgue...;
imp.: descuelgue...]
Descomponer: *poner*, 275
Desconfiar: *confiar*, 265
Desconocer: *conocer*, 266
Describir: *vivir*, 263
(part.: descrito)
Desentenderse: *entender*, 269
Desenvolver: *volver*, 281
Deshacer: *hacer*, 271
Desliar: *confiar*, 265
Desmentir: *pedir*, 274
Desmerecer: *conocer*, 266
Desobedecer: *conocer*, 266
Desoír: *oír*, 273
Despedir: *pedir*, 274
Despertar: *pensar*, 274
Destituir: *construir*, 266
Desviar: *confiar*, 265
Descubrir: *vivir*, 263
(part.: descubierto)
Detener: *tener*, 279

Devolver: *volver*, 281
Digerir: *sentir*, 278
Diluir: *construir*, 266
Disentir: *sentir*, 278
Disminuir: *construir*, 266
Disolver: *volver*, 281
Disponer: *poner*, 275
Distraer: *traer*, 279
Distribuir: *construir*, 266
Divertir: *sentir*, 278
Doler: *mover*, 273
Dormir: 268

Elegir: *pedir*, 274
[pr. ind.: elijo, eliges...;
pr. subj.: elija...;
imp.: elige, elija...]
Empezar: *pensar*, 274
[pr. subj.: empiece...;
pret. indef.: empecé;
imp.: empiece...]
Encender: *entender*, 269
Encerrar: *pensar*, 274
Encontrar: *volar*, 281
Encubrir: *vivir*, 263
(part.: encubierto)
Enfriar: *confiar*, 265
Entender: 269
Entreabrir: *vivir*, 263
(part.: entreabierto)
Entretener: *tener*, 279
Enviar: *confiar*, 265
Envolver: *volver*, 281
Equivaler: *salir*, 277
(pero con term. *-er*)
Escribir: 282
Espiar: *confiar*, 265
Esquiar: *confiar*, 265
Establecer: *conocer*, 266
Estar: 269
Excluir: *construir*, 266
Exponer: *poner*, 275
Extender: *entender*, 269
Extraer: *traer*, 279

Favorecer: *conocer*, 266
Florecer: *conocer*, 266
Fluir: *construir*, 266
Fregar: *pensar*, 274
Freír: 270

Gobernar: *pensar*, 274
Guiar: *confiar*, 265

Haber: 270
Hacer: 271
Herir: *sentir*, 278
Hervir: *sentir*, 278
Huir: *construir*, 266

Impedir: *pedir*, 274
Imponer: *poner*, 275
Imprimir: 282
Incluir: *construir*, 266
Influir: *construir*, 266
Ingerir: *sentir*, 278
Inscribir: *vivir*, 263
(part.: inscrito)
Instituir: *construir*, 266
Instruir: *construir*, 266
Interferir: *sentir*, 278
Intervenir: *venir*, 280
Introducir: *conducir*, 265
Invertir: *sentir*, 278
Ir: 271

Jugar: 272

Leer: *creer*, 267
Liar: *confiar*, 265

Llover*: *mover*, 273

Manifestar: *pensar*, 274
Mantener: *tener*, 279
Medir: *pedir*, 274
Mentir: *sentir*, 278
Merecer: *conocer*, 266
Merendar: *pensar*, 274
Moler: *mover*, 273
Morder: *mover*, 273
Morir: 272
Mostrar: *volar*, 281
Mover: 273

Nacer: *conocer*, 266
Negar: *pensar*, 274
Nevar*: *pensar*, 274

Obedecer: *conocer*, 266
Obtener: *tener*, 279
Ofrecer: *conocer*, 266
Oír: 273
Oler: *mover*, 273
[pr. ind.: huelo, hueles,
huele... huelen;
pr. subj.: huela, huelas,
huela... huelan;
imp.: huele, huela...]
Oponer: *poner*, 275

Padecer: *conocer*, 266
Parecer: *conocer*, 266
Pedir: 274
Pensar: 274
Perder: *entender*, 269
Permanecer: *conocer*, 266
Perseguir: *sentir*, 278
Pertenecer: *conocer*, 266
Poder: 275
Poner: 275
Poseer: *creer*, 267
Posponer: *poner*, 275
Preconcebir: *pedir*, 274
Predecir: *decir*, 268
Predisponer: *poner*, 275
Preferir: *sentir*, 278
Presuponer: *poner*, 275
Prevenir: *venir*, 280
Prever: *ver*, 280
Probar: *volar*, 281
Producir: *conducir*, 265
Prohibir: 276
Promover: *mover*, 273
Proponer: *poner*, 275
Proveer: *creer*, 267
(part.: proveído, provisto)
Provenir: *venir*, 280

Quebrar: *pensar*, 274
Querer: 276

Reabrir: *vivir*, 263
(part.: reabierto)
Recaer: *caer*, 264
Recomendar: *pensar*, 274
Recomponer: *poner*, 275
Reconocer: *conocer*, 266
Reconstruir: *construir*, 266
Recordar: *volar*, 281
Recubrir: *vivir*, 263
(part.: recubierto)
Reducir: *conducir*, 265
Reescribir: *vivir*, 263
(part.: reescrito)
Referir: *sentir*, 278
Regar: *pensar*, 274
[pr. subj.: riegue...;
pret. indef..: regué;
imp.: riegue...]
Rehacer: *hacer*, 271
Reír: *pedir*, 274
Remover: *mover*, 273
Renovar: *volar*, 281
Reñir: *pedir*, 274
Repetir: *pedir*, 274
Reprobar: *volar*, 281
Reproducir: *conducir*, 265
Restituir: *construir*, 266
Retener: *tener*, 279
Retraer: *traer*, 279
Retribuir: *construir*, 266
Reunir: *prohibir*, 276
Revolver: *volver*, 281
Romper: 282
Rogar: *volar*, 281
[pr. subj.: ruegue...;
pret. indef.: rogué;
imp.: ruegue...]

Saber: 277
Salir: 277
Satisfacer: *hacer*, 271
Seducir: *conducir*, 265
Seguir: *pedir*, 274
Sembrar: *pensar*, 274
Sentar(se): *pensar*, 274
Sentir: 278
Ser: 278
Servir: *pedir*, 274
Sobrentender: *entender*, 269
Sobreponer: *poner*, 275
Sobresalir: *salir*, 277
Sobrevenir: *venir*, 280
Soler*: *mover*, 273
Soltar: *volar*, 281
Sonar: *volar*, 281
Sonreír: *pedir*, 274
Soñar: *volar*, 281
Sostener: *tener*, 279
Sugerir: *sentir*, 278
Superponer: *poner*, 275
Suponer: *poner*, 275
Suscribir: *vivir*, 263
(part.: suscrito)
Sustituir: *construir*, 266
Sustraer: *traer*, 279

Temblar: *pensar*, 274
Tender: *entender*, 269
Tener: 279
Tostar: *volar*, 281
Traducir: *conducir*, 265
Traer: 279
Transferir: *sentir*, 278
Tropezar: *pensar*, 274

Vaciar: *confiar*, 265
Valer: *salir*, 277
(pero con term. *-er*)
Variar: *confiar*, 265
Venir: 280
Ver: 280
Verter: *entender*, 269
Vestir: *pedir*, 274
Volar: 281
Volcar: *volar*, 281
[pr. subj.: vuelque....;
pret. indef..: volqué;
imp.: vuelque...]
Volver: 281

Answer key

1. Noun. The gender of things

Página 14

1 1. vaso 2. gafas 3. casa 4. floreros

2 1. bolígrafo, pluma 2. piso, casa 3. marido, regalo 4. familia.

Página 15

3 1. **brazo** es masculina y las otras son femeninas.
2. **impresora** es femenina y las otras son masculinas.
3. **crema** es femenina y las otras son masculinas.
4. **canción** es femenina y las otras son masculinas.
5. **garaje** es masculina y las otras son femeninas.

4 **Masculino**: El salón. El sobre. El taxi. El microondas. El café. El pie. El árbol. El sol. El lavavajillas.
Femenino: La crisis. La luna. La tesis. La clase. La tarde. La sal. La leche. La nariz. La carne.

Página 16

5 **I**. el garaje, el ordenador, la clase
II. El potaje, el microondas, el champú, el paraguas, el jersey
III. Un problema, la moto, las llaves
IV. Un error, la traducción
V. El tema
VI. El sillón, una reunión, una parte, la tarde, el móvil

6 1. el 2. la 3. el 4. el 5. el 6. el 7. la 8. el 9. el 10. la 11. el 12. el 13. la, el 14. el 15. la 16. el 17. el 18. la 19. la 20. la 21. el 22. el 23. la 24. la 25. la 26. la

2. Noun. The gender of people and animals

Página 17

1 1. g, moderna 2. d, nervioso 3. h, fantástica 4. a, comprensivo 5. c, extraordinario 6. f, loca 7. e, un artista

2 1. abuela 2. primas 3. amigos 4. hermanos 5. hermanas 6. niña

Página 18

3 1. padre, padre/madre 2. madre, padre/madre 3. mujer, mujer 4. hermana, padre/madre 5. hija 6. hermano, padre/madre 7. padre, marido/mujer 8. madre, marido/mujer 9. hijo 10. hija 11. hijo

4 1. pianista 2. pianista 3. policía 4. taxista 5. profesora 6. periodista 7. cantante 8. actriz, 9. actor 10. veterinario 11. futbolista

Página 19

5 **Marca de masculino/femenino**: gato/gata, cerdo/cerda, tigre/tigresa, gallo/gallina,
Una palabra diferente para cada sexo: caballo/yegua
Invariable femenino: jirafa, tortuga, hormiga, gamba.
Invariable masculino: cocodrilo, dinosaurio, calamar, caracol, mejillón

6 1. ¿esto es un **canguro macho** o un **canguro hembra**?
2. ¿es un **ratón** o una **ratona**?
3. ¿un **camaleón macho** o un **camaleón hembra**?
4. ¿un **pato** o una **pata**?
5. ¿Es una **serpiente macho** o una **serpiente hembra**?
6. ¿una **lechuza macho** o una **lechuza hembra**?

3. Noun. Number

Página 21

1 1. peces 2. sofás 3. relojes 4. botones 5. jerséis

2 1. papeles 2. sartenes 3. tenedores 4. luces 5. lápices 6. boligrafos 7. rotuladores 8. árboles 9. bebés

3 1. paraguas 2. lavadora 3. abrebotellas 4. sofá 5. cuadro 6. cafetera 7. abrelatas 8. microondas

Página 22

4 1. ~~la luz~~ / las luces 2. agua / ~~aguas~~ 3. carne / ~~carnes~~ 4. vino / ~~vinos~~ 5. té / ~~tes~~

5 1. e, aplaudieron entusiasmados 2. c, estaban muy interesadas 3. salió muy contento 4. b, esperaba atenta el final del concierto

6 1. pastel 2. pez 3. jersey 4. luz 5. canapé

7 1. Dos relojes de pared 2. Dos abrelatas 3. Dos cortinas de baño 4. Dos bragas de algodón 5. Dos paraguas

4. Adjective

Página 24

1 1. cariñosa 2. vaga 3. guapa 4. superficial 5. dormilona 6. ecologista 7. tímido 8. alegre 9. trabajador 10. independiente 11. frágil 12. nerviosa 13. fuerte 14. optimista 15. inteligente 16. fea 17. pedante

2 1. italiano (es el único adjetivo de género variable).
2. contento (es el único adjetivo de género variable).
3. lista (es el único adjetivo de género variable).
4. hermosa (es el único adjetivo de género variable).
5. joven (es el único adjetivo de género invariable).

3 1. dos niñas cursis 2. dos personas felices 3. dos niños llorones 4. dos camisas grises 5. dos hombres habladores 6. dos mujeres interesantes

Página 25

4 1. estadounidense 2. italianas 3. colombiano 4. turcas 5. cubanos 6. japonesa 7. escocés 8. senegalés 9. suizos 10. finlandesa 11. españoles 12. franceses 13. china

5 1. a, elegante 2. a, pequeña y ruidosa 3. b, amplia y luminosa 4. d, lento e inseguro 5. a, grande y rápido 6. b, incómodos 7. a, impresionantes

6 1. ...son asturian**os**, pero yo nací en Madrid.
2. ...son maravillos**os**, aunque hace mucho frío.
3. ...son medios más objetiv**os** que la televisión.
4. ...son más ecológic**as**. Los coches contaminan mucho.
5. ...son muy mal**os** para la salud.
6. ...están mojad**os** y te puedes caer.

Página 26

7 1. Hay un grifo abierto.
2. Ponte el jersey naranja.
3. Dame un cenicero vacío.
4. Trae la ropa sucia.
5. Mete la botella llena.
6. Es un coche familiar.
7. Vivo en una residencia universitaria.
8. Los vuelos internacionales.
9. Está en un sobre cerrado.

Página 27

8 1. destaca 2. distingue 3. distingue 4. destaca
5. destaca 6. distingue 7. destaca 8. distingue
9 1. ~~industrial~~ edificio: edificio **industrial**.
2. ~~redondo~~ objeto: objeto **redondo**.
3. ~~japonés~~ reloj: reloj **japonés**.
4. ~~oficial~~ coche: coche **oficial**.
5. ~~vacía~~ casa: casa **vacía**.

Página 28

10 1. **segundo** marido 2. costas **caribeñas**
3. **tercer** marido 4. carretera **secundaria**
5. **cuarto** marido 6. barbacoa **familiar**
7. **próximo/futuro** marido 8. **próximo/futuro** presidente 9. banco **suizo**
11 1. ~~primer~~: primera. 2. ~~mal~~: malos.
3. ~~tercer~~: tercera. 4. ~~mal~~: mala.
5. ~~bueno~~: buen. 6. ~~grande~~: gran.
7. ~~grande~~: gran. 8. ~~buen~~: buena.
9. ~~bueno~~: buen. 10. ~~bueno~~: buen.

5. Articles: *un, el, ø*

Página 30

1 1. unas, unos 2. un, unas 3. una, un 4. un, una
5. los, las 6. las, del 7. el, la 8. la, al

Página 31

2 1. un 2. la, última 3. las 4. un, horrorosa 5. el
6. las 7. la, misma 8. el 9. las

Página 32

3 1a. b 1b. a 2a. b 2b. a 3a. a 3b. b 4a. a 4b. b
5a. b 5b. a
4 1. el, una 2. la/una, un 3. el 4. unos, los 5. el, un, el
5 1. sí 2. no 3. no 4. no 5. no 6. sí 7. sí

Página 33

6 1. Ø/el, d 2. Ø/~~un~~, f 3. Ø/~~un~~, c 4. Ø/el, e 5. Ø/un, b
6. Ø/el, g 7. Ø/~~el~~, l 8. Ø/un, j 9. Ø/el, i 10. Ø/~~un~~, k
11. Ø/el, h

Página 34

7 1. huevos 2. agua 3. café 4. pilas 5. aspirinas 6. dinero

Página 35

8 1a. III, 1b. I, 1c. II 2a. I, 2b. III, 2c. II 3a. III, 3b. II,
3c. I 4a. I, 4b. III, 4c. II 5a. III, 5b. I, 5c. II
9 1. el abanico 2. los cajeros 3. mostaza 4. los helados 5. las hormigas 6. el/un té, el/un café / el/un café, el/un té 7. el/un ratón 8. el carrito 9. agua
10 1. Después de una noche de terror, nos duele **la** garganta, pero **el** doctor Chéquil nos da zumo de aspirinas.
2. **Los** monstruos quieren ser como **los** murciélagos y **los** lobos y respetan a **los** seres vivos. Solo comen animales para tomar su espíritu.
3. A **los** monstruos les gusta mirar **el** cielo gris mientras **el** viejo vampiro Crápula toca en **el** órgano canciones tristes.
4. Para **los** monstruos **el** miedo es **el** sentimiento más hermoso, por eso ir **al** cementerio y jugar entre **las** tumbas.
5. **Los** monstruos hacen magia negra y bailan **la** danza de **los** muertos vivientes cuando sale **la** luna llena.
6. Todas **las** noches de tormenta **los** esqueletos salen de **las** tumbas para celebrar **la** gran fiesta del trueno. **Los** monstruos se divierten como locos.
7. **Los** vampiros no se ven en **el** espejo, pero saben que son guapos porque **las** vampiresas les sonríen.

Página 36

11 1. unas ~~medias~~
2. los ~~sobres~~ amarillos, los ~~sobres~~ que están ahí
3. una ~~cerveza~~
4. un*o* ~~reloj~~ que tiene cronómetro
5. la ~~chica~~ de las gafas, la ~~chica~~ alta, la ~~chica~~ que está de pie
6. unos ~~amigos~~ que conocí en la discoteca
7. ¿El ~~libro~~ gordo? ¿El ~~libro~~ de física?
8. un*o* ~~café~~ solo, un*o* ~~café~~ con leche
12 1. lleva peluca 2. guantes largos
3. pistola 4. delgado 5. pañuelo de lunares
6. está cantando 7. guapísimas

6. Demonstratives: *este, ese, aquel... esto, eso...*

Página 38

1 1. estas 2. estos 3. esta 4. ese 5. esa 6. esas
7. esos 8. aquella 9. aquellos 10. aquellas 11. aquel
2 1. d 2. b 3. c
3 1. estos 2. esas 3. aquel 4. aquella 5. esos

Página 39

4 1. d 2. c 3. a 4. f 5. b
5 1. hombres 2. hoja 3. chico 4. papel 5. pendientes

Página 41

6 1. esto 2. esto 3. eso 4. eso 5. eso 6. aquello
7. aquello
7 1. f 2. c 3. g 4. b 5. d 6. e
No sabe el nombre: 1, 3 No importa el nombre: 5, 6
No es un objeto: 2, 4

Página 42

8 1. eso 2. eso 3. esto 4. aquello 5. eso

9 1. aquello 2. esa chica / eso 3. esa carta 4. esa 5. ese señor 6. aquella chica 7. aquello 8. este mueble / esto 9. ese

7. Possessives: *mi, tu, su... mío, tuyo, suyo...*

Página 44

1 1. nuestra, nuestras, nuestros 2. tu, tu, tu, tus, tus 3. mi, mis, mis, mi, mis 4. vuestro, vuestras, vuestras 5. su, su, su, su, sus, sus

2 1. mis 2. tus 3. tus 4. mi 5. tu 6. tu 7. mis 8. mi 9. tu 10. tu 11. tu

Página 45

3 1. f/suyos 2. e/vuestro 3. c/míos 4. d/suyos 5. b/vuestros

4 1. ~~de ti~~ tuyo 2. ~~de vosotros~~ vuestro 3. ~~de ti~~ tuyo 4. ~~de nosotros~~ nuestro

Página 47

5 1. a 2. b 3. b 4. b 5. b 6. b 7. a

6 1. **mis** camisones de seda 2. **mi** dentadura postiza 3. **nuestras** dieciocho maletas 4. **nuestros** seis abrigos de pieles 5. **nuestros** gorros de dormir 6. **su** magnífica colección de pipas de marfil 7. **mi** esposa 8. **su** último cumpleaños 9. **tu** ordenador portátil
10. **tus** doce palos de golf preferidos 11. algunos objetos **suyos** 12. **su** ordenador 13. varios poemas **suyos** 14. algunas joyas **suyas** 15. **su** anillo 16. Dos pipas **suyas** 17. **sus** doce palos de golf 18. dos camisones **suyos** 19. **una** maleta suya 20. **su** dentadura postiza 21. **tu** pijama

Páginas 48 y 49

7 1. Me gusta más su dentista que **el nuestro**. Hace menos daño.
2. Mi móvil se ha quedado sin batería. ¿Me dejas **el tuyo**?
3. stas son mis toallas. **Las tuyas** están en el armario.
4. El barrio donde vivo no está mal, pero **el suyo** es más tranquilo.
5. Mi sueldo es más alto que **el vuestro**. Y eso que trabajo bastante menos.
6. Yo tengo una letra muy difícil de leer, pero **la tuya** no se entiende nada.
7. Entre la bicicleta de David y **la nuestra**, prefiero la de David.
8. Tenemos el mismo coche, pero **el suyo** tiene aire acondicionado.
9. Nunca te lo había dicho, pero prefiero su café **al tuyo**.

8 1. nuestro 2. suyo 3. mío 4. suyas 5. mías 6. mía 7. mío 8. suya 9. mía/nuestra 10. mía 11. nuestras 12. mías 13. vuestras 14. nuestros 15. nuestro 16. vuestros 17. nuestra

9 1. el 2. las 3. la 4. la 5. el 6. las 7. las 8. los 9. las 10. la 11. la 12. el 1. C 2. D 3. B

8. Indefinite articles: *todos, algunos, alguien...*

Página 51

1 1. algunas, ninguna, todas 2. algunas, ningunas, Todas 3. algunos, ninguno, todos 4. algunos, ninguno, todos 5. Algunas, ninguna, todas 6. algunos, Ninguno, Todos 7. algunos, ninguno, Todos 8. Algunas, ninguna, Todas

2 1. algunas 2. algunos 3. todos, ninguno 4. ningún 5. algún 6. ningún 7. todas 8. alguna 9. algún

3 1. Algunos 2. algunas 3. ninguna 4. algunas 5. todas 6. Algunos 7. ninguno 8. todos 9. Todas 10. todos 11. Algunos

Página 52

4 1. algo 2. Nadie 3. algo 4. nada 5. todo 6. nada 7. alguien 8. algo 9. nada 10. algo 11. nadie 12. nada 13. alguien 14. nadie 15. todo 16. algo 17. algo

5 1. perezos**a** 2. barat**o** 3. oscur**o** 4. roj**o** 5. rápid**o**

Página 53

6 1. alguien, nadie, alguno, algo 2. algo, nada, algo, nada 3. algo, algunas 4. algunas, ninguna 5. alguien, algún 6. algo, ningún, Ninguno, nada 7. algo, alguno, algún, algún 8. Alguno/algunos, algo, nada, alguno / algunos, alguna

Página 54

7 1. *correcto* 2. Bueno, yo esperaba tu ayuda, pero si no puedes, **no** pasa <u>nada</u>. 3. *correcto* 4. Dicen que Rosa y aquel chico se besaron, pero yo **no** vi <u>nada</u>. 5. Tiene cuatro gatos, pero **no** quiere regalarme <u>ninguno</u>. 6. No lo dudo, será tu hijo, pero **no** se parece en <u>nada</u> a ti.

Página 55

8 1. b/otro 2. a/otra 3. d/otras 4. c/otros

9 1. otras 2. otros tres 3. otro 4. otras dos 5. otra 6. otras dos

10 1. (~~una~~, casa, otra) otra casa 2. (otra, la, parte) la otra parte 3. (otra, su, hija) su otra hija 4. (hijos, otros, dos) otros dos hijos 5. (ternero, ~~un~~, otro) otro ternero 6. (tres, casas, otras) otras tres casas 7. (chico, otro, aquel) aquel otro chico

11 1. *correcto*
2. ¿Por qué te fijas en ~~unos~~ otros si me tienes a mí?
3. Fránkez, yo no miro ~~unos~~ otros ojos, no miro ~~una~~ otra boca, no miro otras manos. Yo solo te miro a ti.
4. Eso deseo yo, Tristicia. Porque tú eres mi dulce cucaracha y no hay en todo el mundo ninguna otra. Nunca podrá haber ~~una~~ otra. Solo te quiero a ti.

9. Cardinal numbers: *uno, dos, tres...*

Página 56

1 1. diez 2. dos 3. seis 4. doce 5. catorce 6. ocho 7. diez 8. seis 9. dos

2 1. dos, uno 2. una, tres 3. una, un 4. un, una 5. tres, dos, uno 6. dos, una, un

Página 57

3 quince - ocho = siete, nueve + cuatro = trece,
seis + tres = nueve, dos + nueve = once,
trece - siete = seis, diez + cuatro = catorce,
doce + tres = quince, siete + cinco = doce

4 1. treinta y nueve 2. treinta y uno 3. veintisiete 4. diecinueve 5. veintitrés 6. veinticinco 7. dieciséis

Página 58

5 1. setenta y una 2. sesenta y tres 3. ochenta y cuatro 4. tres 5. nueve 6. cincuenta y dos 7. cinco 8. dos

6 1. diecisiete 2. setenta y nueve 3. noventa y seis 4. treinta y tres 5. veintiuno 6. cuarenta y cinco 7. sesenta y uno 8. ochenta y dos 9. cincuenta y seis

7 **Cuaderno de Ana** (€): doscient**os** cincuenta (250), ochocient**os** (800), setecient**os** dos (702), novecient**os** veintidós (922)
Cuaderno de Julie (£): seiscient**as** doce (612), quinient**as** treinta y una (531), setecient**as** (700), cuatrocient**as** cincuenta (450)

Página 59

8 Electricidad: 281 euros, doscientos ochenta y uno
Móvil: 789 euros: setecientos ochenta y nueve
Teléfono: 411 euros: cuatrocientos once
Agua: 576 euros: quinientos setenta y seis
Droguería: 125 euros: ciento veinticinco

9 1. 4.179 cuatro mil ciento setenta y nueve
2. 95.167 noventa y cinco mil ciento sesenta y siete
3. 5.021 cinco mil veintiuno
4. 81.184 ochenta y un mil ciento ochenta y cuatro
5. 31.901 treinta y un mil novecientos uno
6. 27.432 veintisiete mil cuatrocientos treinta y dos

Página 60

10 1. ciento cuatro millones doscientos mil ciento sesenta y cinco habitantes
2. veinticinco millones doscientos ochenta y siete mil seiscientos setenta habitantes
3. catorce millones cuatrocientos cuarenta y siete mil cuatrocientos noventa y cuatro habitantes
4. seis millones ochenta y cuatro mil cuatrocientos noventa y un habitantes
5. catorce millones trescientos catorce mil setenta y nueve habitantes
6. cuarenta y un millones setenta y siete mil cien habitantes
7. dieciséis millones cuatrocientos noventa y ocho mil novecientos treinta habitantes

11 1. Cuarenta y dos mil ciento ~~y~~ cinco (42.105)
2. Tres millones ~~y~~ ochenta y ocho mil trescientos ~~y~~ cuarenta y seis (3.088.346)
3. Cuatrocientos ~~y~~ cinco mil sesenta y uno (405.071)
4. Cincuenta y nueve mil ~~y~~ once (59.011)
5. Noventa y dos mil trescientos ~~y~~ quince (92.315)
6. Ochocientos ~~y~~ cinco mil quinientos ~~y~~ ochenta (805.580)
7. Trescientos ~~y~~ veintiséis (326)
8. Setecientos ~~y~~ setenta mil (770.000)

12 Golandia tiene una superficie de seiscientos quince mil km^2 y un total de **dos millones quinientos sesenta y cinco mil** habitantes. La capital, Gola City, está situada al norte del país y tiene **ochocientos cuarenta y nueve mil trescientos** habitantes. La segunda ciudad importante de Golandia es Rúcola, con **trescientos siete mil** habitantes. El monte principal de la isla es El Golón con una altura de **cuatro mil cincuenta y ocho metros**, y tiene dos ríos principales: el Gologolo, de **cuatrocientos setenta y nueve** kilómetros y el Golín, de **doscientos treinta y cinco kilómetros**.

10. Ordinal numbers: *primero, segundo...*

Página 61

1 Carlos es el **tercero**, María es la **quinta**, Juan es el **sexto**, Francisco es el **cuarto**, Laura es la **segunda** y Ricardo es el **séptimo**.

2 1. Segundo 2. Noveno
3. Octavo 4. Tercer
5. Primera 6. Tercera 7. Primer

Página 62

3 1. Tercero 2. Quince 3. Décimo 4. Segunda
5. Trece

4 El primer día, la orquesta va a tocar el **segundo** concierto para piano de Brahms y la **cuarta** sinfonía de Bruckner. El **segundo** día, el **cuarto** concierto para violín de Mozart y la **octava** sinfonía de Mahler. Y el **tercer** día va a tocar el **quinto** concierto para piano de Beethoven y la **sexta** sinfonía de Tchaikovsky.

Página 63

5 Primero, se corta una rebanada de pan. **Segundo**, se unta con tomate. **Tercero**, se echa sal y aceite de oliva. **Cuarto**, se cubre con lonchas finas de jamón.

6 1. 69 2. 46 3. 91 4. 18 5. 11 6. 82 7. 76 8. 34
9. 50 10. 12 11. 99

7 1. cuadragésimo quinto 2. vigésimo sexto
3. décimo novena 4. trigésimo primera

11. Quantifiers: *demasiado, mucho...*

Página 64

1 1. Hay **mucha** agua y **pocos** cubitos.
2. Hay **bastante** agua y **bastantes** cubitos.
3. No hay **nada** de agua y **demasiados** cubitos.
4. Hay **demasiada** agua y **ningún** cubito.

Página 65

2 1. nada de 2. nada de 3. ninguna
4. ningún 5. nada de 6. ningún

3 1. Bonifacio 2. Dolores 3. Dolores 4. Bonifacio
5. Bonifacio 6. Dolores 7. Dolores

4 1. un poco de 2. poca 3. un poco de 4. poco
5. un poco de 6. poco 7. un poco de 8. un poco de
9. poco

Página 66

5 1. demasiadas 2. bastante
3. demasiados 4. muy
5. demasiado 6. Demasiado
7. poco 8. Demasiado
9. Muy 10. bastante

6 1. demasiado 2. bastante 3. poco
4. demasiados, poco 5. demasiadas

12. Personal pronouns. Introducción.

Página 69

1 1. Leonor 2. Paco 3. Dolores 4. Elisabeth 5. Eduardo 6. María 7. la casa 8. agua 9. el desayuno
10. la compra 11. a los pequeños 12. la ropa
13. al bebé 14. la comida y la cena 15. a las plantas
16. a sus hermanos pequeños 17. a todos

2 1. El secretario anota siempre: a/CD
El secretario le anota sus citas: b/CI
2. El profesor les enseña música jugando: b/CI
El profesor enseña con juegos: a/CD
3. El hijo les lava y les plancha la ropa: a/CI
La lavadora lava y seca en dos horas: b/CD
4. Paco pone en la mesa: a/CD
Paco le pone la comida: b/CI

Página 70

3 1a. a 1b. b/reflexivo 2a. a/reflexivo 2b. b
3a. b/reflexivo 3b. a

4 1a. la cabeza 1b. Alicia
2a. unos helados 2b. Los niños
3a. ese problema 3b. nosotros
4a. Tu madre 4b. los niños
5a. el ruido 5b. Los niños
6a. Las chicas 6b. la música disco
7a. La tele 7b. Tu madre

13. Subject pronouns: *yo, tú, él...*

Página 71

1 1. nosotras 2. nosotros 3. ellos 4. tú 5. él 6. ella
7. ellas 8. vosotros 9. vosotras

2 1. tú, h 2. tú, b 3. usted, d 4. usted, a 5. tú, g
6. usted, e 7. tú, f

Página 72

3 1. a, b 2. a, b 3. a, b 4. b, a 5. a, b

14. Pronouns with prepositions: *a mí, para ti...*

Página 73

1 1. vosotras, b, nosotras 2. usted, a, mí
3. tú, f, ti 4. vosotros, d, nosotros
5. mí, ustedes, e, vosotros

Página 74

2 1. ti 2. ella 3. nosotras 4. ella 5. contigo
6. nosotras 7. él 8. ella

3 1. conmigo 2. contigo 3. para ellos 4. a ti
5. entre tú y yo 6. sin nosotras 7. de mí
8. hasta yo 9. de ti 10. según tú 11. por mí
12. sobre ti

15. Object pronouns: *me, te, nos...*

Página 75

1 1. me 2. Nos 3. Nos 4. Os
5. Te 6. Te/Os 7. nos 8. os, os

Página 77

2 1. las 2. lo 3. las 4. la 5. los 6. la 7. los

3 1. les 2. le 3. les 4. le 5. le

4 1. le 2. lo 3. le 4. la 5. les 6. les
7. los 8. lo 9. la 10. los 11. las

Página 78

5 1. b (N) 2. b (N) 3. a (M) 4. b (N) 5. b (N)
6. b (N) 7. a (M)

16. Position and combination of object...

Página 79

1 **I**. mayordomo (D)
1. ¿Le reservo mesa en su restaurante de siempre?
2. ¿Lo llevo a alguna parte?
3. ¿Le preparo un baño caliente?
II. pareja en el coche (C)
4. ¿Te llevo a la peluquería?
5. ¿Te pongo música?
6. ¿Te enciendo el aire acondicionado?
7. ¿Te abrocho el cinturón de seguridad?
III. hablando con extraterrestres (A)
8. ¿Os laváis los dientes?
9. ¿Os acostáis temprano?
10. ¿Os llevan al médico?
11. ¿Os hacen regalos en Navidad?
IV. grupo musical (B)
12. Nos han aplaudido durante veinte minutos.
13. Me han tirado ropa interior al escenario.
14. Nos han pedido muchos autógrafos.
15. Me han hecho miles de fotos.

Página 80

2 1. los 2. la 3. lo 4. me la 5. os los 6. nos lo 7. te la

Página 81

3 1. se lo 2. se lo 3. se los 4. se los, se los 5. se lo

4 1. se las he devuelto 2. te los limpio 3. os lo pongo
4. nos lo lees 5. se lo he dado 6. te la doy 7. os la
doy 8. nos las hemos lavado 9. se la he echado, se la
10. se lo he dado

Página 82

5 1a. moviéndolas, 1b. moviéndoselas
2a. doblándolas, 2b. doblándoselas
3a. girándola, 3b. girándosela
4a. moviéndolas, 4b. moviéndoselas
5a. subiéndola, 5b. subiéndosela
6a. moviéndolo, 6b. moviéndoselo

6 1. cóge**le** 2. míra**la** 3. di**le** 4. desperta**os** (desperta~~d~~os) 5. levanta**os** (levanta~~d~~os)
6. pruéba**le** 7. cóge**le** 8. pon**le** 9. tíra**le** 10. di**le**

Página 83

7 1. déja**me** 2. **me** estás regañando / estás regañándo**me** 3. **me** puedes dejar / puedes dejar**me** 4.
cómpra**me**, di**me** 5. **os** tenéis que decir / tenéis que
deci**os** 6. **nos** tenemos que decir / tenemos que
decir**nos** 7. ménda**le**, diciéndo**le**, llláma**la**, decir**le**

8 1. **los** quieres recoger / quieres recoger**los**
2. **los** vas a recoger / vas a recoger**los**
3. **los** tienes que recoger / tienes que recoger**los**
4. **los** estoy recogiendo / estoy recogiéndo**los**
5. **te** vas a tomar / vas a toma**rte**
6. **me la** estoy tomando / estoy tomándo**mela**
7. apága**la**
8. **la** tienes que apagar / tienes que apagar**la**
9. **la** vas a apagar / vas a apagar**la**
10. **la** estoy apagando / estoy apagándo**la**

9 1. le 2. me los 3. Les 4. Le 5. Nos las 6. nos 7. os

17. Presence and redoubling of pronouns

Página 84

1 *Columna izquierda*: 1. lo 2. la 3. las 4. lo
Columna derecha: 1. le 2. se 3. les 4. le 5. se 6. se, se

Página 85

2 1. *correcto* 2. ~~Lo~~ han descolgado el teléfono. No
paraba de sonar. 3. *correcto* 4. *correcto* 5. *correcto*
6. *correcto* 7. ~~La~~ prepararé la ensaladilla y la meteré
enseguida en el frigorífico. 8. *correcto* 9. No ~~las~~ he
metido las sábanas en la secadora. Las he tendido.

Página 86

3 1.I-b, 1.II-a 2.I.a, 2.II-b 3.I-a, 3.II-b 4.I-a, 4.II-b
5.I-b, 5.II-a

4 1. te 2. me, os 3. nos 4. nos 5. os

5 1. **Nos** pasa algo ~~a nosotros~~ 2. Antes **nos** besábamos ~~a nosotros~~... 3. Yo **te** adoro (a ti)... 4. correcto 5. Pues si **nos** queremos tanto ~~a nosotros~~... 6. ¿por qué no **nos** compramos ~~a nosotros~~...?

6 1. a. a él / d. a usted 2. b. a sus hijos / c. a ellas / e. a ustedes 3. b. a Corina / c. a usted 4. a. a ella / b. a su marido / c. a ustedes / d. a ellos / e. a sus amigas 5. a. a ustedes / c. a ellos 6. b. a ustedes / d. a ellas

18. Reflexive and opinion-expressing...

Página 87

1 1. No hay verbo reflexivo 2. te acuestas
3. No hay verbo reflexivo 4. se ha puesto
5. No hay verbo reflexivo 6. nos vestimos
7. No hay verbo reflexivo 8. No hay verbo reflexivo
9. os ponéis 10. No hay verbo reflexivo
11. se levantan

2 1a. b, 1b. a 2a. a, 2b. b
3a. b, 3b. a 4a. a, 4b. b

Página 88

3 1. ducha 2. acuest**an** 3. se duerm**en** 4. nos 5. nos levant**amos** 6. se 7. me levant**o** 8. me vist**o** 9. se afeit**a** 10. se bañ**a**, se pein**a** 11. te levant**as**

Página 89

4 1. se, las 2. se, las 3. se, el 4. se, los 5. se, los 6. se, los 7. se, el

5 1. f 2. g 3. a 4. c 5. h 6. b
7. e 8. c 9. d 10. h 11. b
12. a 13. f 14. e 15. g

6 1. Nos 2. os 3. nos 4. os 5. nos 6. se enamoraron 7. se cayeron 8. se besaron 9. se entienden

Página 91

7 El hombre invisible abre la puerta. Entra silenciosamente y enciende la luz. El niño mira asustado. El hombre invisible conecta la radio. Hay un vaso en la mesita de noche. El hombre invisible llena el vaso de agua. Después acerca el vaso a la cama del niño y luego aleja la mesita de la cama. Todo esto asusta muchísimo al niño. Ahora el hombre invisible eleva el vaso sobre la cama del niño, derrama el agua sobre la manta y rompe el vaso. El niño está a punto de gritar cuando el hombre invisible desconecta la radio, apaga la luz, cierra la puerta y se va.

1. La radio se conecta. 2. El vaso de agua se llena. 3. El vaso se acerca a la cama. 4. La mesita se aleja de la cama. 5. El vaso se eleva sobre la cama. 6. El agua se derrama sobre la manta. 7. El vaso se rompe. 8. La radio se desconecta. 9. La luz se apaga. 10. La puerta se cierra.

8 1. se cura/ curar. 2. Te vas a mojar / vas a mojar. 3. me alegré / alegran. 4. os acostáis / acostáis. 5. instalar / se instala. 6. Seca / se seca. 7. nos despertamos / despertamos.

Página 93

9 1. A otro lugar. 2. A donde ella está. 3. A otro lugar. 4. A donde ella está. 5. A otro lugar. 6. A otro lugar. 7. A otro lugar. 8. A donde ella está.

10 1. ir. 2. llevar. 3. traer. 4. ir. 5. venir. 6. venir. 7. llevarle. 8. ir. 9 ir

11 1. vamos / llevar. 2. vienes. 3. vienes. 4. voy. 5. viniste. 6. vienes.

Página 94

12 1.b; 2.a; 3.b; 4.a; 5.a; 6.a; 7.a; 8.a.

Página 95

13 3. ir, 6. me voy, 9. vienen. 10. llevar, 11. me he traído.

Página 96

14 1. Comer. 2. Comerse. 3. Comerse. 4. Comer. 5. Comer. 6. Comer. 7. Comer. 8. Comerse. 9. Comerse. 10. Comer. 11. Comerse. 12. Comer. 13. Comer. 14. Comer. 15. Comerse. 16. Comer.

15 1. comer. 2. comerte. 3. comer /comer. 4. comerte. 5 me como. 6. come. 7. se comió. 8. comer/se comió.

16 1. te fumas. 2. bebemos/fumamos. 3. tomo. 4. comiendo 5. tomo. 6. tomarte. 7. beber. 8. Tómate. 9. te tomas. 10. te la tragas.

Página 98

17 1. Se adivina el futuro. 2. Se compra oro. 3. Se hacen fotocopias. 4. Se alquilan motos de agua. 5. Se venden billetes de lotería. 6. Se cuida a personas enfermas. 7 Se regalan dos perritos. 8. Se prohíbe tirar basura.

Página 99

18 1. Se cubren. 2. Se tapa. 3. Se pone. 4. Se mezclan. 5. Se pone. 6. Se deja. 7. Se saca / se lava. 8. Se mezcla. 9. Se añaden. 10. Se puede.

19 1. se necesitan. 2. se crean. 3. se avisa a. 4. se habla. 5. se busca a. 6. se darán. 7. se ve. 8. se sabe / Se cree. 9. se comen. 10. se esperan / se obtienen.

20 1. En el maratón se llega agotado. 2. En España se habla todo el tiempo de fútbol. 3. No te preocupes pro las voces. Es que en mi casa se discute así. 4. Se estudia mucho en el instituto pero se fracasa en la prueba de acceso a la universidad. 5. Aquí por las tardes se pasea por ese parque. 6. Donde se está bien de verdad es en casa.

Páginas 101 y 102

21 1. *A mi madre* no ***le*** gusta**n** **los chicos** con pelo largo.
2. *A mis hermanas* ***les*** gusta **la ropa** y **salir** por la noche.
3. *A mí* ***me*** encanta sobre todo **viajar** y **dormir**.
4. *A todos nosotros* ***nos*** gusta mucho **el queso** francés.
5. *A todos nosotros* ***nos*** duele a menudo **la cabeza**.
6. *¿A tus padres* ***les*** molest**a** **el tabaco**?
7. *¿A tus hermanos* ***les*** interes**a** **la ecología**?
8. *¿A vosotros* ***os*** gusta**n** **la sangría y la paella**?
9. *¿A vosotros* ***os*** molesta**n** **los gatos**?
10. *¿A tu hermana* ***le*** gusta **esquiar**?

22 1. me encanta, me gusta / c. les molesta
2. os fastidia, Os da vergüenza / a. nos molesta
3. nos molesta / e. me fastidia
4. te gusta / d. me encanta
6. me fastidia / j. les encanta
7. te molesta / i. me molesta, le importa
8. me encanta, Me relaja / h. me molesta
9. nos gustan / g. me gustan

23 1. Me da rabia... 2. Me alegran...
3. Me cae fatal... 4. Me apasionan...
5. Me parece espantoso... 6. Me dan alergia...

A Fránkez le da rabia llevar cadenas y asustar ancianitas en los parques. **Le alegran** la luna llena en el cementerio y mis ojos. **Le cae fatal** la sobrina del Hombre Lobo.

A Tristicia le apasionan la Noche de Difuntos, viajar en escoba y mis ojos. **Le resulta espantoso** avarse los dientes y visitar al doctor Chéquil. **Le dan alergia** los yogures de hormigas negras y el champú.

19. Conjugation. The basic building blocks

Página 104

1 **Verbos en** *-ar*: entrar, llamar, levantarse, ocuparse, cortarse, acostarse, ducharse
Verbos en *-er*: poner, ser, tener, poder, aprender, haber, perderse, ponerse
Verbos en *-ir*: salir, conducir, oír, decir, reproducir, partir, irse, vestirse

Página 105

2 **Verbos en** *-ar*: cocinar (cocina), estar (estás), trabajar (trabajan), sentar (sentamos), cantar (cantas)
Verbos en *-er*: aprender (aprenden), ver (vemos), beber (bebe), traer (traen), comer (comemos), leer (lee)
Verbos en *-ir*: salir (salís), escribir (escribimos), pedir (pedís), dormir (dormís), vivir (vivimos), sentir (sentimos)

3 Abri**r**, termina**r**, escribi**r**, aprende**r**, come**r**, desayuna**r**, pode**r**, conduci**r**, pedi**r**, recibi**r**, sali**r**, quere**r**, pone**r**, nace**r**, encanta**r**, rompe**r**, prohibi**r**, soña**r**, dormi**r**, pensa**r**

Página 106

4 **yo**: creo **tú**: escribes, envías, sabes
él, ella, usted: sabe
nosotros/-as: salimos, tenemos, cantamos, sabemos, saldremos
vosotros/-as: hacéis, comunicáis, venís
ellos, ellas, ustedes: llamarán, fueron, decían, tradujeron, estaban

5 1. llegaremos 2. podrás, sales
3. cenan 4. llevamos 5. pueden
6. agradecerán 7. iréis

20. Non-personal forms: *hablar, hablando...*

Página 107

1 1. saltar 2. contar 3. rodar 4. salir 5. entrar
6. venir 7. vender 8. hacer 9. sentir 10. ir
11. amar 12. correr 13. volver 14. sudar

Página 108

2 1. ~~conduciendo motos~~
2. ~~corriendo mañana~~
3. ~~acabo de comiendo~~
4. ~~durmiendo sola~~
5. ~~durmiendo mucho~~

3 1. no girar a la derecha 2. no tocar el claxon
3. no adelantar 4. no comer 5. no hacer pipí
6. no besarse 7. no dormir

Página 109

4 1. yo 2. Cristina 3. yo 4. en general
5. tus amigos 6. vosotros 7. yo
8. en general 9. yo 10. vosotras
11. Antonio y Luis 12. tú, en general

5 1. nadando 2. haciendo 3. poniendo
4. mordiendo

Página 110

6 2. repetir (irregular): repitiendo
3. dormir (irregular): durmiendo
4. reír (irregular): riendo
5. sufrir: sufriendo
6. oír (irregular): oyendo
7. decidir: decidiendo
8. ir (irregular): yendo
9. salir: saliendo
10. competir (irregular): compitiendo
11. seguir (irregular): siguiendo
12. producir: produciendo
13. mentir (irregular): mintiendo
14. compartir: compartiendo
15. sentir (irregular): sintiendo

7 1. ... cuando **estaba entrando** al cine
2. Ilsa **está estudiando** español...
3. Yo **estuve saliendo** con una chica francesa...
4. Yo ya me **estaba yendo**, cuando...
5. **Estuve trabajando** en esa empresa...

8 1. a 2. e 3. c 4. d 5. b

Página 111

9 1. ~~viniendo~~ venir
2. ~~Jugando~~ jugar 3. *correcto*
4. *correcto* 5. ~~buscando~~ buscar
6. *correcto* 7. ~~hablando~~ hablar
8. ~~estando~~ estar 9. *correcto*

Página 112

10 1. ha **escapado**: *correcto*, ha ~~volvido~~: **vuelto**, ha visto: *correcto*, ha ~~morido~~: **muerto** 2. ha ~~ponido~~: **puesto**, frito: *correcto*, he **comido**: *correcto* 3. he ~~rompido~~: **roto**, han ido: *correcto*, han ~~descubrido~~: **descubierto** 4. he encontrado: *correcto*, he ~~abrido~~: **abierto**, ha ~~escribido~~: **escrito**

11 1. puesta 2. dicho 3. rotos
4. hechas 5. sorprendidos
6. resueltas 7. estudiada (la mitad de...) / estudiados (los temas de...)

Página 113

12 1. Los científicos han **resuelto** bien el problema.
2. Elena no me había **convencido** con su explicación.
3. ¿Todavía no has **devuelto** los libros?
4. Pedro la habrá **asustado** con sus gritos.
5. Los economistas habían **previsto** una crisis.

13 1. rotas 2. rota 3. rotas
4. roto 5. abierta 6. abierto
7. abiertas 8. abierta 9. resuelto
10. resueltos 11. resuelto 12. resuelto

21. Presente de indicativo

Página 114

1 1. com**o**, cen**o**: *yo* 2. pued**e**, estudi**a**, le**e**, escrib**e**, practic**a**: *usted / el amigo de Hans*
3. viv**es**, com**es**: *tú* 4. sub**es**, llam**as**, abr**es**, entr**as**: *tú*
5. mir**áis**: *vosotros tres* 6. cant**an**: *Lucía y Sole / usted y su marido*, bail**amos**: *Elena y yo*
7. viv**ís**: *vosotros tres*

2 1. toc**o**, toc**as**, dej**as** 2. signific**a**, levant**as**, signific**a**, madrug**as** 3. pas**a** 4. deb**o**, esper**an**, beb**emos**
5. escuch**as**, signific**o** 6. habl**áis**, habl**amos**, practica**mos** 7. llev**áis**, viv**ís**

Página 115

3 1. pierden 2. empiezo 3. pensamos 4. prefieren
5. cierras 6. entendéis 7. sentimos 8. duele
9. recordáis 10. mueren 11. jugamos 12. encuentro
13. duermes 14. cuesta 15. vuelves 16. volamos

Página 116

4 1. ríe, reímos 2. piden, pedimos
3. persigue, perseguimos 4. repiten, repetimos
5. compiten, competimos 6. mide, medimos

5 1. hablo, ~~sabo~~ **sé** 2. parece, ~~parezo~~ **parezco**
3. ~~conozo~~ **conozco** 4. ~~salo~~ **salgo**, ~~caio~~ **caigo**

Página 117

6 1. veo 2. doy 3. traigo 4. sé 5. conduzco
6. desaparezco 7. supongo 8. reconozco

7 1. digo, dices, decimos 2. tengo, tienes, tenemos
3. oigo, oyes, oimos 4. estoy, estás, estamos
5. vienes, estoy, digo, oyes, estás, tengo

Página 118

8 1. sois 2. voy, hemos, vamos 3. hay, hay 4. has, he
5. es, son 6. vais

Página 119

9 1. Es verdad 2. No lo sabemos 3. Es verdad
4. No lo sabemos 5. Es verdad

10 Tengo, vuelven, es, tengo, es, voy, tengo

Página 120

11 puede, tienen, ayuda, Pueden, Miden, Pesan, alimentan, mantiene, ama, necesita, encanta, nada

12 1. P 2. F 3. F 4. P 5. G 6. F 7. F 8. G 9. F

13 1. c/piensa 2. a/siente 3. e/ahorra, gasta 4. b/se ríe 5. d/ve

22. Pretérito perfecto de indicativo

Página 121

1 1. Yo 2. Sus hermanos 3. Alejandro y tú 4. Su novia 5. Tú

2 1. He encendido (F) 2. has metido (H) 3. ha tenido (A) 4. has bebido (B) 5. Hemos ganado (G) 6. Ha salido (C) 7. hemos llegado (D)

Página 122

3 1. e 2. a 3. g 4. f 5. d 6. b

4 1. Han bailado toda la noche. 2. Han comido muchos dulces. 3. Ha ganado el gordo en la lotería. 4. Han ido a la playa. 5. Ha salido en televisión muchas veces.

Página 123

5 1. Pedro siempre (a) **ha conseguido buenos trabajos** hasta ahora. Ángel (b) **ha tenido trabajos** difíciles muchas veces.
2. Pedro (b) **ha ganado mucho dinero** en los últimos años. Ángel (a) **ha perdido mucho dinero** últimamente.
3. Pedro (b) **ha tenido muy buena salud** este año. Ángel (a) **se ha puesto enfermo tres veces** en los últimos meses.
4. Pedro (a) **ha conocido a una chica fantástica** esta semana. Ángel (b) **se ha separado de su mujer** esta semana.
5. Pedro (a) **ha encontrado una billetera** esta mañana. Ángel (b) **ha perdido su billetera** esta mañana.

Página 124

6 1. Pasado 2. Futuro 3. Pasado 4. Pasado 5. Futuro 6. Pasado 7. Futuro 8. Pasado

7 1. sí 2. no 3. no 4. sí 5. sí 6. no

23. Pretérito indefinido

Página 125

1 1. abriste 2. cerramos 3. bailó 4. canté 5. (indefinido) 6. oíste 7. hablé 8. huyeron 9. decidí 10. (indefinido) 11. invitaste 12. salió 13. comimos 14. (indefinido) 15. terminaron 16. vivimos 17. creyó 18. bebisteis 19. leyó 20. (indefinido) 21. encontraste 22. entraron 23. (indefinido) 24. construyeron 25. (indefinido) 26. estudiasteis 27. escondiste 28. decidisteis

Página 126

2 1. Presente 2. Indefinido 3. Indefinido 4. Presente 5. Presente 6. Indefinido 7. Indefinido 8. Presente

3 1. ~~veniste~~ **viniste**, ~~Hacimos~~ **hicimos**, bañamos
2. ~~conducíó~~ **condujo**, quise, ~~podí~~ **pude**, quitó
3. ~~dició~~ **dijo**, compraste, ~~teniste~~ **tuviste**

Página 127

4 1. introduje, produjo 2. dije, viniste, quisiste 3. tuvimos, condujo 4. traduje, pude 5. hubo, hice

5 1. (irr.) repitió, repitieron 2. (irr.) hirió, hirieron 3. (r.) discutió, discutieron 4. (irr.) oyó, oyeron 5. (irr.) impidió, impidieron 6. (irr.) midió, midieron 7. (r.) salió, salieron 8. (r.) repartió, repartieron 9. (irr.) mintió, mintieron 10. (r.) decidió, decidieron 11. (irr.) prefirió, prefirieron 12. (irr.) persiguió, persiguieron 13. (irr.) rió, rieron 14. (irr.) presintió, presintieron 15. (irr.) compitió, compitieron

Página 128

6 1. Fuimos, dio 2. fuimos, fuimos, fuimos 3. dimos, Fue

7 1. oí 2. tomé 3. llegó 4. Llamaste

8 1. Hablaste 2. comimos 3. influyeron 4. Oísteis 5. bebimos

24. Perfecto o Indefinido? *Ha salido / Salió*

Página 130

1 1. b 2. a 3. b 4. a 5. a 6. b 7. b

2 1. has arreglado, he tenido 2. hemos pasado, fue 3. has ido, fui, he estado 4. has hecho, salí, casamos

Página 131

3 1. 'aquí' 2. 'aquí' 3. 'allí' 4. 'aquí' 5. 'aquí' 6. 'allí' 7. 'allí' 8. 'allí' 9. 'allí' 10. 'allí' 11. 'allí' 12. 'aquí' 13. 'allí' 14. 'allí' 15. 'aquí'

4 1. ha funcionado, dio 2. he dicho, has dicho, dijiste 3. pasaron, se casó, he pasado 4. hemos tenido, estuvimos, dijo 5. se enfadó, cambió

5 1. En los años 90 **ganamos** siete veces el campeonato de fútbol.
2. En los últimos diez años **hemos ganado** dos veces el concurso de levantar piedras.
3. En las fiestas del verano pasado **perdimos** la carrera de sacos.
4. Casi siempre en los últimos años **hemos perdido** el concurso de belleza masculina.
5. Siempre hasta ahora **hemos perdido** el tiro al plato de espaldas.
6. En el año 2004 **empatamos** en el concurso de paellas de marisco.
7. Últimamente, muchas veces, **hemos empatado** en el concurso de bandas de música.

Página 132

6 1. hemos traído 2. recordé 3. he olvidado 4. vi 5. ha empezado 6. has mojado 7. tapé 8. has cerrado 9. cerré 10. hemos tenido 11. encontré

25. Pretérito imperfecto de indicativo

Página 133

1 1. No le gustaba ir a los restaurantes. Nunca come en casa. 2. Llevaba una ropa muy clásica. Viste muy moderno. 3. No tenía amigos. Sale todas las noches con sus amigos. 4. Quería tener muchos hijos. Tiene tres perros.

Página 134

2 Cuando los padres de Blas llamaron a la puerta, él y Silvia estaban bailando muy pegados. Casimiro, el novio de Silvia, no **paraba** de mirar a Blas. **Había** varias botellas de cerveza en la mesa y el cenicero **estaba** lleno de colillas. La música **estaba** muy alta y todo el mundo se **reía** sin parar. La hermana de Silvia y el hermano de Blas **dormían** en el sofá, cogidos de la mano. La foto de los padres de Blas **tenía** tres chicles pegados. En la cocina, cuatro chicos **estaban** tirándose aceitunas unos a otros.

3 1. Ella 2. Usted 3. Él
4. Ella 5. Yo 6. Él 7. Yo
8. Ella 9. Yo

Página 135

4 1. iba 2. era 3. erais
4. veía 5. eran 6. veíais
7. éramos 8. ibais

Página 136

5 1. Tenía, Había, Era 2. era, se parecía, iba, llevaba 3. Se llamaba, Tenía, gustaba, sabía 4. Era, Costaba, llegaba, gastaba

6 1. cocinábamos, era, tenemos 2. podemos, veíamos 3. buscábamos, compramos 4. estamos, pasábamos, hacíamos

Página 137

7 1. Estaba en la oficina. Estaba hablando con el jefe. 2. Estaba en casa. Estaba comiendo solo. 3. Estaba en unos grandes almacenes. Estaba comprando ropa. 4. Estaba en el coche. Estaba besando a una chica.

8 1. Eran 2. Era 3. Hacía 4. había 5. cantaban 6. paseaba 7. corrían 8. estaba 9. miraba 10. era 11. conocía 12. parecía 13. bailaba 14. miraba 15. podía 16. Era 17. estaba 18. quería 19. gustaba

26. Imperfecto, Indefinido or Pretérito perfecto?

Página 139

1 1a. volvimos 1b. volvíamos 2a. llevamos 2b. llevábamos 3a. supe 3b. sabía 4a. pareció 4b. parecía 5a. escondían 5b. escondieron

Página 140

2 1. estuve, estaba 2. estuvo, estaba 3. estábamos, estuvisteis, estuvimos 4. estabas, estaba, Estuve 5. estaba, estuve 6. estábamos, Estuvimos

Página 141

3 1. ¿Cómo **era** tu primera casa? 2. ¿Cómo **fue** el partido de fútbol? 3. ¿Cómo **era** el perrito que tenías? 4. ¿Cómo **era** la falda que llevaba Elena? 5. ¿Cómo **fue** tu primer día de trabajo? 6. ¿Cómo **era** tu hermana de pequeña? 7. ¿Cómo **era** el ladrón? 8. ¿Cómo **fue** la conferencia? 9. ¿Cómo **era** el hotel donde dormiste? 10. ¿Cómo **fue** el viaje? 11. ¿Cómo **fue** el curso de alemán? 12. ¿Cómo **era** el reloj que te regalaron?

4 1. era 2. Fue 3. estuvo 4. estaba 5. era 6. fue 7. se llamó 8. se llamaba

Página 142

5 1a. fui (hecho completo) 1b. iba (situación regular) 2a. estuvimos (hecho completo) 2b. estábamos (situación regular) 3a. llamaron (hecho completo) 3b. llamaban (situación regular) 4a. llevaba (situación regular) 4b. llevó (hecho completo) 5a. fue (hecho completo) 5b. eran (situación regular)

Página 143

6 Ayer yo **caminaba** tranquilamente por el cementerio, porque **iba** al castillo de Tristicia para llevarle pasteles de serpiente y, de pronto, en el camino, un

Hombre Lobo muy malo **salió** de entre las tumbas y **se puso** enfrente de mí, enseñándome los dientes. Yo **estaba** muerto de miedo, pero **salí** corriendo y, al final, **conseguí** escapar de él. **Podía** hacer dos cosas: o **volvía** a mi casa o **intentaba** llegar al castillo de Tristicia, a pesar de todo. **Decidí** seguir andando para visitarla. Cuando **entré** en el castillo, ella **estaba** acostada en la cama, pero **tenía** una cara muy extraña con muchos pelos. Por eso yo, rápidamente, **dejé** la comida al lado de su cama y **volví** a mi castillo corriendo. Yo soy Fránkez, no soy Brus Güilis.

7 1a. llevábamos 1b. hemos llevado
2a. sabía 2b. he sabido
3a. ha parecido 3b. parecía

Página 144

8 1. ha estado, estaba 2. habéis estado, hemos estado, estábamos 3. estabas, estaba, He estado

Página 145

9 1. he ido 2. era 3. he hablado 4. ha invitado 5. quería 6. he ido 7. conocía 8. he dicho 9. era 10. ha creído 11. ha sido 12. estaba 13. era 14. he tenido 15. ha sido

10 1. trabajaba 2. era 3. tenía 4. preguntó 5. mentí 6. estaba 7. dije 8. era 9. estaba 10. Era 11. tenía 12. invitaba 13. contaba 14. fuimos 15. invitó 16. sabía 17. gustaba 18. llamé 19. fuimos 20. dije 21. era 22. puso 23. fue

27. Pluscuamperfecto de indicativo

Página 146

1 1. **habíais** dejado (b) 2. **había** ido (d)
3. **habían** quedado (e) 4. **había** quedado (f)
5. **había** visto (a)

Página 147

2 1. habíais arreglado/habían arreglado
2. había preparado 3. había sido
4. había estudiado 5. habíamos dejado
6. había ido

Página 148

3 1. habían comprado 2. había contado
3. había estudiado 4. había hecho 5. habían estado

4 1. correcto 2. ~~había viajado~~ **viajé**
3. ~~había echado~~ **echó** 4. correcto
5. correcto 6. ~~había venido~~ **vino**
7. correcto

28. Futuro

Página 149

1 1. P 2. F 3. P 4. F 5. F 6. P

Página 150

2 1. volverá 2. cambiaré 3. comeremos 4. dolerá 5. invitarás 6. hablaré 7. Estaréis 8. estarán

3 1. ~~deciré~~ **diré,** ~~venirá~~ **vendrá,** quitará dará 2. volverá ~~ponerá~~ **pondrá** 3. ~~saliré~~ **saldré** jugaré 4. iré, ~~saberé~~ **sabré,** ~~poderé~~ **podré** 5. traerán, ~~poneré~~ **pondré** recogeré, ~~quererá~~ **querrá**

Página 151

4 1. cabrá 2. tendrán 3. dirá 4. vendrá 5. saldrán 6. hará 7. sabrá 8. valdrá 9. podré 10. habrá

5 1. a 2. e 3. h 4. i 5. b 6. f 7. c 8. d

Página 142

6 1. conocerás, sentirás 2. cambiará 3. abandonará 4. Ganarás 5. querrá 6. Tendrás/Tendréis 7. morirás

7 1. Saldrá con otra. 2. Conocerá a otra persona más interesante que él. 3. Se arruinarán. 4. La próxima Navidad no estarán juntos. 5. Se separarán.

Página 153

8 1. Tendrá 2. sabrá 3. tendrá 4. gustarán 5. Vendrá 6. Estará 7. querrá 8. sabrá 9. Tendrá

9 1. b 2. b 3. a 4. b 5. b 6. b 7. a

10 Si hablas con ella: 1. tienes 2. eres 3. conoces 4. gusta 5. usas 6. Sales 7. Quieres 8. das 9. importa
Si hablas con tu amigo: 1. tendrá 2. será 3. conocerá 4. gustará 5. usará 6. Saldrá 7. Querrá 8. dará 9. importará

29. Futuro perfecto

Página 154

1 1. Habrás trabajado 2. habréis asustado
3. Habremos tomado 4. habrá olvidado
5. habrán perdido 6. Habrá salido

Página 155

2 1. (Lo sabe) 2. (Lo imagina) 3. (Lo imagina)
4. (Lo imagina) 5. (Lo sabe) 6. (Lo sabe)

3 1. (sí) 2. (no) 3. (no) 4. (sí) 5. (no) 6. (sí)

30. Condicional

Página 156

1 1. ~~sabería~~ **sabría**, podría 2. ~~salería~~ **saldría**, pasearía, ~~hacería~~ **haría**, ~~venirías~~ **vendrías** 3. sería, daría, ~~deciría~~ **diría** 4. ~~querería~~ **querría**, ~~ponería~~ **pondría**, ~~habería~~ **habría**, haría 5. reiría, ~~Poderías~~ **Podrías**

Página 157

2 1. sabría 2. estaría 3. tendría 4. apetecería

Página 158

3 1. Era 2. estaban 3. vería 4. Estaban 5. estaba 6. Era 7. Querrían

4 1.gusta/~~gustaría~~ 2. ~~serás~~/serías 3. ~~llevaréis~~/llevaríais 4. ~~casaré~~/casaría 5. ~~contrataré~~/contrataría 6. ~~será~~/sería 7. ~~gusta~~/gustaría 8. importa/importaría 9. Puedes/Podrías 10. debemos/deberíamos 11. encantaría/~~encanta~~ 12. Podríamos/Podemos

31. Condicional compuesto

Página 159

1 1. **habría** metido 2. **habrías** asustado 3. **habríais** asustado 4. **habría** tenido 5. **habrían** explicado

Página 160

2 1. habrían avisado 2. habría puesto 3. habría tenido 4. habría olvidado

3 1. ... le habría escuchado con mucho gusto.
2. ... también se habría enfadado con él.
3. ... le habría preguntado a quién.
4. ... le habría dado otro a él.
5. ... lo habría consolado.
6. ... se habría sorprendido mucho, pero habría comprendido.
7. ... se habría sentido ofendida y las habría rechazado.
8. ... habría jurado también quererlo siempre.

32. Formas del subjuntivo: *hablé*

Página 161

1 1. I, bebas 2. I, camine 3. I, perdone 4. I, rompa 5. I, viváis 6. I, miréis 7. limpias, S 8. I, cocine 9. cuida, S 10. caminas, S 11. corres, S 12. rompéis, S 13. I, limpiemos 14. miras, S 15. perdona, S 16. I, partamos 17. beben, S 18. I, corra 19. I, mejoren 20. saludamos, S

Página 162

2 1. sonreímos, sonriamos 2. amáis, sintáis 3. competimos, compitamos 4. preferís, prefiráis 5. dormimos, durmamos

Página 163

3 1. ~~ponamos~~ pongamos, traiga
2. ~~salamos~~ salgamos, ~~tena~~ tenga, ~~vena~~ venga
3. ~~conduza~~ conduzca, oiga

Página 164

4 1. veas 2. estés 3. vayas 4. seas 5. haya

Página 165

5 1. vivieron, viviera 2. probaron, probáramos 3. mintieron, mintiera 4. vinieron, viniéramos 5. eligieron, eligiéramos 6. rieron, riera 7. pudieron, pudieras 8. condujeron, condujera 9. quisieron, quisieras 10. escaparon, escapara

6 1. **tuvisteis**: es la única forma que no es subjuntivo
2. **vieron**: es la única forma que no es subjuntivo
3. **conduzca**: es la única forma que es presente de subjuntivo
4. **cayese**: es la única forma que es subjuntivo
5. **oyera**: es la única forma que es subjuntivo

Página 166

7 1. hayáis encontrado 2. haya llegado 3. hayas terminado 4. haya perdido 5. hayamos acertado

8 1. hubieras (-ses) cortado 2. hubiera (-se) ido 3. hubiera (-se) cambiado 4. hubiéramos (-semos) decidido

33. Indicativo or subjuntivo?

Página 168

1 1. no 2. sí 3. sí 4. sí 5. no 6. no 7. no 8. no 9. no 10. no

Página 169

2 **Columna izquierda**:
Me parece que..., Estamos seguros de que..., Sé que..., Me han contado que..., Pensamos que..., Todos imaginan que...

Columna derecha:
¿Me permite que...?, Es fundamental que..., ¿No preferís que...?, ¿Me recomiendas que...?, ¿Necesitas que...?, No me puedes pedir que

Página 170

3 1. Nosotros/-as 2. Tú 3. En general 4. Tú 5. Nosotros/-as 6. Vosotros/-as 7. Tú 8. Tú 9. Nosotros/-as

4 1. ver 2. que hable 3. que hable 4. que no piense 5. que llame 6. que llame 7. que piense 8. que podamos 9. que confiese 10. que espere 11. que sepa

5 1. hablar 2. no insistas 3. busques 4. cambie 5. no esté 6. confieses 7. esperes 8. no está 9. estés 10. ayudarte

Página 171

6 1. cumplas, *g* 2. tengas, *b* 3. diviertas, *a* 4. descanses, *c* 5. tengas, *f* 6. seáis, *d*

7 1. Que no te pelees con nadie.
2. Que te comas tu bocadillo entero.
3. Que vayas siempre cerca de la maestra.
4. Que no te ensucies la ropa.

Página 173

8 **Introducimos una afirmación**: Es evidente que..., Te aseguro que...
Introducimos una suposición: Suponen que..., A ellas les parece que... Sospecho que...
Consideramos una posibilidad: Me parece probable que..., Es bastante posible que..., Es posible que...
Rechazamos una idea:No es cierto que..., Es falso que...

Página 174

9 1. son, tienen 2. sean, tengan 3. aprenden, son, tienen 4. aprendan, sean, tengan 5. aprendan, sean, tengan 6. aprenden, sean, tengan

10 1. ...**llevan** su casa en la espalda. 2. ...**son** muy lentos. 3. ...**son** muy pacíficos. 4. ...**puedan** ver la comida a varios kilómetros de distancia. 5. ...**tengan** una inteligencia muy parecida a la humana. 6. ...se **suban** encima de la cabeza de las palomas.

Página 175

11 1. baile, baila 2. no quiere 3. no quiere 4. tenga 5. no diga 6. deje 7. parezco 8. soy 9. sea 10. puede 11. voy, vaya 12. coma, como

Página 177

12 **Columna izquierda**:
Me imagino que..., Su marido piensa que..., He oído que..., ¿Ana te ha contado que...?, Yo he visto que..., Me parece que...
Columna derecha:
Es difícil que..., Es estupendo que..., Es verdaderamente extraño que..., ¿Crees que es importante que...?, No me importa que..., Odio que...

13 1. *Es curioso/*... que Groenlandia **suspenda** su festival de nieve por una ola de calor.
2. *Me parece preocupante/*... que dos ex ladrones **presenten** un programa de televisión sobre robos.
3. *Me parece muy justo/*... que más de la mitad de los ministros del gobierno español **sean** mujeres.
4. *Está muy bien/*... que los japoneses ya **puedan** pagar en los supermercados con la huella dactilar.
5. *Me parece ridículo que/*... que una conocida marca de helados **investigue** en la fabricación de un helado para perros.
6. *Me parece exagerado/*... que un juez **mande** a prisión a un hombre por hacer chistes sexistas.
7. *A mí me da igual/*... que un perro **espere** diez días en la puerta de la comisaría hasta que liberan a su amo.
8. *Yo pienso que es lógico/*... que el gobierno **pague** 500 euros mensuales por cada hijo menor de tres años.

Página 178

14 1. Tú 2. Ellos/-as/Ustedes 3. Yo 4. Usted 5. Yo 6. Ellos 7. Tú 8. En general 9. En general

Página 179

15 1. b 2. a 3. b 4. a 5. b

Página 180

16 1. a 2. c 3. c 4. c

17 1. estás / ~~estés~~ 2. dice / ~~diga~~ 3. ~~dice~~ / diga 4. dice / ~~diga~~ 5. ~~quieres~~ / quieras 6. ~~puede~~ / pueda 7. dice / ~~diga~~ 8. lleva / ~~lleve~~ 9. ~~puedo~~ / pueda

Página 181

18 1. P 2. H 3. H 4. H 5. F 6. H 7. F

19 1. H, puedo 2. P, podía 3. H, tomo 4. P, tomaba 5. F, tome 6. P, hacíamos 7. F, haga 8. H, hago

Página 182

20 1. callara/-se 2. encuentre 3. tenga 4. visitara/-se 5. hubiéramos/-semos comido 6. haya querido 7. hayan previsto 8. vayas 9. hubiera/-se quedado 10. pensaras/-ses

21 1. sea 2. haya ocultado 3. fuera/-se 4. inventara/-se 5. pueda 6. haya estado 7. haya sido

Answer key

34. Imperativo

Página 183

1 1. Ruego 2. Orden 3. Instrucción 4. Dar permiso
5. Invitación 6. Consejo

Página 184

2 1. Enciende 2. Llora 3. Sube, baja
4. Bebe 5. Baila 6. Sé 7. Ven
8. Ve 9. Pon 10. Di 11. Sal 12. Haz
13. Propón

3 1. Id 2. Tomad 3. Seguid 4. Tened 5. Hablad
6. Haced 7. Sed 8. venid 9. Volved

Página 185

4 1. salga 2. traduzca 3. Hablen 4. Perdone 5. Tenga
6. Oiga 7. Hagan 8. Ponga 9. Vengan

5 1. fumes 2. salgas 3. bebas 4. conduzcas
5. pienses 6. tengas 7. creas

Página 186

6 1. fuméis 2. salgáis 3. bebáis 4. conduzcáis
5. penséis 6. tengáis 7. creáis

7 1. Escríbele, léeselas 2. Llámala
3. Díselo 4. Acompáñala 5. Perdónaselos
6. Házsela 7. Dúchate, ponte

8 Segunda columna: No **se las deis** No **se las dé** No **se las den**
Tercera columna: **Piénsalo** No **lo pienses** No **lo penséis** **Piénselo** **Piénsenlo**
Cuarta columna: **Siéntate** No **te sientes** **Sentaos** **Siéntese** No **se siente** No **se sienten**
Quinta columna: No **nos lo traigas** **Traédnoslo** No **nos lo traigáis** **Tráiganoslo** No **nos lo traiga** **Tráigannoslo** No **nos lo traigan**

35. *Ser* and *estar*

Página 187

1 Mis guantes son de lana. Son rojos.
Son pequeñísimos.
Mis gafas son de sol. Son muy oscuras.
Son cuadradas.
Mi móvil es rojo. Es Ricsson. Es un poco antiguo.

Página 188

2 1. están 2. están 3. está
4. estoy 5. Estoy 6. están
7. están 8. está

Página 189

3 1a. está 1b. (incorrecto)
2a. es 2b. (incorrecto)
3a. (incorrecto) 3b. es
4a. son 4b. (incorrecto)
5a. (incorrecto) 5b. es
6a. (incorrecto) 6b. está
7a. (incorrecto) 7b. están
8a. está 8b. (incorrecto)
9a. es 9b. (incorrecto)
10a. (incorrecto) 10b. está
11a. es 11b. (incorrecto)

4 **Juan** está contento. Está sentado. Es moreno. Es mayor. Es alto. Es oficinista.
Pedro es un chico. Es joven. Es rubio. Es deportista. Está triste. Es bajo.

5 1. Estábamos 2. era 3. soy 4. Tenía
5. estaba 6. es 7. está 8. es 9. están
10. son 11. Son 12. es 13. Era 14. está
15. está 16. es 17. es 18. estaba

36. *Haber* and *estar*

Página 191

1 1. hay (i) 2. ha (d) 3. hay (g) 4. Han (c)
5. Habéis (e) 6. hay (b) 7. hay (h) 8. hemos (f)

2 1. ~~habían~~ había coches, ~~hubieron~~ hubo muchos cambios 2. había silencio, ~~habían~~ había ruidos
3. había ordenadores 4. ~~han habido~~ ha habido unas fiestas 5. ha habido más gente 6. correcto

Página 192

3 1. Vegetación: En Vepiturno hay árboles.
En Marsatón no hay árboles, pero hay plantas.
2. Geografía: En Vepiturno hay un río.
En Marsatón no hay ríos, pero hay dos mares.
3. Vivienda: En Vepiturno hay pueblos.
En Marsatón no hay pueblos, pero hay una ciudad.
4. Habitantes: En Vepiturno hay niños.
En Marsatón no hay niños, solo hay jóvenes o mayores.

Página 193

4 1. hay 2. están 3. hay 4. están
5. hay 6. hay 7. hay 8. hay 9. están
10. hay 11. hay 12. hay 13. está
14. está 15. hay 16. hay

Página 194

5 Queridos Reyes Magos: Este año hemos cambiado de casa y quiero explicaros dónde ~~hay~~/**está** la nueva. En Barcelona **hay**/~~está~~ una calle que se llama Vía

Layetana. En esta calle no ~~hay~~/**está** mi casa. Es una calle muy larga que va al mar. En esta calle **hay**/~~están~~ muchos edificios bastante altos. A mitad de la calle, **hay**/~~está~~ un trozo de las murallas romanas. Enfrente de las murallas romanas **hay**/~~está~~ una callecita muy estrecha y en la esquina ~~hay~~/**está** "La Colmena", que es una pastelería muy buena. Bueno, pues al lado de esa pastelería **hay**/~~está~~ un portal muy grande, de madera. Esa es la puerta de mi casa. Cuando entras, **hay**/~~está~~ una puerta de hierro muy grande. Es la puerta del ascensor. Tenéis que subir al quinto piso. Al salir **hay**/~~están~~ dos puertas, una, a la derecha, y otra, a la izquierda. La de la derecha es la de mi casa. En mi casa **hay**/~~están~~ cuatro dormitorios. Mucho cuidado, mi dormitorio ~~hay~~/**está** al final del pasillo. En la puerta **hay**/~~está~~ un cartel que pone "Anita". Yo soy Anita. Traedme muchos regalos, que he sido muy buena este año. Un beso para los tres. Anita.

37. Periphrastic verbs

Página 195

1 1. Va a suspender 2. Van a entrar 3. Va a nevar 4. Va a explotar 5. Va a saltar

2 1. vais a estudiar 2. vas a comer 3. vas a volver 4. vas a comprar 5. vais a ir

Página 196

3 1. iba a suspender 2. íbamos a entrar 3. iba a nevar 4. iba a explotar 5. iba a saltar

Página 197

4 1. **tienes que** / ~~hay que~~ 2. **tienes que** / **hay que** 3. **tienes que** / **hay que** 4. **tenía que** / ~~había que~~ 5. **ha tenido que** / ~~ha habido que~~ 6. **tienes que** / ~~no hay~~ 7. ~~Habéis tenido que~~ / **Ha habido que**

Página 198

5 1. Estamos aparcando, *e* 2. está sonriendo, *b* 3. están durmiendo, *d* 4. estoy planchando, *c*

Página 199

6 1. **dan** / ~~están dando~~ (d) **reciben** / ~~están recibiendo~~ 2. **hierve** / ~~está hirviendo~~ (f) 3. **está hirviendo** / ~~hierve~~ (a) 4. **Estamos dando** / ~~Damos~~ (e) 5. **dan** / ~~están dando~~ (g) **Me mareo** / ~~estoy mareando~~ 6. (c) **Estaba guardando** / ~~Guardaba~~ 7. **íbamos** / ~~estábamos yendo~~ (h) **Guardábamos** / ~~Estábamos guardando~~

7 1. parece 2. Estáis haciendo, tiene 3. estamos viendo, Es 4. estaba 5. estaba cortando, Estaba, llevaba 6. querías, estaba haciendo, sabía

Página 200

8 1. no 2. no 3. sí 4. no

9 1. Hicieron / ~~Estuvieron haciendo~~
2. ~~estuvo naciendo~~ / nació
3. He estado leyendo / ~~He leído~~
4. ~~había estado perdiendo~~ / había perdido
5. Estuve escribiendo / ~~Escribí~~
6. ~~Estuvimos chocando~~ / chocamos

38. Prepositions (I): *de, a, desde, hasta, en...*

Página 203

1 1. de 2. al 3. en 4. de 5. al 6. de 7. a 8. de 9. de 10. a 11. de 12. a 13. del 14. de 15. al 16. de 17. de 18. de 19. a 20. a 21. A 22. en 23. en 24. de 25. a 26. a 27. a 28. de 29. de 30. de

2 1. correcto 2. Tengo un billete ~~a~~ **de** avión ~~con~~ **de** ida y vuelta 3. correcto 4. correcto 5. ¿Por qué estamos aquí? Me han traído ~~de~~ **a** la fuerza. 6. ¿Han venido ~~en~~ **a** Arábiga solo a interrogarnos? 7. correcto 8. Perdone, inspector, ¿hay un teléfono cerca ~~a~~ **de** aquí? Tengo que hablar con mi mujer.

Página 204

3 1a. a 1b. b 2a. a 2b. b 3a. b 3b. a 4a. b 4b. a 5a. a 5b. b 6a. b 6b. a 7a. b 7b. a 8a. a 8b. b

4 1. b 2. b 3. b 4. a 5. a 6. b

Página 206

5 1. en, a 2. en, a 3. en 4. En, en 5. En, a, en 6. en, a 7. en

6 1. en *c.* entre 2. en *a.* en 3. en *b.* en 4. entre *f.* en 5. en *e.* en 6. en *d.* en, entre

7 1. incorrecta (~~A~~ **En** un bosque...) 2. correcta 3. incorrecta (~~Al~~ **En** el interior de...) 4. incorrecta (~~Al~~ **En** el centro de...) 5. incorrecta (~~Entre~~ **En** una palmera...) 6. correcta 7. incorrecta (Envuelto ~~a~~ **en** una...) 8. correcta

Página 207

8 1. por 2. por 3. por 4. por, por, por 5. Para 6. para 7. por 8. por 9. por 10. para 11. por 12. por

Página 208

9 1a. a 1b. b 2a. a 2b. b 3a. a 3b. b 4a. b 4b. a

10 1. correcto 2. correcto 3. correcto 4. correcto 5. correcto 6. correcto 7. incorrecto: por 8. incorrecto: por 9. incorrecto: para 10. correcto 11. incorrecto: por 12. incorrecto: por 13. incorrecto: por 14. correcto 15. correcto 16. correcto 17. correcto 18. correcto 19. correcto 20. correcto 21. correcto 22. correcto 23. correcto 24. correcto 25. incorrecto: para 26. incorrecto: por 27. correcto 28. incorrecto: por 29. incorrecto: por 30. correcto

Página 209

11 1. Todo lo ha descubierto **por**/~~para~~ los problemas con las preposiciones. 2. Los inocentes ya pueden volver ~~por~~/**para** sus casas. 3. Pero los culpables tienen que ir a la cárcel ~~por~~/**para** ser juzgados. 4. El juicio está previsto ~~por~~/**para** dentro de un mes. 5. La policía está muy agradecida **por**/~~para~~ tu trabajo y te van a nombrar policía de honor del reino de Chilab.

Página 210

12 1. con, sin 2. con, con 3. con, sin, con, sin, con 4. sin 5. con, sin 6. con, sin 7. con, sin 8. con 9. con 10. con 11. con, con 12. sin 13. con

13 1. contra, hacia 2. Contra, hacia 3. Hacia, hacia, hacia 4. Hacia, hacia, hacia, hacia 5. Contra, hacia

39. Prepositions (II): *encima (de)*, *debajo (de)*...

Página 212

1 1. delante 2. detrás 3. debajo 4. lejos 5. encima

2 1. al lado de/ a la derecha 2. debajo de 3. encima de 4. encima de 5. al lado de/ a la izquierda del 6. encima de 7. alrededor de 8. debajo de 9. debajo de 10. Encima de 11. encima de 12. encima de 13. encima de 14. detrás de 15. enfrente del/delante del

Página 213

3 1. detrás de Iván 2. enfrente del Banco Capital 3. enfrente de la vecina rubia 4. detrás del coche rojo 5. a la izquierda de la moto 6. delante de 7. enfrente de Colón 8. delante de 9. a la izquierda de, delante de 10. debajo de

4 1. al fondo 2. al otro lado 3. antes de 4. en el centro 5. después de 6. al final 7. Dentro 8. En medio 9. dentro del 10. después de 11. dentro de 12. fuera del 13. Al final del 14. dentro del

40. Questions and exclamations

Página 216

1 P.: Usted se llama Javier Rosales, ¿**verdad**?
J.: Sí, efectivamente.
P.: Trabaja en la universidad de verano de Laponia, ¿**no**?
J.: Sí, así es.
P.: Es evidente que usted conocía a la difunta Mercedes Clarín. **¿Eran amigos o algo más**?
J.: Éramos simplemente amigos.
P.: **¿Sabía que Mercedes Clarín salía con otro hombre**?
J.: No tenía ni idea. Tampoco me importa.
P.: **¿Estuvo en casa de Mercedes el viernes 28 de enero alrededor de las 22.30**?
J.: **¿Tengo que contestar a eso**? Es mi vida privada.
P.: Es mejor colaborar. Créame.
J.: De acuerdo, estaba en el bingo. Canté línea. Aquí tiene el cartón. Puedo irme ya, ¿**verdad**?

Página 217

2 1. Cuándo, *d* 2. Dónde, *e* 3. Cómo, *b* 4. Cuándo, *f* 5. Dónde, *a*

3 1. Cómo/Qué tal 2. Cómo 3. Qué tal 4. Cómo 5. Cómo/Qué tal 6. Qué tal 7. Qué tal

Página 218

4 1. Cuánto, *f* 2. Cuántas, *b* 3. Cuánta, *h* 4. Cuánto, *a* 5. Cuánto, *d* 6. Cuánta, *c* 7. Cuántas, *g*

5 1. Cuánto 2. Cuánta 3. Cuántos 4. Cuánto 5. Cuántas 6. Cuánto 7. Cuántos

Página 219

6 1. Por qué no, por qué no 2. Por qué no, porque 3. Por qué, porque 4. Por qué, porque 5. Por qué no, porque 6. Por qué no

7 1. ¿Dónde? 2. ¿Cómo? 3. ¿Cuándo? 4. Cuánto 5. ¿cuánto? 6. ¿Por qué?/¿Por qué no? 7. ¿Por qué?/¿Por qué no? 8. ¿Cómo?

Página 221

8 1. Qué, qué, cuál 2. Cuáles 3. Qué, cuál 4. Qué 5. Qué 6. qué, cuál, Cuál 7. Cuáles

Página 222

9 1. Qué 2. quién/cuál 3. quién 4. quién 5. Quiénes 6. quién 7. quiénes/cuáles 8. quién, cuál 9. Quién

10 1. Quiénes, *a* 2. Qué, *c* 3. Quién, *b* 4. Qué, *h* 5. Cuál, *g* 6. Cuáles, *f* 7. Qué, *e*

11 1. dónde 2. qué 3. Quién 4. cuántos 5. Cómo 6. Por qué 7. cómo/qué tal 8. qué

Página 223

12 1. I d, II c 2. I e, II f 3. I h, II g 4. I j, II i 5. I l, II k 6. I m, II n 7. I p, II o

Página 224

13 1. Qué 2. Cuál 3. Qué 4. Cuál 5. qué 6. Qué 7. Cuáles 8. Qué

14 1. De quiénes 2. Contra qué 3. Por cuál 4. De quiénes 5. Con qué 6. En quién 7. Con quién

15 1. ¿**Con cuántos** pasajeros a bordo?
2. ¿**Hasta cuándo** permanecerá en nuestra ciudad?
3. ¿**Adónde**/**Dónde** se trasladará ese mismo día?
4. ¿**Por cuántos millones** la ha comprado?
5. ¿**Desde cuándo** pertenece Intergas a Carlos Etéreo?

Página 225

16 1. qué 2. cuánto 3. dónde 4. si 5. cómo 6. cuál 7. qué 8. cuál 9. si 10. si 11. cuántos 12. cómo 13. cómo 14. si 15. qué 16. cuál 17. si 18. quién 19. cuáles 20. si

Página 226

17 1. d 2. c 3. b 4. h 5. f 6. e 7. g 8. k 9. j 10. l 11. i

Página 227

18 1. ¡Cuántos hijos tiene! 2. ¡Cuánto pesaba y fumaba antes y qué poco come ahora! 3. ¡Qué poco fuma ahora! 4. ¡Cuánto le gustan la música y el cine! 5. ¡Cuántos discos tiene! 6. ¡Cuánto sabe sobre actores, directores y películas! 7. ¡Qué poco va al cine!

19 1. ¡Cómo ha crecido Clara! 2. ¡Cómo ladra el perro! 3. ¡Cómo está la cocina! 4. ¡Cómo está el jardín! 5. ¡Cómo están los precios!

41. Comparisons

Página 228

1 1. ... menos ojos que los Lisus. 2. ... más altos que los Lisus. 3. ... menos inteligentes que los Rizus. 4. ... más temprano que los Rizus. 5. ... más tarde que los Lisus. 6. ... más alcohol que los Lisus. 7. ... menos que los Rizus.

Página 229

2 1. La vida era más tranquila que ahora. 2. Los trenes iban más despacio que ahora. 3. La gente se casaba más joven que ahora. 4. La fruta tenía más sabor que ahora. 5. Hay más igualdad entre hombres y mujeres que antes. 6. La gente se divorcia más que antes. 7. La gente vive más años que antes. 8. La gente viaja más que antes.

Página 230

3 1. Lola (Carmen) es tan alta como Carmen (Lola). / Lola (Carmen) es igual de alta que Carmen (Lola). / Lola y Carmen (Carmen y Lola) son igual de altas 2. Lola no es tan delgada como Carmen. / Lola no es igual de delgada que Carmen. / Lola y Carmen (Carmen y Lola) no son igual de delgadas. 3. Lola (Carmen) desayuna tan tarde como Carmen (Lola). / Lola (Carmen) desayuna igual de tarde que Carmen (Lola). / Lola y Carmen (Carmen y Lola) desayunan igual de tarde. 4. Lola (Carmen) conduce tan rápido como Carmen (Lola). / Lola (Carmen) conduce igual de rápido que Carmen (Lola). / Lola y Carmen (Carmen y Lola) conducen igual de rápido.
5. Carmen no vive tan cerca del trabajo como Lola. / Carmen no vive igual de cerca del trabajo que Lola. / Carmen y Lola (Lola y Carmen) no viven igual de cerca del trabajo. 6. Lola no gana al año tanto como Carmen.

4 1. Carmen fuma tanto como Lola. / Carmen fuma igual que Lola. / Carmen fuma lo mismo que Lola. / Carmen y Lola fuman lo mismo. 2. Carmen habla igual que Lola. 3. Carmen bebe tanto como Lola. / Carmen bebe lo mismo que Lola. / Carmen y Lola beben lo mismo. 4. Carmen se pinta tanto como Lola. / Carmen se pinta lo mismo que Lola. / Carmen y Lola se pintan lo mismo. 5. Carmen duerme igual que Lola. 6. Carmen no desayuna tanto como Lola. / Carmen no desayuna lo mismo que Lola. / Carmen y Lola no desayunan lo mismo.

Página 232

5 1. la misma 2. el mismo
3. tanto, como, el mismo
4. pastillas, tantas
5. los mismos
6. amigas, las mismas
7. la misma, que

6 1. igual 2. igual de 3. el mismo 4. igual de 5. el mismo 6. las mismas 7. igual de 8. el mismo 9. el mismo 10. igual de 11. la misma

Página 233

7 1. c, e 2. e, a 3. b, f 4. f, c 5. a, d 6. k, h 7. j, g 8. h, j 9. g, k 10. i, i

Página 234

8 felicísimo/-a saladísimo simpatiquísimos jovencísimo/-a interesantísimos/-as antipatiquísimo amabilísimos/-as facilísimo/-a sequísimas agradabilísimo/-a divertidísimo

9 frágil tontos jóvenes grande felices amable blanco agradable

10 muchísimo recientísimamente lejísimos poquísimo clarísimamente tardísimo lentísimamente facilísimamente prontísimo tranquilísimamente tempranísimo

11 1. cortísimo 2. rubísimo 3. larguísimo 4. altísimos 5. horrible 6. feísimo 7. espantoso 8. feísimo 9. larguísima 10. despeinadísimo 11. gastadísimos 12. normalísima 13. baratísima 14. magnífico 15. Guapísimo 16. elegantísimo 17. precioso 18. educadísimo 19. simpatiquísimo 20. lejísimos 21. cerquísima

Primera pregunta: Mimín y Felix
Segunda pregunta: Alejandro

12 1. carísimo 2. creidísimo 3. feísimo 4. muy bonito 5. horrible

Página 235

13 1. mejor 2. peor 3. mejor 4. menor 5. mejores 6. peores 7. mejores

14 1. ~~que a él~~, ~~que el suyo~~ 2. como él, ~~como él~~ 3. ~~que yo~~ 4. ~~como él~~ , ~~que él~~ 5. como yo 6. ~~que a él~~ 7. ~~que él~~, ~~que yo~~ 8. como yo, como a mí, ~~como yo~~, ~~que yo~~ 9. ~~que a él~~, ~~que de ella~~

42. Joining sentences: *y, o, pero, sino, porque...*

Página 236

1 1. a 2. d 3. f 4. c 5. e 7. l 8. g 9. h 10. i 11. j 12. m

Página 237

2 1. 1 2. 1 3. 1 4. 0 5. 2 ó 2 6. 2 7. 2 ó 1 8. 1

3 1. y 2. o 3. o 4. ni 5. ni 6. o 7. ni 8. ni 9. y 10. y

4 1. y 2. y 3. ni, ni 4. ni 5. y 6. ni, ni 7. ni, ni 8. ni, ni 9. y

Página 238

5 1. pero, o, y 2. o, y, pero 3. o, y, pero 4. pero, o, y 5. o, pero, y

Página 239

6 1. Su marido no se llamaba Paco Frutales, sino Antonio Frutales. 2. Su marido no la abandonó por otra, sino que murió de un infarto. 3. Su primera película no fue un gran éxito sino un fracaso. 4. No fue la protagonista de "Historia de G" sino que tuvo un papel secundario. 5. No tiene siete hijos, sino tres. 6. Su hijo Julián no es director de cine sino que trabaja en un circo. 7. No ganó un Óscar por la película "José y yo" sino el premio "Cuidad de Teruel".

7 1. No tiene casa en Hollywood, pero tiene casas en París y en Roma. 2. Gregory Peck nunca la quiso, pero tuvo romances con varios actores de Hollywood. 3. Nunca ha tenido una buena crítica, pero ha ganado mucho dinero en el cine.

8 1. ~~pero~~ **sino** 2. correcto 3. ~~pero~~ **sino** 4. correcto 5. ~~pero~~ **sino** 6. correcto 7. ~~pero~~ **sino** 8. ~~pero~~ **sino**

Página 240

9 *Como Catalina sabe latín*, le he pedido que me ayude con la traducción. 2. Los niños no están en casa *porque se han ido al parque con su madre.* 3. *Como el banco estaba cerrado*, he tenido que pedirle dinero a mi hermano. 4. No te he llamado por teléfono *porque me he quedado sin batería en el móvil.* 5. *Como ya teníamos las entradas para el concierto*, no tuvimos que hacer cola. 6. Hemos puesto un ejemplo más *porque necesitábamos ocho.*

Página 241

10 1. Es que no había huevos. 2. Sí, porque, si no, se va a enfriar el pescado. 3. No, porque no hay mucho que hacer en la oficina. 4. Es que no tengo cepillo. 5. Es que no tenemos a nadie con quien dejar al niño. 6. Es que mi madre es de Milán. 7. Porque ya estamos en junio y los días son más largos.

Página 242

11 1. que puede andar 2. que canta 3. que vi ayer en el cine 4. que se enamora y se casa 5. que vive en un país 6. que ha ganado el festival 7. que tiene nueve años 8. que quiere comprarse

12 1. Un primo mío está casado con una japonesa *que se llama Machiko.* 2. Mi madre es traductora en una empresa *que está a 10 Km. de nuestra casa.* 3. Paola, mi hermana, escribe novelas *que tienen mucho éxito.* 4. Ferdinando, mi hermano, tiene una cámara *que era de mi abuelo* y se dedica a la fotografía. 5. Y yo tengo un trabajo *que no me gusta nada*, pero también tengo tiempo para estudiar español.

13 1. Bianca es azafata en una compañía aérea *donde gana mucho dinero* y también es bailarina. 2. Silvia

trabajaba antes en una editorial *donde yo trabajé también*, pero ahora se dedica a escribir guías de viaje. 3. Lucca vive todo el año en un hotel de Milán *donde no pueden entrar ni niños ni perros.* 4. Piero vive en un pueblecito de la India *donde todavía no hay luz ni teléfono.* 5. Francesca es profesora en una escuela *donde solo hay veinte estudiantes*, pero quiere dejar la enseñanza.

Página 243

14 1. Quieren **que** cenemos esta noche en un restaurante argentino. 2. Correcto 3. correcto 4. ¿Es necesario **que** lleve corbata? 5. Le gusta **que** le den masajes en los pies. 6. Correcto 7. Correcto 8. Últimamente no consigo **que** duerma. Está muy nerviosa.

Página 244

15 1. ...donde vive ahora, en casa de sus padres. ...como solo ella sabe hacerla: fantástica. ...cuando se fueron sus padres de viaje. 2. ...donde come Carlos, un restaurante estupendo. ...como siempre, con prisa. ... cuando he terminado de hacer las cosas en el banco. 3. ...donde suele tocar los sábados: en el Auditorio General. ...como suele tocar: fatal. ...cuando nadie se lo esperaba: en la pausa. 4. ...donde se lo compró tu madre, en Zaza. ...como el de tu madre, con cinturón, pero blanco y negro. ...cuando empezaron las rebajas.

16 1. (d) Cuando 2. (b) Donde 3. (a) Como
4. (e) Cuando 5. (c) Como 6. (i) Como
7. (f) Donde 8. (j) como 9. (h) cuando

Página 245

17 1. se ducha 2. se viste 3. desayuna, ve la tele
4. apaga la tele 5. sale de casa

18 A. IV
B. I
C. III

Página 247

19 1. siempre que 2. en cuanto 3. hasta que
4. mientras 5. siempre que 6. mientras
7. desde que

20 1. antes de que 2. desde que 3. Siempre que
4. hasta que 5. Después de 6. hasta que
7. En cuanto 8. Antes de 9. Después de
10. desde que

Página 248

21 1. se quedará 2. vuelve 3. se casa 4. recibirá
5. se vuelve 6. tiene 7. dirigirá 8. sale 9. deja
10. podrá 11. abandona 12. vuelve

Página 249

22 1. Tendrá que venir el sábado **si** hoy no pudiera trabajar. (J) 2. **Si** te vas de viaje, tráeme una muñeca. (H) 3. Si acabara el informe antes de las dos, le invito a comer. (J) 4. ¿Me vas a llevar de viaje contigo **si** saco buenas notas? (H) 5. **Si** terminaras pronto, pasa por el banco a sacar dinero. (M) 6. No me podré dormir **si** no me lees un cuento. (H) 7. **Si** dejamos a la niña con mi madre, podríamos salir esta noche. (M) 8. Llámeme **si** tuviera algún problema el sábado en la oficina. (J)

23 1. Tristán, Félix, b 2. Félix, Tristán, e
3. Félix, Tristán, d 4. Tristán, Félix, a
5. Félix, Tristán, f

Página 250

24 1. Si dejo el trabajo un año... 2. Si me mudo a Madrid... 3. Si hago muchos viajes a París... 4. Si les compro una casa a mis padres... 5. Si dejara/-se de trabajar para siempre... 6. Si pudiera/-se comprar todas las casas de mi pueblo... 7. Si perdiera/-se el miedo a los aviones... 8. Si viviera/-se en Nueva York...

25 1. mi padre no habría abierto 2. no le habría picado 3. Si mi padre no hubiera / -se sido alérgico 4. se habría puesto 5. Si no se hubiera/-se puesto 6. no lo habría llevado 7. Si no lo hubiera/-se llevado 8. no se habría enamorado 9. Si no se hubiera/-se enamorado 10. no se habría casado 11. no se hubiera/-se casado con ella 12. no habría nacido a los nueve meses 13. no hubiera/-se nacido 14. no estaría 15. no podría contaros

43. Letters and sounds

Página 252

1 1. **qu**eso 2. pae**ll**a 3. torti**ll**a 4. **ch**urros
5. po**ll**o, **ch**uleta 6. **ch**irimoyas
7. alca**ch**ofas, **ch**orizo

Página 254

2 a) risa escribir Roma rosa alrededor rincón roto ratón Sara familiar recibir calor sierra raro aparcar caro revolución subrayar toro
b) cosa cielo cola velocidad conoces práctico felices casco acusar costa cerrar cuscús crema casa encerrar canción círculo conciencia oscuro claro
c) guerra gitano antiguo lengua gesto gente ceguera guapo gris dirigir agenda tragedia generoso gas gato guitarra gorro ágil gracioso cirugía
d) yo ayer haya hay y ya rey reyes jersey playa ley leyes hoy trayendo

Página 255

3 1. zarzuela 2. zoológico 3. cabeza 4. zar 5. círculo 6. ciega 7. cero 8. capital 9. circo

4 1. ¿~~Ké~~ **Qué** tal estás? ¿~~Komo~~ **Cómo** va todo? ¿Te vienes a la disco esta tarde?
2. Te ~~kiero~~ **quiero** un montón. ¿~~Kedamos~~ **Quedamos** en ~~kasa~~ **casa**?
3. ¿~~Ké~~ **Qué** me dices? ¿~~Kieres~~ **Quieres** venir o no?
4. ~~Kalla~~, **Calla**, ~~kalla~~, **calla**, ~~ke~~ **que** ayer ~~konocí~~ **conocí** a un tipo guapísimo ;-)
5. ~~Kuando~~ **Cuando** vengas al ~~kole~~ **cole**, trae medio kilo de churros, ~~ke~~ **que** tengo hambre. Hoy hemos ~~komido~~ **comido** fatal.
6. Viaje muy ~~inkómodo~~ **incómodo**. Demasiados kilómetros.

Página 256

5 *¿g o j?* masaje extranjero energía frágil página mensaje conduje corrigió lógico mágico gigante viejo jirafa garaje urgente cogemos

¿b o v? fabuloso vino cambiamos estuvo verde obtener ver habitación posible móvil abrazo bomba hablar botella vitamina vocabulario boca hierba vaso vivo vuelo samba objetivo

¿ll o y? llueve yo ya llevaron ayer llamar playa lleno estrella llegarán llorar yegua yoga leyendo bella bollo

6 1. sueños 2. añoramos 3. otoño, leña 4. daño 5. niños, niñas 6. bañamos, bañeras 7. enseñamos 8. año

7 1. jirafa 2. perro 3. goma 4. cuatro 5. zumo 6. queso 7. ella 8. río 9. champú 10. caro 11. cena 12. ayer

44. Accentuation

Página 258

1 gustan, árbol, pájaro, llévamelo, menú, calor, cadáver, mejor, coñac, abril, kilómetro, examen, carácter, además, ángel, hotel, imbécil, ojalá, agenda, haz, dáselos, palabra, dormir, dormid, sin, camisa, llámalo, fin, velocidad, sáltatela, subir, suben, descontrol, descontrolados, tómala, callad, callado, rayo, doctor, tranquilidad, goma, sal, botella, bébetelos, primo, escribir, alegre, inteligente, papel, papeles, salud, conductor, conductora.

2 1. camión 2. jardín, árbol 3. túnel 4. móvil 5. discusión, excursión 6. sofá, televisión 7. difícil

3 1. escribídnosla 2. secarlo 3. cántala 4. pónselo 5. míramelo 6. hazlos 7. devolvérmela 8. preparadlo 9. resolviéndolo 10. solucionarla 11. pintándonoslas 12. levantarlas 13. dilo 14. házselos 15. díselo

Página 259

4 1. normalmente 2. últimamente 3. seguramente 4. únicamente 5. tontamente

5 Puer-ta, via-je, sua-vi-dad, e-rais, pa-e-lla (no es diptongo), lí-ne-a (no es diptongo), sauna, diez, pa-ís (dos sílabas), le-ón (no es diptongo), cuí-da-la (tres sílabas), ca-í-da (tres sílabas), Ruiz, ra-íz (dos sílabas), sa-béis, con-táis, seis, nue-ve, vein-ti-séis, in-fier-no, fe-o (no es diptongo), reu-ní-a-mos (cuatro sílabas), de-vol-váis, soy, bú-ho (dos sílabas), Ra-úl (dos sílabas), clien-te, fiel, con-fiá-ba-mos, si-guién-do-los, cruel, dien-te, sue-ño, huir, i-bais, jer-séis, vais, pro-hí-bo (tres sílabas), re-ís-teis (tres sílabas), si-guien-tes, te-ó-ri-co (no es diptongo), fe-í-si-mo (cuatro sílabas), cien, i-gual, sies-ta, dú-o (dos sílabas), ví-a (dos sílabas), hue-vo, guion (también guión), in-ge-nuo, sa-bí-a (tres sílabas, imperfecto de 'saber'), sa-bia (femenino de 'sabio'), sin-tien-do, pie, ries-go, lue-go, fui-mos, se-páis, hay.

Página 260

6 *Carta de Luisito*:
Querida Susana: El otro día en casa de tu madre cuando ella tomaba el **té** y **tú** buscabas el CD, te miré a los ojos y, buf, fue genial. Para **mí** eres la chica más estupenda que he visto en mi vida. No **sé**, eres fantástica... ¿Vienes este domingo a patinar conmigo? Tengo unos patines nuevos. Aquellos que te gustaban tanto se rompieron. Si quieres venir, me mandas un sms. Pon solo una palabra: **sí**. Y entonces yo estaré muy contento porque no pasaré la horrible tarde del domingo solo. Luis.

Diario de Susana:
Querido diario: Hace muchos días que no te escribo. El domingo pasado salí con Luis y, bueno, fue un poco rollo. **Él** no habló casi nada y como yo hablo tanto, no **sé** qué pensar... ¿Se aburrió? ¿Se divirtió? No **sé**... Me escuchó, eso **sí**, pero no **sé** si me escuchó con ganas (yo a veces no escucho mucho si algo no me interesa mucho). Ah, Luis tiene unos patines nuevos... Me gustan mucho más estos que los otros que tenía antes... Estos son mucho más chulos... Pero yo a aquellos les tenía cariño... Y el final, fue horrible... Sobre todo cuando **él** me dijo: "Susana, **tú** a **mí** me gustas mucho, y yo, ¿yo te gusto a ti?"... Y yo le dije: "¿**Tú** a **mí**?" Y entonces me puse muy nerviosa, cogí mis patines y me fui... Si le gusto, volverá... ¿Verdad que **sí**?

Thematic index